Ulrike Schweikert • Die Erben der Nacht

cbt

ULRIKE
SCHWEIKERT

Nosferas

Die Erben der Nacht

cbt

cbt – C. Bertelsmann Taschenbuch
Der Taschenbuchverlag für Jugendliche
Verlagsgruppe Random House

Verlagsgruppe Random House FSC-DEU-0100
Das für dieses Buch verwendete FSC-zertifizierte Papier
München Super liefert Mochenwangen.

1. Auflage
Originalausgabe April 2008
Gesetzt nach den Regeln der Rechtschreibreform

Umschlaggestaltung: Nele Schütz Design, München
unter Verwendung einer Illustration von Paolo Barbieri
SE · Herstellung: CZ
Satz: Greiner & Reichel, Köln
Druck und Bindung: GGP Media GmbH, Pößneck
ISBN 978-3-579-30478-5
Printed in Germany

www.cbj-verlag.de

Für Renate Jaxt, meine Schwester und Freundin,
für Hanna Hofmann, meine Freundin und Ratgeberin,
und für Peter Speemann, meinen geliebten Mann,
an dessen Seite ich gern so alt werden würde wie
meine Vampire.

INHALT

Prolog: Ein geheimes Treffen 9
Das Haus am Kehrwieder 20
Die Reise nach Rom 35
Die Domus Aurea 48
Eine kleine Vorstellung 64
Ivy-Máire 79
Im Kolosseum 94
Nächtliche Verfolgung 109
Die Katakomben 124
Eine Nacht im Sarkophag 141
Noch mehr Besucher 152
Eine silberne Haarsträhne 169
Der altehrwürdige Giuseppe 186
Der Friedhof der Fremden 198
Anatomieunterricht 213
Die Bibliothek der Domus Aurea 226
Große Pläne 240
Zwischenprüfung 253
Opernabend 269
Die Herausforderung 283
Durch die Cloaca Maxima 298
Die Engelsburg des Papstes 313
In der Falle 326
Rettung 339
Seymour 352
Verdiente Strafe 363
Missverständnisse 376
Das Mithräum des Circus Maximus 391

Das Ende des Zirkels 405
Abschied 417
Epilog: Neue Pläne 432

Anhang 435

PROLOG: EIN GEHEIMES TREFFEN

Die Schwüle drückte schwer wie Unheil auf das Tal herunter, in dem sich der Genfer See mit seinem tiefen Wasser ausbreitete. Noch war das Wasser spiegelglatt. Kein Windhauch verschaffte Kühlung, doch zwischen den Berggipfeln ballten sich bereits die ersten dunklen Wolken zusammen und verhüllten die Sterne. Schwarz und drohend stießen sie immer höher in den Himmel. Das Donnergrollen sprang von einer Felswand zur anderen. Ein erster Blitz zuckte über den Himmel und spiegelte sich gleißend im Wasser. Und dann kam der Wind, der den Spiegel zu schäumenden Wellen aufwühlte und an den Zweigen der Bäume zerrte. Wie das Heulen von Wolfsrudeln fegte er aus den Bergen herab und brauste über das Tal.

Die Burganlage lag wie ein am Ufer vertäutes Schiff in den Wellen des Sees. Ihre Mauern verbanden sich mit dem Felsen, der unter ihr steil ins schwarze Wasser abfiel. Schon im Mittelalter hatte die Burg die Straße zwischen dem Großen Sankt Bernhard und Lausanne bewacht und Zoll von jedem Reisenden verlangt, der den schmalen Durchgang zwischen den steilen Bergen und dem Seeufer passieren wollte. Dann war die Burg als Zeughaus und Waffenlager benutzt worden, und auch als Gefängnis. Heutzutage wohnte hier kein Burgvogt mehr, und es gab so manche, die die massigen Mauern von Chillon gern für den Bau der Eisenbahnlinie verwendet hätten.

Ein Donnerschlag ließ das alte Gemäuer erbeben. Regen rauschte herab.

»Nun, ist Euch der Boden neutral und abgelegen genug?«, durchbrach eine Stimme die Gedanken der Frau, die sich über die Fensterbrüstung gelehnt und auf das aufgewühlte Wasser hinabgesehen hatte. Der Wiener Akzent ließ die Worte länger und weicher klingen, als sie in ihrer Heimat im Norden des Deutschen Reiches ausgesprochen wurden.

»*Ich* habe nicht auf diesem Theater bestanden!« Sie drehte sich um und nahm sich erst Zeit, die andere Frau zu betrachten, ehe sie sie begrüßte.

»Antonia, es ist lange her.« In ihrer Stimme lag weder Freude noch Ablehnung.

»*Baronesse** Antonia, Dame Elina«, korrigierte die Frau im Türrahmen in säuerlichem Ton und kam mit rauschenden Röcken näher. Wie ein Wasserfall ergossen sich Rüschen aus pflaumenfarbenem Satin über einer weit schwingenden Krinoline*. Ihr üppiges Dekolleté wurde von einem Rahmen aus schwarzer Spitze eindrucksvoll zur Geltung gebracht. Das schöne Gesicht mit der makellosen Haut war geschminkt und ihr dunkles Haar so kunstvoll aufgesteckt, als wollte sie heute Nacht noch auf einen Ball in der Wiener Hofburg gehen. Ihre Erscheinung war von berückender Perfektion.

»*Baronesse* Antonia«, wiederholte Dame Elina mit einem unterdrückten Lächeln und hauchte rechts und links der geschminkten Wangen einen Kuss in die Luft.

»Trägt man diese Ungetüme von Reifröcken in Wien noch immer? Ich dachte, selbst die Kaiserin habe schon vor zehn Jahren die Tornüre* entdeckt. – Wobei ich nicht sagen kann, was von beidem unbequemer ist«, fügte sie hinzu und zog eine Grimasse.

»Aus welcher Epoche Euer Kleid stammt, möchte ich lieber nicht fragen«, gab Baronesse Antonia zurück und schürzte verächtlich die Lippen, als ihr Blick an dem schlichten Kleid aus dunkelblauem Tuch hinabglitt, unter dessen Saum die Spitzen von Reitstiefeln hervorlugten. Das ergraute Haar hatte Dame Elina zu einem einfachen Knoten geschlungen. Sie trug keinen Schmuck und war ungeschminkt. Dennoch oder vielleicht gerade deswe-

* Alle mit * gekennzeichneten Begriffe werden im Anhang näher erläutert.

gen strahlten ihre Züge eine würdevolle, alterslose Schönheit aus. Auch ihre Haut war ohne jeden Makel und sehr bleich.

»Es ist vielleicht nicht das Eleganteste, aber ungemein praktisch und bequem«, sagte sie absichtlich mit einem Hauch von plattdeutschem Akzent, sodass sich die hübschen Züge der Baronesse noch mehr verzerrten. Die beiden Frauen musterten einander noch immer voller Abneigung, als die Tür geöffnet wurde und einige Männer eintraten, wie sie von Kleidung und Statur her nicht unterschiedlicher hätten sein können:

Ein kleiner, untersetzter Mann mit mausgrauem Haarkranz watschelte auf die Damen zu und küsste ihnen die Hände. »Baronesse Antonia, Dame Elina, ich hoffe, Ihr hattet eine gute Reise. Ist Euer werter Bruder auch gekommen, Baronesse?« Bei jedem Wort entwich süßlicher Verwesungsgestank aus seinem Mund.

Die Wienerin klappte ihren Fächer auf. »Aber natürlich, Conte* Claudio, er ist der Fürst der Dracas. Ich bin lediglich seine – nun sagen wir, Ratgeberin.«

Conte Claudio verneigte sich so tief, wie es seine Körperfülle zuließ. Sein Gewand schimmerte im Schein der Kerzen rubinrot. Als er sich wieder aufrichtete, fiel sein Blick auf den Mann, der gerade den Saal betrat. Er war groß gewachsen und wirkte athletisch, sein dunkelbraunes Haar war nach der herrschenden Mode gekämmt, seine Kleider elegant geschnitten und aus teuerstem Stoff.

»Ah, wenn man vom Teufel spricht! Da seid Ihr ja, Baron Maximilian.« Er drückte auch noch den beiden grobschlächtigen Brüdern Lucien und Thibaut vom Pariser Clan der Pyras die Hand und begrüßte den stattlichen Lord* Milton aus London.

»Nun, findet unser Treffpunkt die Zustimmung der werten Herren und Damen?«, fragte der Brite und sah in die Runde.

Dame Elina trat zu ihm und ließ es zu, dass er sich mit der Andeutung eines Kusses über ihre Hand beugte. »Abgelegen und neutral, wie wahr, und fast überirdisch schön, wie für uns erbaut«, sagte sie mit einem Anflug von Spott. »Ich habe bereits die Folterkammer besucht, um den Blick über das Wasser zu genießen. Und wenn ich die Ritzereien in der Kerkerwand richtig entziffert habe, dann hat auch Lord Byron zu seinen Lebzeiten diesen Ausblick bewundert.«

Lord Milton nickte. »Oh ja, sein Gedicht *Der Gefangene von Chillon* ist sehr gelungen.«

»Ich hoffe, er befindet sich wohl?«, erkundigte sich Dame Elina höflich. »Ich hatte ja noch nicht das Vergnügen, aber man hört Gerüchte …«

Der große Brite schmunzelte. »Ja, er ist nun seit mehr als fünfzig Jahren ein geschätztes Mitglied unserer Gemeinschaft.«

Dame Elinas graue Augen blitzten. »Ich habe von seinem Tod gehört. Schwäche und zu viel Aderlass, heißt es.«

Lord Milton zeigte seine kräftigen weißen Zähne. »Ja, man könnte sagen, der Blutverlust hat unserem großen Dichter das Leben geraubt.«

Sie wandten sich den beiden letzten Ankömmlingen zu. Conte Claudio begrüßte bereits den drahtigen, älteren Mann im irischen Kilt. »Donnchadh, ich grüße Euch. Wie stehen die Dinge auf der grünen Insel?«

Die Männer reichten einander die Hände, doch statt seinem Gegenüber in die Augen zu sehen, starrte der dicke Römer auf die Frau, die ein Stück hinter dem irischen Clanführer stehen geblieben war.

Sie war wunderschön, mit reiner weißer Haut. Dichte rötliche Locken wallten über ihre Schultern. Ihr seidiges Gewand umschmeichelte ihre schlanke Gestalt. Sie erwiderte seinen Blick aus dunkelgrünen Augen, schwieg jedoch und reichte ihm auch nicht die Hand.

In ihrem menschlichen Leben konnte sie die Zwanzig nicht überschritten haben. Wann dieses Leben allerdings gewesen war und wann es geendet hatte, das konnten weder Dame Elina noch Conte Claudio sagen. Nun war sie jedenfalls kein Mensch mehr, sondern ein Vampir, wie alle anderen auch, die sich heute Nacht hier auf Schloss Chillon versammelt hatten. Und doch gab es Unterschiede. Bedeutende Unterschiede!

»Sie ist ein Schatten!«, stotterte Conte Claudio und zeigte mit dem Finger auf sie. Auch die anderen Vampire wurden nun auf die Frau aufmerksam und starrten sie unverhohlen an.

»Schickt sie raus«, knurrte Baron Maximilian. »Wir werden solch wichtige Dinge doch nicht vor den Ohren einer Unreinen besprechen. Was denkt Ihr Euch eigentlich, Donnchadh? Habt Ihr nicht gesehen, dass wir alle unsere Diener in der Halle zurückgelassen haben?«

Der Ire drehte sich zu der jungen Frau um. Für einen Moment sahen sie sich stumm an, dann senkte sie die langen, dunklen Wimpern.

»Ich erwarte Euch unten«, sagte sie mit erstaunlich tiefer Stimme, nickte ihm einmal zu und verließ dann geräuschlos den Raum. Die Tür schloss mit einem leisen Klicken.

Dame Elina zog einen Sessel zurück und ließ sich auf das Lederpolster sinken. »Es sind alle da. Wollen wir anfangen?« Sie sah in die Runde. Die anderen folgten ihrem Beispiel und ließen sich um den schweren ovalen Eichentisch nieder. Für eine Weile herrschte Stille. Abschätzende Blicke wanderten durch den Raum, kreuzten sich und streiften über die Anwesenden. Die Anspannung war fast greifbar.

Dame Elina von den Vamalia begann, sie offiziell einander vorzustellen. Sie nickte dem stattlichen blonden Vampir mit den kantigen Zügen an ihrer Seite zu. »Lord Milton vom Clan der Vyrad.« Er erhob sich halb und deutete eine Verbeugung an. Dame Elina wandte sich an die beiden Vampire zu seiner Rechten.

»Seigneurs* Lucien und Thibaut de Pyras.« Die beiden grobschlächtigen Vampire aus den Labyrinthen unter Paris verzogen keine Miene, Lucien knurrte leise, aber Dame Elina ließ sich nicht aus der Ruhe bringen. Ihr Blick wanderte weiter zu dem kleinen, untersetzten Vampir aus Rom.

»Conte Claudio de Nosferas!« Er lächelte und nickte ihr zu.

Die Gesichter der nächsten beiden zeigten dagegen Abscheu. Dennoch begrüßte Dame Elina auch die Geschwister aus Wien. »Baron Maximilian und Baronesse Antonia vom Clan der Dracas.« Wie schön sie waren! Man konnte sich ihrer Ausstrahlung nur schwer entziehen.

Zuletzt richtete Dame Elina ihren Blick auf den irischen Clanführer, aus dessen Haar bereits der letzte rötliche Schimmer gewichen war. »Donnchadh vom Clan der Lycana.« Er lächelte nicht, erwiderte ihren Blick jedoch aus seinen dunklen Augen mit einer Intensität, die Dame Elina schaudern ließ.

Sie räusperte sich und sah zu Lord Milton zurück, der das Wort ergriff, ehe sie ihre Begrüßung beenden konnte. Er benutzte die kehlige Sprache der Vampire, die sie vom Anbeginn der Zeit miteinander verband.

»Wir sind hier zusammengekommen, weil uns allen inzwischen klar geworden sein dürfte, wie ernst die Lage ist. Ich denke, wir sind uns einig …«

»Wir sind uns überhaupt nicht einig!«, unterbrach ihn Baron Maximilian in scharfem Ton. »Mit welchem Recht übernehmt Ihr den Vorsitz?«

»Nun, einer muss die Misere aussprechen«, gab Lord Milton genauso scharf zurück. Die Männer funkelten einander an. Die Seigneurs Lucien und Thibaut fauchten und entblößten ihre Reißzähne.

»Es ist eine Tatsache, dass es um den Fortbestand unserer Familien erschreckend steht!«, erhob Dame Elina ihre Stimme.

»Ach ja? Und deshalb ermuntert Ihr Eure Unreinen, die Herrschaft zu ergreifen«, rief Baronesse Antonia.

»Wir leben frei und gleichberechtigt mit unseren Servienten – wir bevorzugen, sie so zu nennen! Doch Ihr mit Eurem Verhalten fordert einen Umsturz geradezu heraus!«

»Sklaven muss man wie Sklaven behandeln.« Die spitzen Zähne der Baronesse blitzten.

»Sie sind unsere Schatten, die uns dienen, ja, aber keine Sklaven«, widersprach Conte Claudio und faltete seine Hände über dem runden Bauch.

»Sklaven, Diener, Umsturz, darum geht es doch gar nicht«, schimpfte Seigneur Lucien. »Es geht um die Kinder. Um unsere Kinder!«

»Dass Euch in Frankreich eine Revolte nicht schreckt, wundert mich nicht«, gab Baron Maximilian zurück. »Ihr habt damit ja reichlich Erfahrung. In Österreich-Ungarn sind die Verhältnisse noch, wie sie sein sollen, und jeder kennt seinen Platz!«

Dame Elina lachte hell auf. »Das hätte Euer Kaiser wohl gern! Sein Festhalten an Ungarn, Böhmen und Kroatien wird ihm das Genick brechen und ihm mehr Revolutionen einbringen, als Frankreich je hatte! Und dann auch noch die Herzegowina! Er kann den Hals nicht voll kriegen. Österreich hätte die Völker ziehen lassen und sich dem großen Deutschen Reich anschließen sollen. So hat der Zerfall für Euch bereits begonnen. Seht Euch Italien an! Es hat sich seine Länder zurückgeholt und sich vom verhassten österreichischen Joch befreit!«

»Weib, schweigt und sprecht nicht von politischen Dingen, von denen Ihr nichts versteht!« Alle redeten durcheinander.

»Ruhe!«, rief Lord Milton und schlug so hart mit der Faust auf den Tisch, dass ein Knacken durch das Eichenholz lief. »Was interessiert uns die Politik der Menschen?«

Plötzlich sprang Seigneur Lucien auf. »Menschenblut.« Die Vampire verstummten. »Ich kann es wittern. Drunten in der Halle.«

Conte Claudio schüttelte den fast kahlen Schädel. »Seigneur, Ihr müsst Euch irren. In der Halle sind nur unsere Schatten.«

»Er irrt sich nicht«, bestätigte Seigneur Thibaut. Seine Augen leuchteten rot. Sie starrten auf die Türklinke, die sich langsam senkte.

Alle sprangen von ihren Stühlen auf. Die Tür öffnete sich und eine Gestalt in einem dunkelgrünen Gewand trat herein. Zuerst konnten die Versammelten nur erkennen, dass sie selbst für einen Menschen ungewöhnlich klein und schmächtig war. Die Gesichtszüge blieben unter einer Kapuze verborgen. Zwei Wölfe folgten ihr und setzten sich, als sie stehen blieb, zu beiden Seiten. Aufrecht saßen die beiden Raubtiere da, nur ihre gelben Augen bewegten sich und musterten die Vampire durchdringend.

»Habe ich es mir doch gedacht, dass ihr euch gegenseitig an die Kehle geht, kaum dass ihr euch hier versammelt habt«, sagte eine warme Stimme mit einem Lachen. Eine faltige Hand kam aus dem weiten Ärmel und schob die Kapuze zurück. Die kleine Frau betrachtete die Anwesenden aus grünen Augen, die die gleiche Farbe hatten wie ihr wallendes Gewand. Ihr Gesicht war vom Alter ausgemergelt, tiefe Furchen legten die Haut, die die Sonne gebräunt hatte, in Falten. Die Frau lächelte und hielt sich erstaunlich gerade, als sie auf einen leeren Stuhl zustrebte. Den Stab in ihrer Hand benötigte sie jedenfalls nicht als Stütze.

Donnchadh legte die Hand auf die Brust. »Tirana*, es ist uns eine Ehre.« Er kam auf sie zu, doch sie setzte sich, ehe er den Stuhl erreichte.

»Du weißt, dass ich kein Landlord bin. Das Land ist frei! Es gehört den Tieren und den Pflanzen. Wir sind nur geduldet.«

»Ja, Lady Tara«, sagte er nur und kehrte zu seinem Platz zurück.

Dame Elina reckte den Hals. »Ihr seid also die Druidin Tara.« Die Vampire nahmen wieder ihre Plätze ein. Die alte Frau nickte. Sie zeigte keine Furcht.

»Menschenblut«, sagte Seigneur Thibaut noch einmal leise. Auch Dame Elina konnte das Blut der alten Frau riechen, doch sie spürte noch etwas anderes. Starke, uralte Magie, wie man sie in der freien Hansestadt Hamburg schon lange nicht mehr finden konnte. Verstohlen ließ sie ihren Blick schweifen. Die anderen Clanführer starrten die alte Menschenfrau an. In ihren Gesichtern konnte sie Misstrauen oder gar Feindseligkeit lesen. Nur Donnchadh schien erleichtert.

»So, da seid ihr also alle hier auf Schloss Chillon zusammengekommen – zumindest alle, die die Zeichen erkannt haben und vielleicht auch bereit sind, zu handeln und das zu tun, was nötig ist!«

Interessiert lehnte sich Dame Elina ein Stück in ihrem Stuhl nach vorn und lauschte den Worten der Alten. Sie hatte das Gefühl, sie dürfe nicht ein einziges davon verpassen. War das die Magie, die sie wie eine Wolke umgab? Baron Maximilian öffnete den Mund, um sie zu unterbrechen, doch die Druidin hob die Hand, und so klappte er ihn stumm wieder zu.

»Ihr werdet nachher noch genug Gelegenheit bekommen, euch zu streiten. Darin seid ihr Clans seit jeher mehr als nur gut gewesen!« Dieses Mal war es Baronesse Antonia, die sie unterbrechen wollte, doch wieder setzte sich die Druidin durch.

»Lasst mich das Problem in kurze Worte fassen: Eure Kräfte versiegen, euer Einfluss schwindet und bald werdet auch ihr von dieser Erde getilgt sein. Nicht einmal die Erinnerung an euch wird bleiben.«

Die Vampire schrien empört auf. Für einige Augenblicke ließ die Alte sie gewähren und die Worte schwappten von einer massigen Steinwand zur anderen. Dann hob die Druidin wieder die Hand und die Stimmen verebbten.

»Sagt mir, wann euch das letzte Kind geboren wurde.« Sie sah in die Runde. »Vor zehn Jahren oder elf?«

»Neun«, sagte Dame Elina leise. »Unser jüngster Sohn Thankmar ist neun.«

»Also neun.« Die Druidin nickte. »Seit langer Zeit ist schon kein Kindergeschrei mehr zu hören. Eure Hallen sind vergreist. Wie viele Altehrwürdige habt ihr dagegen zu versorgen, die sich nicht mehr fortbewegen wollen und nur noch Nacht für Nacht das Schwinden ihrer Kräfte beweinen?«

»Oh, mit Kindergeschrei können wir dienen«, warf Conte Claudio ein.

»So?« Die Druidin hob die Augenbrauen. »Du willst mir sagen, dass eine Reine deiner Familie im vergangenen Jahr ein Kind geboren hat?«

Der dicke Römer senkte den Blick. »Äh, nein, das nicht.«

»Sie hat sich also ein Kind geholt, weil sie selbst keines bekommen konnte? Sie hat ein Kleinkind zum Vampir gemacht und es damit verurteilt, auf alle Zeiten ein hilfloser Säugling zu bleiben? Und nun wird sie das von ihr geschaffene Wesen versorgen, bis sie seiner überdrüssig geworden ist. Ist es so?« Conte Claudio murmelte etwa Unverständliches. Die Druidin fixierte ihn noch eine Weile, dann sah sie wieder in die Runde der Clanführer.

»Ihr fürchtet euch, dass ihr von den Wesen, die ihr selbst geschaffen habt, verdrängt werdet? Ja, fürchtet euch zu Recht! Ihr habt euch früh eure eigenen Gräber gegraben. Und es sind weder die Servienten noch die Menschen, die euch für immer darin verbannen werden. Ihr selbst habt dafür gesorgt! Seit Jahrhunderten bekriegt ihr euch und sorgt dafür, dass eure Familien ihre Blutlinien rein halten. Ihr pflegt nur noch die Kräfte und das Wissen, die euer Stamm hervorgebracht hat, und habt alles andere verdrängt und vergessen. Wenn ihr so weitermacht, dann sehe ich keine Hoffnung für euch.«

»Warum müssen wir uns das Gerede einer alten Menschenfrau anhören?« Seigneur Thibaut fauchte leise.

»Wir müssen nicht«, gab Dame Elina zurück. »Wir können uns auch weiterhin vor der Wahrheit verschließen, denn dass sie die Wahrheit sagt, das ist wohl nicht zu leugnen!«

»Und was bringt uns das?«, fragte Baronesse Antonia, klappte ihren Fächer auf und gähnte gelangweilt.

»Vielleicht die Einsicht und den Willen etwas zu ändern?«, schlug die alte Druidin vor.

»Und das wäre?«, verlangte Baron Maximilian zu wissen.

»Gebt eure Isolation auf und lernt voneinander. Verbindet eure Stärken und merzt eure Schwächen aus.« Sie machte eine kleine Pause, ehe sie die Ungeheuerlichkeit aussprach: »Und lasst zu, dass sich eure Blutlinien vermischen.«

Die Vampire starrten die Druidin für einige Augenblicke sprachlos an, dann erhob sich ein Proteststurm. Der gegenseitige Hass der Clans, der über Jahrhunderte geschürt worden war, zerfetzte das dünne Gewand der Höflichkeit, das sie für diesen Abend übergeworfen hatten. Reißzähne wurden drohend gebleckt, die menschlichen Stimmen wandelten sich zum Gebrüll wilder Tiere. Die Druidin erhob sich und ging langsam zur Tür. Ihre Wölfe folgten ihr. Als sie schon im Türrahmen stand, wandte sie sich noch einmal um und hob ihren Stab. Die Vampire verstummten.

»Ich habe es geahnt, dass ihr verloren seid. Ihr seid zu alt – nicht eure Körper, aber euer Geist! Eure Hoffnung liegt in euren Kindern – euren letzten Kindern! Ich werde nun ein wenig am Ufer entlangspazieren und mit meinen Wölfen den Vollmond betrachten, der sich nach dem reinigenden Gewitter im Wasser spiegelt. Es ist eine herrliche Nacht! Ehe die Sonne aufgeht, komme ich zurück. Dann sagt mir, ob ihr meinen Rat annehmen wollt.«

Sie schloss die Tür, ihre Schritte verhallten. Die Stimmen der Vampire erhoben sich wieder, doch es fehlte ihnen an Kraft. Dame Elina ließ sich in ihren Stuhl fallen und lauschte auf die tobenden Gefühle in sich, die noch stärker waren als der Blutdurst nach jedem Erwachen. Sie spürte einen Blick auf sich ruhen und hob die Lider, bis ihre grauen Augen auf das dunkle Augenpaar gegenüber trafen. Donnchadh wich ihrem Blick nicht aus.

»Werden wir es schaffen?«, fragte Dame Elina leise, denn sie wusste, dass er sie trotz des Stimmengewirrs verstehen konnte.

»Nur wenn wir uns nicht länger gegen jede Veränderung sträuben. Die Welt wandelt sich immer schneller, doch wir sind schon lange stehen geblieben.«

»Können wir es schaffen?«, fragte die Führerin des Hamburger Clans fast beschwörend.

Der alte Ire überlegte. »Lady Tara ist eine weise Frau. Ich denke, sie hat recht. Unsere Kinder können es schaffen!«

DAS HAUS AM KEHRWIEDER

Die Sonne war eben erst hinter einem Wald aus Masten, Wanten und Segeln in der Elbe versunken, als Alisa den Deckel der länglichen Kiste aufklappte, in der sie die Zeit des grellen Tageslichts verschlief. Gähnend erhob sie sich von ihrem spartanischen Lager.

»Einen guten Abend wünsche ich, Fräulein Alisa«, ertönte eine Stimme. Ein großer, schlanker Mann um die Zwanzig kam auf sie zugeschlendert.

»Guten Abend, Hindrik.« Alisa konnte sich an keinen Abend ihres dreizehnjährigen Lebens erinnern, an dem er sie nicht mit diesen Worten begrüßt hätte. Und während sie sich mit den Jahren veränderte und von einem Kind zu einem jungen Mädchen heranwuchs, blieb Hindrik in seiner Gestalt unverändert, wie alle Servienten, die einst als Mensch gelebt und dann von einem Vampir der reinen Blutlinie verwandelt worden waren. Selbst sein Haarschnitt und seine Bartstoppeln, die bei seinem Tod drei Tage alt gewesen waren, blieben stets die gleichen. Den Versuch, sich zu rasieren oder sich eine modernere Frisur zuzulegen, hatte Hindrik längst aufgegeben. Einmal hatte er sich den Kopf völlig kahl geschoren, doch als er sich am Abend aus seiner Kiste erhob, war das Haar wieder lang und lockig gewesen wie immer. Wie alt er genau war, wusste Alisa nicht, nur dass er aus dem siebzehnten Jahrhundert stammte.

»Schläfst du denn gar nicht?«, fragte sie und unterdrückte ein erneutes Gähnen.

»Doch, natürlich Fräulein, jeden Tag wie ein Toter. Doch wenn ich erwache, bin ich ein wenig flinker als du.«

»Du hast auch mehr Übung«, konterte Alisa, zerrte sich ihr

langes Leinenhemd über den Kopf und warf es in die Kiste. Dann zog sie eine ausgebleichte Hose und einen weiten Kittel an.

Genauso wenig, wie es sie überraschte, dass Hindrik schon auf war, wunderte es sie, dass die beiden anderen Kisten noch geschlossen waren. Ihr Bruder und ihr Vetter, mit denen sie die Kammer auf dem oberen Speicher teilte, hatten es bei Sonnenuntergang nie eilig, aus ihren Kisten zu steigen. Alisa war das ganz recht. Ihr jüngerer Bruder Thankmar, den alle außer Dame Elina nur Tammo nannten, war aufsässig und rechthaberisch und ging ihr die meiste Zeit auf die Nerven. Und Sören ließ es sie gern spüren, dass er ein Jahr älter war.

»Und, was gibt es Neues? Irgendetwas Besonderes, das ich wissen sollte?«, fragte sie Hindrik, als sie ihr rotblondes Haar zu einem Knoten drehte und unter einer Schiebermütze verstaute. Hindrik zögerte, doch dann verneinte er.

Die Hände noch an der Mütze drehte Alisa sich um. »Kann es sein, dass du mich gerade anlügst?« Sie sah ihn streng an, doch er hielt dem Blick ihrer hellblauen Augen mühelos stand.

»Aber nein, Fräulein! Du hast gefragt, ob du es wissen müsstest.«

Alisa lächelte. »Aha, ich sollte in Zukunft meine Worte sorgsamer wählen.«

Hindrik lächelte zurück, trat heran und schloss den Deckel ihrer Schlafkiste. »Ja, vielleicht solltest du das.«

»Also, was ist es, von dem du meinst, ich müsste es nicht wissen, das aber garantiert mein Interesse erwecken wird?«

Hindrik schüttelte den Kopf. »Warte es ab. Du wirst es dann erfahren, wenn Dame Elina es für richtig hält.«

Alisa zog schmollend die Lippe hoch. »Du hast doch nicht etwa Angst vor ihr?«

»Ich kenne das Gefühl von Angst nicht mehr«, sagte Hindrik schlicht. »Aber ich bringe Dame Elina Respekt entgegen und werde daher nicht gegen ihre Wünsche verstoßen.«

Alisa wusste, dass das sein letztes Wort war, und verzichtete daher darauf, ihn weiter zu drängen. Sie würde einen anderen Weg finden müssen. In einer der Kisten regte sich etwas.

Alisa hastete zur Tür. »Ich geh dann lieber.«

»Wo willst du hin?«, fragte Hindrik.

»Die übliche Runde«, gab sie ausweichend zurück.

»Du weißt, dass Dame Elina das nicht schätzt! Du solltest nicht allein durch die Gassen laufen.«

»Ach ja?« Empört stemmte Alisa die Hände in die Hüften. »Und die anderen? Die dürfen sich jede Nacht amüsieren! Sie sind im Hafen unterwegs, streifen durch die Stadt oder mischen sich unter die Nachtschwärmer am Spielbudenplatz!«

Hindrik nickte. »Ja, denn sie sind erwachsen.«

»Pah!«, schnaubte Alisa und wandte sich zum Gehen. Vor der Treppe drehte sie sich noch einmal um und sah zu dem Mann in den längst aus der Mode gekommenen Kniehosen und dem Rüschenhemd zurück. »Du wirst mich doch nicht verraten?«

»Wenn mich niemand fragt, dann brauche ich auch nichts zu erzählen. Und nun mach, dass du fortkommst. Du hast es gehört, dein Bruder ist aufgewacht. Wenn er dich sieht, will er dich bestimmt begleiten.«

»Davor mögen mich die Geister der Nacht bewahren!«, sagte Alisa mit einem Schaudern und eilte die vielen Treppen bis in die große Diele hinunter, deren mittlerer Balken die Jahreszahl 1680 trug. Damals hatten sich reiche Kaufleute diese prächtigen Häuser im Barockstil erbauen lassen, die sich am Fleet entlang bis zum Binnenhafen reihten. Außer in den letzten beiden Gebäuden, die die Vamalia schon vor über einhundert Jahren für ihre Familie erworben hatten, lebten und arbeiteten noch immer einige der wohlhabendsten Hamburger Kaufleute in diesen Häusern, die Wohnraum für den Kaufmann und seine Familie und für seine Gehilfen und Bediensteten boten, in denen es aber auch Platz für den Kontor gab und – auf zwei Stockwerken unter dem Dach – Speicher für die Waren. Der schönste Raum im Haupthaus der Vamalia war die Diele, die sich über zwei Stockwerke erstreckte, mit einer umlaufenden Galerie, die von geschnitzten Säulen getragen wurde. Auch die Kassettendecke war mit Schnitzereien verziert, die Felder kunstvoll bemalt und mit Blattgold überzogen. Von der Galerie gingen die Wohn- und Schlafräume der führenden Mitglieder der Familie ab. Im Nebenhaus wohnten die Altehrwürdigen. Die ehemals offenen Speicherböden waren in Kammern unterteilt worden, in denen die jungen Vampire und die Servienten schliefen.

Alisa spürte das vertraute Ziehen in ihrem Kiefer, dem bohrender Hunger und dann betäubende Gier folgen würden. Sie hätte das Gefühl gern ignoriert, doch sie wusste aus Erfahrung, dass ihr der Spaziergang keine Freude bereiten würde, wenn sie versuchte, ihre Natur zu unterdrücken. Daher ging sie in die ehemalige Küche, in der noch immer der große Herd stand, von dem aus man auch den Kachelofen in der Stube befeuern konnte. Seit der Clan der Vamalia das Haus bewohnte, war der Ofen nicht mehr benutzt worden. Die Vampire spürten weder die Kälte des Winters noch die Hitze des Sommers.

»Guten Abend, Alisa«, begrüßte sie eine Frau in der Uniform eines Hamburger Dienstmädchens. Sie war wie Hindrik eine Servientin, aber erst vor wenigen Jahren ins Haus gekommen.

»Guten Abend, Berit.«

Unaufgefordert reichte die junge Frau ihr einen Becher. Alisa stürzte das noch warme Tierblut, das zwei der Bediensteten jeden Abend vom nahen Schlachthof holten, gierig hinunter. Dann verließ sie das Haus. Inzwischen war es dunkel geworden. Nur die Gaslampen auf den Brücken und in den breiteren Gassen verströmten in einem kleinen Kreis ihr gelbliches Licht. Alisa zögerte. Sie wusste, dass ihre Aussicht auf Beute in den reicheren Vierteln und um die Börse am größten war, dennoch zog es sie wie magisch zum Wandrahm und zu den Häusern am Doverfleet. Es war nur eines der Gängeviertel* in Hamburg, doch sicher das mit den übelsten Lebensbedingungen für die Menschen. Und dennoch waren selbst die stets feuchten Wohnungen im Erdgeschoss bewohnt, die bei jeder Sturmflut oft tagelang unter Wasser standen. Dicht an dicht drängten sich die winzigen Wohnungen mehrere Stockwerke hoch um Höfe mit drei oder vier Hinterhäusern. Männer, Frauen und Kinder schliefen zusammen in den schmalen Betten, meist gab es noch fremde Schlafgänger, die in den letzten freien Ecken für ein paar Pfennige die Nacht ihr Lager aufschlugen.

Der Geruch der vielen Menschen war betäubend und hüllte Alisa wie eine Wolke ein. Die Menschen auf der Wandrahminsel rochen nicht so verführerisch süß wie die jungen Fräulein, die in ihren engen Tornürenkleidern über den neuen Jungerfernstieg trippelten, oder die Herren in den dunklen Anzügen, die sich nach ihrer Arbeit an der Börse oder in den Handelskontoren zu einem abendlichen Bier trafen. Dies war eine Mischung wie aus zu vielen exotischen Gewürzen, säuerlich und wild und vielleicht gerade deshalb so erregend. Alisa schlenderte zwischen den Menschen hindurch, die ihr anstrengendes Tagewerk beendet hatten. Sie passierte Männer, die auf alten Kisten auf der Gasse saßen und eine Buttel kreisen ließen. Frauen standen beisammen, lachten oder zankten. Und zwischen ihnen liefen kreischend Kinder hin und her und spielten Fangen.

Nicht zum ersten Mal dachte Alisa darüber nach, wie ihr Blut wohl schmecken würde. Bisher hatte sie noch kein Menschenblut gekostet. »Zu gefährlich«, hatte Dame Elina verkündet und für jeden Verstoß drakonische Strafen angedroht. Alisa würde warten müssen, bis sie alt genug war, wie die jungen Vampire anderer Clans auch. Sie würden sich in ihrem ersten Blutrausch verlieren, wenn sie noch nicht stark genug dafür waren, lautete die Erklärung. Und trotzdem – oder vielleicht gerade deshalb – konnte Alisa nur schwer widerstehen.

Sie unterdrückte einen Seufzer und wandte sich der Brücke zu. Es war Zeit zu gehen. Erstens wollte sie ihre Beute nicht an die Marktfrauen oder andere Interessierte verlieren und zweitens musste sie ihr aufgewühltes Gemüt beruhigen. Es war berauschend und gefährlich, sich so nah unter die heißblütigen, schwitzenden Leiber zu mischen!

Alisa blieb auf der Brücke stehen, die beim Kornhaus über den Fleet führte, und atmete die brackige Luft ein. Es hatte gerade Niedrigwasser, und so lagen einige Boote, deren Kiele auf dem Schlick aufgesetzt hatten, etwas schief im flachen Wasser. Sie setzte ihren Weg fort und fühlte, wie ihre Beine schwer wurden, doch sie ließ sich nicht beirren. Die Vamalia hatten längst gelernt, die Fleete bei jedem Wasserstand zu überqueren. Nur diese Schwere in den Knochen erinnerte sie noch daran, dass sie einst fließendes Wasser nur bei einsetzendem Gezeitenwechsel hatten queren können.

Alisa nahm die Gasse zum Nikolaifleet und folgte ihm bis zur Börse. Dann ging sie zu dem Platz, auf dem noch immer Reste des gesprengten Rathauses auf einen Neubau warteten. Seit dem großen Brand im Jahr 1842 tagte der Hamburger Senat in einem Waisenhaus in der Admiralitätsstraße. Alisa schritt über eine schmale Brücke und schlenderte dann an der Alster entlang, auf der noch einige beleuchtete Boote unterwegs waren.

Mit einem dicken Bündel unter dem Arm kehrte sie zum Binnenhafen und zu den Kaufmannshäusern am Kehrwieder zurück.

»Nun?«, erkundigte sich Hindrik, als sie gegen Mitternacht in die schlichte untere Stube trat, wo er allein am Tisch saß und an einem neuen Kunstwerk arbeitete.

»Was wird das?« Alisa beugte sich über seine Schulter.

»Es wird ein Modell der *Wappen von Hamburg II*, ein Konvoischiff, das sechzehnhundertsechsundachtzig vom Stapel lief. Natürlich ist jedes Detail in genau der richtigen Größe nachgebaut. Nicht so wie bei den Bastelarbeiten der Menschen, die nur grobe Ähnlichkeit mit dem Original aufweisen.«

Alisa deutete auf eine Reihe von Luken im Rumpf. »Waren das alles Kanonen?«

»Aber ja, die Admiralität hat ihre Konvois nach Spanien und

Portugal gut gerüstet. Und dennoch haben wir nicht nur einmal in das Mündungsfeuer von Piraten geblickt.«

»Du bist auf diesem Schiff mitgefahren?«, sagte Alisa fast ehrfürchtig. Hindrik erzählte nicht oft aus seinem Leben.

Er nickte nur knapp und wechselte das Thema. »Und? Was gibt es Neues aus der so spannenden Menschenwelt zu berichten? Was hast du bekommen?«

Alisa strahlte und rollte das Papierbündel auseinander. Feierlich legte sie die Zeitungen nebeneinander: »Eine *Norddeutsche Allgemeine Zeitung* von gestern, eine *Kölnische Volkszeitung* von vorgestern, ein *Hamburger Fremdenblatt* von heute und die *Altonaer Nachrichten* von gestern.«

»Das ist nicht schlecht«, stimmte ihr Hindrik zu und befestigte mit spitzen Fingern eine Rahe.

»Fangen wir mit den Neuigkeiten und dem Verdruss aus Hamburg an«, sagte Alisa und schlug das vorletzte Blatt von hinten auf. »Die Reepschläger* protestieren gegen die Pläne der Stadt, die Reeperbahnen am Hamburger Berg abzureißen und noch mehr Vergnügungsetablissements wie um den Spielbudenplatz zu bauen. Die Männer der Seilervereinigung meinen, ihre Taue, die sie dort in ihren langen Bahnen drehen, werden in der Schifffahrt und anderswo immer gebraucht werden«, fasste sie den ersten Artikel zusammen. »Außerdem haben sich vor zwei Tagen die Anwohner von Altona zusammengerottet und den Transiedern* gedroht, sie samt ihren Kesseln in die Elbe zu werfen, wenn sie den Waltran weiterhin unter freiem Himmel am Strand auskochen. Sie sagen, der Gestank sei so bestialisch, dass eine Gerberei dagegen himmlisch dufte.«

Hindrik nickte wissend. »Da haben die Menschen nicht unrecht. Aber das Problem wird sich bald von selbst lösen. Es gibt fast keine Grönlandwale mehr, und alle anderen Wale schwimmen zu schnell, um mit den Ruderschaluppen an sie ranzukommen. Außerdem wird nicht mehr so viel Tran gebraucht. Die Straßenlaternen verbrennen jetzt Gas, und auch das Petroleum, das sie in Fässern aus den Vereinigten Staaten bringen, wird den Tran an vielen Stellen ersetzen.«

Alisa seufzte. »Du hast sicher recht. Sie sind dort drüben mit ihren Erfindungen schon viel weiter. Das muss fantastisch sein! Ach, wie gern würde ich mich auf eines der Auswandererschiffe schmuggeln und einfach mitfahren, um das alles mit eigenen Augen zu sehen.«

Hindrik sah sie erschrocken an. »Du wirst doch keine Dummheiten machen? So schön ist das gar nicht. Ich war erst vor ein paar Jahrzehnten drüben und bin gerne zurückgekommen. Ich muss wohl noch besser auf dich aufpassen, wenn dir solche Gedanken im Kopf herumspuken.«

Sie betraten dünnes Eis, und so schien es Alisa klüger, das Thema zu wechseln. »Wo sind denn alle? Das Haus war wie ausgestorben, als ich zurückkam.«

Hindrik schnitzte zwei weitere Wanten. »Die neue Centralhalle wird eröffnet. Das ist ein riesiges Spektakel. Sie haben sie dieses Mal aus Stein gebaut, mit pompösem Säulenportal und was sonst noch so in Mode ist.« Er zog eine Grimasse.

»Die alte ist abgebrannt, nicht?«

Hindrik nickte.

»Und warum bist du nicht mitgegangen?«

Hindrik seufzte. »Weil ich ein Auge auf dich und die Jungen haben soll.«

»Na mich hast du ja jetzt im Auge.« Alisa blätterte in ihrer Zeitung und wollte gerade weiterlesen, als die Tür aufgerissen wurde und ihr Bruder Thankmar hereinstürmte.

»Wir werden in eine Schule gehen«, sprudelte er hervor.

Alisa runzelte die Stirn. »Wer hat dir denn diesen Blödsinn erzählt?«

»Das ist kein Blödsinn! Dame Elina hat es genau so gesagt! – Äh, ja, nicht direkt zu mir, aber ich habe es deutlich gehört.«

»Tammo, du hast gelauscht!«

Er nickte stolz. »Und was sagst du dazu?«

»In eine Schule? Das ist doch lächerlich.«

Tammo schüttelte den Kopf. »Ich schwöre es. In eine Akademie für junge Vampire, die gerade gegründet wurde.«

Alisa runzelte die Stirn und sah Hindrik fragend an. »Und wo soll diese Akademie sein?«

Tammo hob nur die Schultern. »Das habe ich nicht gehört.«

»Was kommst du dann überhaupt mit solch halben Nachrichten«, schimpfte seine Schwester und lief hinaus. Tammo sah ihr nach und setzte sich dann neben Hindrik.

»Ich wette, sie findet es heraus«, sagte er und grinste, dass seine Eckzähne im trüben Licht schimmerten.

»Da wette ich nicht dagegen«, erwiderte Hindrik. »Doch wäre es nicht auch eine Möglichkeit, einfach abzuwarten, bis Dame Elina euch sagt, was ihr wissen müsst?«

Tammo sah ihn an, als sei er völlig verrückt geworden. Hindrik fing den Blick auf. Ein Laut zwischen einem Lachen und einem Seufzen entfuhr ihm. »Nein, anscheinend schließt du diese Möglichkeit aus.«

*

Alisa schlich sich in den ersten Stock und folgte der Galerie zu der bemalten Tür, hinter der einst die Wohnstube des Kaufmanns gewesen war. Heute pflegte Dame Elina hier ihre Besprechungen mit den wichtigsten Mitgliedern der Familie abzuhalten. Alisa schob sich vorsichtig näher. Sie hatte zwar wie alle Vampire einen nahezu lautlosen Gang, doch Dame Elina und ein paar andere Familienmitglieder verfügten über ein äußerst feines Gehör! Und so war es alles andere als einfach, ihre Gespräche zu belauschen. Alisa hielt den Atem an. Sie wollte nicht riskieren, erwischt zu werden. So wohlwollend die Clanführerin ihre Position meist ausfüllte, sie konnte auch sehr unangenehm werden, wenn man gegen ihre Anweisungen verstieß. Und die Gespräche des geschlossenen Zirkels zu belauschen, gehörte sicher zu den Dingen, die sie nicht billigte!

Endlich lag Alisas Ohr am Schlüsselloch und die Worte wehten zu ihr herüber.

»Natürlich werden sie nicht alleine nach Rom reisen. Wir werden einen aus unserem Kreis bestimmen, der mit ihnen fährt, und ihnen auch ein oder zwei erfahrene Begleiter aus den Reihen der Servienten mitgeben, die den Fortschritt ihrer Erziehung überwachen. Vielleicht reise ich auch selbst mit.«

Rom? Hatte sie richtig gehört? Hatte Dame Elina wirklich *Rom* gesagt?

»Und wie sollen die Kinder gefahrlos dort hinkommen? Das ist nicht nur eine Reise ins Alte Land am Südufer der Elbe! Und selbst das würde ich heute nicht mehr wagen.« Es war die krächzende Stimme des Altehrwürdigen, der zu Beginn des Jahrhunderts die Familie angeführt hatte.

»Nun, zum Glück sind die Zeiten vorbei, in denen für den Landweg nur Pferde und Kutschen zur Verfügung standen. Wir werden mit der Eisenbahn reisen. Es besteht inzwischen die Möglichkeit, die Alpen zu queren! Soweit es mir bekannt ist, werden sogar schon zwei Pässe befahren.«

Mit dem Zug! Nach Rom! Alisa konnte es nicht fassen.

»Diese Ungetüme von Dampfrössern?«, rief ein anderer Altehrwürdiger. »Ich würde keinen Fuß in so etwas setzen. Die Menschen haben doch überhaupt noch keine Erfahrung mit diesen schnellen Maschinen. Warum nicht ein Schiff?«

»Die Menschen experimentieren immerhin bereits seit fünfzig Jahren mit Dampflokomotiven. Das kann man, glaube ich, als genug Erfahrung bezeichnen«, widersprach Dame Elina.

»Fünfzig Jahre«, rief der Altehrwürdige. »Was sind schon fünfzig Jahre?«

»Eine ganze Menge für ein Menschenleben«, konterte die Clanführerin.

»Die Kinder und ihre Begleiter werden mit dem Zug fahren!«, wiederholte sie in einem Tonfall, der keine Widerrede zuließ. »Und nun lasst die Kinder kommen. Da wir nun schon den zweiten Lauscher vor der Tür haben, halte ich es für angebracht, ihnen das volle Ausmaß unserer Entscheidung mitzuteilen.«

Alisa fuhr zurück. Wie war das möglich? Sie war sich sicher, nicht das kleinste Geräusch verursacht zu haben! Das war fast unheimlich. Wieder mal zeigte sich, dass Dame Elina nicht zufällig zum Oberhaupt des Clans gewählt worden war!

»Du kannst Thankmar und Sören holen«, sagte Dame Elina mit leicht erhobener Stimme. »Und bring auch Hindrik mit.«

Alisa lief los und kehrte schon nach wenigen Augenblicken mit den dreien zurück. Mit einem flauen Gefühl im Bauch öffnete sie die Tür und trat ein.

Auf der einen Seite des Tisches saßen in bequemen Sesseln jene acht Altehrwürdigen, die ihre Kammern ab und zu verließen und sich noch für die Geschicke der Familie interessierten. Auf der anderen Seite blickten ihnen Dame Elina und die Vampire entgegen, die als die erfahrensten des Clans galten: Elinas jüngerer Bruder Olaf, ihre Vettern Jacob und Reint und Anneke, eine Cousine zweiten Grades, sowie die beiden Servienten Marieke und Morten. Dame Elina winkte die jungen Vampire und Hindrik näher.

»Da ihr bereits über die Worte spekuliert, die ihr erlauscht habt, hört nun die ganze Geschichte.«

Sie berichtete von dem geheimen Treffen am Genfer See und von dem ungeheuerlichen Vorschlag, den die Druidin aus Irland ihnen unterbreitet hatte. In Alisas Kopf begann es zu rauschen.

Sie würde mit der Dampfeisenbahn nach Rom fahren und ein ganzes Jahr bei den Nosferas wohnen. Sie würde Unterricht erhalten in Abwehr gegen Kirchenkräfte und in anderen magischen Künsten. Aber auch die Sprache des Landes und die Geschichte ihrer Menschen würde sie erlernen. Und nicht nur das. Sie würde die jungen Vampire der anderen Clans kennenlernen: der Lycana aus Irland, der Dracas aus Wien, der Vyrad aus London und der Pyras aus Paris. Wie viele Geschichten hatte sie schon über diese Familien gehört, deren Mitglieder hinterhältig und böse sein sollten und mit denen die Vamalia schon seit Jahrhunderten im Krieg lagen. Und mit diesen Vampiren sollte sie zusammen unterrichtet werden?

Eigentlich hätte sie nun Abscheu empfinden müssen oder so etwas wie Furcht, stattdessen fühlte es sich eher an wie freudige Erregung. Sie und die beiden Jungen – nun, das war ein kleiner Nachteil, aber den würde sie in Kauf nehmen müssen – würden nach Rom gehen und der Langenweile, die so sehr an ihr zehrte, endgültig entfliehen!

*

Über der Ewigen Stadt senkte sich der Abend herab. Es würde wieder eine der lauen Spätsommernächte werden, die zum Lustwandeln einluden, zum Besuch eines der Theater oder Musikhäuser, eines der Gasthäuser mit seinen weißen Leinentischdecken oder einer der zahlreichen Bars, um an dem hölzernen Tresen einen guten Schluck zu genießen. Im Verlauf des Abends würde es dann viele der männlichen Nachtschwärmer zu den Häusern ziehen, die sich in den engen Gassen etwas abseits der prächtigen Palazzi und Kirchen wie Unrat vermehrten. Die freizügige Kleidung der Damen – die eigentlich keine waren – und ihre meist grell bemalten Gesichter sprachen deutlich davon, welcher Art von Vergnügung die Besucher hier nachgingen.

Eines dieser Mädchen hatte an einer düsteren Ecke Position bezogen. Die Zeit verstrich, und sie begann, unruhig auf und ab zu gehen. Immer wenn sie sich der Tür der nahe gelegenen Bar näherte, offenbarte der Lichtschein, der sie umschmeichelte, dass sie ungewöhnlich hübsch und sauber war und in ihrem Gesicht noch die feine Unschuld lag, die sich auf der Straße nur zu schnell verliert. Eine seltene Erscheinung an diesem Ort und zu dieser Zeit. Und es war auch kein Zufall, der sie hierher geführt hatte. Sie tastete nach dem Beutel unter ihren Röcken. Für so viel Geld wäre sie auch bereit gewesen, noch viel merkwürdigere Aufträge auszuführen!

Der Mann, der sie ausgesucht und hier postiert hatte, trat zu ihr und reichte ihr ein Glas mit einer grünlichen Flüssigkeit. »Trink, er wird bald da sein. Und pass auf, dass er dir nicht entwischt. Er hat ein verlockendes Ziel vor Augen und will sich hier ganz sicher nicht aufhalten. Es ist deine Aufgabe, dass er es sich anders überlegt!«

Das Mädchen trank das Glas leer und gab es dem Mann zurück. Das bittere Gebräu trieb ihr Tränen in die Augen. Sie schüttelte den Kopf, um den aufsteigenden Schwindel zu vertreiben. Hoffentlich kam er bald. Sie fühlte, wie ihre Beine schwer wurden.

Da sah sie ihn. Kein Zweifel. Ihr Auftraggeber hatte ihr gesagt, sie würde ihn an seinem Gang erkennen, und richtig, sie hatte noch keinen Mann gesehen, der sich mit solch einer Anmut bewegte. Es war, als würden seine Schuhe kaum das Straßenpflaster berühren. Das Mädchen atmete einmal tief durch, dann trat es ihm entgegen. »Verzeiht, Signore!«

*

Erado marschierte flotten Schrittes durch die Gassen. Er freute sich auf diesen Abend, den er ohne die anderen Clanmitglieder zu verbringen gedachte, die ihm zunehmend auf die Nerven gingen. Immer die gleichen Gelage, immer die gleichen Gesichter und die gleichen Gespräche. Dabei gab es so viel mehr, was sie schon gesehen hatten. Selbst Erado, der einer der Jüngsten in der Runde war, hatte die Zeit unter Napoleon und seiner Familie erlebt, die ersten zaghaften Regungen von Rebellion nach seinem Sturz, Geheimbünde und Gegengeheimbünde, Aufstände und deren Niederschlagung – und dann Garibaldi, der mit seinen wenigen Männern durch das Land marschierte, um es zu einen. Nun also war Italien ein Königreich, den Kirchenstaat gab es nicht mehr. Stattdessen saß der ehemalige Herrscher Sardinien-Piemonts Vittorio Emanuele II. hier auf seinem römischen Thron, während Papst Pius IX. sich schmollend in den kläglichen Rest seines Vatikans zurückgezogen hatte. Das Angebot der Franzosen, ihm Asyl zu gewähren, hatte er abgelehnt, und dennoch kreuzte das

Franzosenschiff noch immer vor der Küste. Es waren spannende Jahrzehnte gewesen, doch die anderen interessierten sich nur für ihre Völlerei und ihre Experimente, wie man Blut mit einem Hauch edler Weine noch schmackhafter machen konnte. In ihren Sänften ließen sie sich von ihren Schatten durch die Stadt tragen, zu träge, die Nacht auf ihren eigenen Beinen zu erkunden.

Erado schüttelte den Kopf, um die Gedanken an die anderen Clanmitglieder zu vertreiben. Diese Nacht gehörte ihm allein und er wollte sie sich nicht verderben lassen. Er genoss die Gerüche und den warmen Abendhauch, schwang seinen eleganten Stock und eilte mit fast tänzelndem Schritt über das Pflaster. Sein weiter Mantel blähte sich. Er war ein Vampir in den besten Mannesjahren. Sein schwarzes Haar war gepflegt, nur die Schläfen zeigten die ersten silbrigen Strähnen. Er fühlte sich stark und freute sich auf die Genüsse dieser Nacht, die ihn im Salon einer gewissen Dame erwarteten: Gesang und feinsinnige Kunst, vielleicht ein wenig Kartenspiel und interessante Gespräche über Politik, Oper und andere Themen, die die römischen Gemüter im Moment erhitzten. Natürlich würde seine Lust nicht zu kurz kommen. Aber diskret! Er hatte vor, dieses Etablissement noch öfter aufzusuchen, und da wäre ein blutiger Skandal sicher nicht angebracht!

Ein junges Mädchen trat ihm in den Weg, als er in eine schmale Gasse einbog. »Verzeiht, Signore!«

Er brauchte sie nicht zu fragen, was ihr Begehr sei. Ihre Aufmachung zeigte das deutlich. Erado blieb stehen und hob abwehrend die Hand. Für so etwas hatte er heute keine Zeit. Dann fiel ihm auf, dass sie sauber und gepflegt wirkte. Und hübsch war sie auch noch. Er konnte das Blut in den Adern an ihrem Hals pulsieren sehen. Ihr Duft war süß und ließ seine Gier aufwallen. Vielleicht war es nicht verkehrt, den ersten Hunger bereits vorher zu stillen. Sie roch nach junger Haut und ein wenig bitter nach etwas, was er nicht sofort einordnen konnte. Sicher hatte sie an diesem Abend bereits ein paar alkoholische Getränke genossen, die nun in ihrem Blut kreisten, aber das würde ihn nicht besonders beeinträchtigen. Er war daran gewöhnt. Warum also nicht? Er lächelte und trat auf sie zu. »Signorina, wollen wir nicht in den Hof nebenan treten. Hier ist es zu hell und zu belebt.«

Sie kicherte und wurde ein wenig rot. Welch seltsame Reaktion für ein Straßenmädchen, dachte er, als er den Arm um ihre Schulter legte und sie in die Schatten führte. Und noch etwas verwunderte ihn. Eine vibrierende Anspannung umgab sie wie eine Aura. Sie lugte seitlich an ihm vorbei, als er ihr langes Haar von ihrem Hals strich.

Ach, es gab so viele Anzeichen, die ihn hätten retten können, hätte er sich nur einen Augenblick des Nachdenkens gegönnt! Doch die unzähligen Nächte in Gesellschaft seiner dekadenten Familie hatten seine Sinne vernebelt und seinen Geist betäubt. Zu spät erkannte er die Wahrheit. Die Falle schnappte zu.

Das erste Warnsignal, das er registrierte, war der Geschmack ihres Blutes. Hier stimmte etwas ganz und gar nicht! Doch da war es auch schon zu spät. Die Lähmung setzte sofort ein. Er fühlte zwar die Bewegung hinter sich, doch seine Reaktion war schon so langsam wie die eines Menschen. Als er sich endlich umgedreht hatte, konnte er nur noch fassungslos den Menschen anstarren, der eine Waffe mit beiden Händen umklammerte, die silberne Klinge zum tödlichen Stoß erhoben.

DIE REISE NACH ROM

»Was machst du da?«, fragte Tammo misstrauisch, der noch etwas verschlafen in seiner aufgeklappten Kiste saß.

Hindrik begrüßte ihn fröhlich und stellte die beiden Kisten ab, die er sich rechts und links unter den Arm geklemmt hatte. Sie waren etwa so lang und so breit wie die Särge der jungen Vampire.

Auch wenn er sich äußerlich nicht verändert, seine Kräfte scheinen stetig zu wachsen, dachte Alisa, die sich bereits angekleidet und ihr langes Haar aufgesteckt hatte. Heute trug sie ein blaues Kleid aus Seidentaft, das aus einem hüftlangen Kürass-Oberteil bestand – hochgeschlossen mit einem kleinen Stehkragen –, einem schmalen, bodenlangen Unterrock mit gefalteten Rüschen und einem etwas kürzeren gerafften Überrock, der hinten durch eine kleine Tornüre ein wenig ausgestellt wurde.

»Sören, sieh es dir an. Hat sie nicht einen hübschen Entenhintern«, lästerte Tammo. Alisa riss sich fast die Röcke auf, als sie ihn mit einem Sprung an seinem ungekämmten Haarschopf packen wollte. Sie kam ins Straucheln und wäre gefallen, hätte Hindrik sie nicht blitzschnell aufgefangen. Die beiden Jungen kicherten spöttisch. Alisa blitzte sie böse an.

»Warum soll ich diese blöden Kleider tragen, in denen ich mich nicht bewegen kann? Und diese Schuhe!« Sie deutete auf das feine Lederwerk mit den verzierten Absätzen.

»Dame Elina erwartet von euch, dass ihr vor den anderen Familien einen guten Eindruck macht.«

»Ach, und sie meint, wenn ich über meine engen Röcke stolpere, dann ist der Eindruck besser …«

»… als wenn du dich wie ein Hafenjunge aus dem Gängeviertel kleidest«, ergänzte Hindrik. »Ja, so in etwa würde ich das ausdrücken. Aber du wirst nicht stolpern. Man kann durchaus auch in engen Kleidern ein Zimmer mit einem einzigen Sprung durchqueren, wenn man sich entsprechend konzentriert«, fügte er hinzu.

»Ich werde daran arbeiten«, sagte Alisa so würdevoll wie möglich, nahm sich im Stillen aber vor, Kittel, Hose und Schlupfschuhe in ihrer Schlafkiste zu verstecken und nach Rom mitzunehmen. Man konnte ja nie wissen.

Hindrik ging hinaus und holte eine dritte Kiste. Jetzt erst fiel Alisa auf, dass auch er heute besonders fein gekleidet war. Er trug einen einreihigen orangefarbenen Seidenfrack mit hohem Kragen und engen Ärmeln, darunter eine Weste, gelbe Seidenkniehosen, eine weiße Halsbinde mit einem Spitzenjabot, weiße Strümpfe und schwarze Schnallenschuhe, allerdings trug er keine Perücke. Stattdessen hatte er sein dunkelblondes Haar mit einer Samtschleife zurückgebunden.

»Der neueste Schrei, vermute ich?«, sagte Alisa, nachdem sie ihn ausgiebig gemustert hatte.

»Aber ja, der Trend bei den Herren – vor einhundert Jahren«, sagte Hindrik mit einer Verbeugung und wandte sich wieder den Särgen zu.

»Jetzt verrat uns endlich, was es mit den Kisten auf sich hat«, drängte Tammo und trat näher.

»Dame Elina bittet euch, bis in einer Stunde eure Kisten zu packen, falls ihr etwas von euren Habseligkeiten nach Rom mitnehmen wollt. Sucht euch jeder eine aus und dann legt euch wieder in eure Särge. Ich hole sie nachher ab und trage sie zu dem Karren, der unten wartet, um sie zum Bahnhof zu fahren.«

»Wir müssen die ganze Fahrt über in unseren Kisten bleiben?«, rief Alisa. Die Enttäuschung war ihr anzuhören. Hindrik nickte.

»Aber dann bekommen wir von der Reise ja gar nichts mit! Ich dachte, der Zug fährt gegen Mitternacht ab. Es wird dunkel sein!«

»Richtig, aber wir werden eine ganze Weile unterwegs sein. Fast zwei Tage! Da ist es besser, wenn wir uns als Fracht einliefern.«

»Du auch und Dame Elina und die anderen, die uns begleiten?«

Hindrik nickte. »Ja, wir werden alle so reisen. Reint und Anneke werden mit zum Bahnhof kommen und dafür sorgen, dass wir alle sicher verstaut werden – und dass uns niemand während unserer Reise stört.«

Er ging zur Tür. »Trödelt nicht. Wir müssen pünktlich losfahren.«

Alisa machte sich ans Packen. Als Erstes stopfte sie die Zeitungen hinein, die sie in den vergangenen Nächten erbeutet hatte, dann ihre wichtigsten Bücher: *Reise zum Mittelpunkt der Erde* und *In achtzig Tagen um die Welt* von Jules Vernes, ein Band mit Geschichten von Edgar Allan Poe, Mary Wollstonecraft Shelleys *Frankenstein* und *Erewhon* von Samuel Butler. Wobei ihr dieses Buch am wenigsten gefallen hatte. Wie konnte man derart pessimistisch denken, angesichts der unglaublichen Erfindungen und Entdeckungen, die die Menschen Jahr für Jahr machten?

»Wie kannst du nur so entsetzlich fröhlich sein«, schimpfte ihr Bruder, der mit verschränkten Armen vor seiner leeren Kiste stand. »Wir werden dort in die Schule gehen müssen! Sagt dir das gar nichts? Ich habe die Menschenkinder reden hören. Ich weiß, was das bedeutet. Pauken und Stillsitzen, Stockhiebe und in der Ecke stehen. Es ist aus mit unserer Freiheit! Und du freust dich auch noch darüber? Manchmal frage ich mich, ob Weiber überhaupt einen Verstand besitzen.«

Er wich vorsichtshalber ein Stück zurück, doch seine Schwester war viel zu sehr damit beschäftigt, ein Kleiderbündel und ein in Leinen verschnürtes Paket, das verdächtig klapperte, in ihrer Schlafkiste zu verstauen.

»Was ist das?«, fragte Tammo.

»Nichts, was dich etwas angehen würde«, gab seine Schwester zurück und klappte den Deckel zu.

»Wahrscheinlich wieder so ein unnützes Menschenzeug«, sagte Tammo verächtlich und zog die Lippe hoch.

»Oh, es wird sich als ganz und gar nicht unnütz erweisen«, erwiderte Alisa und klopfte mit der flachen Hand auf ihre Kiste. »Da bin ich mir ganz sicher.«

*

Ein Mann stand in den Schatten der Nacht verborgen und beobachtete, wie die Bediensteten der Bahn mehrere längliche Behältnisse in einen Waggon luden. Die Holzkisten waren beinahe zwei Meter lang und nicht leicht, wie das Stöhnen der Arbeiter bewies. Ein Mann und eine Frau, die beide modisch, aber unauffällig in dunkle Farben gekleidet waren, überwachten die Arbeit. Sie hielten sich von den Gaslaternen am Bahnsteig fern, dennoch konnte er sehen, dass ihre Gesichter unnatürlich bleich waren, und ihren Körpern fehlte die warme Aura der Menschen.

Der Mann stand völlig reglos da, ja er blinzelte nicht einmal, während er den Fortgang der Arbeiten verfolgte. Nur einmal rückte er sein langes schwarzes Cape zurecht. Für einen Moment blitzte ein Ring an seinem Finger auf. Eine goldene Echse mit grünen Smaragdaugen. Dann verschmolz er wieder mit den Schatten.

Ein Schaffner in blauer Uniform trat auf die beiden Fremden neben dem Waggon zu und sprach mit ihnen. Seine goldenen Knöpfe schimmerten im Schein der Laternen. Er nickte den beiden knapp zu und schloss dann die schwere Eisentür ab. Die Bediensteten gingen davon, um weitere Gepäckstücke für andere Wagen zu holen, die mit gen Süden reisen würden. Die Frau legte ihre flache Hand auf die metallene Tür, senkte den Kopf und schloss die Augen, als würde sie mit irgendwem Zwiesprache halten. Ihre Augen waren von betörendem Blau. Eigentlich stand der Unbekannte viel zu weit weg, um das zu erkennen, und dennoch wusste er es. Als sie die Lider wieder hob, schien ihr Blick zu dem Schuppen zu huschen, in dessen Schatten er nun schon über zwei Stunden stand. Ihr Begleiter drehte sich zu ihr um und sagte etwas. Sie starrte noch einen Augenblick in die Dunkelheit, dann zuckte sie mit den Schultern und folgte dem Schaffner und ihrem Begleiter zurück in die Bahnhofshalle.

Der Beobachter blieb im Verborgenen. Es sah, wie andere Wagen heranrangiert und angekoppelt wurden. Die Arbeiter mit ihren Sackkarren und Leiterwagen verstauten Säcke und Kisten. Dann fuhr die Lock heran und wurde an die Wagen gehängt. Schwitzende Männer luden Kohle in den Tender. Der Mann im Schatten zuckte zusammen. Zum ersten Mal schien Unruhe über ihn zu kommen. Ein Flackern huschte über den Bahnsteig, als der Heizer begann, Kohle in die Feuerbüchse zu schaufeln. Der Kessel begann zu schnaufen, dann setzten sich die Räder langsam in Bewegung. Der Zug rollte vor das Bahnhofsgebäude und hielt dort an, bis die Reisenden auf dem Gleis die eisernen Trittleitern erklommen hatten. Dann endlich war es so weit. Eine Glocke schlug irgendwo Mitternacht, der Lokomotivführer riss an einer Schnur und ein Pfiff gellte durch die Nacht. Die beiden Heizer legten sich mit krummem Rücken ins Zeug, schaufelten immer mehr Kohle in die Büchse und machten dem Kessel ordentlich Dampf. Der Lokomotivführer lehnte sich aus dem Fenster und hob den Daumen, der Bahnvorsteher erwiderte das Zeichen. Eine letzte Tür fiel zu, dann fuhr der Zug ruckelnd an. Rasch nahm er Fahrt auf und schnaufte aus dem Bahnhof, nur eine Wolke aus Dampf und Ruß zurücklassend, die noch eine ganze Weile über den leeren Gleisen schwebte. In der Ferne war noch ein Pfiff zu hören, dann endlich legte sich auch über den Bahnhof die nächtliche Stille. Der Fremde wartete noch eine Weile, bis die Laternen am Bahnsteig verloschen, dann verließ er sein Versteck, durchquerte den Bahnhof und trat auf die Straße hinaus. Scheinbar ziellos streifte er durch die Stadt. Ein paarmal huschte der Schein einer Gaslaterne über den Mann und erhellte für einen Augenblick aristokratische Züge mit einer scharfen Nase unter der Krempe eines Zylinders. Er war groß, doch der Körper wurde fast völlig von seinem weiten Cape verhüllt. Einem aufmerksamen Beobachter wäre vielleicht aufgefallen, dass der Mann keinen Schatten warf. Aber außer ihm war niemand mehr auf der Straße unterwegs.

*

Die Lokomotive pfiff durchdringend. Dann setzten sich die Räder in Bewegung. Ein Vibrieren wanderte durch Alisas Körper, das in ein unsanftes Schütteln überging. Sie lag auf dem Rücken in ihrer Kiste, die Hände auf der Brust gefaltet, die Augen geschlossen, dennoch war sie hellwach. Bald schon rollten die Räder schneller und das Rütteln ließ ein wenig nach. Ein regelmäßiger Rhythmus stellte sich ein mit einem Rauschen, das bei jeder Naht, an der zwei Schienen aneinanderstießen, von einem kurzen Trommelwirbel unterbrochen wurde. Eine Weile konzentrierte sich Alisa nur auf dieses Geräusch. »Wir fahren nach Rom, wir fahren nach Rom«, flüsterten die Schienen ihr zu und unterstrichen »Rom« bei jeder Nahtstelle mit einem kleinen Freudensprung. Eigentlich hätte das gleichmäßige Rattern einschläfernd wirken müssen, doch Alisa war in einem Zustand kribbelnder Unruhe, und es fiel ihr schwer, still zu liegen. Es war ihr, als würde sie keine Luft bekommen. Das war natürlich Unsinn. Vampire atmeten aus Gewohnheit, nicht aus Notwendigkeit. Dennoch fühlte sie sich eingesperrt und hätte am liebsten den Deckel aufgestemmt. Den hatte Hindrik allerdings sorgfältig zugenagelt. Alisa fühlte, wie der Zug beschleunigte. Sicher hatten sie die Stadt nun hinter sich gelassen und fuhren über das offene Land. Sie versuchte, sich vorzustellen, wie die Weiden und Wälder vorbeihuschten, vom Mondlicht beschienen. Wie gern würde sie es mit eigenen Augen sehen. In einem der bequemen Abteile sitzen, den Kopf aus dem Fenster strecken und den Nachtwind an ihrem langen Haar zerren lassen. Stattdessen konnte sie nur hören, fühlen und riechen und versuchen, zu erraten, wo sie sich gerade befanden.

Die Nacht schritt voran und ein paarmal hielt der Zug an einer

Station an. Sie hörte Stimmen. Manche der Menschen konnte sie sogar riechen, wenn sie an ihrem fest verschlossenen Waggon vorbeigingen. Dann fuhr der Zug weiter. Als er das nächste Mal anhielt, fühlte Alisa, wie der Wagen abgekoppelt wurde. Dann blieb er stehen. Wann würden sie ihre Fahrt fortsetzen? Die Zeit verging, die Nacht verblich. Alisa spürte das Nahen der Sonne. Ihr Körper wurde schwer und bald konnte sie sich nicht länger wach halten und fiel in den tiefen, todesähnlichen Schlaf aller Vampire.

Als Alisa am Abend erwachte, bewegte sich der Zug wieder. Er fuhr langsam, und sie fühlte, dass es bergauf ging. Ihre Unruhe ließ sich nicht länger unterdrücken und die Neugier war schlimmer als der einsetzende Hunger. Und außerdem wollte sie sich bewegen! Alisa kramte nach dem Bündel, das sie in ihrer Schlafkiste verborgen hatte.

»Unnützes Menschenzeug«, hatte Tammo es genannt. Nun, ihr würde es jetzt sogar sehr nützlich sein! Sie tastete über die kalte Metalloberfläche der Werkzeuge, die sie bei einem ihrer nächtlichen Streifzüge in der Reiherwerft hatte mitgehen lassen. Ein Hammer, eine Zange, ein Brecheisen und ein breiter Keil. Damit sollte es gehen! So leise wie möglich machte sie sich an den Nägeln zu schaffen. Erst rutschten die Werkzeuge immer wieder ab, da sie sich nicht aufrichten konnte und so nur schlecht an die Nagelstellen herankam. Dann aber hatte sie so viele von ihnen entfernt, dass sie den Deckel ein Stück aufschieben konnte. Sie hebelte mit dem Brecheisen die letzten Metallstifte aus dem Holz und klappte den Deckel auf. Wunderbar frische Nachtluft hüllte sie ein. Alisa setzte sich auf und sah sich um. Neben ihr standen die Kisten von Tammo und Sören und auch die drei mit ihren Habseligkeiten. Die Kisten ihrer Begleiter waren ein Stück entfernt aufgestapelt. Alisa lauschte. Außer dem Rattern der Räder und dem Schnaufen der Lokomotive konnte sie nichts hören. Sie schwang sich über den Rand und huschte zur Waggontür. Die breite Schiebetür an der Seite war verschlossen und vermutlich auch mit einem Riegel gesichert. Doch die schmale Tür am vorderen Ende des Wagens würde sie vielleicht öffnen können – mit dem richtigen Werkzeug! Sie eilte zu ihrer Kiste zurück und nahm zwei dünne Eisenstifte aus ihrem Bündel.

»Alisa? Bist du das?«, hörte sie Tammos Stimme, vom Holz um ihn herum gedämpft. Sie blieb reglos neben seiner Kiste stehen. »Was machst du? Antworte! Ich kann dich spüren!«

»Ja, ich bin hier«, sagte sie leise und strich mit den Fingernägeln über das Holz. Er klopfte von der anderen Seite dagegen.

»Wie bist du rausgekommen? Ich sitze hier fest! Haben sie vergessen, deine Kiste zuzunageln?«

»Nein, das haben sie nicht«, antwortete Alisa mit einem nur mühsam unterdrückten Kichern. »Ich war so gründlich eingesperrt wie du auch.«

»Und wie hast du sie dann aufbekommen?«

»Das verrate ich dir nicht. Aber ich gebe dir einen Hinweis. Es hat etwas mit dem Menschenzeug zu tun, das du so gering schätzt.«

»Was hast du vor?«

»Ich werde mal nachsehen, wo wir sind. Und nun sei still! Die anderen könnten dich hören.«

»Ich bin nur still, wenn du mich rauslässt«, quengelte Tammo.

»Vergiss es! Du bleibst in deiner Kiste. Das ist viel zu gefährlich. Was denkst du? Ich kann es nicht verantworten, dass du dich hier irgendwo im Zug zwischen den Passagieren herumtreibst oder gar auf das Dach hinaufkletterst. Ich könnte es mir nicht verzeihen, wenn dir bei diesem Versuch etwas zustieße. Wobei ich für meinen Teil jetzt genau das tun werde. Den Nachtwind im Gesicht. Das klingt verlockend!«

»Sei verflucht!«, schimpfte Tammo und klopfte noch einmal gegen das Holz.

»Schlaf schön, kleiner Bruder, und ruh dich aus. Du wirst deine Kräfte brauchen, wenn wir unser Ziel erreicht haben.«

Alisa biss sich auf die Lippen, um nicht zu lachen. Sie eilte zu der schmalen Tür. Sie brauchte nicht mehr als ein paar Augenblicke, um das Schloss zu öffnen. Der Fahrtwind fuhr in ihr Haar, das sich aus den Nadeln gelöst hatte, und zerrte an den Flechten. Alisa trat auf die Plattform hinaus und sah zum Dach hoch. Ein Tritt auf das Geländer und sie würde die Kante greifen können. Ein kräftiger Zug. Das war kein Problem – oder wäre kein Problem gewesen, wenn sie ihre Hosen und den Kittel getragen hätte. Alisa sah an ihrem etwas zerknautschten Kleid hinunter und fluchte. Sie bekam nicht einmal den Fuß so hoch, um ihn auf das Geländer stellen zu können, ohne den Rock zu zerreißen.

Kurz entschlossen trat sie in den Wagen zurück, öffnete die unzähligen Knöpfe an ihrem Oberteil, löste Bänder und Haken und streifte das Kleid samt seinen beiden langen Röcken ab. Achtlos warf sie es über die Kiste. Die Schuhe flogen hinterher. Barfuß und in ihrem wadenlangen, weiten Unterkleid erklomm sie das Geländer und zog sich mühelos auf das Zugdach hinauf.

War es schon zwischen den Wagen windig gewesen, so blies ihr hier oben ein handfester Sturm ins Gesicht. Wie war das herrlich! Sie drehte sich im Kreis und blickte sich um. Zuerst sah sie nur Tannen dicht an dicht um sich her aufragen. Die Lokomotive quälte sich einen Berghang hinauf, doch dann blieben die Stämme zurück. Alisa ließ sich in den Schneidersitz sinken und sah sich voll Staunen um. Die Geleise führten ganz nah an eine steile Felswand heran, die über ihnen bis in den Himmel zu ragen schien. Irgendwo in einer Schlucht verborgen, rauschte ein Wasserfall. Auf der anderen Seite verlor sich der Blick über Almen mit saftigem Gras, auf dem verstreut ein paar Kühe standen. Der Mond trat hinter den Wolken hervor. Berggipfel ragten in den nächtlichen Himmel. Schneefelder wechselten mit schroffen Felsen. Im Mondlicht glitzerte der Schnee, als wäre er mit Diamanten besetzt. Alisa stieß einen Ruf des Entzückens aus. Nie hätte sie sich vorgestellt, dass die Gipfel der Alpen so hoch und so wundervoll sein würden! Die Luft roch ganz anders als die Seeluft, die der Wind zu Hause vor sich hertrieb. Der Geruch Hamburgs wechselte mit den Gezeiten, mal modrig und schwer von altem Fisch, dann wieder salzig und frisch. Wenn der Wind nachließ, dann roch es nach dem Rauch der Schornsteine, nach Tran und Teer oder nach den Gaslampen in den Gassen – und natürlich nach den vielen Menschen, die sich in der Stadt zusammendrängten.

Hier in den Bergen war die Luft kalt und klar. Alisa roch die nassen Felsen, das Moos und die Flechten. Eine Almwiese hüllte sie in würzigen Kräuterduft. Die einzigen Warmblüter, die sie spürte, waren die Kühe und ein paar Ziegen.

Ein schrilles Pfeifen durchschnitt die Nacht. Alisa fuhr herum. Eine kleine Dampfwolke entwich der Lokomotive. Als sie sich aufgelöst hatte und Alisas Sicht nach vorn nicht mehr trübte, stieß sie einen Schrei des Entsetzens aus. Eine Wand aus Fels raste direkt auf sie zu. Sie würden zerschellen! Dann erblickte sie das schwarze Portal, unter dem die Lokomotive nun verschwand. Ohne weiter nachzudenken, ließ sich Alisa flach auf den Bauch fallen. Und schon hatte der Berg sie verschluckt. Sie fühlte den heißen Rauch im Gesicht, und wieder einmal kam es ihr vor, als könnte sie ersticken. Erneut ließ der Führer ein Pfeifen erschallen, das die Tunnelwände zu einem betäubenden Kreischen verstärkten, das noch Minuten später in ihren Ohren widerhallte. Dann waren sie wieder draußen. Mit einem Stöhnen setzte sich Alisa auf und verstummte. Sie spürte seine Gegenwart, drehte sich aber nicht zu ihm um. Natürlich half es nicht, ihn zu ignorieren. Er löste sich nicht in Nebel auf, sondern trat neben sie und ließ sich dann in die Hocke sinken, vermutlich peinlich darauf bedacht, sich seine seidenen Beinkleider nicht mit Ruß zu beschmutzen.

»Ich denke, es wird Zeit, dass du wieder in deine Kiste zurückkehrst«, sagte er mit ruhiger Stimme, die keinen Rückschluss auf seine Gemütslage zuließ. War er verärgert? Richtig wütend? Oder gar nur belustigt? Vielleicht traf Letzteres zu, denn als sie ihm das Gesicht zuwandte, lachte Hindrik auf.

»Was ist?«, fuhr ihn Alisa an.

»Du wirst einen feinen Eindruck machen, wenn wir in Rom ankommen!«

»Warum?« Alisa sah an sich hinab. Ihr Unterkleid war voller Ruß und auch ihr Gesicht musste dem eines Kohlenträgers gleichen. Hindrik fuhr mit dem Zeigefinger über ihre Wange und sie starrte verblüfft auf die schwarze Fingerspitze, dann lachte sie hell auf. »Oh nein, das wird Ärger geben.«

Hindrik nickte. »Ja, mal sehen, was wir noch retten können.«

»Hat Tammo dich auf meine Fährte gehetzt?«

Hindrik schüttelte den Kopf. »Nein, das war nicht nötig. Wir sind auch nicht taub, weißt du. Dame Elina hat mir aufgetragen, dich zurückzuholen.« Alisa barg das Gesicht in den noch schmutzigeren Händen und stöhnte leise.

»Ich glaube, sie ist nicht sehr böse auf dich. Aber jetzt komm wieder mit runter.«

Alisa warf schmollend die Lippen auf. »Ach nein! Sieh dich nur um. Ist das nicht herrlich hier? Was soll ich dort unten in meiner Kiste liegen? Die Nacht ist noch lang – und schmutzig bin ich schon. Schlimmer kann es nicht mehr werden.«

Hindrik seufzte. »Ja, das kann man wohl sagen. Und ich gebe dir recht. Es ist eine faszinierende Landschaft. Auch ich habe noch nie so hohe, mit Schnee bedeckte Gipfel gesehen.«

Für eine Weile schwieg Hindrik und schien vergessen zu haben, dass er sie zur Rückkehr in den Wagen aufgefordert hatte. Sie standen nebeneinander auf dem Zugdach und sahen zu der Passhöhe hinauf, der sie sich in gemächlichem Tempo näherten.

»Ist das der Brennerpass?«, fragte Alisa.

Er nickte. »Ja, es ist der einzige Alpenübergang, den ein Zug befahren kann. Auf der neuen Strecke von Wien über den Semmering gibt es ein Dutzend Tunnels und der Gipfel wird auf eineinhalb Kilometern unterfahren. Eine technische Meisterleistung!« Alisa sah ihn erstaunt an. Er schmunzelte. »Nicht nur du interessierst dich für die neuen Errungenschaften der Menschen. Ich muss zugeben, deine Zeitungslektüre ist zuweilen recht spannend.«

Alisa nickte. »Ja, das stimmt. Ich werde die täglichen Artikel in Rom vermissen. Ich kann inzwischen zwar leidlich Englisch und Französisch, das Italienische aber ist mir völlig fremd.«

»Du wirst es schnell erlernen, so wie ich dich kenne. Und außerdem kann ich mir nicht vorstellen, dass du mit den nächtlichen Lektionen Zeit für Langeweile finden wirst.«

»Wollen wir es hoffen«, sagte sie mit solcher Tragik in der Stimme, dass der ältere Vampir auflachte.

»So, aber nun komm. Wir müssen zusehen, dass wir dich wieder in einen halbwegs anständigen Zustand versetzen, damit sie uns in Rom nicht für Barbaren halten.«

Alisa zog eine Grimasse, folgte ihm aber zurück in den Wagen. Ihr Unterkleid würde sie erst in Rom waschen lassen können, doch zumindest Gesicht und Hände befreite Hindrik, so gut es ging, vom Ruß. Dann half er ihr, das Haar zu bürsten und frisch aufzustecken.

»Wie sehe ich aus?«, fragte sie und bedauerte es wieder einmal, dass sie ihre Erscheinung nicht wie die Menschen in einem Spiegel überprüfen konnte. Es hätte vor allem den allabendlichen Kampf mit ihrem Haar erleichtert.

»Ganz passabel«, sagte Hindrik und kniff ihr in die Wange. »Und nun ab in deine Kiste. Ich werde sie wieder zunageln, und du wirst bitte darauf verzichten, dein Werkzeug noch einmal zu benutzen.«

»Mal sehen«, murmelte Alisa und sank auf ihr Lager zurück.

Hindrik streckte fordernd die Hand vor. »Dann muss ich es dir abnehmen.«

»Nein!« Der Schreck stand ihr ins Gesicht geschrieben. »Das kannst du nicht machen!«

»Doch, das kann ich. Dame Elina hat mir weitreichende Vollmachten erteilt!«

»Nun gut, ich verspreche, dass ich mein Werkzeug bis Rom nicht mehr benutze«, sagte Alisa schnell und stopfte ihre Schätze unter das Kissen. Hindrik gab nach, klappte den Deckel zu und schlug ein paar Nägel ein. Dann machte er sich auf den Weg zurück zu seiner eigenen Reisekiste.

Es kehrte Ruhe im Wagen ein. Alisa lauschte wieder dem gleichmäßigen Rhythmus der Räder, die sie mit jedem Taktschlag ein Stück näher an Rom heranbrachten.

DIE DOMUS AUREA

Der rosarote Himmel über Rom verblasste und nahm einen tiefvioletten Ton an. Für einige Augenblicke leuchtete der Horizont über dem Meer noch auf, dann erloschen die letzten Farben und die Nacht streifte ihren Schatten über die Ewige Stadt.

Noch schwebte Stille durch die steinernen Kammern unter den Ruinen der Trajanthermen. Im Westflügel reihten sich steinerne Särge an den Wänden. Manche von ihnen zeigten nur eine glatte Marmoroberfläche, andere zierten kunstvolle Reliefs und vergoldete Inschriften. Plötzlich erklang ein knirschendes Geräusch. Eine einfache Sargplatte begann, sich zur Seite zu bewegen, bis ein Spalt erschien. Kurze weiße Finger mit abgekauten Fingernägeln reckten sich aus der Tiefe des Sarkophags empor und verharrten einen Moment. Ein Stöhnen erhob sich und hallte von den steinernen Wänden wider. Dann drückte die Hand gegen den Steindeckel und schob ihn mit einem kräftigen Stoß so weit zur Seite, dass die Gestalt im Sarg sich aufsetzen konnte. Luciano murmelte ein paar italienische Flüche und atmete tief die feuchte Luft des fast zweitausend Jahre alten Gemäuers ein. Nun war auch aus den anderen Räumen das Kratzen und Schaben von Stein auf Stein zu hören. Eine neue Nacht erwachte.

Luciano gähnte herzhaft und fuhr sich mit den Fingern durch sein schwarzes Haar, das ihm wie die Stacheln eines Igels wild vom Kopf abstand. Sein Gesicht war rund und auch sein Körper wirkte durchaus gut genährt.

»Francesco wo bist du? Verflucht, ich habe es satt, diese schwere Platte immer selbst schieben zu müssen! Wozu gibt es dich denn, wenn du immer weg bist, wenn ich dich brauche?«

Keine Antwort, doch etwas entfernt waren Stimmen zu hören. Luciano reckte den ein wenig zu kurz geratenen Hals und lauschte. Waren die Gäste etwa schon eingetroffen? Er vergaß, sich weiter über seinen pflichtvergessenen Diener zu ärgern. Für seine Verhältnisse ungewöhnlich flink kletterte er aus dem Sarg und gab der Platte einen kräftigen Stoß, sodass sie ein Stück zurückglitt und nun schief auf dem Sockel lag. Sollte Francesco die Platte nachher gerade rücken. Wen kümmerte das? Luciano zuckte mit den Schultern und strich sich hastig seine zerknautschten Kleider glatt: Er trug zu seinen kräftig braunen Hosen einen grünen Gehrock, unter dem eine rot gemusterte Weste und ein gelbes Halstuch hervorlugten. Wie die meisten Mitglieder der Nosferasfamilie liebte Luciano kräftige Farben – und er verspürte stets unbändigen Durst! Da sein Schatten nicht greifbar war, um ihn zu bedienen, lief er selbst zum Saal mit der goldenen Decke, um das unerträgliche Ziehen in seinem Kiefer mit Tierblut zu betäuben.

»Sind die Gäste schon eingetroffen?«, fragte er die dralle, grauhaarige Frau, die ihn bediente. Ihr graues, schmuckloses Gewand wies sie als eine Unreine aus.

Zita schüttelte den Kopf. »Nein, ich habe nicht gehört, dass eine der Kutschen bereits wieder hier ist. Sie haben anspannen lassen, noch bevor die Sonne untergegangen ist, und sind gleich, nachdem der letzte Strahl verloschen war, losgefahren.«

Eine jüngere Frau mit einem Säugling in den Armen trat heran. Luciano strahlte sie an. Alle mochten die fröhliche, hübsche Raphaela, die seit einigen Jahren Zita zur Hand ging und nun auch die Aufgabe übernommen hatte, den anscheinend immer hungrigen Säugling zu füttern, den sich Melita, die Cousine Conte Claudios, beschafft hatte, nachdem es ihr viele Jahre lang nicht gelungen war, ein eigenes Kind zu bekommen. Nun, nach fünf Jahren Fürsorge, schien sie des kleinen Plagegeists überdrüssig zu werden und überließ ihn immer häufiger Raphaela.

Luciano wechselte ein paar scherzhafte Worte mit der Servientin, dann wandte er sich wieder an Zita.

»Weißt du, wo sich Francesco schon wieder herumtreibt?«, wollte Luciano wissen. Er reckte sich zu seiner ganzen Größe auf und zog eine finstere Miene, um seinen Unwillen über seinen Diener zu bekunden, doch zumindest auf Zita schien es keinen Eindruck zu machen. Sie lächelte und strich ihm über sein nach allen Seiten abstehendes Haar.

»Conte Claudio hat ihn gerufen, dass er mit zum Bahnhof fährt. Hast du genug getrunken, mein Lieber?«

Bevor Luciano etwas erwidern konnte, kam Chiara hereingestürmt, ihre Dienerin Leonarda wie immer zwei Schritte hinter ihr. Chiara hatte das gleiche runde Gesicht wie ihr Cousin Luciano und bereits üppig weibliche Formen, obwohl sie wie er erst dreizehn Jahre alt war.

»Komm, sie sind da!« Ungeduldig strich sie sich das lange schwarze Haar aus dem Gesicht.

»Wer? Alle Gäste?«, wollte Luciano wissen, während er schnaufend neben ihr herlief.

»Nein, bisher habe ich nur die Dracas aus Wien gesehen. Sie sind – unglaublich! Aber sieh selbst.« Sie verdrehte die Augen und stieß ein kurzes, nervöses Lachen aus.

Luciano wollte sie gerade fragen, was genau sie meinte, da erreichten sie den achteckigen Saal, in dem die Gäste empfangen wurden. Natürlich war Conte Claudio da, der Führer der römischen Familie, und seine wichtigsten Vertrauten, doch Luciano sah auch einige der Altehrwürdigen, allen voran Conte Giuseppe, Claudios Großvater und sein Vorgänger als Clanführer. Doch die eigenen Familienmitglieder waren natürlich nicht das, was Luciano interessierte. Vor ihm blieb Chiara so unvermittelt stehen, dass er fast in sie hineingelaufen wäre. Sie faltete die Hände vor der Brust und seufzte verzückt. Luciano drängte sich neben sie und folgte ihrem Blick zu den Gästen aus Wien, die gerade von Conte Claudio wortreich begrüßt wurden. Ja, er verstand nun, was Chiara gemeint hatte. Sie waren unglaublich! Allen gemein war der hohe Wuchs und ein edles Gesicht mit einer schmalen, geraden Nase. Sie hatten dichtes dunkelbraunes Haar, das die Frauen zu kunstvollen Frisuren aufgesteckt hatten, während die Männer es schulterlang und mit einer edelsteinbesetzten Schleife im Nacken gebunden trugen. Ihre Kleidung war aus teurem Stoff und umschmeichelte ihre makellosen Körper. Sie sahen nicht so aus, als wären sie zwei Tage in ihren Särgen von Wien über die Alpen bis nach Rom gereist. Nein, es kam Luciano eher so vor, als wären sie gerade von einem Schwarm dienender Geister für einen Ball in der Hofburg herausgeputzt worden. Unauffällig klopfte sich Luciano einen Staubfleck von seiner zerknitterten Hose.

Conte Claudio hatte die beiden prächtigsten Besucher – die Baron Maximilian und seine Schwester Antonia sein mussten – ehrerbietig begrüßt und ihren Begleitern die Hand geschüttelt. Nun winkte er zwei Jungen und zwei Mädchen heran und hieß sie mit einem breiten Lächeln willkommen. Eines der Mädchen schien Luciano um ein paar Jahre älter als er und Chiara, das andere konnte nicht älter als zwölf sein. Dann trat einer der Jungen vor und erwies Conte Claudio anmutig seine Referenz.

»Franz Leopold«, stellte sich der Junge mit wohlklingender Stimme vor.

»Ist er nicht wundervoll?«, flüsterte Chiara und stöhnte leise. »Ich habe nie ein schöneres Wesen gesehen. Und wie er sich bewegt!«

Neidvoll musste Luciano ihr recht geben. Der Junge trat nun zur Seite und ließ den zweiten vortreten.

»Ich hole ihn dir«, sagte Luciano und trat auf den fremden Vampir aus Wien zu.

Chiara legte die flache Hand zwischen ihre gut entwickelten Brüste. »Ich glaube, ich falle in Ohnmacht, wenn er mich nur ansieht.«

»Sei nicht albern. Er wird mit uns die Akademie besuchen, also komm, wir machen uns mit ihm bekannt.«

»Sei gegrüßt, Franz Leopold, mein Name ist Luciano und das ist Chiara. Willkommen in …«

Er brach ab. Der Wiener Vampir hatte sich zu ihm umgewandt und musterte ihn mit einem solchen Ausdruck des Abscheus, dass es Luciano die Sprache verschlug. Er fühlte den unbändigen Drang, an seinen Nägeln zu kauen, entschied jedoch, dass dies seine Lage noch verschlimmern würde. Es war ihm, als lähmte der Blick des anderen ihn. Die Hände, die er ihm gerade noch mit seinem Willkommensgruß hatte entgegenstrecken wollen, verkrampften sich hinter seinem Rücken, und er fühlte, wie seine Knie weich wurden. Sein Gegenüber öffnete die schönen Lippen zu einem Lächeln. Luciano hatte nicht gewusst, wie viel Verachtung in einem Lächeln liegen konnte.

»Bei allen Dämonen, seid ihr denn alle hier so fett und hässlich? Ihr scheint wohl nichts anderes zu tun außer zu fressen? Kein Wunder, dass die Ewige Stadt schon lange untergegangen ist, wie man sagt. Ich frage mich, warum der Rat beschlossen hat, euch vor dem Untergang zu bewahren. Ob das der Mühe lohnt?« Er sah sich um und wandte sich dann wieder Luciano zu, der sich inzwischen nicht bewegt hatte. Die schwarzen Augen schienen sich wie eine Klinge in Lucianos Kopf zu bohren. Wenn überhaupt möglich, wurde Franz Leopolds Ausdruck noch verächtlicher.

»Herr der Hölle, bist du erbärmlich. Dann kau doch an deinen Fingernägeln, wenn es dich beruhigt!« Er drehte sich um und kehrte zu den Mitgliedern seiner Familie zurück, die die gleiche hochnäsige Arroganz zur Schau trugen.

Luciano stand noch immer wie versteinert da, bis Chiara ihm eine Hand auf die Schulter legte. »Wie konnte er das wissen?«, fragte er sie. Er hatte ein Gefühl in der Brust, als müsse er weinen – wenn er es gekonnt hätte.

»Das mit den Nägeln?« Sie zuckte mit den Schultern. »Wissen konnte er es nicht. Er kann nur geraten haben.«

»Ach ja?« Luciano fuhr herum. »Er hat ja noch nicht einmal meine Hände gesehen. Wie konnte er dann auf so eine Idee kommen?«

»Ja, wie, wenn er nicht in die Gedanken anderer eindringen kann«, sagte Chiara nachdenklich.

»Die Vorstellung ist entsetzlich!«, stöhnte Luciano und presste die Hände vors Gesicht. »Ich werde nirgends mehr vor seiner Verachtung sicher sein.«

»Hast du denn in diesem Moment an deine Nägel gedacht?« Luciano nickte, ohne seine Hände vom Gesicht zu nehmen.

Chiara fluchte unfein. »Das kann ja heiter werden. Und ich dachte schon, die bösen Geschichten, die über die anderen Clans erzählt werden, sind übertrieben. Mein Bedarf jedenfalls ist gedeckt! Ich will nichts mehr mit ihnen zu tun haben! Komm Leonarda.« Sie winkte ihrer Dienerin und rauschte hinaus. Aus dem Gang wehten noch ihre Worte zu Luciano. »Wie kann man nur so schön sein und gleichzeitig so widerlich!«

Luciano wollte ihr folgen, aber die Stimme von Conte Claudio hielt ihn auf.

»Luciano, wo willst du hin? Bleib hier, die anderen Familien können jeden Moment eintreffen.«

Widerstrebend stellte sich Luciano an seine Seite neben Maurizio, der ein Jahr älter war als er und den Unterricht ebenfalls besuchen würde.

»Das kann ja heiter werden«, wiederholte sein Cousin Chiaras Worte und zog eine Grimasse.

»Allerdings! Mit denen halte ich es keine Nacht in einem Raum aus!« Die freudige Erwartung, die Luciano vor einer Stunde aus seinem Sarkophag getrieben hatte, war erloschen.

*

Alisa wusste nicht, wie sie es auch nur eine Minute länger in ihrer Kiste aushalten sollte. Endlich war der Zug in Rom eingetroffen, und endlich fühlte sie, wie die Kisten ausgeladen und auf Kutschen gehievt wurden. Sie hörte die Pferde schnauben und roch ihr warmes Blut, was sie daran erinnerte, dass sie ungewöhnlich lange nichts mehr getrunken hatte. Doch es war eher die rastlose

Spannung als der Durst schuld daran, dass sie nicht mehr still liegen konnte. Ungeduldig tippte Alisa mit dem Schuh gegen die Holzwand, während der Karren über das unebene Kopfsteinpflaster holperte. Ein Gewirr von Stimmen flog an ihr vorbei und wundervolle, neue Gerüche. Dann hielt der Wagen an. Noch einmal wurden die Kisten an einen anderen Ort getragen. Endlich hörte sie das so herbeigesehnte Geräusch von Nägeln, die aus dem Holz gezogen wurden. Alisa zappelte in ihrer Kiste herum, bis sie schließlich an die Reihe kam. Der Deckel klappte auf, und das Erste, was sie sah, war Hindriks Gesicht. Er lächelte sie an und streckte ihr die Hand entgegen, um ihr beim Aufstehen zu helfen.

»Endlich angekommen.«

»Und ich darf wieder als Letzte raus«, murrte Alisa, als sie einen Blick durch das steinerne Gelass schweifen ließ, wo die anderen Mitglieder der Familie bereits auf sie warteten.

Hindrik schmunzelte. »Man kann nicht behaupten, dass du die längste Zeit in deiner Kiste verbracht hast.«

Alisa lächelte ihm verschwörerisch zu. »Hat Dame Elina etwas gesagt?«

Hindrik schüttelte den Kopf. »Wie es scheint, bleibt dein kleiner Ausflug ohne Folgen.«

Alisa wollte noch etwas hinzufügen, aber sie spürte den Blick des Familienoberhaupts auf sich ruhen. So schwieg sie, legte züchtig die Hände übereinander und trat mit gesenktem Haupt zu den anderen. Dame Elina nahm ein weißes Spitzentuch aus ihrem Ridikül* und wischte Alisa über den Hals. Nachdenklich betrachtete die hochgewachsene Vampirin das Tuch. Um ihre Mundwinkel zuckte es. »Es ist schon erstaunlich, wie rußig man bei solch einer Zugfahrt werden kann.« Alisa murmelte etwas Unverständliches und war froh, dass nun ein Bediensteter ihres Gastgebers auftauchte, um sie in die Empfangshalle zu führen.

War der steinerne Raum, in dem die Vamalia ihre Kisten verlassen hatten, schmucklos, feucht und düster gewesen, so musste Alisa nun blinzeln, als sie den achteckigen Saal betraten. Zahlreiche

Kerzen brannten in Haltern an den Säulen, die die Decke trugen. Die Säulen waren farbig bemalt und mit Blattgold verziert. Statuen und Figurengruppen aus verschiedenen Epochen standen in der Halle verteilt. Wie ein Stern öffneten sich fünf Räume von der Halle weg, die ebenfalls prächtige Malereien zur Schau stellten. Der mittlere Raum war ein Nymphäum* mit einem Wasserspiel. Hier konnte sich Alisa vorstellen, wie die Domus Aurea – das Goldene Haus – zu ihrem Namen gekommen war.

»Dame Elina! Wir grüßen Euch und die Mitglieder der Vamaliafamilie!«

»Conte Claudio.«

Ein kleiner Vampir mit mausgrauem Haarkranz beugte sich über Dame Elinas Hand. Selbst als er sich wieder aufrichtete, überragte sie ihn um einen halben Kopf. Sein dicker Leib war in ein wallend rotes Gewand gehüllt, das im Licht der Kerzen schimmerte. Das war also der Clanführer der Nosferas, der römischen Vampire. Alisa wusste nicht so genau, wie sie ihn sich vorgestellt hatte. So jedenfalls nicht. Bis auf seine langen, spitzen Fingernägel wirkte er eher gemütlich als gefährlich, doch vielleicht täuschte das ja. Jedenfalls schien die Anlage zur Korpulenz in der Familie zu liegen, wie Alisa feststellte, als sie den Blick schweifen ließ. Er blieb an einem alten Vampir hängen, der neben einer Säule saß. Sein Leib war hager, die Haut fast bis zum Zerreißen über das Gesicht gespannt, was ihm das Aussehen eines Totenschädels verlieh. Fast hätte man meinen können, er gehöre nicht zu den Nosferas. Die Form der Nase und die Stellung der Augen allerdings glichen denen von Conte Claudio. Der Alte erwiderte Alisas Blick und krümmte seine knochigen Finger. Zögernd trat das Mädchen näher.

»Wie heißt du, Kind?«

»Alisa, vom Clan der Vamalia«, sagte sie und verbeugte sich höflich.

»Und, trägt man so etwas heutzutage in Hamburg?« Er streckte den Zeigefinger aus und deutete auf ihr Tornürenkleid.

Alisa seufzte und nickte. »Ja, leider.«

Der Alte beugte sich ein wenig vor. »Sieht nicht sehr bequem aus.«

»Ist es auch nicht. Wer seid Ihr?«

»Giuseppe – Conte Giuseppe. Oder zumindest war ich das mal, bevor mein Enkel die Stellung übernahm.« Er nickte in Conte Claudios Richtung. »Nun gehöre ich wohl zu den Altehrwürdigen. Aber ich sage dir, in den einhundert Jahren, da ich den Clan geführt habe, waren wir groß und mächtig.«

Ein anderer Altehrwürdiger humpelte heran und führte den Satz fort. »Ja, groß und mächtig und unabhängig! Wir mussten uns nicht auf faule Kompromisse einlassen und um die Gunst anderer Clans buhlen.« Seine Stimme klang bitter. »Dass ich so etwas noch erleben muss!«

Alisa wusste nicht, was sie darauf antworten sollte. Zum Glück rief Dame Elina nach ihr und so verbeugte sie sich hastig und eilte zu den anderen zurück. Dame Elina verkündete, wie es nun weitergehen würde.

»Die Abordnungen aus Paris, Wien und London sind bereits eingetroffen. Sie sind wie wir mit dem Zug gekommen. Das Schiff, auf dem die Lycana aus Irland anreisen, ist noch nicht gemeldet worden. Vermutlich sind sie in schlechtes Wetter geraten. Heute Nacht werden sie sicher nicht mehr im Hafen von Civitavecchia einlaufen.«

Alisa hörte eine gedämpfte Stimme hinter sich. »Sie werden doch nicht etwa diese …« Die Sprecherin zögerte und sagte dann: »Diese alte Frau mitbringen?«

»Denen traue ich alles zu«, antwortete ein Mann. »Sie hat es ja auch gewagt, in Chillon aufzutauchen.«

Alisa drehte sich um, konnte die beiden aber nicht sehen, da sie hinter einer Skulpturengruppe standen. Jedenfalls sprachen sie Deutsch mit einem südlichen Akzent.

»Vielleicht wäre es das Beste, wenn das Schiff unterginge und sein Ziel nie erreichte«, sagte die Frau.

»Still! Ich kann dir nicht verbieten, es zu denken, doch sprich es wenigstens nicht aus, solange wir hier mit den anderen im Saal sind.«

Eine dunkelhaarige, schlanke Frau rauschte mit wehenden Röcken hinaus, ein Mann mit ähnlicher Statur folgte ihr.

Alisa wandte einen Teil ihrer Aufmerksamkeit wieder Dame Elina zu. Im Saal mit der goldenen Decke könnten sie ihren Durst stillen, dann würde man sie durch die Domus Aurea führen und ihnen ihre Schlafkammern zeigen. Alisa ließ sich schon wieder ablenken. Eine Gestalt erregte ihr Interesse. Es war ein unscheinbarer Vampir in mittlerem Alter, der ihr sicher nicht aufgefallen wäre, hätte er die Halle ganz normal betreten. Aber die Art, wie er erst um einen Pfeiler lugte und sich dann an der Wand entlangdrückte, war merkwüdig. Nun fiel Alisa auch auf, dass seine Kleider an den Knien und Ärmeln verschmutzt und zerrissen waren. Er strahlte etwas Gehetztes aus, so wie sein Blick durch den Saal huschte. Als Conte Claudio sich von seinen Gästen abwandte, eilte er zu ihm. Alisa trat unauffällig ein wenig näher und spitzte die Ohren.

»Er ist verschwunden«, keuchte der Neuankömmling. »Ich habe ihn vergangene Nacht begleitet, wie er es wollte, und dann hat er mich zu einer Besorgung geschickt. Als ich wiederkam, war er fort. Ich habe ihn bis zum Sonnenaufgang gesucht, konnte ihn aber nicht finden. Mir blieb nichts anderes übrig, als mich den Tag über in einem Keller zu verstecken. Ich weiß nicht, was ich tun soll. Er ist wie vom Erdboden verschluckt!«

Conte Claudio schien ihm gar nicht recht zuzuhören oder die Geschichte interessierte ihn nicht. »Von wem redest du?«, fragte er nachlässig und sah dabei zu einer anderen Gruppe hinüber, die gerade den Saal betrat.

»Von Erado, von Eurem Oheim Erado.«

Nun wandte sich Conte Claudio dem Sprecher zu. Ein seltsamer Funke glomm in seinen braunen Augen. »Erado ist verschwunden?« Der andere nickte. Alisa spürte seine Verzweiflung.

»Und es gibt keine Hoffnung mehr?«, bohrte Conte Claudio nach.

Der Unscheinbare hob die Schultern. »Ich kann mich gleich noch einmal auf den Weg machen. Ich wollte Euch nur Bescheid geben. Soll ich eine Suchmannschaft zusammenstellen? Die meisten Unreinen sind mit den Sänften unterwegs. Sie haben die Altehrwürdigen in die Oper getragen.«

Conte Claudio zögerte. Sein Blick wanderte zu dem alten Giuseppe, der kerzengerade in seinem Stuhl saß. Konnte er aus dieser Entfernung das Gespräch mit anhören? Alisa fühlte, wie jemand an ihrem Ärmel zog.

»Nun komm schon«, schimpfte ihr jüngerer Bruder. »Es gibt endlich Blut. Ich bin so ausgehungert, dass ich mich sogar auf Ratten stürzen würde!« Nun hatte sie die Entscheidung des Conte verpasst! Der unbekannte Vampir verneigte sich bereits und huschte davon.

»Tammo, du bist wirklich das Lästigste, was diese Erde jemals hervorgebracht hat«, fauchte seine Schwester.

Beleidigt wandte sich Tammo ab und lief aus der Halle. Alisa folgte ihm so schnell, wie es ihr Kleid zuließ. Sie würde es sobald wie möglich gegen etwas Praktischeres tauschen! Jedenfalls hatte sie bereits viel Stoff zum Nachdenken, obwohl sie erst seit kaum mehr als einer Stunde in der Domus Aurea weilten. Das Jahr in Rom versprach noch interessanter zu werden, als sie es sich erhofft hatte!

*

Nach ihrem Mahl führte ein Vampir namens Lorenzo sie durch die Domus Aurea. Er war ein Vetter zweiten Grade von Conte Claudio, etwa halb so alt wie dieser und auch nur halb so beleibt. Dennoch schritt er nur langsam voran mit dem gleichen watschelnden Gang wie das Familienoberhaupt. Er sprach vom römischen Kaiser Nero, unter dessen Herrschaft im Jahr 64 nach Christi Geburt einige Wohnviertel Roms bei einem Brand zerstört worden waren. Dieses Gelände mit den Hügeln des Palatino, des Celio und des Oppius einschließlich des von ihnen umschlossenen Tales wählte der Kaiser, um die größte Palastanlage aller Zeiten zu erbauen – seiner Person und seiner Macht angemessen! Ein Paradies mit Pavillons und Parklandschaften, einem künstlichen Meer und Gärten voller exotischer Tiere.

»Neros Meer erstreckte sich dort, wo heute das Kolosseum steht. Die Domus Aurea war nur der Ostteil des Palastes und nicht als Wohnstätte für den Kaiser und seine Gemahlin gedacht«, erklärte Lorenzo, während er sie von einem steinernen Raum in den anderen führte. »Hierher lud er seine wichtigen Gäste zu großen Gelagen mit Musik und Tanz und vielen Überraschungen – zum Beispiel von der Decke herabregnende Rosenblüten.« Lorenzo sprach von den reichen Wand- und Deckenmalereien, Szenen aus der antiken Sagenwelt und fantastischen Landschaften, von den Statuen und unglaublichen Wasserspielen, von drehbaren Decken und künstlichen Himmeln.

Alisa merkte schnell, dass der Glanz der alten Kaiserzeit heute nur noch in den Sälen und Zimmern zu erahnen war, die der Familie wichtig erschienen: vor allem im Ostflügel, in den Räumen um den achteckigen Saal und den Hof herum, in denen offensichtlich die Altehrwürdigen wohnten. Auch der Saal mit der goldenen Decke war prächtig anzusehen. Alisa vermutete, dass Conte Claudio und einige angesehene Familienmitglieder sich auch ihre Grüfte kostspielig hatten ausstatten lassen. Diese Räume durften sie allerdings nicht besichtigen.

Die Schlafräume der jungen Vampire und vor allem die der Servienten im Westflügel waren dagegen kahl und feucht. Zwar konnte man an den Wänden noch immer Reste der einstigen Bemalung sehen, doch hier hatte sich niemand die Mühe gemacht, die Spuren von fast zweitausend Jahren zu beseitigen. Das herabrinnende Wasser hatte weiße Kalkspuren hinterlassen und an vielen Stellen war der Putz von Decken und Wänden gebröckelt. Nur den geschichteten Ziegelsteinen schien die Zeit wenig anhaben zu können. Und während die Repräsentationsräume im Ostflügel in verschwenderischem Lichterglanz erstrahlten, kamen sie hier nur selten an brennenden Lampen vorbei. Aber schließlich brauchten sie alle kein Licht, um im Dunkeln ihren Weg zu finden. Alisa versuchte, sich wieder auf Lorenzos Stimme zu konzentrieren.

»Nach Neros Tod war seinen Nachfolgern sehr daran gelegen, jede Erinnerung an ihn zu tilgen. Sie legten das Meer trocken und bauten dort für das Volk das erste steinerne Amphitheater, das Kolosseum. Den Palast rissen sie nieder.«

»Bis auf die Domus Aurea. Warum haben sie die stehen lassen?«, wollte Sören wissen.

Ihr Führer lächelte. »Ihr spürt natürlich, dass wir hier unter der Erde sind, genauer gesagt im Oppiushügel. Daher ist es hier kühl und feucht. Das alles verdanken wir Kaiser Trajan. Er wollte das Goldene Haus als Fundament für eine neue Therme nutzen. Daher blieb es stehen. Trajan ließ lange Galerien einbauen, um die Aufbauten auf dem Hügel zu stützen, die offenen Arkaden vermauern und die großen Höfe zuschütten. In ihrem Grab aus Erde und Stein gerieten die Goldenen Hallen in Vergessenheit. Selbst als die Therme längst schon verfallen war, ahnte niemand, was im Inneren dieses künstlichen Hügels schlummerte. Ein idealer Ort für unsere Familie! Nach und nach haben wir die Räume unseren Bedürfnissen und Vorlieben angepasst.«

Der Morgen nahte bereits, als Lorenzo seine Führung beendete. Einige der römischen Clanmitglieder kehrten gerade von ihren nächtlichen Streifzügen zurück. Alte und junge Vampire kletterten aus ihren Sänften und begaben sich trägen Schrittes zu ihren Schlafstätten. Ihre bunten Gewänder ließen die grau gekleideten Servienten, die die Sänften getragen hatten, wie umherhuschende Ratten wirken.

Als sich der Hof wieder geleert hatte, begleitete Lorenzo die Gäste zu einer Reihe steinerner Kammern auf der Südseite des Westflügels.

»Diesen Raum nennen wir den Saal der Käuzchen«, erklärte er und deutete auf die Gemälde an der Decke. »Hier oder in den Galerien, die den alten Hofgarten durchlaufen, können sich die Schüler aufhalten, wenn kein Unterricht stattfindet. In den Kammern rechts schlafen die Jungen, in den Kammern links die Mädchen. Eure Diener werden zusammen mit unseren Unreinen untergebracht. Legt euch nun in eure Särge. Wir beginnen heute Abend.«

Marieke, die Dame Elina zusammen mit Hindrik als Begleitung der jungen Vampire ausgewählt hatte, folgte Alisa in den nächsten Raum. Vier schwere Sarkophage standen an der einen Wand. An der anderen fand Alisa ihre alte Schlafkiste und den Behälter mit ihren Habseligkeiten.

»Müssen wir in diesen Dingern schlafen?«, fragte sie und versuchte, den Deckel zu verschieben, doch er rührte sich nicht von der Stelle. »Ich möchte lieber meine Kiste.«

Sie sah von Marieke zu einem Mädchen mit schwarzem Haar und einer – im Gegensatz zu Alisa – sehr weiblichen Figur, das nun mit ausgestreckter Hand auf sie zukam.

»Sei gegrüßt«, sagte sie in der alten Vampirsprache. »Du bist aus dem neuen Deutschen Reich, nicht wahr? Ich spreche kein Deutsch. Es ist aber auch eine zu seltsame Sprache. Wie kann man nur solche Laute über die Lippen bringen? Ich heiße übrigens Chiara.«

»Ich grüße dich auch. Du bist eine Nosferas, das sieht man. Mein Name ist Alisa und das ist Marieke.«

Sie schüttelten sich die Hände. Als Marieke ebenfalls auf sie zutrat, wich Chiara ein Stück zurück und verschränkte die Arme hinter dem Rücken. »Ist sie nicht ein Schatten?«

Alisa starrte das Mädchen verständnislos an. »Schatten?«

»Nun ja, eine Unreine, ein Dienstbote, der dir immer folgen und dir gehorchen muss. Jeder hat doch einen, nicht? Mein Schatten heißt Leonarda, sie war dreizehn, wie ich jetzt, als sie gebissen wurde. Das war vor fünf Jahren. Seitdem dient sie nur mir.«

Alisa sah zu dem grau gewandeten Mädchen hinüber, das sich mit gesenktem Kopf an die Wand drückte. »Weißt du, bei uns ist das ein wenig anders«, begann sie vorsichtig. »Marieke und Hindrik sind Servienten und sie sind als Begleitung mit uns hergekommen, aber ich fürchte, es ist eher so, dass wir tun müssen, was sie sagen. Sie sollen schließlich für unsere Sicherheit sorgen. Sie haben ja schon viel mehr Erfahrung als wir.«

Chiara riss die Augen auf und schüttelte fassungslos den Kopf. »Das ist ja wirklich seltsam. Habt ihr keine Angst, sie könnten die Herrschaft an sich reißen, wenn ihr ihnen so viele Freiheiten lasst?«

Alisa hob die Schultern. »Warum sollten sie? Wir leben alle zusammen und Dame Elina ist uns ein weises Oberhaupt.«

In diesem Moment trat eine streng aussehende Vampirin in die Kammer, die ein Mädchen vor sich herschob, das sie als Joanne vom Clan der Pyras aus Paris vorstellte. Joanne war ein kräftiges Mädchen mit einem breiten Gesicht. Ihre dunklen Haare trug sie zu zwei unordentlichen Zöpfen geflochten. Die Kleider waren aus grobem Stoff und an mehreren Stellen geflickt. Als sie die anderen angrinste, enthüllte sie zwei Zahnlücken.

»Der Tag naht. Eure Särge warten«, sagte die Vampirin und rückte mit einem kräftigen Stoß eine der Steinplatten zur Seite. Sie winkte Joanne, die mit einem einzigen Satz hineinsprang, sich auf den Rücken legte und die Hände vor der Brust verschränkte. Dann wurde der Deckel geschlossen. Die zierliche Leonarda hatte bereits Chiaras Schlafstatt geöffnet. Marieke half Alisa in den Sarg neben Chiaras.

»Ich will aber lieber in meine Kiste«, protestierte sie. »Hier kann ich nicht raus, wenn ich es will, sondern muss darauf warten, dass mir jemand den Deckel öffnet!«

»Vielleicht ist das ja im Sinne des Erfinders«, erwiderte Marieke und schob den Deckel zu. »Nur Geduld, ihr jungen Vampire werdet schnell an Kraft gewinnen, und schon bald ist so eine Steinplatte kein Hindernis mehr für euch.«

»Nun ruht Kinder. Wir sehen uns heute Abend. Oh ja, wir werden viel miteinander zu tun haben!«, sagte die strenge Dame, dann entfernten sich ihre Schritte, die Tür schlug zu, und Stille senkte sich über die Kammer.

EINE KLEINE VORSTELLUNG

Alisa wartete schon ungeduldig, als Marieke am Abend endlich den Deckel zur Seite schob. Sie war so zappelig, dass die Servientin sie dreimal ermahnen musste, stillzuhalten, ehe es ihr gelang, Alisa die Haare zu flechten und aufzustecken. Sie bürstete ihr noch das Kleid aus und schüttelte die Falten des Rockes auf, ehe sie ihrem Schützling erlaubte, in den Saal mit der goldenen Decke zu gehen, wo sich die jungen Vampire bereits zum Blutmahl versammelten. Inzwischen hatte Leonarda auch Chiaras Toilette beendet, während sich Joanne nicht die Mühe machte, ihre Zöpfe frisch zu flechten. Gemeinsam gingen sie los. Tammo und Sören waren schon da, als sie mit den beiden anderen eintrat. Der vierte Sarg in ihrer Kammer war auch am Abend leer gewesen. Doch im Saal sahen sie noch vier weitere junge Vampirinnen. Chiara beugte sich zu ihr herüber.

»Die beiden Rotblonden sind Ireen und Rowena aus London. Ich kann nichts über sie sagen. Wir haben bisher kaum mehr als drei Worte gewechselt.«

»Und der große Junge neben ihnen?«, wollte Alisa sogleich wissen. Er gefiel ihr. Er war wohlproportioniert und seine Bewegungen wirkten ruhig und überlegt. Das blonde Haar schimmerte ein wenig kupfern im Lampenschein. Die Züge waren edel und fast schon männlich. Er musste mindestens drei Jahre älter sein als sie.

»Das ist Malcolm«, sagte Chiara. »Er ist sechzehn und wird uns wahrscheinlich keines Blickes würdigen!« Alisa musste ihr im Stillen recht geben. Sie wollte noch etwas zu den Londonern fragen, aber Chiara deutete auf zwei andere Schülerinnen und fuhr mit ihren Erklärungen fort.

»Schaut euch diese beiden dunklen Schönheiten aus Wien an! Sie sehen unvergleichlich aus, doch sie sind Dämonen der übelsten Sorte. Seid gewarnt! Ich habe zwar auch mit ihnen noch nicht viel zu tun gehabt, aber das Wenige hat gereicht, dass ich dafür gesorgt habe, die Kammer nicht mit ihnen teilen zu müssen. Ich glaube, die Kleine heißt Marie Luise und die Ältere Anna Christina.«

»Die Jüngere ist wirklich außergewöhnlich schön«, gab Alisa zu.

»Ja«, sagte Chiara bedrückt. »Und du solltest erst mal ihren Bruder sehen! Franz Leopold. So ein widerlicher Kerl!«

Alisa hob fragend die Augenbrauen, als Chiara plötzlich aufstöhnte. Sie folgte ihrem Blick, und obwohl sie gewarnt war, fühlte sie ein seltsames Flattern in sich, als der Vampir, vom warmen Schein der Lampen eingehüllt, mitten in der Halle stehen blieb. Seine Miene war unbeweglich, nur seine dunklen Augen glitten wachsam umher. Alisa entschlüpfte ein kleiner Seufzer.

Chiara nickte verständnisvoll. »Ja, aber lass dich durch sein Gesicht nicht täuschen und sprich ihn lieber nicht an. Er hat meinen Vetter Luciano gestern schwer beleidigt. Er ist boshaft und gemein!«

In diesem Moment wandte sich Franz Leopold ihnen zu. Chiara schlug die Augen nieder.

Ich kann kaum glauben, dass jemand äußerlich von solcher Schönheit ist und innerlich ein solches Scheusal, wie Chiara behauptet, dachte Alisa und spürte einen dumpfen Druck in ihrem Kopf. Franz Leopold kräuselte die Lippen zu einem Lächeln, das ganz gewiss nicht freundlich war.

Nein? Vielleicht bin ich ja noch schlimmer, als sie sagt! Anderseits, kann eine Ratte einen Adler beleidigen? Er steht so weit über ihr, dass es keinen Grund für ihn gibt, sich mit dem Ungeziefer im Morast zu befassen.

Er konnte in ihre Gedanken eindringen! Das war beunruhigend. Es musste doch eine Möglichkeit geben, ihn davon abzuhalten!

Natürlich gibt es die. Aber ich fürchte, diese Kunst wird nur von den wirklich überlegenen Familien beherrscht. Und dazu würde ich eure nicht gerade zählen.

Das Rauschen in Alisas Kopf schwoll an. Franz Leopold weidete sich sichtlich an ihrem Unbehagen. Sie fühlte, wie Wut in ihr aufstieg. Am liebsten hätte sie sich auf diesen arroganten Kerl gestürzt. Plötzlich entstand ein Bild in ihrem Kopf, wie sie über ihre eigenen engen Röcke stolperte und ihm zu Füßen in den Dreck fiel.

Nur zu. Die dunklen Augen funkelten. Hatte er dieses Bild beschworen und zu ihr gesandt? Alisa wusste, dass es Vampire mit mächtigen geistigen Fähigkeiten gab, die mit einem Wimpernschlag ihre Opfer lähmen oder zu willenlosen Dienern machen konnten. Aber sie wollte nicht glauben, dass Franz Leopold ein solcher Meister war. Er konnte nicht älter sein als sie! Sie versuchte, ihren Zorn zu unterdrücken, und nahm all ihre Willenskraft zusammen, um ein Bild von ihm zu schaffen, das ihn als verunsichertes, auf andere neidisches Bürschchen darstellte. Sie lächelte ihn an und sah voll Genugtuung, dass er zusammenzuckte und ihm die überhebliche Miene für einen Augenblick entglitt. Viel zu schnell hatte er sich wieder im Griff. Er trat näher an sie heran, und Alisa fühlte, wie er tiefer ihn ihre Gedanken vorstieß. Ihr war klar, was er suchte: Schwächen und Peinlichkeiten, an denen er sich laben und mit denen er sie bei passendem Anlass in Verlegenheit bringen konnte.

»Lass das!«, zischte sie.

»Warum sollte ich, wenn es mir doch Vergnügen bereitet?«

»Weil du mich sonst zwingst, dir wehzutun!«

»Was?« Für einen Augenblick war er verblüfft, dann lachte er laut auf. »Das möchte ich erleben!«

»Das wirst du!«, versprach sie, sprang von ihrem Sitz auf und stürmte hinaus. Sie wollte lieber auf ihren Bluttrank verzichten, als noch länger in seiner Gegenwart zu sein.

Zurück in ihrer Schlafkammer öffnete sie den Deckel ihrer

Reisekiste und durchwühlte ihre Schätze nach einigen Gegenständen, die ihr beim Kampf von Nutzen sein könnten. Wenn das Ridikül nur nicht so klein wäre!

»Na warte, Franz Leopold, du sollst mich kennenlernen!«, rief sie ihre Drohung in den leeren Raum, ehe sie sich zum großen Hof aufmachte, wo sie nach dem Mahl alle zusammentreffen sollten.

*

Als Alisa den Hof betrat, bot sich ihr ein seltsames Bild. Es waren schon fast alle Schüler und ihre Begleiter versammelt und auch die wichtigsten Mitglieder der Nosferas, doch während diese nah um einige verhüllte Gegenstände standen, hatten die Gäste der anderen Familien einen großen Kreis mit möglichst viel Abstand zu den Hausherren gebildet. Ja, es wirkte fast so, als hätten sie Angst. Verwundert trat Alisa zu ihrem Bruder Tammo, der nervös an seinen Fingern kaute.

»Was ist denn mit dir los?« Sie hatte die Frage noch nicht beendet, da konnte auch sie es spüren. Etwas Schmerzhaftes durchdrang ihren Leib und zehrte an ihr. Alisa sah sich um. Sie trat einen Schritt in den freien Ring und merkte gleich, dass sich die Qualen verstärkten. Es war ein Gefühl, als würden Geist und Körper langsam aufgelöst. Alisa warf einen Blick zu den Dracas hinüber. Es befriedigte sie, dass der Wiener Clan sich eng in einer Ecke zusammendrängte. Der überhebliche Ausdruck war aus Franz Leopolds Gesicht gewichen. Auch die groben Gesichter der Pyras aus Paris waren von Pein verzerrt. Die Gäste aus London dagegen bemühten sich recht erfolgreich um Haltung. Alisa betrachtete den ältesten der vier englischen Schüler, der ihr schon in der Halle mit der goldenen Decke aufgefallen war. Malcolms Miene war auch angespannt, doch er stand aufrecht und hielt den Blick starr geradeaus gerichtet. Er wirkte männlich und stark.

Luciano und Chiara dagegen waren offensichtlich entspannt, obwohl sie mit dem dritten römischen Schüler Maurizio ganz in der Nähe der verhüllten Objekte standen. Ein dicker schwarzer

Kater strich um Maurizios Beine und miaute. Ein Stück weiter hinten saß der altehrwürdige Giuseppe auf seinem gepolsterten Sessel, den ihm vermutlich sein sogenannter Schatten, der jetzt reglos hinter seinem Herrn stand, aus der Halle getragen hatte. Der Alte winkte mit seinen knochigen Fingern, bis Conte Claudio zu ihm trat und sich zu ihm herunterbeugte. Er nickte, als sein Großvater sein Anliegen vorgetragen hatte, richtete sich wieder auf und trat in die Mitte des Hofes. Er rieb die Hände mit den kurzen, dicken Fingern vor der heute violett gewandeten Brust und ließ den Blick über die Versammelten schweifen.

»Noch einmal willkommen in unserer Domus Aurea. Tretet doch näher!«, forderte er die Gäste auf, doch keiner rührte sich vom Fleck. Die beiden vierschrötigen Männer, die bei den Kindern aus Paris standen, bleckten die Zähne und fauchten. Conte Claudio lachte und zwinkerte ihnen zu.

»Da wir uns bei unserem Treffen in Chillon weder auf einen Ort noch auf einen Schulleiter einigen konnten, haben wir festgelegt, dass unsere Erben jedes Jahr bei einer anderen Familie unterrichtet werden, um die Möglichkeit zu erhalten, sich deren spezielle Fähigkeiten anzueignen. Das Los hat entschieden, dass das erste Schuljahr in Rom unter meiner Führung stattfinden wird.«

Baron Maximilian schnaubte verächtlich, und seine Schwester sagte vernehmlich: »Wie bedauerlich, dass unsere Kinder gleich ihr erstes Jahr so verschwenden müssen.«

Trotz der Beleidigung lächelte der römische Vampir noch breiter. »Verschwendung? Ah, meine Lieben, das tut mir aber leid. Darf ich Euch einladen, näher zu treten? Ihr sollt die besten Plätze bei unserer kleinen Vorstellung haben!« Er hielt einen Moment inne, doch die Dracas rührten sich nicht von der Stelle. Der Conte zuckte mit den Schultern und wandte sich wieder an alle. »Was könnt ihr jungen Vampire hier bei uns lernen?«

»Wie man sich den Wanst vollfrisst?«, spottete Tammo so leise, dass der Conte es nicht hören konnte. Seine Schwester versetzte ihm einen Rippenstoß.

»Etwas, was eure Kräfte stärkt, eure Macht vergrößert und eure Feinde ihrer gefährlichsten Abwehrzauber beraubt!«, rief Conte Claudio und warf theatralisch die Arme in die Luft. »Fangen wir an!«

Zwei Servienten traten heran, entfernten das Tuch von dem größten Gegenstand im Hof und enthüllten einen quaderförmigen Steinblock.

»Sehr beeindruckend«, spottete Franz Leopold, doch in seiner Stimme schwang Unsicherheit. Der Baron und die Baronesse zeigten die Zähne. Jemand stöhnte.

»Ist das etwa ein Altar?«, fragte Dame Elina.

Conte Claudio nickte strahlend. »Oh ja, ein geweihter Altar aus einer Kirche hier ganz in der Nähe. Ich habe ihn von zwei unserer Schatten herbringen lassen.«

»Ihr wollt uns damit sagen, dass Eure Unreinen nicht nur diese Kirche betreten, sondern dass sie auch noch einen geweihten Altar daraus entwenden konnten?« Ihre sonst so kühle Stimme überschlug sich fast.

Als Conte Claudio nickte, erhob sich Gemurmel unter den Vampiren. »Aber ja«, sagte er stolz und legte die flache Hand auf die polierte Steinoberfläche, ohne das leiseste Anzeichen von Unwohlsein.

»Da ist sicher ein Trick dabei«, vermutete Tammo. »Das kann der gar nicht können!«

»Ich weiß nicht«, erwiderte Alisa. »Vielleicht ja doch.«

Als das Geflüster verebbte, fuhr der Conte fort. »Das war nur der Anfang.« Er winkte die streng aussehende Vampirin zu sich, die Alisa bereits gestern in ihrer Schlafkammer gesehen hatte.

»Dies ist die geschätzte Professoressa Enrica, die unsere Schüler in römischer Geschichte und der Historie der frühen Christen unterweisen wird. Durch ihre Studien gerade dieser Frühgeschichte ist sie zur Meisterin im Kampf gegen die Kräfte der Kirche geworden.«

Signora Enrica trat zu einem Gegenstand, der ihr bis über das

Knie reichte. Sie hob ihn hoch und zog das Tuch herunter. Das Raunen wollte gar kein Ende nehmen.

»Ein Kruzifix«, stöhnten einige. Baronesse Antonia fächelte sich mit ihrem Fächer hektisch Luft zu und die Wiener Schüler schienen noch blasser als gewöhnlich. Auch Alisa konnte ein Keuchen nicht unterdrücken und presste sich beide Hände auf die schmerzende Brust. Ihr Kopf schien in tausend Stücke zerplatzen zu wollen. Sie musste den Blick abwenden.

»Das gibt es doch nicht«, stöhnte Tammo, der sich neben ihr auf den Boden kauerte. Auch Sören wirkte verstört und duckte sich hinter Hindrik. Alisa warf Dame Elina einen Blick zu. Sie hielt sich noch immer gerade, doch es war ihr anzusehen, wie viel Selbstbeherrschung sie das kostete.

Fast lässig legte Signora Enrica das Kruzifix auf den Altar und holte ein kleines Gefäß hervor. Es war aus Gold und Silber gearbeitet und prunkvoll mit Edelsteinen verziert. Vermutlich hatten sie es ebenfalls aus einer Kirche entwendet. Sie hob den Kelch hoch und neigte ihn so, dass ein wenig Flüssigkeit in ihre linke Handfläche tropfte. Es zischte und dampfte, doch als sie den Gästen ihre Handfläche zeigte, war diese unversehrt.

»Weihwasser!« Das Wort flog ehrfurchtsvoll von Mund zu Mund.

»Ihr kennt nun die Meisterin. Nun möchte ich euch den Meister in der Abwehr kirchlicher Kräfte vorstellen: Professore Ruguccio.«

Ein großer, massiger Mann in einem eleganten Abendanzug trat vor. Seine glänzenden Lackschuhe quietschten bei jedem Schritt. Er hob das letzte Tuch hoch und nahm ein kleines, würfelförmiges Kästchen in die Hand, ebenfalls eine kunstvolle Goldschmiedearbeit. Er machte den Deckel auf und nahm etwas Farbloses, Flaches heraus. Als er es hochstreckte, damit es alle sehen konnten, schrien einige der Gäste auf. »Eine Hostie!« Eine Welle der Panik schwappte durch den Hof.

»Das ist nie und nimmer eine echte Hostie«, rief die Baronesse.

»Nein?«, erwiderte Signor Ruguccio mit tiefer, dröhnender Stimme. »Ihr könnt sie gern aus der Nähe betrachten.« Sie kreischte auf, als er näher trat, und schlug die Hände vors Gesicht.

»Ach, Ihr glaubt mir nun? Schön.« Und unter den entsetzten Blicken der Gäste schob er sie sich in den Mund.

Baronesse Antonia bekam einen Schreikrampf. Die Aufregung legte sich erst, als Conte Claudio ein paar seiner Schatten befahl, die heiligen Gegenstände zu entfernen, und diese nicht mehr zu sehen waren.

»Ich bitte um Ruhe!« Er wartete noch einige Augenblicke, bis sich die Gäste beruhigt hatten, dann sprach er weiter. »Nun, ich denke, wir konnten die Zweifel zerstreuen, die einige von Euch hegten. Unseren Schülern steht ein arbeitsreiches und sicher oft auch schmerzhaftes Jahr bevor, doch wenn es zu Ende geht und sie für den Sommer zurück zu ihren Familien fahren, werden sie gelernt haben, sich gegen die Mächte der Kirche zur Wehr zu setzen.«

Er sah in die Runde. Alisa folgte seinem Blick. Sie erkannte Zweifel und Ablehnung, aber auch Begeisterung und das Aufkeimen von Hoffnung. Auch in ihr herrschte ein Widerstreit an Gefühlen. Wenn das möglich wäre! Sie kannte die Geschichten, die den jungen Vampiren auf der Wandrahminsel erzählt wurden. Viele Mitglieder ihrer Familie waren im Lauf der vergangenen Jahrhunderte von Vampirjägern zur Strecke gebracht worden. Mit Kreuzen, Weihwasser und Hostien hatten die Menschen sie eingekreist und dann vernichtet. Nun würden sie lernen, sich zu wehren! Erstaunlich, dass gerade die Nosferas einen Weg gefunden hatten, in einer Stadt, die die Päpste bis vor wenigen Jahren wie Kaiser regiert hatten und in der es Hunderte von Kirchen gab.

Conte Claudio beendete seine Rede und neigte dann den Kopf, um die Versammlung aufzuheben. »Und nun lade ich meine verehrten Gäste auf einen nächtlichen Bummel durch Rom ein. Lernt unsere Wunder – und unsere süßen Spezialitäten kennen!« Mit wachsamen Augen verfolgte er die Grüppchen, die den Familienmitgliedern der Nosferas zu dem nachts stets bewachten Hauptausgang folgten. Nur die jungen Vampire und einige der Servienten mussten zurückbleiben.

»Und was machen wir jetzt?«, fragte Tammo und sah Sören an. Alisa wollte gar nicht wissen, ob die Frage sie mit einschloss. Schließlich zogen die beiden es genauso vor, unter sich zu bleiben, wie sie meist ihre Gesellschaft mied. So ging sie allein davon und schlenderte, in Gedanken versunken, durch steinerne Kammern und düstere Galerien.

Nun, vielleicht war es gar nicht so erstaunlich, dass sich ausgerechnet die Vampire in Rom diese außergewöhnlichen Fähigkeiten angeeignet hatten. Gerade die Allmacht der Kirche hier hatte ihnen vielleicht nur diesen Ausweg gelassen. Sonst wären sie vermutlich längst untergegangen.

Alisa blieb stehen, um sich zu orientieren. Wo war sie? Sie hatte nicht auf ihren Weg geachtet. Es war niemand zu sehen. Sie spähte in ein paar feuchte Kammern, in denen Särge und Sarkophage aufgereiht standen. Sie waren alle alt und zum Teil beschädigt. Das mussten die Kammern der Schatten am Rand des Westflügels sein. Alisa wandte sich ab und wollte sich gerade auf den Weg zu ihrer Schlafkammer machen, um ein wenig in einem ihrer Bücher zu schmökern, als von der anderen Seite her ein seltsames Geräusch zu ihr drang. Was war das? Es klang wie ein unterdrücktes Stöhnen. Dann ein Schlag. Alisa raffte die Röcke und bog in den langen Gang ein, der sich im Norden den gesamten Westflügel entlangzog. Er stellte für die Dienstboten eine schnelle, unauffällige Verbindung zu allen Bereichen der Domus Aurea dar und hielt ein wenig die Feuchtigkeit des Erdreichs hinter der Abschlussmauer von den Wohnräumen fern. Wieder hörte sie ein Stöhnen und dann ein gehässiges Lachen. Sie lief den Gang hinunter, bis er am Ende des Flügels eine Biegung machte. Dort vorne, vom trüben Licht einer kleinen Öllampe an der Wand erhellt, konnte sie zwei Gestalten ausmachen.

»Was? Ich kann dich nicht verstehen«, höhnte eine Stimme, die sie überall wiedererkannt hätte. Franz Leopold hatte sich offensichtlich bereits vollständig von seinem Unbehagen erholt!

»Tritt ein wenig fester zu. Er möchte noch ein wenig Staub fressen«, rief eine andere Stimme mit dem gleichen österreichischen Akzent.

Alisa rannte los und kam schlitternd bei den beiden zum Stehen. Erst jetzt bemerkte sie die dritte Gestalt. Den wilden Haarschnitt kannte sie! Luciano lag mit dem Gesicht nach unten auf dem Boden, Franz Leopold stand auf seinem Rücken, während Karl Philipp mit dem Schuh gegen seine Wange drückte und seinen Cousin noch anstachelte. Nun jedoch wandten sie ihre Aufmerksamkeit Alisa zu.

»Ah, sieh einer an, das Hamburgmädchen will auch ein wenig Spaß mit uns haben!«, rief Karl Philipp. Seine Augen blitzten boshaft. Alisa war viel zu empört, um auch nur einen Funken von Furcht zu empfinden. Diese arroganten Mistkerle!

»Oh ja, wir werden viel Spaß miteinander haben«, erwiderte sie, während ihre Hand in das Ridikül glitt. »Und ihr werdet es euch das nächste Mal sicher gut überlegen, ehe ihr euch noch einmal an Luciano vergreift.«

Die Dracas lachten höhnisch. Karl Philipp versuchte, Alisa zu greifen, doch sie duckte sich unter seinen Armen hindurch und wich bis zur Ecke zurück. Sie hörte eine Naht an ihrem Rock reißen, achtete aber nicht darauf. Ihre Hand umklammerte etwas Silbriges.

»Jetzt habe ich dich!«, triumphierte der ältere Junge. Auch in Franz Leopolds Miene zeigte sich etwas wie freudige Erregung. Alisa machte sich nicht einmal die Mühe, zu antworten. Sie sah kurz zu der Öllampe hinüber, dann presste sie die Augen fest zu. Ihre Hand schoss zur Seite und ließ das silberne Knäuel in die Flamme fallen. Sie hörte das Feuer zischen, dann schrien die beiden Vampire in höchstem Schmerz auf. Als der Schein ihre Lider durchdrang, schlug Alisa für einige Augenblicke die Hände vors Gesicht.

So schnell der grelle Blitz aufloderte, so schnell verlosch er wieder, doch die Wirkung des Magnesiums war noch verblüffender, als sie erwartet hatte. Ihre Gegner taumelten orientierungslos durch den Gang, die Hände vor die Augen gepresst, und stöhnten. Alisa hätte gern untersucht, wie lange der Zustand anhielt, wollte aber lieber nicht riskieren, noch in Reichweite zu sein, wenn der Schmerz nachließ und sie wieder sehen konnten. Daher hastete sie zu dem noch immer am Boden liegenden Luciano, packte seinen Oberarm und zerrte ihn auf die Beine.

»Was war das?«, fragte er mit zitternder Stimme.

»Das erkläre ich dir später. Los, komm jetzt!« Sie zog ihn hinter sich her.

»Das werde ich dir nicht vergessen!«, heulte Franz Leopold, als sie an ihm vorbeikamen. Alisa hielt für einen Moment inne, näherte ihre Lippen seinem Ohr und zischte:

»Das hoffe ich! Merke dir gut, dass ich mich zu wehren weiß. Ich versichere dir, das ist nicht die einzige Überraschung, die ich dir bereiten kann!« Sie tauchte unter seinen blind tastenden Händen hindurch und lief mit Luciano an der Hand weiter.

»Hier entlang und dann nach links«, keuchte er und dirigierte sie auf dem kürzesten Weg zum großen Hof zurück. Er blieb stehen und endlich ließ sie seinen Arm los.

»Ist alles in Ordnung mit dir?«, wollte sie wissen.

Luciano nickte und strich sich über die staubigen Wangen. »Danke, das war sehr mutig von dir und sehr schlau.«

Alisa machte eine wegwerfende Handbewegung. »Ach, nicht der Rede wert. Was ist denn passiert?«

»Sie haben mir dort oben aufgelauert und sich dann das erlaubt, was sie unter ›Spaß haben‹ verstehen.« Er verzog das Gesicht zu einer Grimasse.

»Einfach so? Weil du der Erste warst, der ihnen in die Finger geraten ist?«

»Nein, als zufälliges Opfer würde ich mich nicht gerade bezeichnen.«

»Hast du ihnen irgendwas getan?«

Er schien ein wenig verlegen. »Es war mir eine Genugtuung zu sehen, wie unsere kleine Vorführung den Dracas ihren Hochmut ausgetrieben hat. Und so habe ich die Gelegenheit beim Schopf ergriffen, bei Franz Leopold und seinem Cousin ein wenig nachzutreten.«

»Was hast du gesagt?«, fragte Alisa neugierig.

Luciano hob die Schultern. »Ich versicherte ihnen, dass ich die Vorstellung ihrer Baronesse sehr genossen hätte, und bot ihnen an, mein Kruzifix zu holen, damit ich noch einmal genießen könnte, wie sie sich in einen Schreikrampf hineinsteigert.«

Für einen Moment war Alisa verblüfft, dann lachte sie schallend. »Herrlich! Aber ich glaube, du musst dich nicht darüber wundern, dass sie dir nicht den letzten Stich gegönnt haben.«

Luciano schüttelte ernst den Kopf, dann zuckte es um seine Mundwinkel und er fiel in ihr Lachen ein. »Nein, ich wundere mich ja auch gar nicht. Aber ich konnte der Versuchung einfach nicht widerstehen! Ist ja alles noch einmal gut gegangen – dank deiner Hilfe.« Er legte die Hand an die Brust und verneigte sich nun wieder mit ernster Miene. »Ich stehe in deiner Schuld und ich werde dies nie vergessen.«

»Ach was, das habe ich gern getan. Außerdem hatte ich auch noch eine kleine Rechnung mit Herrn Eingebildet zu begleichen.«

Sie verabschiedete sich von Luciano und machte sich auf den Weg zum Käuzchensaal. Sie wollte sich gerade in einen der bequemen Sessel fallen lassen, als sie die Stimmen von Franz Leopold und seinem Cousin erkannte. Nein, vielleicht sollte sie noch etwas Zeit verstreichen lassen, ehe sie den beiden wieder über den Weg lief. Mit gerafften Röcken huschte sie lautlos davon.

Bevor sie den Hof wieder erreichte, hörte sie Stimmen aus einem der feudalen Gästezimmer und trat, von ihrer Neugier getrieben, näher. Der näselnde Klang war unverkennbar. Schon wieder einer dieser arroganten Dracas! Sie wurden langsam wirklich zur Plage. Sie wollte schon weitergehen, als die nächsten Worte des Barons sie innehalten ließen.

»Ihr weicht mir aus!«, sagte Baron Maximilian ärgerlich. »Habt Ihr Euren verlorenen Oheim nun wiedergefunden oder nicht? Ihr habt schließlich genug Eurer Unreinen auf die Suche geschickt.«

»Wir haben in der Tat etwas gefunden – nicht ihn, aber ... etwas.«

Baron Maximilian sog scharf die Luft ein. »Wollt Ihr damit sagen, dass er vernichtet wurde?«

»Sagen wir, er existiert nicht mehr. Das kommt nun einmal vor.«

Alisa schlug sich vor Schreck die Hand vor den Mund. Die Stimme des Conte dagegen ließ seine Gefühle nicht erahnen.

»Soll das heißen, dass dies nicht der einzige Fall ist?«, mischte sich nun die Stimme der Baronesse ein. »Dass Ihr hier in Rom ein Problem mit Vampirjägern habt und es nicht für nötig erachtet, uns dies mitzuteilen?«

Das böse Wort war gefallen. Vampirjäger, die sich mit allerlei Abwehrzauber bewaffnet auf den Weg machten, um Vampire aufzuspüren und sie dann für immer zu vernichten.

Als der Conte antwortete, war seine Stimme noch immer emotionslos. »Es gab zu allen Zeiten Menschen, die an Vampire glaubten, und welche, die das nicht taten. Unter denen, die uns wahrnahmen, traten immer wieder Vampirjäger hervor, manche erfolgreich, andere nicht. Es ist wie mit den Seuchen der Menschen. Sie kommen und fordern Opfer. Und man muss sie bekämpfen. Das heißt aber nicht, dass Erado einem Angriff zum Opfer gefallen ist. Gehen nicht auch Eure Altehrwürdigen irgendwann freiwillig, weil sie ihres Daseins überdrüssig geworden sind? Manche früher, manche später. Wir müssen das erst nachprüfen.«

»Das ist Unsinn! Lenkt nicht ab. Ihr versucht, uns Sand in die Augen zu streuen! Er soll freiwillig gegangen sein? In seinem Alter? Das ist Unsinn! Es muss ein Angriff gewesen sein! Wie könnt Ihr annehmen, dass wir das Wertvollste, was wir haben, unsere letzten Nachkommen, hier in Eurer Obhut lassen, wenn wir fürchten müssen, dass sie einem Vampirjäger zum Opfer fallen könnten?« Die Baronesse kreischte nun fast.

»Macht Euch keine Sorgen, Eure Kinder sind bei uns in Sicherheit«, erwiderte Conte Claudio. »Wir haben die Situation unter Kontrolle.«

»Ach ja? Ich glaube eher, Ihr wollt nicht zulassen, dass die Macht, die das Los Euch in die Hände gespielt hat, Euch nun zu Recht wieder genommen wird. Ich habe gleich gefordert, dass die Akademie in Wien sein muss, und das aus gutem Grund. Bei uns hätten unsere Erben die besten Voraussetzungen!«

Bei dem Gedanken, Franz Leopolds Familie ausgeliefert zu sein, lief Alisa ein eisiger Schauder über den Rücken. Nur das nicht!

»Ich werde meine Forderung heute Abend vor den anderen Clanführern wiederholen, und ich sage Euch, Claudio, ich lasse nicht eher locker, bis alle Schüler auf dem Weg nach Wien sind!« Ihre Röcke rauschten. Alisa konnte sich gerade noch rechtzeitig in eine leere Kammer verdrücken, als die Baronesse bereits mit wogender Krinoline den Gang entlang davonstürmte.

Conte Claudio knirschte mit den Zähnen. »Wir werden dieses Schuljahr hier in der Domus Aurea abhalten, so wie wir es in Chillon entschieden haben, und dann werden die Schüler nach Irland reisen.« Nun konnte Alisa die unterdrückte Wut des Römers spüren.

»Abwarten. Das letzte Wort in dieser Sache ist noch nicht gesprochen«, entgegnete der Baron. Dann folgte er seiner Schwester und ließ Conte Claudio allein zurück. Alisa hörte ihn seufzen und dann das Knarren eines Stuhles, als er seinen massigen Körper in die Polster fallen ließ.

Tief in Gedanken ging sie zurück zu den Unterkünften der Schüler. Ein paar der anderen hatten sich nun im Gemeinschaftsraum zusammengefunden und saßen in den Polstersesseln. Alisa war jedoch nicht nach einer Unterhaltung zumute. Mit wem konnte sie über das sprechen, was sie beunruhigte? So zog sie sich in ihren Schlafraum zurück, klappte den Deckel ihrer Reisekiste auf und nahm den Stapel alter Zeitungen heraus, den sie mit nach Rom gebracht hatte. Es beruhigte sie, die Blätter aufzuschlagen und die knisternden Seiten zu wenden. Es half ihr, nachzudenken. Während ihre Augen über die Artikel huschten, die sich mit Glück und Unglück der Menschen befassten, wanderten ihre Gedanken zu den Worten zurück, die sie gehört hatte. Sie ahnte, dass es um mehr ging als um einen Altehrwürdigen, der seines Vampirdaseins müde geworden war und sich entschlossen hatte, es nun zu beenden.

IVY-MÁIRE

Das Mädchen langweilte sich. Sie hatte sich in den abgewetzten Sessel geworfen und trommelte ungeduldig mit den Schuhspitzen auf den verblassten Teppich. Ihr Blick wanderte wieder einmal zu der alten Standuhr in der Ecke. Es waren erst fünf Minuten vergangen, seit sie das letzte Mal hingesehen hatte. Latona stieß einen langen Seufzer aus, doch es war niemand da, der davon Notiz hätte nehmen können. Wie lange würde das noch dauern? Die Nacht schritt voran, doch Latona fühlte keine Müdigkeit. In ihr Bett zu gehen, war nicht einmal einen flüchtigen Gedanken wert, solange der Onkel sich draußen herumtrieb. Im finsteren, gefährlichen Rom!

Latona sprang auf und begann, unruhig auf und ab zu gehen. Immer wieder fiel ihr Blick in den Spiegel, der über der Kommode hing. Sie blieb stehen. Die schon etwas trübe Spiegelfläche warf das Bild einer nur mittelgroßen Gestalt zurück, schlank, ja fast ein wenig hager. Das lange dunkle Haar löste sich bereits wieder aus dem nachlässig aufgesteckten Knoten. Die Wangenknochen traten deutlich hervor und die rehbraunen Augen blickten ernst. Sie war nicht wirklich schön zu nennen, leider, musste Latona wieder einmal feststellen. Nicht so wie die anderen Mädchen, mit denen sie einst die Töchterschule besucht hatte und die nun bald von ihren Familien für den Brautmarkt herausgeputzt und auf Gartenfesten und Bällen präsentiert werden würden. Dafür wirkte sie älter als die vierzehn Jahre, die sie bereits erlebt hatte. Vielleicht lag es an ihren Augen, die Dinge gesehen hatten, die den anderen Mädchen vielleicht für immer erspart bleiben würden. Dinge, die sie in ihren Träumen heimsuchten. Ja, es stand in ihre braunen Augen geschrieben. Auch Onkel Carmelo hatte es bemerkt.

»Das ist nicht gut«, hatte er heute Abend gesagt und sich wieder einmal geweigert, sie mitzunehmen. War es nicht ein wenig spät, sie jetzt auszuschließen und in der Ungewissheit, wie die Sache laufen würde, zurückzulassen? Latona schnaubte empört und nahm ihre Wanderung wieder auf. Vor dem Kleiderständer in der Ecke blieb sie stehen. Da hing der altmodische Mantel mit dem Schultercape, den ihr Onkel nur zu einer bestimmten Gelegenheit trug. Ihre Hand glitt in die Tasche und fühlte den Gegenstand, der zu dem Mantel gehörte und zu dem Geheimnis, das er am liebsten vor ihr verborgen hätte. Vor ein paar Wochen jedoch, als er zu viel Wein getrunken hatte, war es ihr gelungen, ihm einige Sätze herauszulocken, die er seitdem zu bereuen schien. Zumindest hatte er sie mehrmals aufgefordert, die unbedachten Worte zu vergessen. Gerade deshalb hielt Latona sie in ihren Gedanken fest und ließ sie immer wieder in ihrem Kopf kreisen. Sie legte sich den Umhang über die Schultern und trat vor den Spiegel. Der schwere Stoff fiel bis zu ihren Knöcheln hinab und verhüllte den schlanken Mädchenkörper. Sie zog die rotsamtene Maske aus der Tasche und band sie sich vors Gesicht. Ihre Augen wirkten fast schwarz zwischen den Schlitzen und sie kam sich größer vor – mächtiger.

»Der Zirkel der roten Masken«, murmelte das Mädchen und lauschte den Worten nach, wie sie in dem schäbigen Zimmer verklangen. In dem leeren Zimmer, in dem der Onkel sie wieder einmal alleine gelassen hatte. Latona ballte die Hände zu Fäusten und starrte ihr Spiegelbild an, das so fremd war. Ab jetzt würde sich alles ändern! Sie war es leid, immer noch wie das elternlose, kleine Kind behandelt zu werden, das Carmelo gegen seinen Willen aufgebürdet bekommen hatte. Sie war fast schon erwachsen und sie würde nun mehr als seine lästige Nichte sein. Seine Mitarbeiterin und Vertraute! Seine Assistentin bei der Jagd nach dem Bösen der Nacht!

*

Der Deckel wurde beiseitegeschoben. »Einen guten Abend wünsche ich Euch, junger Herr«, sagte der Diener höflich. Anscheinend mühelos hob er die schwere Platte an und lehnte sie gegen die Wand. Franz Leopold machte sich nicht die Mühe, den Gruß zu erwidern. Gemächlich kletterte er aus dem mächtigen steinernen Sarkophag. Er zog die Kleider der vorherigen Nacht, in denen er sich auch zur Ruhe gelegt hatte, aus, und ließ sie zu Boden fallen. Matthias beeilte sich, die Kleidungsstücke einzusammeln, und half dann seinem jungen Herrn in einen frischen Anzug, den er gerade noch einmal ausgebürstet hatte, damit auch kein Stäubchen den feinen schwarzen Stoff verunzierte. Mit ausgestreckten Armen stand Franz Leopold da, während Matthias ihm erst in Hemd und Hose half, die Weste zuknöpfte und seine weiße Fliege band. Franz Leopold wartete geduldig, bis der Diener ihm das Haar gekämmt und im Nacken mit einer schwarzen Schleife zusammengebunden hatte. Trotz seines vierschrötigen Körperbaus und der großen Hände ging Matthias erstaunlich behutsam vor.

Ihm ist nur allzu bewusst, dass ich zu strafen weiß, wenn er sich ungeschickt anstellt, dachte Franz Leopold und lächelte. Er ließ den Blick über die fünf Särge schweifen und stellte mit Genugtuung fest, dass seiner der größte und prächtigste war. Die Schlafstätten der beiden Römer Luciano und Maurizio waren alt, die Inschriften und Reliefs verwittert, und Fernand schlief gar in einem völlig schmucklosen Steinsarg, doch ihn störte das offensichtlich nicht. Während sich die Dracas von ihren Dienern frisch ankleiden ließen und die beiden Schatten der jungen römischen Vampire ihnen zumindest die Kleider ausbürsteten, saß Fernand auf dem Rand seines Sarges und ließ die kurzen Beine baumeln. Er war mit seinen zwölf Jahren der Jüngste in diesem Schlafraum. Offensichtlich hatte er keinen Unreinen, der sich um ihn kümmerte, und er schien das auch nicht zu vermissen. Seine Kleider jedenfalls sahen so aus, als habe sich seit Jahren keiner mehr um sie bemüht. Die Hosen waren ausgebeult und schmutzig, der

Kittel formlos und an zwei Stellen eingerissen. Franz Leopold zog angewidert die Oberlippe hoch.

»Ich frage mich, in welchem Schweinestall die dort in Paris leben«, sagte Karl Philipp, der dem Blick seines Cousins gefolgt war.

Fernand grinste bloß und zeigte dabei einen abgeschlagenen Schneidezahn. »Wir wohnen in einem Labyrinth aus Gängen und Kammern unter der Stadt. Ihr würdet euch wundern, wie ungeheuer groß es ist.« Damit schien das Thema für ihn beendet. Er beugte sich über seinen Sarg und pfiff leise durch die Zahnlücke. Es raschelte, dann lief eine gut genährte Ratte an seinem Ärmel hinauf und setzte sich auf seine Schulter. Er streichelte ihr über den Rücken.

»Ah, du hast dir dein Frühstück schon selbst besorgt«, ätzte Franz Leopold. »Das ist ja ekelhaft!«

Fernand schüttelte heftig den Kopf. »Nein, sie ist meine Begleiterin, die ich überallhin mitnehme!«

»Wo sind wir hier nur hingeraten«, stöhnte Franz Leopold, während er sich von Matthias in seine perfekt geschnittene Frackjacke helfen ließ. Hocherhobenen Hauptes verließ er die Schlafkammer.

*

»Nein, wartet, bevor ihr euch setzt!«, rief Signora Enrica und hob die Arme. Sie trug wieder ihr einfaches dunkles Kleid und hatte das Haar zu einem strengen Knoten gebunden.

Die Schüler, die sich in kleinen Grüppchen zu den Zweierbänken begeben hatten, hielten inne. Vorne saßen bereits die vier Londoner der Vyradfamilie, während sich Luciano und die anderen beiden aus Rom gleich in die hintersten Bänke verdrücken wollten. Gelangweilt blieb Franz Leopold neben der Tür stehen. Das Klassenzimmer befand sich in einem nahezu quadratischen Saal, dessen etwas schmalere Seiten eine Doppelreihe Säulen schmückte. In der Mitte schien zu einem späteren Zeitpunkt eine Mauer eingezogen und dann wieder herausgeschlagen worden zu sein. Durch eine Tür fiel der Blick in ein Nymphäum mit einem großen Wasserbecken, um das einige Statuen versammelt waren.

»Da wir in dieser Akademie von unseren jeweiligen Fähigkeiten und Stärken lernen wollen, statt uns weiter zu bekämpfen, möchten wir, dass sich immer Angehörige verschiedener Familien eine Bank teilen. Also, sucht euch nun eure Plätze aus.«

Franz Leopold beobachtete Luciano, wie er auf Alisa zutrat und sich vor ihr verneigte. »Wollen wir uns eine Bank teilen?« Sie lächelte und nickte und die beiden setzten sich an einen Tisch in der Mitte.

Nach und nach fanden sich die Paare zusammen. Chiara rutschte zu dem blonden, gut aussehenden Raymond aus London auf eine der vorderen Bänke. Sein älterer Bruder teilte sich die Nachbarbank mit Anna Christina. Die beiden waren mit ihren sechzehn Jahren die ältesten Schüler. Alisas Bruder Tammo setzte sich neben die vierschrötige Joanne aus Paris. Er hätte sich zu gern in der hinteren Reihe versteckt, aber Signora Enrica winkte die beiden nach vorne in die letzte freie Bank. Tammo seufzte theatralisch und verdrehte die Augen, fügte sich aber in sein Schicksal.

Bald waren fast alle Plätze besetzt. Am unglücklichsten schien Marie Luise, die sich unverhofft neben Fernand wiederfand. Seine Ratte thronte noch immer frech auf seiner Schulter. Das zierliche Wiener Mädchen raffte ihr Seidenkleid zusammen und rutschte so weit von ihrem schmuddeligen Banknachbarn weg wie nur möglich. Am Schluss waren nur noch zwei Bänke frei und die beiden Dracas übrig. Sie setzten sich hinter Alisa und Luciano und Franz Leopold beugte sich vor.

»Ah, unser kleiner Luciano ist schlau und verkriecht sich unter den Röcken seiner Retterin.« Er spähte unter den Tisch der beiden. »Ziemlich zerrissene Röcke, übrigens. Was einen nicht wundert, wenn man deine Statur berücksichtigt. Vielleicht sollte sie sich einen Reifrock zulegen, damit du dich einfacher darunter verstecken kannst.«

Ein Rohrstock zischte knapp an seiner Nase vorbei und schlug mit einem durchdringenden Knall auf die Tischplatte. Franz Leopold zuckte zusammen. Auch ein paar andere Schüler, die mit ihren neuen Banknachbarn getuschelt oder einfach nur vor sich hin gedöst hatten, fuhren erschreckt hoch.

Langsam wanderte sein Blick zu dem weißen Antlitz der Signora, die ihn aus zusammengekniffenen Augen musterte. Sie musste verflucht schnell sein, wenn sie es bis zu seinem Pult schaffte, ohne dass er ihr Kommen bemerkte.

»So, du meinst also, du hättest es nicht nötig, mir zuzuhören?« Ihre Stimme war spröde. »Du bist ein Dracas aus Wien, nicht wahr? Ich habe deine Familie gestern beobachtet. Gerade ihr solltet bei diesem Unterricht besonders gut aufpassen. Ich könnte mir denken, dass eure Bischöfe und Priester in Wien euch vortrefflich in ihren Klauen halten und euch langsam, aber sicher das Blut herauspressen. Eure Aufgabe ist es zu lernen, wie ihr euch dagegen wehrt! Nur so könnt ihr euren Clan vor dem sicheren Untergang bewahren.«

Sie wandte sich mit einem Ruck ab, sodass ihre Röcke schwangen, und kehrte zum Pult zurück. »Ich hatte eigentlich vorgehabt, euch in die Geschichte Roms einzuführen und von den Anfängen des christlichen Glaubens zu berichten, doch das werde ich vielleicht besser auf morgen verschieben. Fangen wir mit einer praktischen Übung an. Ein Freiwilliger für ein kleines Experiment?« Sie lächelte so breit, dass ihre Eckzähne im Lampenschein glitzerten. Die Schüler sahen einander unsicher an. Endlich hoben Maurizio und Chiara zögernd die Hände.

»Danke, meine Lieben, aber in diesem Fall hätte ich gern einen anderen Kandidaten. Nun Franz Leopold, wie wäre es denn mit dir?« Er erwiderte frostig ihren Blick, der ebenfalls nicht gerade Wärme ausstrahlte. »Komm nach vorn!«

Sollte er sich weigern? Er konnte es in ihren Augen lesen, dass sie gern ein Exempel an ihm statuieren würde. Den Gefallen wollte er ihr nicht tun. Er erhob sich so langsam wie möglich und schlenderte zu ihrem Pult nach vorn. Signora Enrica nahm ein Stück Kreide und malte etwas auf die große Schiefertafel an der Wand. Dann wandte sie sich an Franz Leopold. »Kannst du erkennen, was das ist?«

Er erwog, über ihre kläglichen Malkünste zu spotten, unterließ es dann aber und sagte träge: »Das soll wohl einen Fisch darstellen, Signora.«

Sie nickte und überging den unverschämten Tonfall. »Ja, das ist richtig. Komm her und berühre ihn mit den Fingern.«

Was sollte das? Franz Leopold streckte die Hand aus und verwischte den Schwanz des Fisches. »Ja, und?« Statt zu antworten, trat die Professorin wieder an die Tafel und malte in einem Zug ein Zeichen, das ebenfalls einen Fisch darzustellen schien, jedoch nur aus einer Linie bestand und entfernt an eine verzerrte Acht erinnerte. »Berühre es!«

Franz Leopold hob gelangweilt die Hand. Als er jedoch die Kreidelinie berührte, wich er überrascht zurück. Es war ihm, als würde der Kreidestaub vibrieren. Seine Finger kribbelten.

»Deiner Miene entnehme ich, dass du etwas spürst. Beschreibe es uns«, forderte ihn die Professorin auf. Er war noch zu überrascht, um Widerstand zu leisten.

Ohne eine weitere Erklärung hob Signora Enrica eine kleine Steinplatte mit dem gleichen Zeichen hoch und forderte ihn auf, das Bild zu berühren. Franz Leopold war nun gewarnt und erwartete eine Reaktion. Dennoch zuckte seine Hand zurück, als ein Strahl heißen Schmerzes seinen Arm hinaufschoss, obwohl er noch mehrere Schritte entfernt stand!

»Nun?« Signora Enrica wirkte sehr zufrieden. »Kannst du das erklären?« Franz Leopold schüttelte den Kopf und rieb sich die Fingerspitzen. Sie schickte ihn zu seinem Platz zurück und wandte sich an die Klasse. »Kennt jemand dieses Symbol?«

Langsam hob Luciano die Hand. »Es ist ein Symbol der frühen Christen und bedeutet auf Griechisch irgendetwas, das mit ihrem Glauben zu tun hatte.«

Unser Dickerchen will sich mit seinen kleinen Wissenshäppchen bei der Signora einschmeicheln. Franz Leopold versuchte, seinen Gedanken zur Bank vor ihm zu schicken, und stellte zufrieden fest, dass Luciano ins Stottern kam und dann verstummte. Statt seiner präzisierte Malcolm mit starkem britischen Akzent die Antwort.

»Das griechische Wort für Fisch lautet *ichthys*, und das haben die frühen Christen als Akrostichon* gelesen: *Iesous Christos Theou Yios Soter.*«

Signora Enrica nickte. »Ganz genau: Jesus Christus Gottes Sohn Erlöser. Es war eine Art Glaubensbekenntnis und ein Geheimzeichen. Warum aber konnte Franz Leopold ohne Schwierigkeiten den Fisch auf der Tafel berühren, während er bei der Steinplatte die Macht der Kirche deutlich zu spüren bekam, bevor er überhaupt in ihre Nähe gelangte? – Es war schmerzhaft, nicht wahr?« Sein Nicken zauberte ein Lächeln in ihr herbes Gesicht. Die Schüler sahen einander fragend an. Einige hoben die Schultern.

»Gut, dann eine andere Frage. Wenn ich euch zu verschiedenen Plätzen in Rom führte: eine alte Kirche und eine ganz neue, die gerade erst geweiht wurde, oder zu einem Gebetsraum in den Katakomben der ersten Christen. Was glaubt ihr, welcher Ort würde euch am schlechtesten bekommen?«

»Die neue Kirche?«, schlug Ireen vor.

»Warum?«, fragte die Professorin zurück. Alle sahen die jüngste der Londoner Vampire an. Ireen schlug ein wenig verlegen die Augen nieder. »Ich denke, weil die Segenssprüche und das Ganze, was bei einer Weihe gemacht wird, dann noch frisch sind.«

»Ein guter Gedanke«, räumte Signora Enrica ein. »Aber das ist nicht das Entscheidende! Ich sage euch, selbst jetzt, da wir mit eurer Ausbildung noch nicht einmal begonnen haben, würdet ihr keinen zu großen Schaden erleiden, solltet ihr eine neue Kirche betreten. Auch die neuen Kreuze und Heiligenbildchen taugen nicht viel, denn der Geist des Glaubens ist den Menschen heute abhanden gekommen. Gerade in Rom! So viel Heuchelei, so viel

Machthunger unter dem Mantel der Kirche. Sie beten nur noch um Geld und Ruhm. Die Mysterien sind verloren gegangen. Alles sollen die Wissenschaften erkennen und erklären. *Uns* können sie damit nicht erklären und deshalb verdrängen viele Menschen die schiere Möglichkeit unserer Existenz. Ein gewaltiger Vorteil! Wer nicht an uns glaubt, kommt auch nicht auf die Idee, sich vor uns zu schützen.«

»Dann wohnt also die größte Macht der christlichen Kirche in den alten Katakomben«, schloss Raymond. Chiara neben ihm nickte heftig. »Ja, es ist selbst für uns – die bei einer Kirche nicht einmal mit der Wimper zucken – schwer, sie zu betreten.«

»Sind das weit verzweigte Labyrinthe?«, wollte Joanne wissen.

»Das kannst du glauben!«, bestätigte Chiara. »Außerhalb der alten Stadtmauer gibt es kilometerlange unterirdische Grabgänge auf mehreren Etagen. Ich weiß nicht einmal, ob unseren Altehrwürdigen alle bekannt sind.«

Joannes Augen leuchteten. »Das klingt aufregend und erinnert mich an unser unterirdisches Paris. Ich würde das gern einmal sehen!«

Tammo neben ihr machte ein zweifelndes Gesicht und warf seiner Schwester einen beunruhigten Blick zu.

Signora Enrica rief die Schüler zur Ruhe und fasste die erste Lektion noch einmal zusammen: »Ein heiliger Gegenstand zieht seine Macht also aus der Glaubenskraft des Menschen, der ihn herstellt oder benutzt.«

»Und was nützt uns das jetzt?«, rief Fernand dazwischen und fuhr sich mit einer schmutzigen Hand durch das Haar, das nicht minder verstaubt wirkte. »Wenn was heilig ist, dann ist es gefährlich, und wir halten uns deshalb lieber von allem fern, was auch nur entfernt nach Kirche riecht? Das haben wir schon immer getan!«

Die Professorin presste die Lippen aufeinander. Sie sah den schmuddeligen Jungen ärgerlich an. »Nein, das bedeutet es ganz und gar nicht. Wenn wir uns einem heiligen Ort oder Gegenstand nähern, müssen wir unsere Sinne öffnen, um zu erspüren, wie groß seine Macht ist. Wenn es uns gelingt, das einzuschätzen, dann können wir entscheiden, ob wir seiner Wirkung auf uns gewachsen sind oder nicht.« Sie verstummte plötzlich. Ein großer schwarzer Kater hatte sich durch den Türspalt gezwängt und war zu Maurizio gelaufen, eine fette, noch zappelnde Ratte im Maul. Er nahm die Ratte, biss ihr in die Kehle und saugte sie aus. Dann ließ er den Kadaver unter sein Pult fallen.

Signora Enrica fuhr ihn an. »Was soll das bedeuten?«

Maurizio hob die Schultern. »Ihr wisst doch, dass ich meinen Kater Ottavio abgerichtet habe, mir alle Ratten zu bringen, die er erwischen kann.« Stolz schwang in seiner Stimme mit.

Die Signora starrte ihn an. Ihr langer Finger deutete auf den Rattenkadaver. »Es ist mir egal, was du draußen in den Ruinen treibst, aber nicht hier in den Räumen der Akademie! Ich sage das nicht noch ein zweites Mal.«

»Ja, Tante Enrica«, sagte Maurizio gedehnt.

»Ja, Signora Enrica!«, fuhr sie ihn an und wandte sich dann abrupt ab, um der Klasse die alte Steintafel mit dem Fischsymbol noch einmal zu zeigen.

»Als Erstes müssen wir also stets danach trachten, die Stärken unserer Feinde zu kennen. Nur so können wir entscheiden, ob wir uns mit ihnen anlegen sollten. Wir Nosferas haben es da ein wenig leichter, da wir im Lauf der Generationen eine Art Resistenz gegen die kirchlichen Mächte entwickelt haben. Bei einigen ist sie stärker, bei anderen schwächer.«

»Das ist ganz schön ungerecht«, flüsterte Tammo seiner Banknachbarin zu.

»Aber auch ihr anderen werdet lernen, wie ihr eure Kräfte bündeln und gezielt einsetzen könnt.« Die Signora hob das Bild hoch und sah in die Runde. »Alisa, komm nach vorn.«

Schadenfrohes Gelächter hallte in ihrem Kopf und das Bild verkohlter Fingerspitzen trat vor ihr inneres Auge. Sie fuhr herum und warf Franz Leopold einen wütenden Blick zu, dann ging sie mit trippelnden Schritten nach vorn, sorgsam darauf bedacht, dass ihre Röcke nicht zu weit aufklappten.

Die Professorin wies sie an, ihre Hand auszustrecken und sie dem Bild so weit zu nähern, bis sie ein Kribbeln spüren konnte. Alisa war noch mehr als fünf Schritte entfernt, da begannen ihre Fingerkuppen bereits zu schmerzen. Sie blieb stehen und sah Signora Enrica fragend an. Diese erklärte, wie sie die Energie in ihrem Innern suchen und in Gedanken wie einen Schild formen sollte. Zwei Mal versuchte Alisa, den Anweisungen zu folgen und dichter an das Bild heranzukommen.

»Das schafft sie doch nie«, sagte Franz Leopold abfällig.

»Halt den Mund!«, fauchte Tammo. »Du hast ja keine Ahnung. Was sie jetzt schon weiß, wirst du in einhundert Jahren nicht lernen.«

»Ruhe!«, rief Signora Enrica. »Und du, konzentrier dich!«

Vielleicht war es die Wut auf Franz Leopold oder ihre eigene Schwäche, die so ungewohnt war, jedenfalls schien es Alisa plötzlich, als könne sie die Kraft in sich spüren. Sie konzentrierte sie auf ihre ausgestreckte Hand und trat rasch zwei Schritte vor. Beim dritten Schritt ließ die erneute Pein sie erstarren.

»Ja, das war nicht schlecht«, lobte Signora Enrica. »Versuche, noch ein wenig näher zu kommen.«

Nach zwei weiteren Anläufen brach die Professorin die Übung ab. Sie schickte Alisa auf ihren Platz zurück und rief Ireen auf, doch plötzlich hielt sie mitten in der Bewegung inne. »Ruhe!«, gebot sie mit so scharfer Stimme, dass alle verstummten und nach vorn starrten. Ihr Kopf ruckte nach rechts zu der geschlossenen Tür, die dem Pult am nächsten war. Sie sog hörbar die Luft ein. »Ein Wolf?«

Die Schüler starrten ebenfalls zur Tür, von wo jetzt gedämpfte Laute hereindrangen. Die Klinke wurde heruntergedrückt, ein Luftzug ließ die vorderen Öllampen erlöschen. Ein älterer Mann mit drahtigem Körperbau und ergrautem Haar, das noch immer ein wenig rötlich schimmerte, kam herein, gefolgt von einer jungen Frau. Ihr Gesicht war rein und wunderschön, ihr Haar fiel in dichten roten Flechten über den Rücken. Sie hielt sich ein wenig hinter ihm, ließ aber den Blick aufmerksam durch das Klassenzimmer schweifen.

»Ja?«, fragte die Professorin ein wenig barsch.

»Ah, Signora Enrica, wenn ich mich nicht täusche? Wir hatten noch nicht das Vergnügen. Ich bin Donnchadh«, stellte er sich vor und neigte den Kopf. »Und das ist mein Schatten, Mistress Catriona. Unser Schiff geriet in stürmische Gewässer, verzeiht die Verspätung.«

»Ihr seid der Clanführer der Lycana, ich habe von Euch gehört. Seid willkommen«, sagte die Professorin, die sich wieder gefasst zu haben schien. Dennoch blähten sich ihre Nasenflügel und auch Franz Leopold konnte das wilde Tier wittern.

»Nun darf ich Euch endlich unsere beiden jungen Lycanas aus Irland vorstellen.« Donnchadh machte zwei Schritte zur Seite. Zuerst trat ein Junge von ungefähr fünfzehn Jahren ein. Er war groß, mager, aber muskulös, und hatte kurzes rötliches Haar. Ernst blickte er sich im Klassenraum um.

»Das ist Mervyn«, stellte der Clanführer ihn vor. Franz Leopold befand ihn nach einer kurzen Musterung als uninteressant. Er schien so langweilig, dass er weder als Verbündeter noch als Opfer taugte. Nun ja, was konnte man schon von einer Familie erwarten, die in einer abgelegenen Festung hauste mit nichts als Gras und Schafen auf der einen und dem Meer und zahllosen Seevögeln auf der anderen Seite!

»Und hier haben wir Ivy-Máire!«

Als Erstes sah Franz Leopold den weißen Wolf, der hinter Mervyn auftauchte. Er blieb einen Augenblick stehen und ließ die gelben Augen aufmerksam über die jungen Vampire wandern, so als suche er nach einer möglichen Gefahr. Dann winselte er kurz, wich zur Seite und ließ sich auf die Hinterbeine nieder. Franz Leopold lief ein Schauder über den Rücken, als er dem Blick des Wolfes für den Bruchteil einer Sekunde begegnete. Er war kurz abgelenkt und hob den Kopf erst wieder, als er das Raunen vernahm, das durch den Saal ging.

»Ivy-Máire.« Der Name brandete wie eine Welle durch den Raum, als die Vampirin vortrat. Sie war mindestens einen Kopf kleiner als Mervyn und sehr zierlich gebaut, ja fast zerbrechlich. Doch das war nicht, was Franz Leopold schlucken ließ. Es war auch nicht ihr langes silbrigweißes Haar oder das schlichte Gewand, das in der gleichen Farbe schimmerte. Sie trug keinen Schmuck. Nur um ihr Handgelenk schmiegte sich ein einfacher Reif aus grün gesprenkeltem Stein. Franz Leopold konnte nicht einmal genau sagen, was es war, dass sie alle anderen überstrahlen ließ wie der honiggelbe Vollmond die winzigen Sterne am nächtlichen Himmel. Ihr Gesicht war schmal und fein geschnitten, die Augen hatten die Farbe von Türkisen. Sie sah sich aufmerksam um, neigte dann den Kopf und grüßte die Professorin und ihre Mitschüler mit melodischer Stimme. Franz Leopold schluckte noch einmal. Gedankenfetzen rasten durch sein Hirn, und er hatte das Gefühl, ihm würde schwindelig, wenn er sich nicht mit beiden Händen an seinen Hocker klammerte. Er nahm kaum wahr, wie Signora Enrica die Neuankömmlinge aus Irland begrüßte.

»Mervyn, Ivy-Máire, willkommen in der Domus Aurea. Setzt euch, damit wir mit dem Unterricht fortfahren können.« Ihre Stirn legte sich in Falten, während sie sich suchend im Klassenraum umsah. »Karl Philipp, rutsch auf die nächste Bank, damit die beiden sich zu euch setzen können. Und Ihr, Sir, wollt Euch sicherlich wieder zu den Clanführern begeben? Ich denke, Conte Claudio wird erfreut sein.«

Donnchadh neigte das Haupt. »Aber sicher. Lasst Euch nicht weiter in Euren Belehrungen stören.« Die Lycana gingen hinaus und schlossen die Tür hinter sich. Ohne ein Zeichen von Unsicherheit steuerte Ivy-Máire direkt auf den Platz zu, auf dem Karl Philipp gerade noch gesessen hatte. Vielleicht war es ihr nicht einmal bewusst, dass alle sie anstarrten. Ohne dass sie einen Befehl gab, erhob sich der Wolf und folgte ihr. Sie blieb vor Franz Leopold stehen.

»Ist es dir recht, wenn ich mich zu dir setze?«, fragte sie, und in seinen Ohren klang es wie der Gesang von Sirenen*.

»Äh, ja«, presste Franz Leopold hervor und senkte den Blick. Er ärgerte sich über sich selbst. Was war nur mit ihm los? Wäre er ein Mensch, wäre er vermutlich auch noch rot geworden! Um nicht auf die Tischplatte starren zu müssen, sah er zu Luciano hinüber und fing dessen Gedanken der Enttäuschung auf.

Ausgerechnet zu dem hochnäsigen Dracas muss sich dieses wunderbare Wesen setzen!

Franz Leopold grinste gehässig. *Jeder bekommt das, was er verdient*, sandte er Luciano in Gedanken. Der dicke Römer sah weg und wandte sich wieder Signora Enrica zu, die in ihren Erklärungen fortfuhr, wo sie aufgehört hatte. Sie rief Anna Christina vor, doch sie schaffte es nicht einmal auf vier Schritte an den Stein heran. Fernand dagegen schlug sich ganz gut, und Chiara gelang es dank ihres Erbes sogar, das Bild zu berühren.

Franz Leopold achtete nicht auf den Unterricht. Er warf seiner neuen Banknachbarin verstohlene Blicke zu. Ihr Wolf saß wie eine Statue reglos neben ihr und schien Signora Enricas Ausführungen ebenso interessiert zu folgen wie seine Herrin. Franz Leopold konnte nicht widerstehen. Er musste wissen, was Ivy-Máire bewegte. Für einen Augenblick fragte er sich bang, was sie über ihn dachte, verdrängte die Frage aber gleich wieder. Seit wann kümmerte es ihn, was andere von ihm hielten? Und dann auch noch das Mitglied einer minderwertigen Familie!

Er streckte seinen Geist aus und richtete seine Gedanken auf die weiße Stirn. Nichts. Das war seltsam. Er verstärkte seine Bemühungen. Nichts. Absolut nichts!

Ivy-Máire wandte den Kopf und sah ihm gelassen in die Augen. »Das ist nicht sehr höflich. Außerdem wirst du keinen Erfolg damit haben.«

»Was? Wovon redest du?«

Sie schenkte ihm noch einen Blick, der ihm wie ein versengender Blitz durch den Leib fuhr, dann wandte sie ihre Aufmerksamkeit wieder der Professorin zu.

Franz Leopold ballte wütend die Fäuste. Was bildete sich die Göre ein, so mit ihm zu sprechen? Er würde sie lehren, ihm Respekt entgegenzubringen! Eingebildetes Geschöpf! Hatte sie seine Gedanken gelesen oder nur erraten, was er getan hatte? Wider Willen mischte sich so etwas wie Bewunderung in seine Wut. Er spürte ihren raschen Seitenblick und ihr Lächeln ließ es ihm heiß und kalt werden. Er würde auf der Hut sein müssen!

IM KOLOSSEUM

Sie war einfach unglaublich! Alisa musste aufpassen, dass sie das andere Mädchen nicht mit offenem Mund anstarrte. Selbst als sie sich dem Unterricht wieder zuwandte, war sie sich der Anwesenheit von Ivy-Máire in ihrem Rücken bewusst.

Sollte sie sie nachher ansprechen und sich vorstellen oder würde die Irin das als aufdringlich empfinden? Sie müsste es taktvoll beginnen und durfte sie auf keinen Fall so anglotzen, wie einige der jungen Vampire es immer noch taten. Es würde sich schon eine Möglichkeit ergeben.

Die Gelegenheit kam in der Pause um Mitternacht. Signora Enrica verabschiedete sich und kündigte an, dass Professore Ruguccio den Unterricht in einer halben Stunde fortsetzen würde.

Die Vampire verließen den Unterrichtsraum, verteilten sich in den Gängen, schlenderten in den Hof oder gingen in den Käuzchensaal. Überall drehten sich die Gespräche um die Silberhaarige und ihren Wolf, nur um schlagartig zu verstummen, wenn die beiden in Hörweite kamen. Die Irin bemerkte es entweder nicht oder sie ignorierte das Wispern und Raunen sehr überzeugend. Nachdem sie ihre Habseligkeiten im ersten Schlafraum untergebracht hatte, trat sie – den Wolf an ihrer Seite – in den Versammlungsraum. Luciano brach mitten im Satz ab, als Ivy-Máire vor ihm auftauchte, und lächelte ein wenig dümmlich. Alisa schwankte, ob sie sich darüber ärgern oder amüsieren sollte. Sie sah von dem Mädchen zu Franz Leopold, dessen Blick auf Luciano ruhte. Sein Gesicht nahm einen boshaften Ausdruck an. Offensichtlich hatte er seine telepathischen Kräfte eingesetzt und würde sich nun nicht scheuen, Lucianos Gefühle und geheimsten Gedanken laut vor den anderen zu verkünden. Dass dies für den jungen Römer peinlich werden würde, stand außer Frage, doch was konnte sie dagegen tun?

Franz Leopold öffnete den Mund, ehe er jedoch etwas sagen konnte, wandte sich Ivy-Máire an ihn.

»Ich habe dich schon einmal darauf hingewiesen, dass das sehr unhöflich ist!«, sagte sie mit sanftem Vorwurf in der Stimme. »Als ich dich aufforderte, es zu unterlassen, meinte ich nicht nur mir gegenüber! Du solltest deine Fähigkeit auch nicht gegen deine anderen Mitschüler einsetzen, die noch nicht gelernt haben, ihre Gedanken zu schützen. Es ist eine Waffe, die wir zur Verteidigung und zur Jagd nutzen. – Nein, bemühe dich nicht weiter. Du wirst bei mir keinen Erfolg haben.« Sie wandte sich ab.

Franz Leopold stotterte: »Das ist unmöglich. Nur die Dracas beherrschen die Gedankenkräfte!« Verwirrt schüttelte er den Kopf und glitt nach draußen.

Luciano stemmte sich aus seinem Sessel hoch und eilte mit unbeholfenen Schritten zu Ivy-Máire. »Danke, das war sehr nett von dir. Ich weiß zwar nicht genau, was er sagen wollte, aber es wäre für mich ...« Er hielt inne und sah verlegen zur Seite.

Ivy-Máire dagegen schien nicht im Mindesten aus dem Gleichgewicht gebracht. »Es war mir ein Vergnügen, Luciano.«

Der Römer verbeugte sich linkisch. »Ich stehe zu deinen Diensten, falls du jemals meine Hilfe brauchst. Nicht dass ich denke, meine Kräfte könnten sich auch nur ansatzweise mit deinen ...«

Sie unterbrach ihn. »Ich danke dir und nehme dein Angebot an. Wie wäre es, wenn du mich ein wenig in eurem Reich herumführen würdest? Ich denke, wir haben nach der letzten Lektion noch genügend Zeit, ehe die Morgendämmerung uns in unsere Särge treibt.«

Luciano strahlte. »Oh ja, wenn du willst, zeige ich dir das Kolosseum und die Ruinen auf dem Palatinhügel.«

Ivy-Máire lächelte. »Das hört sich faszinierend an. Dürfen wir alleine gehen oder müssen wir einen Aufpasser mitnehmen?« Sie nickte in Richtung der Servienten, die sich in eine Ecke zurückgezogen hatten und ihre Schützlinge unauffällig im Auge behielten.

»Wenn ich Francesco befehle, hierzubleiben, dann wird er meinen Wunsch respektieren!«

»Gut!« Sie lächelte. »Ich bin gespannt.«

Luciano sah zur Seite und begann, mit seinen abgekauten Nägeln nervös an seiner Jacke zu zupfen. »Wenn es dir nichts ausmacht, dann könnten wir Alisa von den Vamalia aus Hamburg mitnehmen.«

Ivy-Máire sah zu ihr herüber, und Alisa bemühte sich, eine gleichgültige Miene aufzusetzen, während sie überlegte, ob Luciano nur Angst davor hatte, mit der Irin allein zu sein, oder ob er sich schon so freundschaftlich mit ihr verbunden fühlte, dass er auch ihr die römischen Ruinen zeigen wollte.

Ivy-Máire kam mit ausgestreckter Hand auf sie zu. »Aber ja! Ich freue mich, deine Bekanntschaft zu machen. Ich bin Ivy.« Sie schüttelten einander feierlich die Hände. Alisa musterte Ivy abschätzend, konnte aber keine Bosheit oder versteckte Falschheit erkennen. Vielleicht war sie so freundlich, wie sie sich gab. Und dennoch spürte Alisa so etwas wie eine Barriere, eine undurchdringliche Mauer, die all das fest umschloss, was nicht nach außen dringen sollte. Ihre Offenheit reichte nur so weit, wie die junge Vampirin es zuließ. Ihre Geheimnisse würde sie zu allen Zeiten wohl zu bewahren wissen. Und dass dies nicht wenige waren, davon war Alisa überzeugt!

»Ich freue mich auch, Ivy.« Ihr Blick senkte sich zu dem Wolf hinab, der sie aus gelben Augen musterte. Zögernd näherte sie die Hand seinem Kopf. Der Wolf rührte sich nicht von der Stelle, nur die Nackenhaare stellten sich auf. Alisa sah Ivy fragend an. »Wird er nach mir schnappen?«

Zu ihrem Erstaunen gab sie die Frage weiter. Alisa verstand nur den Namen des Tieres: Seymour. Vielleicht sprach sie gälisch mit ihm. Der Wolf winselte kurz, dann glättete sich das Fell wieder.

»Du darfst ihn anfassen«, sagte sie schlicht.

»Seymour«, wiederholte Alisa und legte dem Wolf die Hand in den Nacken. Wie weich er sich anfühlte!

»Das ist eine große Ehre. Er ist sehr eigen in seinen Vorlieben und schätzt es normalerweise nicht, von Fremden berührt zu werden.«

»Er ist wundervoll!«, schwärmte Alisa.

Ivys Lächeln verblasste ein wenig. »Ja, das ist er. Aber er ist auch mein Schatten, dem ich nicht so einfach befehlen kann zurückzubleiben, wenn es mir beliebt.«

Alisa machte eine wegwerfende Handbewegung. »Er ist nur ein Wolf, kein erwachsener Vampir, der sich ständig einmischt und einem den Spaß verdirbt. Wir in Hamburg haben keine Schatten. Wir leben alle miteinander. Das hat Vorteile, aber auch Nachteile. Dame Elina hat bestimmt, dass Hindrik für uns verantwortlich ist, also muss er ein Auge auf uns haben. Er lässt sich auch nicht so einfach wegschicken wie Lucianos Francesco, wenn wir keine Lust auf ihn haben. Er entscheidet selbst, ob das, was wir vorhaben, gefährlich sein könnte und wir seines Schutzes bedürfen!«

»Dann sollten wir nachher so unauffällig wie möglich verschwinden«, schlug Ivy vor.

»Ja, das sollten wir!«

*

Viel Neues erfuhren die jungen Vampire in der zweiten Hälfte der Nacht nicht mehr. Professor Ruguccio ließ sie noch ein paar einfache Abwehrübungen durchführen, dann lenkten Schritte auf dem Gang vor dem Unterrichtssaal die Aufmerksamkeit der Schüler ab. Die Köpfe wandten sich nach links, als die Tür geöffnet wurde und Conte Claudio – heute in Royalblau mit üppiger Goldstickerei – eintrat. Ihm folgten die restlichen Clanführer und ihre Begleiter. Professor Ruguccio neigte das Haupt und überließ die Bühne dem Conte, der sich sogleich vor dem Pult postierte. Er rieb die fleischigen Hände und legte dann die langen Nägel aneinander.

»Erben der Nosferas, Pyras und Vamalia, der Dracas, Vyrad und Lycana«, begann er. »In dieser Nacht hat eure Ausbildung begonnen. Ihr hattet bereits die Gelegenheit, erste Erfahrungen zu sammeln. Doch auch wir, eure Familienoberhäupter, waren in dieser Nacht nicht müßig und haben zusammengestellt, was ihr braucht, um eure Erkenntnisse festzuhalten, um zu üben und zu experimentieren. Wir haben Bücher gebracht, die euch die Geschichte Roms und unsere Sprache näher bringen und so manch anderes Geheimnis enthüllen. Sie sollen euch helfen, die großen Aufgaben zu meistern, die wir in unseren Hallen im Untergrund Roms für euch erdacht haben.«

Bücher! Alisa konnte ihre Freude kaum verbergen. Allerdings sah sie auch, dass die anderen Schüler mit weit weniger Begeisterung reagierten. Nur Ivy und die Engländer schien diese Ankündigung ebenfalls eher zu freuen als zu erschrecken. Zwei Servienten traten mit großen Kisten in den Armen in den Raum und begannen, die Bücher zu verteilen. Dann überreichten die Clanführer den Angehörigen der eigenen Familie ihre gefüllten Schultaschen. Dass diese nicht für alle gemeinsam besorgt worden waren, fiel deutlich ins Auge. Alisa grinste in sich hinein, als sie den einfachen Ranzen aus braunem Leder entgegennahm. Lucianos Schultasche dagegen war aus feinem, weichem Leder, schwarz mit abgesetzten Nähten und einer silbernen Schnalle. Doch mit der Pracht der Wiener Taschen konnte auch sie nicht mithalten. Mit einem verklärten Lächeln strich Marie Luise über den goldenen Riemen, der mit winzigen Edelsteinen verziert war. Fernand streckte den Arm aus, um ihre Tasche zu berühren, doch sie zog sie weg und funkelte böse in seine Richtung.

»Nimm bloß deine dreckigen Finger von meinen Sachen.«

Fernand zuckte nur mit den Achseln und nahm seine Ratte von der Schulter. Er öffnete seinen Beutel und ließ sein Schoßtier ausgiebig schnuppern. Die Ratte verschwand im Innern des schlichten Lederbeutels und machte es sich wohl zwischen Papier, Feder und Tintenfass bequem. Maurizio nutzte die Unruhe im Klassenraum, um Ottavio zur hinteren Tür hereinzulassen und ihm seine Beute abzunehmen. Er saugte die Ratte mit einem Zug aus, bevor ihn jemand rügen konnte, und schob den Kater dann mit dem Kadaver zusammen durch den Türspalt hinaus.

In diesem Moment ergriff Conte Claudio wieder das Wort. »Die Stunde des Abschieds naht.«

»Wenn er weinen könnte, dann würde er jetzt sicher ein paar Tränen vergießen«, höhnte Franz Leopold. »Aber auch dann würde niemand ihm abnehmen, dass er nicht höllisch froh darüber ist, sie alle wieder aus dem Haus zu haben. Aber das beruht vermutlich bei den meisten auf Gegenseitigkeit!«

Im Stillen musste ihm Alisa recht geben. Zwischen den Oberhäuptern der Familien herrschte eine knisternde Anspannung. Dame Elina hatte anscheinend mit den beiden Seigneurs aus Paris eine Auseinandersetzung gehabt. Zumindest musterten die beiden Brüder sie noch immer feindselig, und auch der Streit zwischen den Dracas und dem Conte, den Alisa teilweise mit angehört hatte, schien noch zu schwelen. Der Römer oder vielleicht der gesamte Rat der Clanführer hatte das hochmütige Geschwisterpaar zwar zumindest vorläufig zum Einlenken gezwungen, doch Alisa ahnte, dass sie nicht so schnell klein beigeben würden.

Nun gut, das Schuljahr würde in Rom seinen Lauf nehmen. Nur ein vorläufiger Rückzug, schien der Blick der Baronesse zu sagen.

Lediglich die Abordnung aus Irland schien sich nicht um das Gezänk zu kümmern. Der Clanführer Donnchadh stand ein wenig abseits. Die schöne Unreine, die er als seinen Schatten erwählt hatte, stand dicht hinter ihm und flüsterte ihm ab und zu etwas ins Ohr.

Endlich waren alle Abschiedsreden beendet, und die Reisenden begaben sich in den Hof, wo sie sich in ihre Särge legten, in denen sie die Heimfahrt antreten würden. Schnallen wurden geschlossen, kleine Riegel rasteten ein, Schlüssel drehten sich im Schloss.

Dann beluden die Servienten die Wagen, die sie zum Bahnhof oder zum Hafen am Tiberufer bringen sollten.

Die Schüler, die sich zum Abschied im Hof versammelt hatten, sahen ihnen nach. Die meisten wirkten eher erleichtert.

»Ihr habt es gut«, seufzte Luciano und hakte sich bei Alisa unter.

»Warum?«

»Ihr könnt sie fast alle nach Hause schicken. Wir werden das ganze Jahr von mehr als genug strengen Augen bewacht.«

Alisa schmunzelte. »Dann wird es Zeit auszuprobieren, ob wir es schaffen, ihnen zu entwischen.«

»Gute Idee!« Luciano strahlte. »Ich gehe voran.«

*

Die drei jungen Vampire schoben sich durch die verborgene Seitentür, zu der Luciano sie geführt hatte. Der weiße Wolf schlüpfte hinter ihnen durch den Spalt, ehe Luciano die Tür behutsam schloss. Sie duckten sich hinter ein Gebüsch und warteten einige Augenblicke, ob sie jemand zurückrief, doch alles blieb ruhig.

»Also dann los!«, rief Luciano übermütig. Nur der Wolf bemerkte, dass kurz darauf eine Gestalt durch die Tür trat und ihnen in sicherer Entfernung folgte.

Luciano ging direkt auf die vor ihnen aufragenden Mauern des Kolosseums zu. Hier, auf der dem Hügel zugewandten Seite, stand der äußere Ring mit seinen vier imposanten Stockwerken noch: drei mit Arkaden und das vierte mit kleinen quadratischen Fensteröffnungen. Als sie den Fuß der Mauern erreichten, legte Alisa den Kopf in den Nacken. »Wie hoch ist es? Erstaunlich! Es muss höher sein als alle Schiffsmasten.«

»Achtzig Schritt.«

Alisa überlegte. »Das sind so sechzig Meter. Gewaltig!« Der Wolf winselte und drängte sich dichter an Ivy.

»Was ist mit ihm?«, fragte Luciano. »Keine Sorge. Die Tierhetzen im Kolosseum wurden schon im sechsten Jahrhundert abgeschafft.« Er streckte die Hand aus, um den Wolf zu tätscheln, doch der knurrte und stellte die Nackenhaare auf. Luciano wich ein Stück zurück.

»Ich dachte, bei den Tierhetzen wurden Menschen von Wölfen und anderen wilden Tieren gejagt und nicht andersherum«, stellte Alisa fest.

Luciano nickte. »Stimmt schon, wenn sie nicht die Gladiatoren aufeinander losließen. Aber damit haben sie schon viel früher aufgehört.«

Ivys Augen glitzerten. »Die Menschen sind uns ähnlicher, als sie denken. Auch in ihnen steckt das Jagdfieber und der Durst nach Blut, und es gelingt ihnen nur notdürftig, dieses Verlangen unter dem hübschen Kleid, das sie Zivilisation nennen, zu verbergen.«

»Wenn du meinst«, sagte Luciano nur und sah sie ein wenig misstrauisch an. Bevor sie zu weiteren philosophischen Betrachtungen ausholen konnte, führte er die beiden Mädchen weiter. »Es muss einmal sehr prächtig ausgesehen haben. Einer unserer Altehrwürdigen hat über hundert Jahre lang alle Dokumente gesammelt, die er finden konnte. Er besitzt auch Zeichnungen, die zeigen, dass überall unter den Bögen Statuen standen. Ein riesiges Zeltdach spendete den Besuchern Schatten.«

Heute steckte das römische Amphitheater in seinem eigenen Schuttberg, sodass der Weg ins Innere durch die unteren Bogengänge versperrt war.

Luciano blieb stehen und zeigte auf eine Öffnung im Boden. »Wenn wir durch das Loch kriechen, kommen wir in den unterirdischen Teil des Theaters und von dort auch in die Arena und auf die Ränge.«

Sie duckten sich und schlüpften in den Gang, der schon bald wieder höher wurde, sodass zumindest Ivy aufrecht gehen konnte. Sie kamen an kleinen Kammern und halb verschütteten Korridoren vorbei. Die Wände waren gebogen, und die Gänge liefen in einem spitzen Winkel aufeinander zu, als befänden sie sich im Rumpf eines riesigen Schiffes.

»Dort lagen vermutlich die Käfige der wilden Tiere und die Zellen der Gefangenen, die ihnen zum Fraß vorgeworfen wurden«, erklärte Luciano. »Und hier müssen hölzerne Plattformen eingebaut gewesen sein, die über Seile und Winden als Aufzüge dienten.«

»Und die Gladiatoren?«, wollte Alisa wissen. »Haben die auch hier unten gewohnt?« Sie sah sich interessiert um. Auch wenn alles alt und halb verfallen war, schien es auch früher schon eng und nicht sonderlich bequem gewesen zu sein.

»Sie haben hier sicher ihre Rüstungen angelegt und auf ihre Kämpfe gewartet, doch gewohnt und trainiert haben sie in Kasernen außerhalb.«

Sie gingen weiter. Immer wieder mussten sie Bergen von Steinen und Schutt ausweichen. Einmal kamen sie an eine Stelle, an der die Decke eingebrochen war und sie einen Blick auf den nächtlichen Himmel erhaschen konnten.

Luciano deutete nach oben. »Der altehrwürdige Giuseppe erzählt, dass die Menschen schon vor hundert Jahren mit Leitern durch dieses Loch heruntergestiegen sind. Mit Fackeln und Lampen sind sie hier staunend umhergewandert und haben sich an ihrem Schauder erfreut. Ja, es sollen ganze Picknickgesellschaften oben auf den Rängen stattgefunden haben. Besonders romantisch fanden sie es, bei Mondlicht durch die Ruinen zu wandern.«

Alisa sah in den Himmel. Die Wolken wanderten weiter und enthüllten eine schmale Mondsichel, deren Licht Ivys Haar wie flüssiges Silber leuchten ließ.

»Ich glaube, ich erinnere mich an ein paar Zeilen unseres Dichters Johann Wolfgang von Goethe. Er schreibt über eine helle Mondnacht über den Ruinen. Ja, er muss hier gewesen sein.«

Luciano zuckte mit den Schultern. »Jedenfalls begannen die Menschen plötzlich, sich für die alten Ruinen zu interessieren. Sie wollten die Mauern erhalten, sie von Büschen und Unkraut befreien und die Paläste und Tempel ausgraben. Es war eine aufregende Zeit, kann ich mir denken. Viele der Nosferas bangten, dass die Menschen sich auch der Existenz der Domus Aurea wieder erinnern und trotz unserer Abwehrmaßnahmen dort eindringen könnten. Aber dann verschwanden die Menschen wieder und die Stille kehrte in die Ruinenstätte und ins Kolosseum zurück.«

»Sie graben nicht mehr weiter?«, fragte Ivy.

»Nein«, bestätigte Luciano. »Vielleicht haben sie das Interesse an den alten Zeiten verloren. Sie haben Wichtigeres zu tun, jetzt, da der Papst die Macht verloren hat und Rom zur Hauptstadt eines neuen Königreichs geworden ist. Vermutlich müssen sich die Römer nun nicht mehr mit der alten Kaiserherrlichkeit ihrer Stadt beschäftigen und können ihre Ruinen vergessen – und sie uns überlassen!«

Sie hatten inzwischen eine steile Rampe erklommen und standen nun im Innern des Amphitheaters. Immer noch war es ein gewaltiger Anblick. Man konnte sich vorstellen, wie dort unten in der ovalen Arena die Gladiatoren mit Schwert und Schild oder Dreizack und Netz um ihr Leben gekämpft hatten, begleitet vom ohrenbetäubenden Geschrei der Tausenden auf den Rängen.

Luciano deutete auf die halb verfallenen Bögen zu beiden Seiten der Arena. »Dort im Westen betraten die Gladiatoren den Kampfplatz durch die Porta Triumphalis. Und durch die Ostpforte, die Porta Libitinaria, wurden ihre Leichen rausgetragen.«

Der Wolf stieß Ivy in die Seite und entblößte seine Fangzähne. Seine Ohren spielten nervös. »Seymour möchte, dass wir gehen.«

Die anderen nickten. Luciano wandte sich gerade wieder der Rampe zu, als Alisa ihn am Arm ergriff. »Hast du das gehört? Ich glaube, wir sind nicht die einzigen nächtlichen Besucher hier.«

Luciano machte eine wegwerfende Handbewegung. »Nur ein paar Steine, die ins Rutschen gekommen sind. Das passiert hier andauernd.«

»Wir sind nicht mehr allein«, widersprach Ivy, deren Hand auf dem Nacken des Wolfes ruhte. »Seymour kann ihn wittern.«

Die drei verbargen sich hinter einem Steinblock und ließen die Blicke schweifen, konnten aber keine Bewegung oder Aura der Wärme entdecken, die die Anwesenheit eines Menschen verraten hätte.

»Kommt!«, raunte Luciano. »Es gibt noch einen anderen Weg hinaus.« Geduckt ging er voran. Allerdings nicht so leise, wie Alisa es sich gewünscht hätte. Im Gegensatz zu Ivys Schritten, die nicht einmal ihre feinen Ohren hören konnten, knirschte es unter Lucianos Sohlen deutlich, und ab und zu stieß er einen Stein an, der die Ränge hinunterrollte. Selbst ein Mensch mit seinem schlechten Gehör hätte ihnen leicht auf den Fersen bleiben können!

Zu ihrer Erleichterung erreichten sie bald darauf eine beschädigte Treppe, die sie über zwei Absätze nach unten führte. Sie krochen durch einen Bogen und hangelten sich dann einen Schuttkegel hinab, der in ein paar Schlehenbüschen endete.

Alisa befreite ihren Ärmel aus den Dornen. »Verstecken wir uns in der Nische dort, dann werden wir gleich sehen, ob wir Gesellschaft haben.« Die anderen folgten ihr.

»Was sagt Seymour?«, fragte Luciano im Flüsterton.

Ivy strich dem Tier über Kopf und Nacken. »Er ist noch immer beunruhigt. Doch seht, er wittert in die andere Richtung. Gibt es dort drüben auch einen Ausgang?«

»Ja, schon, aber keinen, den man so schnell erreichen könnte. Man müsste innen erst auf die andere Seite gelangen und dann das Hypogäum* queren, das wir zuerst gesehen haben.« Er wirkte verwirrt.

»Vielleicht kennst du nicht alle Gänge?«, schlug Alisa vor. Luciano schnaubte abfällig.

»Oder wir haben es mit mehr als nur einem Verfolger zu tun und sie haben sich getrennt. Lasst uns ein wenig näher herangehen.« Ivy hob den Kopf und sog die Luft ein. »Da ist ein Mensch. Ich bin mir ganz sicher. Spürt ihr das nicht?«

»Eine Frau«, fügte Luciano überrascht hinzu. »Alleine um diese

Nachtzeit? Merkwürdig.« Sie schlichen noch ein Stück näher heran. Ja, dort unter dem nächsten Bogen stand jemand. Sie konnten die warme, menschliche Aura erahnen.

Luciano winkte gerade die beiden Mädchen weiter, als ein Stein die Rampe hinunterrollte, über die sie die Theaterruine verlassen hatten.

»Da kommt jemand!«, raunte Alisa. »Geht in Deckung!«

Eine dunkle Gestalt in einem langen Mantel erschien in der Öffnung. Die drei Vampire ließen sich zu Boden fallen. Seymour knurrte drohend.

*

Vom Glockenturm Santa Francesca Romana wehten drei Schläge herüber und lösten sich über dem Platz vor dem Kolosseum auf. Die Frau zupfte ihren Schleier zurecht. Drei Uhr! Er war nun schon eine Stunde zu spät! Sie lauschte in die Nacht. Nichts. Keine Schritte, keine Stimmen. Nur ein Käuzchen schrie und dann streifte ein kalter Windhauch ihre Wange. Sie zuckte zusammen und drückte sich noch ein wenig dichter an die Steinblöcke, die nun schon fast zweitausend Jahre zu einer festen Mauer verbunden waren und hoch über ihr aufragten. Ihr langes schwarzes Gewand verschmolz mit den nächtlichen Schatten.

Warum kam er nicht? War ihm etwas geschehen? Oder hatte sie sich in der Zeit geirrt? Aber nein, sie hatten sich für die Nacht des heiligen Gregors hier verabredet. Sie sollte ihm das Schreiben aushändigen, das sie unter ihrem Umhang verborgen trug. Und er wollte ihr einen Zettel geben, auf dem Ort und Zeit des nächsten Treffens notiert waren.

Mit ihren nackten Füßen in den Sandalen wurde ihr langsam kalt. Sie trat abwechselnd von einem Bein auf das andere. Was sollte sie nun tun? Noch weiter warten? Zurückgehen und beichten, dass sie ihren Auftrag nicht hatte ausführen können? Er würde nicht erfreut sein. Oh nein, ganz und gar nicht. Seine Eminenz liebte es nicht, wenn etwas schiefging. Alles hatte nach seinem

Willen zu geschehen, reibungslos und ohne Verzögerungen! Die Frau unterdrückte einen Seufzer. Es wurde nicht besser, wenn sie es noch länger hinauszögerte. Sie musste es hinter sich bringen.

Plötzlich erstarrte sie. War da nicht etwas? Sie lauschte. Ein Lachen, dann flüsternde Stimmen und das Knurren eines Tieres. Verstört schüttelte sie den Kopf. Wie seltsam. Das war nicht der, den sie erwartete. Es wurde Zeit, zu verschwinden. Sie raffte Umhang und Habit* und eilte geduckt zwischen Unkraut und wilden Büschen davon.

*

Es war einfach gewesen, ihnen durch die Gänge der Domus Aurea zu folgen. Als Franz Leopold Ivy-Máire in einem dunklen Gewand sah und Alisa in schäbigen Hosen und Kittel, wusste er, dass sie etwas Verbotenes planten, und heftete sich an ihre Fersen. Die Geheimtür musste er sich merken. Vielleicht konnte man sie noch brauchen. Franz Leopold wartete eine ganze Weile hinter der geschlossenen Tür, ehe er es wagte, sie langsam aufzudrücken. Sie öffnete sich lautlos. Die Mondsichel verbarg sich hinter den Wolken. Gut so. Das Licht der Nacht genügte ihm, um die anderen nicht zu verlieren, und so würden sie ihn nicht entdecken, wenn er genug Abstand hielt. Schließlich stammten sie alle aus minderwertigen Clans, deren Sinne wohl kaum so entwickelt waren wie die der Dracas. Allerdings war er sich sicher, dass der Wolf ihn bemerkt hatte. Das verfluchte Tier wandte immer wieder den Kopf und starrte genau in seine Richtung. Aber sie konnten ja wohl kaum mit dem Biest sprechen!

Franz Leopold folgte den anderen zum Kolosseum hinunter und dann durch unterirdische Gänge bis in die Arena. Er hielt so viel Abstand, dass nur ab und zu ihre Stimmen an sein Ohr drangen. Ihre Worte konnte er nicht verstehen, doch es klang so, als würden sie den Ausflug genießen. Wütend ballte er die Fäuste. Er fühlte sich plötzlich seltsam allein. Seine Cousinen Marie Luise und Anna Christina tauchten vor seinem inneren Auge auf und er wischte sie schnell beiseite. Sie waren verwöhnt, launisch und meist eine Plage. Er hätte Karl Philipp fragen können, ob er ihn begleitete, doch der wollte stets bestimmen. Und einen Vampir aus einem anderen Clan so nahe an sich heranzulassen, kam gar nicht infrage.

Ivy-Máires Stimme wehte zu ihm herüber, und für einen Moment sah er sich an ihrer Seite, wie *er* sie durch die Ruinen führte und ihr die Wunder längst vergangener Zeiten zeigte. Der fette Luciano hatte wirklich Glück. Wären sie in Wien, würde sie diesem Abschaum nicht einmal einen Blick gönnen!

Aber eigentlich war das unwichtig. Wer war sie denn schon? Ein Landmädchen, das zwischen Schafen aufgewachsen war. Nichts Besonderes und seiner sowieso nicht würdig.

Als die drei schließlich durch einen Bogen ins Freie krochen, wartete er eine ganze Weile, ehe er ihnen nachschlich. Er ließ den Blick suchend schweifen und erstarrte. Eine schwache rötliche Aura hinter einem Busch fesselte seine Aufmerksamkeit. Waren die drei hergekommen, um einen Menschen gemeinsam zu überfallen und auszusaugen? Das wäre ein schwerer Verstoß gegen die heiligen Regeln aller Familien gewesen! Junge Vampire hatten noch nicht die Macht, den Geist ihrer Opfer zu kontrollieren, und nicht die Kraft, im Blutrausch rechtzeitig aufzuhören, bevor der letzte Herzschlag verklang. Daher bekamen sie nur Tierblut. Denn wer einmal Menschenblut gekostet hatte, konnte dem Drang nicht mehr widerstehen und erlag seiner Gier – trotz Verbote und Strafen – immer wieder. Wie wahr! So mussten die jungen Vampire warten, bis sie in einem Ritual in die Welt der Erwachsenen eingeführt wurden und ihnen bei einem Fest das erste Opfer präsentiert wurde.

Franz Leopold trat noch ein Stück weiter vor, um besser sehen zu können. Ein Stein kullerte den Abhang hinunter. Dann ging alles ganz schnell.

Der Schatten mit der rötlichen Aura löste sich von der Wand

und lief über den Platz davon. Der weiße Wolf heulte auf und rannte los, doch er verfolgte nicht die flüchtende Gestalt! Franz Leopold lief die Schuttrampe hinunter.

Weit kam er nicht. Er hörte das Trommeln der Pfoten, dann spürte er den heißen Atem hinter sich.

NÄCHTLICHE VERFOLGUNG

Franz Leopold war nicht der Einzige, der bemerkt hatte, wie Alisa, Luciano und Ivy durch die geheime Pforte verschwunden waren. Malcolm wartete einige Augenblicke, dann schlüpfte er ebenfalls hinaus. Doch im Gegensatz zu Franz Leopold war er nicht daran interessiert, den anderen zu folgen. Er wollte die Freiheit der Nacht alleine genießen, so wie er es in London schon lange gewohnt war. Die Hände auf dem Rücken verschränkt, schlenderte er über das Ruinenfeld nach Norden. Er sog die Gerüche der Nacht in sich auf und ließ den Blick über den Sternenhimmel schweifen. Hier war es still und friedlich wie auf dem Land, doch bereits hinter dem Ruinenfeld pulsierte das nächtliche Leben der großen Stadt, das niemals vollständig zum Erliegen kam. Auf Menschen hatte er heute keine Lust. Es war so schwer, sich von ihnen fernzuhalten, ihnen zu widerstehen. Sie rochen so köstlich. Malcolm seufzte. Noch ein Jahr musste er warten. Dann endlich würde er ein erwachsenes Mitglied des Clans und durfte mit den anderen auf die Jagd gehen. Die Sehnsucht war so groß, dass er sich schon einbildete, der Duft eines jungen Mädchens würde ihm in die Nase steigen. Wie süß und verlockend! Er wurde stärker und drängender. Das war keine Einbildung! Er erstarrte. Dort hinter den Büschen gewahrte er eine Bewegung. Ein weiter dunkler Mantel, eine Kapuze über dem Kopf. Lautlos huschte Malcolm heran. Er schob die Ermahnungen seiner Vernunft beiseite. Das musste er sich genauer ansehen!

Latona war wütend. Wieder hatte ihr Onkel sich geweigert, sie mitzunehmen. Eine Weile war sie wieder im Zimmer auf und ab geschritten, dann hielt sie es nicht mehr aus. Sie warf seinen Umhang über und verließ das Haus. Am Kapitolhügel vorbei wanderte sie zu den Ruinenfeldern, die verlassen unter dem Sternenhimmel lagen. Einsam, düster und ein wenig unheimlich war es hier. Latona liebte diesen Schauder des Verbotenen. Im Gehen zog sie die rote Maske aus der Tasche und band sie vors Gesicht. Wie wäre es, wenn sie wirklich in den Zirkel aufgenommen würde? Wäre sie dann in Gefahr? Müsste sie sich dann bei jedem Schritt umsehen, ob kein Feind ihr folgte? Latona blieb stehen und blickte sich um. Bewegte sich dort nicht ein Schatten? Schlich nicht eine düstere Gestalt von einem Busch zum nächsten? Oder waren es nur die Zweige, die sich im Nachtwind bewegten? Ihre Aufregung über das nächtliche Abenteuer wandelte sich in Furcht. Sie wich zu den Überresten einer Mauer zurück. Ihr Herz schlug schneller. Sie musste die Angst besiegen, wenn sie die Gehilfin ihres Onkels werden wollte! Sie versuchte, langsamer zu atmen, und ging mit festen Schritten weiter.

Malcolm kam lautlos näher. Ja, es war ein Menschenmädchen, das sich unter dem altmodischen Mantel verbarg. Und was hatte sie da vor dem Gesicht? Malcolm konnte sich nicht vorstellen, dass die Römer außerhalb der Karnevalszeit Masken trugen. Oder war sie auf dem Weg zu einem Maskenball? Er trat noch einen Schritt näher. Das Mädchen sah sich vorsichtig um. Er konnte ihre Angst spüren. Nein, sie trug eine Hose unter dem Mantel! Kein Ballkleid. Das wurde ja immer merkwürdiger. Was hatte ein Menschenmädchen um diese Zeit hier zu suchen, allein und noch dazu in dieser Aufmachung? Er schob sich noch näher an sie heran. Es war nur Neugier, verteidigte er sich vor seinem mahnenden Gewissen. Vielleicht konnte er mehr über sie und ihren nächtlichen Ausflug erfahren. Er fühlte, wie sich ihr Herzschlag beschleunigte. Er roch das immer schneller fließende Blut. Er war nur zwei Schritt von ihr entfernt. Ihr Bewusstsein hatte ihn noch nicht wahrgenommen, doch ihr Körper reagierte auf die Gefahr. Sie keuchte leise, fuhr herum und begann zu laufen.

Sie raffte den langen Mantel, um nicht zu straucheln. Ein dürrer Zweig verfing sich in ihrem Haar. In Panik riss sich das Mädchen los und rannte weiter. Sie bemerkte vermutlich gar nicht, dass sich das Band löste und die Maske herabfiel. Sie lief nur auf die Lichter zu und auf das Leben der Stadt, das auf der Piazza Venezia wieder begann.

Malcolm widerstand dem Drang, dem Wild nachzuhetzen und es aufzuhalten. Stattdessen trat er zu dem Busch und bückte sich. Samtig weich lag die rote Maske in seiner Hand. Er hob sie an seine Nase und nahm die Gerüche in sich auf, unter denen er ganz deutlich den Duft des Mädchens wahrnahm.

*

Franz Leopold rannte, dass seine Füße kaum mehr den Boden berührten. Er hörte das Keuchen des Verfolgers. Der junge Vampir war schnell und wendig, doch diesem Biest war er nicht gewachsen. Er fühlte, wie es anhielt, sich duckte und sprang. Er versuchte, sich zur Seite zu werfen, doch der Wolf war schneller und landete mit allen vier Pfoten auf seinem Rücken. Franz Leopold schlug der Länge nach hin. Sein Gesicht drückte gegen den Boden. Er schmeckte feuchte Erde auf der Zunge. Obwohl er hätte kämpfen und schreien mögen, rührte er sich nicht von der Stelle, denn er fühlte nur allzu deutlich die Reißzähne in seinem Nacken. Dann näherten sich schnelle Schritte.

»Das war ein sauberer Fang«, rief Alisa.

»Ja, mit einem Sprung gefällt wie einen Baum!«, triumphierte der Römer. Das würde er ihm büßen, schwor sich Franz Leopold. Um keinen Preis hätte er Ivy-Máire gebeten, den Wolf zurückzurufen.

»Gut gemacht, Seymour«, hörte er ihre melodische Stimme. »Nun geh zur Seite, damit wir sehen können, wen du erbeutet hast.« Der Wolf knurrte nur und bewegte sich nicht von der Stelle.

»Jedenfalls keinen Menschen«, stellte Luciano fest.

»Seymour!« Die Schärfe, die in diesem einzigen Wort lag, hätte er ihr gar nicht zugetraut. Der Rachen des Wolfes zog sich zurück. Nach und nach hob er die vier Pfoten und stieg von seinem Opfer herunter. Eine Hand griff nach seiner Schulter.

Franz Leopold schlug die Hand weg und drehte sich mit einem Ruck um. »Nimm deine dicken Finger von mir!« Er versuchte, möglichst gelassen zu wirken, was angesichts seiner erdverschmierten Wangen und dem zerzausten Haar etwas schwierig war.

Alisa verdrehte die Augen. »Ich wusste doch, dass ich diese Haarschleife kenne. Was tust du hier?«

»Das Gleiche könnte ich euch fragen«, erwiderte Franz Leopold kalt. »Habe ich euch bei einer verbotenen Mahlzeit gestört? Das tut mir aber leid!«

»Mahlzeit?« Luciano war verwirrt. »Was meinst du? Du denkst doch nicht etwa, wir hätten dieser Frau aufgelauert?«

»Eine Frau? Sehr interessant. Was sie hier wohl zu suchen hatte?«

»Das würden wir auch gerne wissen«, sagte Alisa.

Franz Leopold zog die Augenbrauen hoch. »Versucht erst gar nicht, mich mit billigen Tricks hinters Licht zu führen.«

»Wir haben keine Ahnung, was sie hier wollte«, brauste Alisa auf. »Aber vielleicht hätten wir es ja herausgefunden, wenn du nicht wie ein tollpatschiger Mensch dazwischengepoltert wärst!«

Der Hieb saß. Wie konnte sie es wagen, ihn so zu beleidigen! Die beiden funkelten einander wütend an, bis Ivys ruhige Stimme erklang.

»Ich schlage vor, dass wir das Gezänk beenden und in die Domus Aurea zurückkehren. Wir haben lediglich einen Ausflug unter Lucianos interessanter Führung gemacht.« Der Römer strahlte sie an. »Es ist also nicht notwendig, dass du eine Verschwörung daraus machst und uns heimlich hinterherschleichst. Wenn du mitkommen willst, dann sag es doch einfach!«

Es gelang ihm nicht, ihrem Blick standzuhalten, was ihn maßlos ärgerte. Noch mehr erzürnte ihn jedoch, dass sie besser in seinen Gedanken und Gefühlen lesen konnte als er in ihren.

»Kommt, gehen wir zurück«, sagte Ivy noch einmal. Seymour trat an ihre Seite, ließ Franz Leopold jedoch nicht aus den Augen. »Seht, der Himmel hellt sich bereits auf.«

Erschrocken blickten die anderen nach Osten, wo die Sterne bereits verblasst waren. Erst jetzt bemerkten sie die Müdigkeit, die dem Sonnenaufgang stets voranging. Eilig machten sie sich auf den Rückweg und betraten die Domus Aurea unbehelligt wieder durch die Nebenpforte. Vor dem verwaisten Aufenthaltsraum trennten sie sich. Die Jungen gingen nach rechts, wo sie auf Malcolm trafen, der offensichtlich ebenfalls spät dran war, Alisa und Ivy betraten die erste Kammer auf der linken Seite. Spätestens hier endete ihre Hoffnung, niemand hätte ihre Abwesenheit bemerkt. Hindrik saß auf Alisas geschlossenem Sarkophag und begrüßte sie mit einem abschätzenden Blick.

»Was willst du?«, fragte sie in herausforderndem Ton. »Würdest du dich bitte erheben, damit ich mich zur Ruhe begeben kann?«

Um seine Mundwinkel zuckte es, als er ihrer Aufforderung nachkam. »Ich hoffe, euer Ausflug war schön«, sagte er und sah sie abwechselnd an.

»Ja, danke«, sagte Ivy höflich und neigte den Kopf.

Hindrik grinste. »Schau nicht so finster drein, Alisa. Ich habe nicht vor, euch eine Strafpredigt zu halten. Ich habe keinen Moment angenommen, dass ihr euch ein Jahr lang nur in der Domus Aurea aufhalten werdet oder bloß in Begleitung der Professoren nach draußen geht. Ich hoffe doch, deine Vernunft ist so weit entwickelt, dass du dich nicht in Gefahr bringst. Außerdem habe ich den Eindruck, dass der Conte stets ein paar seiner Servienten mit wachsamem Blick zwischen den Ruinen patrouillieren lässt. Allerdings kann ich es nicht dulden, dass du in diesen Lumpen herumläufst. Das wäre auch nicht in Dame Elinas Sinn. Zieh den Kittel und die Hose aus und gib sie mir.«

»Niemals!«, protestierte Alisa voller Leidenschaft. »Wie stellst du dir das vor? Soll ich dauernd in diesem scheußlich unbequemen Kleid herumlaufen? Außerdem ist es zerrissen!«

Hindrik trat an Alisas Kiste und hob das Kleid hoch, das gereinigt und geflickt worden war. »Ich habe eine nette kleine Römerin namens Raphaela gefunden, die geschickt mit Nadel und Faden umzugehen weiß.« Alisa öffnete den Mund, aber er ließ sie nicht zu Wort kommen. »Und außerdem habe ich dir das hier besorgt.« Er nahm ein Stoffbündel und reichte es ihr.

Alisa rollte es auf. Es bestand aus einem weißen Seidenhemd, einer schlichten, aber gut geschnittenen Jacke mit kurzen Schößen und einer langen schwarzen Hose. Eine Halsbinde mit Rüschen, weiße Seidenstrümpfe und flache Lederschuhe vervollständigten die Garderobe. Alisa sah sprachlos zu ihm auf.

Hindrik lächelte »Ich denke, die engen Röcke sind wirklich ein wenig hinderlich bei euren Übungen – aber nun wird es höchste Zeit, dass ihr euch zur Ruhe begebt!«

Er ruckte den Deckel von Ivys Sarg, wartete, bis sie sich hingelegt hatte, und schloss ihn dann wieder. Seymour sprang auf den Steinsarkophag und ließ sich darauf nieder, die Schnauze zwischen den Pfoten.

Alisa schlüpfte rasch in ihre neuen Kleider. »Danke«, sagte sie, als sie ihm ihre alten Sachen reichte.

Hindrik öffnete ihren Sarkophag. »Keine Ursache. Nichts gegen dein Kleid, aber das passt besser zu dir.«

Sie sah an sich hinunter und lächelte ihn dann an. »Nicht wahr? Und ich werde sicher noch bei vielen Gelegenheiten froh über die viel praktischeren Hosen sein!«

»Das bezweifle ich nicht«, murmelte der Servient. »Ach übrigens, auch in Rom gibt es Zeitungen!« Er griff in die Tasche seines Umhangs und reichte ihr eine neue Ausgabe des *Osservatore Romano.* »Wenn du fleißig Italienisch lernst, dann kannst du sie bald lesen.«

»Oh, das ist ja wunderbar. Ich begann bereits, meine Zeitungslektüre zu vermissen.« Sie faltete das Blatt auseinander und ließ den Blick über die Bilder und die fremden Wörter gleiten.

»Nicht jetzt! Leg sie zur Seite.« Alisa seufzte, als Hindrik den schweren Deckel über ihr zuschob.

*

»Ich bin gespannt, was uns Signora Enrica heute zeigen wird«, sagte Alisa zu Ivy, die sich in der Halle mit der goldenen Decke neben sie gesetzt hatte. Luciano kam gähnend herein, fuhr sich mit den Händen durch das wirre dunkle Haar und ließ sich neben Chiara auf der Bank gegenüber nieder.

»Signora Enrica? Nein, ich glaube nicht, dass sie uns heute unterrichten wird. Ich habe gehört, dass sie mit Professor Ruguccio einige Katakomben besuchen will.«

Tammo, der auf Alisas anderer Seite saß, reckte den Hals. »Die Professoren sind nicht da? Haben wir dann frei? Fernand hat gesagt, er würde mir ein Spiel zeigen, das sie in ihren Labyrinthen unter Paris immer spielen.« Luciano schüttelte den Kopf.

»Fernand? Ich dachte, du magst ihn nicht?«, fragte Alisa.

Tammo zuckte mit den Schultern. »Ach ja, er ist schmuddelig und riecht streng und spricht ein wenig seltsam, aber eigentlich ist er ganz in Ordnung. Man muss nur aufpassen, dass man ihn nicht reizt. Er schlägt ganz ordentlich zu.« Er rieb sich verstohlen den Oberarm. »Jedenfalls ist er mir lieber als das ganze aufgetakelte Dracaspack, das mich immer ansieht, als wäre ich eine Kakerlake.«

Alisa schaute kurz zu Franz Leopold hinüber, der mit dem Rest der Dracas etwas abseits saß. »Ja, da ist was dran. Dabei ist er solch eine Augenweide, solange er den Mund nicht öffnet.«

»Ich habe nie einen schöneren Jungen gesehen«, bestätigte Ivy, doch ohne den sehnsuchtsvollen Ton, in dem Chiara über Franz Leopold sprach.

»Ich begreife das nicht«, sagte Alisa. »Wie kann ein Vampir so wundervolle Haut haben, ein so edles Gesicht, majestätischen Wuchs und dennoch durch und durch widerlich sein?«

»Das ist er nicht«, widersprach Ivy.

»Nein?« Die beiden Römer und die Vamalia aus Hamburg sahen sie verdutzt an. »Dann hast du ihm noch nicht länger als drei Worte zugehört!«, behauptete Chiara.

Ivy neigte den Kopf, dass der Kerzenschein über ihr langes silbernes Haar glitt. »Doch. Ich habe nicht nur seinen Worten, sondern auch seinen Gedanken und Gefühlen gelauscht.«

»Und da behauptest du, er wäre nicht das schlimmste Scheusal, das hier herumläuft?«, ereiferte sich Chiara.

»Ja, das behaupte ich.«

»Stimmt, ich glaube Karl Philipp ist noch schrecklicher«, stimmte Luciano zu. Alisa hörte ihm nicht zu. Sie sah wieder zu Franz Leopold hinüber, der, seinem Gesichtsausdruck nach zu urteilen, gerade etwas Abfälliges zu Joanne gesagt hatte. Zu gern hätte sie erfahren, was Ivy zu dieser Äußerung bewog, doch sie ahnte, dass das irische Mädchen – im Gegensatz zu Franz Leopold – nicht preisgeben würde, was sie aufgrund ihrer besonderen Gabe an Gedanken aufgefangen hatte.

Die hübsche junge Unreine, die Zita zur Hand ging, trat mit dem quäkenden Säugling im Arm in die Halle. In der anderen Hand balancierte sie ein mit Bechern und zwei Krügen beladenes Tablett. Das Kind zappelte. Die Becher klirrten, als sie ins Rutschen kamen. Luciano lächelte Raphaela zu, machte aber keine Anstalten, aufzustehen und ihr zu Hilfe zu eilen. Alisa sprang auf und half ihr, das Tablett sicher auf einem Tisch abzustellen.

»Ich danke dir. Das musst du wirklich nicht tun!«, sagte Raphaela ein wenig verlegen. Sie hatte wirklich ein hübsches Lächeln!

»Das war doch selbstverständlich!«

Alisa kehrte zu ihrem Platz zurück. Raphaela verteilte die Becher und eilte dann wieder zur Tür. »Ich glaube, ich muss kurz das kleine Monster abfüttern, sonst gibt es gar keine Ruhe! Je kleiner, desto gieriger, habe ich den Eindruck.« Sie stupste das Kind zärtlich auf die Nase und ging hinaus. Das Quäken verhallte.

Ivy nippte an dem frischen Blut, ihre spitzen Eckzähne schimmerten schneeweiß im Lampenlicht, während Luciano den Inhalt des Bechers in einem langen Zug hinunterstürzte, als habe er nächtelang nichts mehr zu trinken bekommen.

»Es ist ein unreines Kind, nicht wahr?«, sagte Alisa zu Luciano.

»Ja, und Raphaela wird es nun die nächste Ewigkeit am Hals haben. Es wird immer so bleiben!«

»Die Vorstellung ist entsetzlich«, murmelte Alisa.

Luciano stimmte ihr zu. »Der Conte und auch der altehrwürdige Giuseppe haben Melita immer wieder gewarnt, aber sie wollte ja nicht hören, und nun haben wir das schreiende Bündel hier, das niemals erwachsen werden wird. Melita hat längst die Lust verloren, sich um das Kind zu kümmern!« Sie schwiegen ein wenig unbehaglich, bis Tammo die Stimme erhob.

»Aber wer soll denn dann den Unterricht abhalten, wenn die Professoren nicht im Haus sind?« Hoffnung schwang in seiner Stimme.

»Ich fürchte, da gibt es hier im Haus noch so einige, die du besser kennenlernen wirst, als dir lieb sein kann«, stöhnte Luciano. »Sieh mal da hinten. Das ist Signora Letizia. Und neben ihr steht ihr Bruder Umberto. Sie sind sozusagen die Gelehrten unter den Altehrwürdigen. Und dass sie heute Abend hier auftauchen, lässt die üble Ahnung in mir aufsteigen, dass wir uns schon bald in ihren Klauen wiederfinden!«

Alisa betrachtete die beiden Vampire, die in die Halle mit der goldenen Decke getreten waren und ihren Blick über die versammelten Schüler schweifen ließen. Sie sahen sich so ähnlich wie Zwillinge: Beide waren klein, hatten nur noch wenig dünnes weißes Haar auf dem Kopf und wirkten so ausgetrocknet wie zwei Mumien. Die pergamentartige Haut, die sich eng über die Gesichtsknochen spannte, ließ ihre Züge nicht gerade sympathisch wirken. Die Lippen waren so schmal, dass man sie kaum erkennen konnte.

Neben ihr stieß Tammo ein leises Keuchen aus und griff nach seinem Blutbecher. Seine Hand zitterte.

»Meinst du nicht, du übertreibst?«, neckte ihn seine Schwester und stand auf. Der Unterricht würde gleich beginnen.

»Lass es uns hoffen«, knurrte er nur und folgte ihr.

*

»Findest du immer noch, dass ich übertreibe?«

Alisa starrte auf den Zettel in ihrer Hand, den Tammo eine Stunde nach Beginn des Unterrichts unauffällig nach hinten hatte geben lassen. Sie wusste nicht so recht, ob sie darüber lachen konnte. Sie war wissbegierig und also auch an der römischen Geschichte interessiert, doch wie die beiden Altehrwürdigen den Unterricht abhielten, machte sie einfach sprachlos. Während Letizia mit einem Rohrstock in der Hand zwischen den Bänken hin und her ging, saß ihr Bruder vorn in einem bequemen Sessel, die klauenartigen Hände über den mageren Leib gefaltet, und rasselte Namen und Daten aus der Zeit der römischen Kaiserreiche herunter.

Wie sollte man sich das alles merken? Zu Beginn hatte Alisa versucht, die wichtigsten Dinge mitzuschreiben. Fast ehrfürchtig hatte sie ihre neue Schulmappe ausgepackt und Papier, Tinte und eine der Stahlfedern bereitgelegt, doch jetzt starrte sie nur noch auf die Seiten vor ihr, die bedeckt waren mit angefangenen Sätzen, Zahlen und Namen, von denen sie nicht wusste, ob sie richtig geschrieben waren. Nicht zu schreiben war aber noch schlimmer, da sie nun nichts mehr von der unerträglichen Stimme des Professors ablenken konnte. Sie klang, als würde er bei jedem Wort seine gekrümmten Nägel über die große Schiefertafel ziehen. Alisa schauderte.

»Was machst du da?« Der Rohrstock knallte vor ihr auf den Tisch. Alisa zuckte zusammen. Ehe sie den Zettel verschwinden lassen konnte, hatte ihn die Krallenhand ihr bereits entrissen.

»Was soll das heißen? Wollt ihr euch über die Nosferas und ihre Domus Aurea beschweren? Ihr Abkömmlinge unbedeutender Familien?« Noch einmal fuhr der Rohrstock herab. Alisa presste trotzig die Lippen zusammen. »Streck die Hände aus!«

Der Stock begann zu tanzen. Sie schlug kraftvoller zu, als man es ihr aufgrund ihres vertrockneten Aussehens zugetraut hätte! Alisa biss sich auf die Lippen, um nicht zu schreien. Dennoch entwich ihr ein Stöhnen. Die anderen Schüler starrten mit weit aufgerissenen Augen zu ihr herüber, während der Professor ungerührt weitersprach. Tammo erhob sich langsam von seinem Platz. Wollte er gegen ihre Züchtigung protestieren? Zum ersten Mal war sie stolz auf ihren kleinen Bruder, schüttelte aber kaum merklich den Kopf. Was brachte es schon, wenn er auch noch Prügel bekam?

Sie konzentrierte sich auf die Gesichter, die sie anstarrten. In den meisten stand Schock oder gar Hass, der sicher nicht ihr galt. Joanne und Fernand dagegen blickten völlig unbeteiligt. Vielleicht war es für sie ganz normal? Wenn Alisa an die beiden grobschlächtigen Brüder dachte, die der Pariser Familie vorstanden, konnte sie sich das gut vorstellen. Nur in Anna Christinas Gesicht erkannte sie ein schadenfrohes Lächeln.

Endlich hielt die Professorin inne und Alisa legte vorsichtig ihre geschundenen Hände in den Schoß. »Warum schreibst du nicht weiter?«, keifte Signora Letizia.

Malcolm erhob sich von seinem Platz. »Verzeiht, Professoressa«, unterbrach er sie in seinem vornehmen, britischen Tonfall. Sie fuhr zu ihm herum. »Was gibt es, Bursche?«

Auch er hatte vergeblich versucht mitzuschreiben und nach einer Weile aufgegeben. Sie stürmte zu ihm, ließ den Rohrstock auf sein Pult hinabsausen und stieß hervor: »Zähle mir die Kaiser auf. Wer war der erste? Los, das muss sofort kommen: Julius Caesar, dann Augustus, Tiberius, Caligula, Claudius bis zum Jahr vierundfünfzig und dann?«

»Signora, es ist nicht möglich, den Ausführungen in der von Euch dargebrachten Weise zu folgen. Wenn Ihr also bitte etwas langsamer fortfahren und vielleicht das Wichtigste wiederholen würdet?«

Der Stock knallte ein weiteres Mal auf die Tischplatte. »Nero natürlich. Nero, Vespasian, Titus, Domitian!« Sie drehte sich mit einem Ruck um und deutete mit der Spitze ihres Stocks auf Luciano. »Und weiter?!

Der Junge sprang auf. Die Hände mit den abgekauten Nägeln nervös vor der Brust verschränkt, stotterte er: »Trajan, Hadrian, Antonius Pius und dann, und dann ...« Er sah sich Hilfe suchend um, bis sein Blick auf Chiara fiel. »Mark Aurel«, fügte er schwach hinzu und ließ sich dann wieder auf seinen Stuhl fallen.

»Das war nicht so schlecht, aber du hast Nerva vergessen, und Chiara bekommt drei Stockhiebe, wenn sie noch einmal vorsagt.« Luciano stieß einen Seufzer der Erleichterung aus, als sie sich wieder Malcolm zuwandte.

»Es steht dir nicht zu, dich über unseren Unterricht zu äußern. Du hast nur auf unsere Fragen zu antworten, und wenn du das nicht kannst, wirst du den Rohrstock spüren. Ihr werdet es schon bald verinnerlicht haben, dass es für euch gesünder ist aufzupassen. Streck deine Hände aus!«

Malcolm zögerte. Die Altehrwürdige reichte ihm gerade einmal bis zur Brust.

»Streck die Hände aus!«, sagte die Professorin noch einmal und knurrte leise.

Malcolm gehorchte. Er zuckte nicht und stöhnte auch nicht, als die Signora zuschlug. Vielleicht noch stärker als bei Alisa, deren Hände wie Feuer bannten und sicher noch eine ganze Weile keine Feder halten konnten.

Schmerzte es ihn denn gar nicht? Seine Miene blieb unverändert, doch dann sah Alisa, wie seine Eckzähne sich ein Stück zwischen die aufeinandergepressten Lippen schoben, und sie konnte seinen aufwallenden Zorn spüren.

Als die Signora endlich von ihm abließ, sagte er mit gelassen klingender Stimme: »Nach Mark Aurel folgte im Jahr einhundertachtzig Commodus und einhundertdreiundneunzig Septimius Severus.« Alisa konnte seine Selbstbeherrschung nur bewundern und freute sich über den verblüfften Ausdruck Signora Letizias.

»Äh, ja, du kannst dich setzen. Fahren wir mit Konstantin dem Großen fort, der sich zum Christentum bekehren ließ.«

»Das war die schlimmste Nacht meines Lebens«, jammerte Tammo, als die Altehrwürdigen die Schüler endlich entließen. Alisa betastete mit düsterer Miene ihre Finger.

»Du hast es immerhin geschafft, die Nacht ohne Schläge zu überstehen.«

»Ja, diese Nacht habe ich überlebt, aber das wird vermutlich nicht die letzte in ihrer Gesellschaft sein, oder?«

Alisa musste ihrem Bruder schweren Herzens recht geben. »Vielleicht sollten wir selbst ein wenig über die römische Geschichte herausfinden?«

Tammo sah sie an, als wäre sie plötzlich verrückt geworden. Er wandte sich ab und ließ seine Schwester allein im Hof stehen. Alisa sah ihm nach, als ein Kichern sie herumfahren ließ. Es war der altehrwürdige Giuseppe, der auf einer vergoldeten Liege auf roten Samtpolstern ruhte. Er sah zu Alisa herüber und winkte sie zu sich. Zögernd folgte sie der Aufforderung.

»Eine gute Nacht, altehrwürdiger Giuseppe«, sagte sie und fragte sich, ob die Anrede für den ehemaligen Clanführer korrekt war. Oder war er auch noch Conte? Jedenfalls korrigierte er sie nicht.

»Signorina Alisa«, sagte er mit krächzender Stimme, die viel schwächer klang als noch vor einigen Tagen bei ihrer Ankunft. »Habt ihr eure erste Lektion bei unseren gelehrten Geschwistern hinter euch gebracht?«

»Ja«, antwortete sie gedehnt und wusste dann nicht weiter. Er würde sicher keine Beschwerden hören wollen und etwas Gutes konnte Alisa über diese Schinder nicht sagen.

Der alte Giuseppe kicherte noch einmal und ließ sich in seine Kissen sinken. »Haben diese Scheusale euch kräftig malträtiert?« Alisa nickte.

»Das haben sie schon immer gern gemacht. Ich meine, andere tyrannisieren. Der Conte könnte davon auch ein Lied singen. Als mein lieber Enkel noch ein Kind war, gab es einige Zusammenstöße, die für ihn sehr schmerzlich ausfielen. Ich kann mich erinnern, dass Letizia ihm einmal sogar in die Kehle gebissen hat.« Alisa wagte nicht zu fragen, ob er sich einen Scherz mit ihr erlaubte.

»Nun sind sie mit dieser Akademie natürlich in ihrem Element.« Er stöhnte, presste die flache Hand auf den Leib und verzog das Gesicht zu einer Grimasse.

»Geht es Euch nicht gut? Kann ich etwas für Euch tun?«, fragte Alisa. Er sah wirklich schlecht aus. Als wäre er in den wenigen Nächten um Jahrhunderte gealtert.

»Das wird schon wieder«, sagte er mit einer wegwerfenden Handbewegung und lachte rau. »Das ist der Absinth, der durch meinen Körper kreist.«

»Absinth?«

»Ein teuflisches Zeug. Ein langsames Dahinsiechen für die Menschen, die sich den Verstand zerstören, und auch Verderben für uns, wenn wir ihr Blut trinken. Ich habe mich schon lange an den Genuss nächtlicher Wanderer gewöhnt, deren Blut schwer von Wein ist. Früher trübte es meine Sinne. Die Jungen müssen noch aufpassen, wen sie sich greifen! Man kann es schon von Weitem wittern, wenn die Menschen zu viel Vergorenes genossen haben. Doch der Absinth ist dämonisch. Ich kenne die Kreise, bei denen Vorsicht geboten ist, doch bei diesem Mädchen habe ich nicht bemerkt, dass es fast zur Ohnmacht verunreinigt war. Es war mein Glück, dass mich einer der Jungen aus Enricas Linie fand und hierher zurückbrachte. Nun liege ich schon die zweite Nacht nutzlos auf diesem Lotterbett herum und muss mich wie ein zahnloses Kleinkind füttern lassen!«

»Werdet Ihr Eure Kräfte wieder zurückgewinnen?«

»Aber ja, aber ja. Der Absinth kann mich nicht ewig lähmen.«

»Möge die Nacht mit Euch sein, altehrwürdiger Giuseppe, und Euch stets zu frischem Blut führen.« Alisa verneigte sich und wollte sich zurückziehen, doch er hielt sie zurück.

»Sag dem ersten Schatten, den du findest, er soll mir Leandro schicken. Ich will, dass er mir ein Buch aus der Bibliothek bringt. Ich muss etwas nachschlagen!«

Alisa sah ihn mit funkelnden Augen an. »Eine Bibliothek? Hier in der Domus Aurea?«

»Aber ja. Im Ostflügel der Altehrwürdigen, deren Aufgabe es ist, zu erhalten und zu bewahren.«

»Haben alle, die etwas lesen möchten, Zutritt?«, fragte sie aufgeregt.

»Wer interessiert sich schon für das Alte, für Traditionen und Geschichte und für die großen Dichter meiner Zeit?«

»Ich interessiere mich sehr für die Menschen und ihre Erfindungen und ich würde auch gern mehr über Roms Geschichte erfahren.«

Der alte Giuseppe lächelte. »Ich werde es Leandro ausrichten. Vielleicht wird er dir die Räume zeigen und dir sagen, in welchen Büchern du lesen darfst – wenn du ihn in guter Stimmung erwischst!«

»Ich danke Euch! Ich lasse ihn sofort zu Euch schicken«, rief Alisa und eilte davon.

DIE KATAKOMBEN

Der Mann trug ein blutrotes Gewand, das ihm bis zu den Füßen reichte. Ein schweres goldenes Kreuz ruhte auf seiner Brust. Er lehnte sich in seinem prächtigen, aber höchst unbequemen Lehnstuhl zurück und verschränkte die Finger vor dem mageren Leib. Ein riesiger Rubin blitzte im Fackelschein.

»Ich hätte noch weiter gewartet«, versicherte die Frau und nickte bekräftigend, dass ihr Schleier raschelte. »Doch da kamen diese drei Gestalten, von denen ich nicht wusste, was sie zu dieser Zeit an einem solch abgelegenen Ort zu suchen hatten. Und der riesige Hund, den sie mit sich führten, fast wie ein Wolf! Er hätte mich aufgespürt. Ich konnte nicht anders, Eminenz, und er war ja auch schon viel zu spät dran!«

Der Kardinal hob die Hände, um ihren Redefluss zu unterbrechen. »Ich habe es verstanden, Schwester Nicola. Ich werde Ihnen eine Nachricht zukommen lassen, wenn ich Ihre Hilfe brauche. Gehen Sie jetzt!«

Er wartete, bis ihre trippelnden Schritte verklungen waren. Dann warf er sich einen langen schwarzen Umhang über und zog sich einen breitkrempigen Hut bis tief in die Stirn. Er winkte eine Droschke heran, die ihn in schneller Fahrt über die Brücke und dann am Tiberufer entlang nach Süden brachte. Am kleinen runden Herkulestempel ließ er den Kutscher anhalten, bezahlte die geforderten Münzen und stieg aus. Den Rest des Weges legte er zu Fuß zurück. Vor ihm schlug die Glocke von Santa Maria in Cosmedin. Er war noch nicht zu spät. Er würde vor den anderen da sein, wie es seine Art war.

Der Kardinal passierte die Kirche und strebte auf das lang gestreckte Oval zu, das einst der Circus Maximus gewesen war, wo unter zahlreichen römischen Kaisern Wagenrennen und athletische Wettkämpfe stattgefunden hatten. Heute war es nur noch eine von Unkraut überwucherte Vertiefung. Verschwunden waren die Sitzreihen, die Kaiserloge und die Obelisken. Und doch gab es hier noch etwas aus der Zeit der großen Rennen. Etwas Verborgenes, das längst vergessen war und diesen Ort für den Kardinal so wertvoll machte. Er bog nach links in die Gasse zwischen dem Circus und einem länglichen Gebäude ein, das seit Langem nicht mehr bewohnt war. Das Dach war eingestürzt und zwischen den bröckelnden Mauern wuchsen Brennnesseln und dornige Büsche. Efeu rankte sich an den Mauersteinen empor und reckte sich durch die leeren Fensteröffnungen. Der Kardinal trat durch den steinernen Bogen, dessen Torflügel zerbrochen waren, in einen Hof und strebte auf die verborgene Treppe zu, die hinab in die Tiefe führte. Er folgte den ausgetretenen Stufen bis zum Grund. Ein grimmiges Lächeln huschte über sein hageres Gesicht, als er an den berühmten »Mund der Wahrheit« dachte, das Relief in der Vorhalle der Kirche, nur wenige Schritte entfernt auf der anderen Seite dieses Häuserblocks. Die Legende erzählte, wenn man seine Hand in die Mundöffnung legte, dann würde sie einem abgebissen, sollte man nicht die Wahrheit sagen.

Vielleicht, dachte der Kardinal, sollten wir unsere Versammlungen lieber dort oben abhalten, und jeder der Zirkelteilnehmer müsste seine Hand in die Bocca della Verità legen, während er seinen Bericht abliefert. – Natürlich alle außer dem Kardinal selbst. Schließlich war er ihr Oberhaupt und hatte den Zirkel ins Leben gerufen. Und er war ihnen keinerlei Rechenschaft über seine Ziele und seine Vorgehensweise schuldig!

Der Kardinal entzündete mehrere Lampen in den Vorräumen. Ein Schauder rann ihm über den Rücken, als er seinen Mantel ablegte. Wieder einmal fragte er sich, ob dies nur an der Kühle der unterirdischen Räume lag oder ob es in dieser alten Kultstätte des Mithras noch etwas anderes gab als feuchte Steine und Schatten. Der ursprünglich persische Kult war über das ganze römische

Reich verbreitet gewesen, bevor sich das Christentum hier niederließ, und schon damals hatte ihn der Hauch des Geheimnisvollen und Mystischen umweht. Die Mithräen waren stets unterirdisch erbaut worden und jedes neue Mitglied hatte sich bei seinem Eintritt zu strengem Stillschweigen verpflichten müssen. Hätte es einen passenderen Ort für den Zirkel der roten Masken gegeben?

Schritte und Stimmen auf der Treppe. Die anderen Mitglieder nahten. Rasch zog der Kardinal eine Maske in der Farbe seines Gewandes hervor und verhüllte sein Gesicht und auch sein goldenes Kreuz verbarg er unter dem roten Stoff. Im einstigen Tempelraum des antiken Heiligtums setzte er sich an die Stirnseite des Tisches. Während die anderen Räume nun hell erleuchtet waren, brannte hier nur eine einzige Kerze in der Mitte.

Die Mitglieder des Zirkels kamen herein. Der Kardinal vernahm noch die letzten Satzfetzen:

»Soll der Heilige Vater doch zu seinem geliebten Waisenhaus Tata Giovanni zurückkehren, wenn er zu kleinmütig für diesen großen Plan ist.«

»Er hat sich schon früh dem Risorgimento* entzogen. Ich glaube sowieso nicht, dass er der rechte Mann wäre, die Stelle des Königs einzunehmen«, sagte ein anderer.

»Was wollt ihr?«, knurrte die unverwechselbar raue Stimme des einzigen Mannes, der keine kirchliche Karriere anstrebte. »Ihr habt eure Vereinigung Italiens bekommen. Ist es so wichtig, ob ein König oder ein Papst an der Spitze steht? Könige und Päpste kommen und gehen.«

»Na, dafür hält sich unser verehrter Pius schon erstaunlich lang«, warf ein anderer leise ein. »Hat überhaupt schon einmal ein Papst so viele Jahre auf diesem Stuhl gesessen?«

Der vorherige Sprecher ließ sich nicht ablenken und setzte noch hinzu: »Ob König oder Papst, die Fäden werden an anderen Orten im Verborgenen gezogen. Und außerdem sind wir nicht hier, um Politik zu treiben, sondern um die Dämonen der Nacht zu bekämpfen.«

Die Männer setzten sich auf ihre Plätze. Der letzte der sechs Verhüllten kam etwas später und rutschte stumm auf seinen Stuhl. Der Kardinal ließ seinen Blick über die weiten Umhänge und die rotsamtenen Masken unter den Kapuzen gleiten. Plötzlich stutzte er und beugte sich weit in seinem Stuhl vor. Was war das? Der Mann trug nicht die Maske, die er ihm bei seinem Schwur übergeben hatte. Es war eine billige Kopie aus Papier und dünnem rotem Stoff. Der so Angestarrte zog seine Kapuze noch ein wenig tiefer ins Gesicht und senkte wie beschämt den Kopf.

»Verzeiht, Eminenz, ich konnte sie nicht finden. Ich muss sie wohl verlegt haben. Sie wird wieder auftauchen«, fügte er hastig hinzu.

»Das will ich hoffen! Und so etwas wird nie wieder vorkommen!«, knurrte der Kardinal. Dann erhob er sich und eröffnete die Versammlung. Nach den üblichen einleitenden Worten und dem Schwur, dem Zirkel treu und über alle Angelegenheiten verschwiegen zu bleiben, setzte er sich wieder.

»Liebe Mitbrüder, vielleicht habt ihr bereits erfahren, dass Graf Barbo einen – sagen wir – unerklärlichen, tödlichen Unfall hatte. Er wird sich nicht mehr beim König gegen die Pläne des Vatikans einsetzen können!« Beifälliges Raunen erklang. »Dieses Problem ist also gelöst, und ich versichere euch, dass wir uns auch nicht länger um den Minister aus dem Hause Colonna Gedanken machen müssen.«

»Ich wüsste zu gern, wer seine *assassinos* sind«, murmelte der Mann mit der heiseren Stimme. »Wenn ich mit meiner Vermutung recht habe …« Der Kardinal warf ihm einen scharfen Blick zu. Die Maske senkte sich, sodass er ihm nicht mehr in die Augen sehen konnte.

»Gut. Leider hat sich eine – Unstimmigkeit ergeben, daher können wir mit der uns gesetzten Aufgabe nicht sofort fortfahren. Heute kann ich euch nicht Ort und Zeit für unsere nächste Tat zu Ehren Gottes nennen.« Er hob die Hände, um das aufsteigende Gemurmel zu unterbinden. »Es ist nur eine kleine Irritation, die ich schon bald ausräume. Ich lasse euch auf dem üblichen Weg zusammenrufen, wenn ich neue Hinweise in den Händen halte. Habt ihr etwas zu berichten?« Er ließ den Blick schweifen.

»Es gibt Pläne bezüglich des Palatins«, sagte der Dritte links.

»Und? Ihr wisst, dass das verhindert werden muss!«

Der Maskenmann nickte. »Ja. Das werde ich. Vom Kolosseum spricht gerade niemand mehr.«

»Gut, dann löse ich die Sitzung für heute auf.«

Die sechs Mitglieder erhoben sich, verneigten sich vor dem Kardinal und gingen hinaus. Der Kardinal sah ihnen nach und lauschte ihren Stimmen, bis das alte Heiligtum wieder still dalag. Die Fackeln draußen an den Wänden tanzten unruhig. Ein Luftzug drückte auf die Kerzenflamme.

Irgendetwas war hier faul. Der Kardinal schloss die Augen und rief sich die Versammlung noch einmal ins Gedächtnis. Er sah die sechs Mitglieder des Zirkels in ihren Roben und den roten Masken vor sich, hörte ihre Worte und das Geflüster.

Nein, das war es nicht, was ihn beunruhigte. Es war nach der Versammlung gewesen. Die Mitglieder standen einer nach dem anderen auf, verließen den düsteren Raum und traten in die erleuchtete Vorhalle. Ihre Schatten glitten hinter ihnen über die Schwelle. Der Kardinal erstarrte. Das war es gewesen. Der letzte Zirkelbruder war ohne einen Schatten hinausgehuscht. Ein Vampir hatte sich unbemerkt unter sie gemischt!

Es wunderte den Kardinal nicht, als am nächsten Tag die Leiche eines nackten Mannes aus dem Tiber gezogen wurde, mit einer kleinen Wunde am Hals, ansonsten aber seltsam blutleer. Der Kardinal kannte auch den Namen des Mannes, unterließ es aber, sich in die Ermittlungen der *polizìa* einzumischen.

*

»Wenn wir heute wieder bei diesen Folterknechten Umberto und Letizia Unterricht haben, dann melde ich mich krank«, verkündete Tammo einige Wochen später, als sie sich am Abend unter der goldenen Decke für den kommenden Unterricht stärkten. Zita und Raphaela, die sich das Kind auf den Rücken gebunden hatte, versorgten die jungen Vampire reichlich mit frischem, warmem Blut, doch Tammo schien heute keinen rechten Appetit zu haben.

»Und was willst du als Ausrede vorbringen? Dass du dir bei einem Menschen die Influenza geholt hast? Oder noch besser die Cholera oder Pest?«, fragte seine Schwester.

»Das werden sie mir nicht glauben, oder?«, gab Tammo zurück.

»Nein, damit wirst du nicht durchkommen«, meinte seine Schwester.

»Ich könnte dir beide Beine brechen«, bot Fernand an, der gerade herantrat. Er klaubte seine Ratte aus der Tasche und setzte sie auf den Tisch, ehe er bei den anderen Platz nahm.

»Ich weiß nicht, ob das eine so gute Idee ist«, sagte Tammo zweifelnd. »Es dauert sicher zwei oder drei Nächte, bis die Knochen wieder zusammengewachsen sind? Und außerdem, tut das wohl weh?«

Die anderen sahen einander an und prusteten dann los.

»Jedenfalls mehr als der Rohrstock! – Nun ja, vermute ich. Ich habe es noch nicht ausprobiert.« Alisa rieb sich in Erinnerung an die Schläge, die sie hatte einstecken müssen, die Hände, die natürlich längst geheilt waren.

»Ich würde diesen Plan nicht weiterverfolgen«, riet ihm Ivy. »Außerdem habe ich gehört, dass wir heute einen Ausflug machen – mit Signora Enrica und Signor Ruguccio.«

Sie hatte richtig gehört. Neben den Professoren kamen auch Hindrik, Francesco, Leonarda und ein paar andere Servienten mit. Natürlich trennten sich die Dracas ebenfalls nicht von ihren Schatten, die dicht bei ihnen blieben, stets bereit, ihre Befehle entgegenzunehmen. Alle versammelten sich im großen Hof.

Professoressa Enrica erhob die Stimme. »Ihr habt in den vergangenen Wochen unter meiner und Professore Ruguccios Anleitung eure Kräfte trainiert und gestärkt. Nun wollen wir sehen, wie weit ihr es bis jetzt gebracht habt. Wir werden uns nun gemeinsam auf den Weg machen, um eine der antiken christlichen Katakomben aufzusuchen. Unterwegs werdet ihr einen Blick auf das berühmte Kolosseum und andere Zeugnisse der großen römischen Zeit werfen können.«

Die Schüler sprachen aufgeregt durcheinander. Luciano zwinkerte Alisa zu. Hindrik beugte sich zu ihnen vor und sagte leise: »Das wird für euch besonders spannend, nicht? Der allererste Blick auf das Kolosseum!«

»Aber ja!«, erwiderte Alisa unschuldig.

»Er weiß es!«, wisperte Luciano entsetzt, als Hindrik sich entfernt hatte.

»Er weiß immer alles«, seufzte Alisa. »Frag mich nicht, wie er das macht. Aber immerhin mischt er sich nur selten ein.«

Die Professorin teilte die Schüler in mehrere Gruppen auf und bestimmte je einen einheimischen Vampir als Führer. Die Gruppen sollten im Abstand von wenigen Minuten nacheinander aufbrechen. Es wäre zu gefährlich gewesen, gemeinsam durch die noch junge Nacht zu ziehen. Menschen neigten zwar dazu, nicht zu sehen, was sie ängstigte, doch eine solch große Versammlung ließ sich auch mit Gedankenbeeinflussung nicht verbergen.

Alisa, Ivy und Luciano folgten den anderen durch das Hauptportal hinaus. Von außen war es durch dichte Büsche gut getarnt. Ihre Gruppe wurde von Hindrik und Raphaela angeführt, die offensichtlich nichts dagegen hatte, den kleinen Schreihals für einige Stunden in der Domus Aurea zurückzulassen. Außerdem schien sie Gefallen an Hindrik gefunden zu haben, der dieses Gefühl offensichtlich erwiderte. Einträchtig plaudernd gingen die beiden nebeneinander her. Immer wieder blieben sie stehen, und Raphaela sprach über das Kolosseum und den Circus Maximus, dessen lang gestreckte Wagenrennbahn man zu ihrer Rechten noch erahnen konnte. Sie passierten die Ruinen der Caracallathermen und folgten dann der antiken Via Appia. Bis zur Stadtmauer säumten Paläste ihren Weg, hinter Mauern und düsteren Zypressen verborgen.

Die Vampire verließen die Stadt durch die Porta San Sebastiano, die nicht mehr bewacht wurde, seit Rom zur Hauptstadt des Königreichs Italien gemacht worden war. Nachdem sie die Aurelianische Mauer hinter sich gelassen hatten, die einst plündernde Germanen von Rom hatte fernhalten sollen, kamen sie an immer weniger Häusern vorbei. Die Via Appia verlief nun schnurgerade nach Süden.

Hindrik und Raphaela huschten lautlos die Straße entlang. Gärten und hin und wieder ein Palazzo flogen vorbei. Kein noch so guter menschlicher Läufer hätte mit ihnen Schritt halten können. Selbst Alisa spürte die Anstrengung und Luciano stöhnte immer lauter. Die ersten Mausoleen tauchten am Wegesrand auf. Viele waren verfallen, doch noch so manche Statue, Inschrift oder Kuppel zeugte davon, wie prächtig die Straße der Toten einst gewesen war, durch die die Herrscher im Triumph nach Rom zogen, wenn sie wieder einmal eine Region erfolgreich unterworfen hatten und mit den geraubten Schätzen und exotischen Sklaven in die Heimat zurückkehrten.

Der Mond war kaum ein Stück weitergewandert, als sie in einem Zypressenhain anhielten. Ein Mensch hätte für diese Strecke sicher viele Stunden gebraucht. Professoressa Enrica erwartete sie bereits und bald trafen auch die anderen ein. Die jungen Vampire scharten sich um die beiden Lehrer.

»Dort drüben befindet sich einer der Zugänge zur Catacombe di San Callisto, eines von vielen Begräbnislabyrinthen der frühen römischen Christen. Sie erstreckt sich in vier Stockwerken über einige Kilometer und ist damit zwar nicht die größte Katakombe, aber für unsere Übungen sicher gut geeignet. Wir gehen zuerst gemeinsam hinunter. Ich erkläre euch, worauf ihr achten sollt. Und dann machen wir eine Orientierungs- und Spürübung, bei der ihr in Paaren auf euch selbst gestellt seid. Doch zuerst lasst euch jeder von Signor Ruguccio ein Amulett geben, das eure Kräfte in der Abwehr des Heiligen stärken wird. Ich fürchte, die Übung würde ansonsten allzu schmerzhaft für euch, und wir müssten am Ende der Nacht sicher einige von euch, suchen lassen, weil ihr irgendwo im Labyrinth entkräftet und ohne Bewusstsein liegen geblieben wärt.«

»Das klingst spannend!«, raunte Tammo und zog eine Grimasse.

»Findest du?« Luciano schien nicht überzeugt.

»Na, du brauchst dir doch keine Gedanken zu machen«, gab der Jüngere zurück. »Ihr Nosferas habt doch von Natur aus schon viel stärkere Kräfte. Für uns wird es eine echte Herausforderung!«

»Dennoch würde ich auf das Amulett nicht verzichten«, vertraute Luciano den beiden Mädchen an. »Ich war schon mal in so einer Katakombe, und glaubt mir, das war alles andere als angenehm!«

Alisa und Ivy hängten sich die Lederbänder mit den roten Steinen um den Hals und folgten dann den Professoren die schmale Steintreppe hinunter in die Tiefe. Ivy umfasste den Rubin. Er wog schwerer, als sie es von seiner Größe her vermutet hätte, und schien in ihrem Griff zu pulsieren. Er war ungewöhnlich warm, als berge er eine Art von Leben hinter den kunstvoll geschliffenen Facetten. Selbst in tiefster Finsternis sandte der Stein einen roten Lichtschein aus, der wie die Glut in einem Stück Holz waberte und sich stetig veränderte.

Seymour drückte sich so dicht an seine Herrin, dass Ivy die Wärme seines Körpers durch ihr dünnes Gewand spüren konnte. Wachsam ließ er den Blick schweifen.

Alisa legte die Hand auf ihre Brust. »Spürst du das auch? Es schmerzt nicht richtig, aber da ist ein Wispern und Raunen in mir, das immer durchdringender wird.«

Ivy nickte. »Ja, ich habe den Eindruck, als würden die unzähligen Seelen gegen unser Eindringen protestieren. Sie greifen nach unserem Geist und versuchen, uns zu verwirren.«

Sie erreichten den Fuß der Treppe und drängten sich in dem

langen Gang zusammen, der sich in der Dunkelheit verlor. Selbst die Augen eines Vampirs konnten die Finsternis hier unten nur wenige Meter weit durchdringen.

»Dieser Teil wurde gegen Ende des zweiten Jahrhunderts angelegt. Die christliche Gemeinde war inzwischen so groß, dass die vielen benötigten Grabplätze ein Problem für sie darstellten. Sie durften ihre Toten nicht in der Stadt begraben und sie verbrennen kam wegen ihrer Vorstellung von der Auferstehung nicht infrage. Aber auch hier draußen waren die Grundstücke zu teuer für oberirdische Friedhöfe, und so kamen die Gemeinden auf die Idee, diese unterirdischen Labyrinthe anzulegen. Neu war der Einfall nicht, doch hier im Tuffgestein war es für sie möglich, diese riesigen Anlagen zu bauen, ohne fürchten zu müssen, dass sie über ihren Köpfen zusammenbrechen könnten. Der Stein aus verfestigter vulkanischer Asche lässt sich erst leicht bearbeiten und ist dann sehr haltbar.«

Die Professorin ging weiter und bog dann nach rechts ab. Gräber über Gräber. Eines dicht am nächsten. Ivy legte die Hand in Seymours Nacken. Es war ein tröstliches Gefühl, obwohl die Stimmen der Toten jetzt noch deutlicher wurden. Doch sie ängstigten sie nicht. Es war eher eine tiefe Traurigkeit, die in ihr schwang. Sie sah zu Alisa, die neben ihr ging. Auch sie machte ein unglückliches Gesicht und presste die Lippen fest aufeinander.

»Hörst du die Stimmen?«, fragte Ivy.

»Stimmen? Nein, es ist ein Summen in der Luft, und ich habe das Gefühl, ich kann nicht mehr klar denken. Ein Schmerz ballt sich in mir zusammen und dehnt sich immer weiter aus. Vielleicht wird das doch kein so großes Vergnügen, wie wir gehofft haben.« Luciano neben ihnen nickte, machte allerdings nicht den Eindruck, als würde ihm die Katakombe ähnlich schwer zusetzen wie den anderen.

Die Professorin bog noch einmal nach rechts ab und führte die jungen Vampire zu mehreren größeren Kammern. »Während in den Anfangsjahren alle Toten in einfachen Nischen bestattet wurden, entstanden später für Privilegierte aufwändig ausgemalte Mensagräber und überwölbte Grüfte. Diese Grabkammern, die ihr hier seht, nennen sie Cubicula. Dort drüben sind neun römische Bischöfe bestattet. Geht hinein, soweit es euch möglich ist, und achtet auf euer Gefühl. Ihr müsst langsam an den Grabplatten vorbeischreiten. Wir treffen uns dann vorne in der ersten Sakramentskapelle wieder.«

Seymour noch immer dicht an ihrer Seite, glitt Ivy vor Alisa an den Gräbern entlang. Manche waren leer, das konnte sie deutlich spüren, in anderen lagen noch immer die alten Knochen der ersten christlichen Jahrhunderte. Sie hätte erwartet, dass sich das unangenehme Gefühl in der Nähe der prächtigen Mensagräber verstärken würde, doch nichts geschah. Auch bei den meisten Bischöfen in ihren Nischen an der Wand spürte sie nichts. Erst als sie ans Kopfende der Kammer trat, fühlte sie einen Stich, der heiß durch ihren Leib zuckte. Sie beugte sich vor, um die Inschrift auf der Platte zu entziffern.

»Es ist das Grab des Märtyrers Sixtus«, gab Professor Ruguccio Auskunft, der hinter sie getreten war. »Erstaunlich, nicht?« Alisa entschlüpfte ein Stöhnen und sie zog sich schnell wieder ein paar Schritte zurück.

»Anscheinend war er wirklich ein heiliger Mann, was man nicht von vielen behaupten kann, denen dies nachgesagt wird. Dafür werdet ihr hier in den Gängen auf einfache Grabstätten in den Wänden stoßen, ohne Schmuck und ohne Namen, deren Aura selbst heute noch stärker ist als die des Märtyrers.«

Alisa zupfte Ivy am Ärmel. »Komm, lass uns gehen.« Sie folgten Luciano zur üppig ausgemalten Sakramentskapelle. Professoressa Enrica erklärte die Bilder und Symbole, und noch einmal mussten die jungen Vampire üben, ihre Abwehrkräfte zu bündeln und sie den kirchlichen Mächten entgegenzuhalten.

Ivy legte die Hand auf eine kleine Öllampe und berührte eine zerbrochene Skulptur. Sie fühlte den Widerstand, aber keinen Schmerz. Dann näherte sie ihre Fingerspitzen einer Marmorplatte mit einer Inschrift. Der Schmerz fuhr so unvermittelt ihren Arm hinauf, dass sie einen Schrei ausstieß und zurücktaumelte. Seymour heulte auf und sprang zurück.

Alisa fing Ivy auf. »Alles in Ordnung?«

Ivy keuchte und sah auf ihre Fingerspitzen hinab, die sich schwarz verfärbten. »Ja, ich denke schon. Damit habe ich nicht gerechnet! – Ruhig, Seymour, es ist mir nichts geschehen.«

»Bemerkenswert, nicht wahr? Wer hätte das von dem kleinen Täfelchen gedacht.« In Professor Ruguccios Stimme klang Befriedigung mit. »Es stammt wohl von einer liebenden Ehefrau, die ihren Mann im Tod vor bösen Dämonen beschützen wollte.«

Die Signora winkte sie in den Gang zurück und führte sie nach oben. Ivy fühlte Seymours Ungeduld und seine Erleichterung, als sie die letzten steilen Stufen hinter sich ließen und in die klare Nachtluft hinaustraten. Sie legte den Kopf in den Nacken und sah zu den Sternen empor, die zwischen den Spitzen der schlanken Zypressen herabfunkelten. Die junge Vampirin holte tief Luft. Wie köstlich das taufeuchte Gras roch und die harzige Rinde. Keine Stimmen, kein Wispern toter Seelen, die gegen sie kämpften, nur der Nachtwind und das Rascheln von Mäusen und anderen kleinen Tieren. Ein klägliches Fiepen durchbrach den Frieden. Nur Augenblicke später brachte der Kater Ottavio seinem Herrn die Beute. Dieses Mal ein junges Kaninchen.

»So, wenn auch Maurizio wieder bereit ist, dann können wir zum zweiten Teil unserer heutigen Übung kommen.« Die Signora warf ihrem Neffen einen angewiderten Blick zu, doch Maurizio ließ sich nicht stören. Er saugte das Tier aus und schob die Reste zwischen zwei Grasbüschel.

»Ihr werdet nun eine Spur verfolgen. Das ist nicht sehr schwer, wenn sie so frisch ist, aber freut euch nicht zu früh! Die starken Schwingungen in der Katakombe werden euch ablenken und euch die Konzentration zunehmend erschweren. Versucht, Orte und Gegenstände großer Macht frühzeitig zu erkennen und zu meiden. Sie zehren an euren Kräften.« Sie sah in die Runde. Einige der jungen Vampire nickten, andere warfen einander ein wenig furchtsame Blicke zu. Nur die Dracas trugen ihren üblichen Hochmut zur Schau, obwohl Ivy deutlich gespürt hatte, wie elend ihnen in der Katakombe zumute gewesen war.

»Wir werden von verschiedenen Eingängen aus starten und euch in unterschiedliche Stockwerke führen. Ihr geht zu zweit. Eure Aufgabe ist es nicht nur, der für euch gelegten Fährte zu folgen, sondern auch die drei Objekte zu finden und zu benennen, die die größte Gefahr für euch darstellen.«

»Oh nein«, stöhnte Luciano. »Darin war ich noch nie gut. Jedes Mal verliere ich die Spur bereits nach kurzer Zeit! Seymours Nase könnte ich jetzt gut gebrauchen, aber ich vermute, er wird hier oben bleiben müssen.«

Ivy schüttelte bedauernd den Kopf. »Sie werden ihn nicht dazu bringen, von meiner Seite zu weichen.«

Luciano sah von Alisa zu Ivy, dann trat ein verschlagenes Grinsen in sein rundes Gesicht. Er stellte sich neben die Irin. »Wie wäre es, wenn wir uns zusammentun? Seymour wird den Weg für uns finden und so können wir uns auf die Gefahren konzentrieren und einen möglichst weiten Bogen um sie machen. Was meinst du?« Er strahlte sie hoffnungsfroh an.

Ivy lächelte sanft. »Wenn du es möchtest und die anderen keine Einwendungen haben.«

»Wer sollte denn Einwendungen haben?«, sagte Luciano und warf Alisa einen flehenden und Franz Leopold einen finsteren Blick zu. Alisa öffnete tonlos den Mund. Sie hatte nichts dagegen, dass sich Luciano Ivy anschloss, auch wenn es sie ein wenig kränkte, dass er das schöne irische Mädchen offensichtlich ihr vorzog. Bevor sie etwas erwidern konnte, trat Francesco zu ihnen.

»Seid ihr bereit? Komm Luciano, ich bin euer Fuchs, der die Fährte legt. Wir beginnen an einem anderen Zugang. Hier die Sanduhr. Wenn sie abgelaufen ist, dann könnt ihr die Verfolgung aufnehmen. Ob ihr mich wohl einholen könnt?«

Er führte Luciano und Ivy davon. Und ehe Alisa recht begriff, was geschah, waren nur noch sie und Franz Leopold übrig. Die beiden Vampire musterten einander schweigend. Alisa fühlte, wie Wut in ihr aufwallte, und sie hätte dem schönen Jungen am liebsten ins Gesicht geschlagen.

»Nun, dann wollen wir mal«, sagte sie betont heiter. »Ich denke, es ist für unser beider Gesundheit am besten, wenn du deine Äußerungen auf die Lösung unserer Aufgabe beschränkst und auf deine üblichen Bosheiten verzichtest.«

»Ja, sehen wir zu, dass wir es hinter uns bringen, bevor du deinem Drang, anderen Schaden zuzufügen, wie immer nicht widerstehen kannst.«

»Ich?«, rief Alisa empört. »Ich verteidige mich nur, wenn man mich angreift.«

Signore Enrica unterbrach den Streit. »Nun, seid ihr bereit? Dann folgt mir zur Treppe.«

Franz Leopold und Alisa warfen sich wütende Blicke zu, schritten aber hinter der Professorin her, bis sie auf dem ersten Absatz der Treppe anhielt. Sie gab Alisa eine Sanduhr. »Wartet, bis sie abgelaufen ist, dann kommt mir nach. Schärft eure Sinne und lasst euch nicht ablenken. Und hütet euch vor allem vor den mächtigen Artefakten, die in ihrer Form meist normalen Gegenständen wie Kreuzen, Ringen oder Platten mit Inschriften gleichen, in die jedoch starke Magie eingeschlossen ist. Gegen sie kann euch auch das Amulett keinen Schutz gewähren!« Sie nickte den beiden knapp zu und verschwand dann in der Dunkelheit.

»Ist der Sand noch immer nicht durchgelaufen?«

»Nein! Und er wird auch nicht schneller, wenn du noch dreimal fragst!« Sie hielt ihm das Glas vor die Augen. Beide starrten auf den gelblichen Sand, der viel zu langsam in die untere Hälfte rann. Endlich fielen die letzten Körner.

»Los!« Bis Alisa die Sanduhr in die Tasche gesteckt hatte, war Franz Leopold schon einen Treppenabsatz tiefer. »Trödle nicht so herum!« Alisa rannte ihm hinterher. Zum Glück musste sie keine Röcke mehr tragen. Obwohl er sich sichtlich bemühte, ihr zu entwischen, hatte sie ihn eingeholt, noch ehe sie die dritte Ebene erreicht hatten.

»Warte, du weißt doch nicht, welchen Gang sie gewählt hat.« Alisa kam schlitternd neben ihm zum Stehen. Er verharrte ganz still und witterte abwechselnd in die drei Gänge, die vom Treppenabsatz wegführten. Alisa ging hinter ihm vorbei und stieg noch ein paar Stufen hinab. Sie schüttelte den Kopf. »Nein, tiefer ist sie nicht hinunter. Spürst du etwas?«

Er stand noch immer reglos da, die Augen geschlossen und die Nase vorgereckt. »Stör mich nicht! Dass Weiber immer den Mund aufreißen müssen.«

Beleidigt wandte sich Alisa ab und ließ ihre Sinne nun ebenfalls nach der Fährte suchen. »Es ist der Linke«, sagte sie bestimmt.

Franz Leopold öffnete die Augen. »Ja, ich weiß. Ich habe nur darauf gewartet, dass du es auch noch herausfindest. Du hast Übung sicher nötig!«

Alisa ballte die Fäuste, behielt aber die Beherrschung. »Gut, dann weiter.«

An der nächsten Abzweigung übernahm jeder einen Gang. »Hier weiter«, rief Alisa. Franz Leopold folgte ihr ausnahmsweise ohne einen seiner vernichtenden Kommentare. Bei der nächsten Kreuzung fand er die Spur zuerst. Die beiden jungen Vampire eilten weiter. Überall säumten die einfachen Grabnischen die Wände. Ab und zu waren reich verzierte Grabstätten zu sehen. Sie kamen an mehreren Zugängen zu Grabkammern vorbei, betraten sie aber nicht. Manche der Gräber strahlten größere Macht aus, sodass sie ihren Schritt verlangsamen mussten und all ihre Kräfte benötigten, sie zu passieren. Alisa trat Schweiß auf die Stirn, was sie noch nie erlebt hatte. Sie umklammerte das Amulett und konzentrierte sich darauf, einen Fuß vor den anderen zu setzen. Obwohl hier unten völlige Dunkelheit herrschte, konnte Alisa sehen, wie Franz Leopold vor Anstrengung das Gesicht verzog. Auch ihm machte der Kirchenzauber schwer zu schaffen.

»Da lang!«, keuchte er und stolperte in einen Gang. Er wischte sich mit seinem bestickten Taschentuch über Stirn und Schläfen. »Hier geht es wieder leichter.«

Alisa nickte. Auch sie spürte noch das Wispern und Raunen, das ihren Kopf und Leib erfüllte, seit sie die Katakombe betreten hatten, doch sie brauchte nun weniger Kraft.

»Rechts! Ich glaube, wir werden immer besser!« Sie lächelte.

Franz Leopold überholte sie und beugte sich in die nächste Abzweigung. »Da lang! Ja, wir werden die Signora kriegen!« Er lachte auf. Es war das erste herzliche Lachen, das sie von ihm hörte, ohne Bosheit oder gehässige Gedanken.

Plötzlich prallte Franz Leopold zurück und griff sich mit beiden Händen an den Kopf. »Was ist?« Noch während sie näher trat, wurde auch Alisa von der gewaltigen Aura umhüllt. Sie konnte ein Stöhnen nicht unterdrücken. »Was ist das?«

»Ich weiß nicht, aber lass uns lieber von hier verschwinden.«

»Aber wir müssen wissen, von welchem Gegenstand die Kraft ausgeht. Das gehört mit zu unserer Aufgabe.«

Franz Leopold knurrte und fletschte die Zähne, widersprach aber nicht. Alisa schob sich mühevoll in die Grabkammer, in der sechs Nischen in die bemalten Wände eingelassen waren. Den Boden bedeckten marmorne Platten, die in zahlreiche Stücke zersprungen waren. Was war es, das diese zerstörerische Energie aussandte?

»Ich glaube, es kommt aus einem der Gräber an der Rückwand«, keuchte Alisa. Sie spürte, dass Franz Leopold dicht hinter ihr war. Sie konnte seinen Atem stoßweise im Nacken fühlen. Alisa machte einen großen Schritt nach vorn. Sie erhaschte einen Blick auf ein tönernes Gefäß in dem Grab. Ein Knacken hallte wie ein Donnerschlag durch den Raum.

»Zurück!«, brüllte Franz Leopold, doch Alisa fühlte sich wie gelähmt. Der Grund schwankte. Sie warf die Arme in die Luft. Noch einmal knackte es und der Boden unter ihren Füßen verschwand. Ringsum prasselten Steinstücke herab und stürzten mit ihr zusammen in die Tiefe. Für einige Momente schwebte sie in der Luft, dann knallte sie auf den Steinboden. Der Schlag war hart. Ein Mensch hätte sich sicher alle Knochen gebrochen. Alisa schlang schützend die Arme um den Kopf, als noch einige Marmorstücke und Steinbrocken auf sie herabfielen. Dann war es still. Wie durch Nebel sah sie, dass sie in eine weitere Kammer mit einer gewölbten Decke gefallen war. Vielleicht hatten die Menschen den Fels zu hoch ausgehöhlt und nun war das Gewölbe gebrochen. Das Rauschen in ihrem Kopf schwoll immer lauter an. Die Bilder und Nischen schienen sich zu verschieben. Glitschige Hände griffen nach ihr, betasteten sie, quetschten ihr die Brust ein. Hatte sie sich bei dem Sturz so schwer verletzt? Alisa wandte den Kopf und sah hinauf zu dem Loch in der Decke. Verschwommen nahm sie Franz Leopolds Gesicht wahr. Seine Lippen formten Worte. Sicher konnte er seinen Spott über ihr Missgeschick nicht zurückhalten. Warum sollte sie sich das anhören? Wenn nur die Schmerzen nicht so groß wären. Schlangen wanden sich in ihr und zerfetzten ihr Fleisch, fraßen sich durch ihren Schädel. So musste es sein. Zumindest fühlte es sich so an. Alisa schloss die Augen. Ihre Sinne schwanden.

EINE NACHT IM SARKOPHAG

Franz Leopold warf sich instinktiv zurück, als die Marmorplatte mit einem lauten Knacken zerbrach. Er wollte Alisa eine Warnung zurufen, versuchte, sie am Ärmel zu packen, doch der Stoff glitt ihm durch die Finger. Er fiel auf die Knie und konnte nur noch zusehen, wie sie samt den Marmor- und Tuffbruchstücken in der Tiefe verschwand. Als ihr Schrei verklungen war und sich der Staub ein wenig legte, rutschte er auf dem Bauch an das mehr als vier Schritt große Loch im Boden heran und spähte hinunter. Trotz der überwältigenden Aura des Grabes war er klar genug im Kopf, dass er erkennen konnte, dass Alisa in einem Haufen Schutt am Boden einer zweiten Kammer lag. Einer Art Kapelle.

Wie konnte man nur so ungeschickt sein? Sie war halt bloß eine Vamalia. Nun war die Jagd vorbei, der Fuchs entwischt. Den Siegerkranz würde eine andere Gruppe in Empfang nehmen. Dabei stand er ihm zu! Franz Leopold aus der Familie der Dracas!

Seine Wut half ihm, sich zu konzentrieren und sich an der Kante festzuklammern, obwohl alles in seinem Körper danach schrie, diesen alten Mächten der Kirche zu entfliehen.

»Alisa?«, rief er in das Loch hinunter. Ihre Lider flatterten. Sie blickte zu ihm hoch, doch er konnte nicht sagen, ob sie ihn wirklich sah. War sie so schwer verletzt? So tief schien ihm der Grund gar nicht. Höchstens sechs oder sieben Meter.

»Alisa!« Verdammt. Ihre Augen schlossen sich. Da entdeckte Franz Leopold Alisas Amulett. Es lag nutzlos ein Stück entfernt von ihr zwischen den Trümmern. Franz Leopold schauderte bei dem Gedanken, wie sich dieser Ort für einen Vampir ohne den roten Stein anfühlen musste. Er rief noch einmal nach ihr. »Du musst das Amulett an dich nehmen. Es liegt nur ein Stück von deinem Kopf entfernt. Wenn du den Arm ausstreckst, kannst du es greifen!«

Sie reagierte nicht. Franz Leopold seufzte. Sie hatten den Sieg verpasst. Sicher hatten die anderen ihre Aufgabe bereits gelöst. Außerdem ahnte er, dass die Professorin es nicht gelten lassen würde, wenn er alleine am Ende des Labyrinths auftauchte. Ohne weiter nachzudenken, sprang Franz Leopold durch das Loch. Geduckt kam er unten auf und sah sich erst nach allen Seiten um, ehe er sich über Alisa beugte. Sie hatte das Bewusstsein verloren. Franz Leopold griff nach ihrem Amulett und legte es ihr auf die Brust.

»Wach auf!« Er schüttelte sie unsanft. Ihre Lider flatterten, doch ihr Geist kehrte nicht zurück. Franz Leopold fluchte. Er legte sich Alisas Amulett zu seinem um den Hals. Seine Kräfte schienen stärker zu werden, sein Kopf klarer. Er beugte sich hinab und hob das Mädchen auf. Obwohl sie so groß war wie er, hatte er keine Schwierigkeiten, sie zu tragen. Sie allerdings durch das Loch in der Decke wieder in den Gang ein Stockwerk höher zu befördern, stellte eine ganz andere Herausforderung dar. Ohne die Last ihres Körpers wäre es ihm sicher gelungen, an der sich nach innen neigenden Wand hochzuklettern, bis er die Kante zu greifen bekam, aber mit ihr? Suchend drehte er sich in der Grabkammer um. Zwei Bögen führten auf unterschiedliche Gänge hinaus. Welchen sollte er wählen? Franz Leopold beschloss, jenen zu versuchen, der ungefähr in die Richtung verlief, aus der sie ein Stockwerk höher gekommen waren. Vielleicht brachte er sie zu der Treppe zurück, über die sie das Labyrinth betreten hatten. Rasch verließ er die Kapelle und eilte den Gang entlang. Das Gewicht in seinen Armen behinderte ihn kaum, und nun, da er nicht mehr auf die Spur der Professorin achten musste, konnte er sich ganz auf den Weg konzentrieren. Es fiel ihm nicht schwer abzuschätzen, in welche Himmelsrichtung er gerade ging, allerdings wusste er nicht genau, wie weit der Ausgang entfernt war. Außerdem bogen die Gänge immer wieder unvermittelt ab oder endeten plötzlich vor einer Wand. Ein paarmal musste er umkehren. Alisa regte sich in seinen Armen und stöhnte.

»Halt still«, fuhr er sie an, war sich aber nicht sicher, ob sie ihn überhaupt hören konnte. Es schien ihm, als sei er bereits eine Ewigkeit unterwegs. Wenn er die Treppe nicht bald fand, dann würde er sich verdammt viel Zeit nehmen können! Denn dann mussten sie hier unten bleiben, bis die Sonne einmal über den Himmel gezogen war! Wieder gabelte sich der Weg. Franz Leopold hielt inne. Verwirrt blinzelte er. Sie mussten weiter nach Westen. Also rechts oder links? Er spürte, wie seine Gedanken durch sein Hirn krochen. Wo zum Teufel war Westen? Er war schon viel zu lange hier unten zwischen all den christlichen Knochen und Bildern. Selbst mit den beiden Amuletten schwanden seine Kräfte immer mehr. Noch einmal sah er in den linken und dann in den rechten Gang. Er musste sich endlich entscheiden. Gut, dann links.

Franz Leopold stolperte weiter. Noch zweimal musste er wählen. Immer wieder knickte der Gang ab. Er quälte sich an zwei offenen Grabkapellen vorbei. »Ich lasse mich nicht unterkriegen«, knurrte er vor sich hin, während sich seine Füße zentimeterweise an den Öffnungen vorbeischoben. Er würde hier unten nicht zusammenbrechen und sich dem Spott der anderen preisgeben, wenn die Professoren ihn aus diesen Gängen klauben und völlig entkräftet nach oben tragen mussten. Oh nein! Nicht er, Franz Leopold aus dem Hause der Dracas.

Er bog um die Ecke. Fast hätte er aufgeschluchzt, als er die Treppe entdeckte. Für einen Moment blieb er stehen, setzte eine starre Miene auf und begann dann, langsam die Stufen hochzusteigen. Nach dem zweiten Absatz erreichte er tatsächlich die Stelle, an der er und Alisa vor Stunden die Katakombe betreten hatten. Stolz wallte in ihm auf und ließ ihn die Schultern straffen. Er hatte gewonnen! Noch ein paar Stufen, dann waren sie draußen. Die letzten Meter kosteten ihn den Rest an Kraft. Franz Leopold ließ seine Last ins Gras gleiten und sog die frische Morgenluft ein. Mit jedem Atemzug wurde sein Kopf klarer.

Er sah sich um. Keiner war da, um sie zu begrüßen und ihn für seine heldenhafte Tat zu loben. Ärgerlich runzelte er die Stirn. Etwas weiter entfernt hinter einer Reihe von Zypressen konnte er Stimmen hören. Dann durchbrach ein Jaulen die verblassende Nacht. Ivys weißer Wolf rannte durch das Gras auf sie zu. Und dann liefen einige Gestalten durchs Gebüsch. Seymour erreichte sie als Erstes. Er beugte sich über Alisa und fuhr ihr mit der Zunge über die Wangen.

Franz Leopold verzog angewidert das Gesicht. »Lass das! Wenn sie nicht schon ohnmächtig wäre, würde sie es jetzt garantiert werden!«

Aber Alisa begann zu stöhnen und wälzte sich schwerfällig auf die Seite. Der Wolf bellte und überließ dann seinen Platz den besorgten Neuankömmlingen, die Alisa und Franz Leopold umringten. Es waren Ivy und Luciano, die sich nicht mit den anderen zur Domus Aurea hatten zurückschicken lassen, Signora Enrica und Signor Ruguccio und die beiden Servienten Hindrik und Matthias, Franz Leopolds Schatten, die ebenfalls darauf bestanden hatten, sich an der Suche nach den beiden zu beteiligen. Nun kniete Hindrik nieder und untersuchte Alisa, die langsam wieder zu sich kam.

»Was ist geschehen?«, fragte der Professor Franz Leopold.

»Und warum trägst du zwei Amulette und Alisa keines?«, verlangte Hindrik zu wissen.

»Ich verbitte mir diesen Tonfall von einem Unreinen«, entgegnete Franz Leopold und trat, die Arme vor der Brust verschränkt, zurück. »Das muss ich mir nicht gefallen lassen!«

»Die Frage ist durchaus berechtigt«, mischte sich Signora Enrica ein. »Erzähle uns rasch, was passiert ist. Und dann sollten wir aufbrechen.«

»Kann Alisa denn schon wieder gehen?«, fragte Luciano.

»Ich werde sie tragen«, sagte Hindrik und hob sie in seine Arme.

»Also, ich höre?«, forderte die Signora den jungen Vampir mit scharfer Stimme auf.

Und so berichtete Franz Leopold von ihren Erlebnissen in der Katakombe. »Nur deshalb habe ich ihr Amulett genommen«, sagte er am Schluss, obwohl er es eigentlich nicht einsah, sich auch noch rechtfertigen zu müssen.

»Eine kluge Entscheidung«, lobte der Professor, und auch Hindrik dankte ihm für sein überlegtes Handeln.

»Nun aber los«, drängte Signora Enrica. »Wir müssen uns beeilen!« Sie warf einen besorgten Blick zum Himmel. Hindrik lief schon voran.

»Soll ich Euch auch tragen?«, bot Matthias seinem Herrn an. Für den kräftigen Vampir wäre das kein Problem gewesen, aber Franz Leopold schüttelte den Kopf, wobei ihm prompt schwindelig wurde.

»Nein! Ich bin durchaus in der Lage, auf meinen eigenen Füßen zur Domus Aurea zurückzukehren. Jetzt brauche ich deine Hilfe nicht mehr. Vorhin in den Labyrinthen hättest du wirklich helfen können!«

Beim vorwurfsvollen Klang der Worte ließ der große, dunkle Vampir den Kopf hängen. Schweigend folgte er seinem Herrn.

*

»Einen guten Abend wünsche ich dir.« Der Deckel wurde mit einem Scharren beiseitegeschoben und Alisa blinzelte zu Hindriks lächelndem Gesicht hoch. Sie konnte seine Besorgnis spüren. »Wie fühlst du dich?«

Alisa griff sich an den Kopf. »Scheußlich!«

Nun tauchte Tammo neben Hindrik auf. »Was machst du für Sachen, Schwesterchen? Ich hätte gestern ja mitgeholfen, nach dir zu suchen, aber sie haben uns zurückgeschickt. Nur Ivy und Luciano durften bleiben, weil Seymour sich geweigert hat, sich uns anzuschließen. Übrigens, du hättest auch ohne deinen Unfall kläglich gegen uns verloren. Wir waren die Besten und haben als Einzige unseren Fuchs noch vor dem Ausgang abgefangen! – Abgesehen von Ivy und Luciano natürlich, aber das lag ja nur an

Seymours guter Nase. Joanne ist wirklich unglaublich! Sie schnüffelte selbst herum wie ein Wolf und lief dann durch die Gänge, als wäre sie schon ein dutzend Mal dort unten gewesen. Sie sagt, dass sie das in Paris von klein auf trainieren, sonst würden sie in dem riesigen Labyrinth unter der Stadt verloren gehen.« Tammo strahlte. »Für mich war es ganz einfach. Ich musste ihr nur hinterherlaufen.«

Hindrik unterbrach seinen Redefluss. »Geh jetzt, sonst kommst du zu spät zum Unterricht!«

Alisa wollte Tammo folgen, der hinaussauste, doch Hindrik drückte sie in ihre Kissen zurück. »Du bleibst heute liegen. Anweisung von Conte Claudio persönlich. Er will ja nicht, dass unter seiner Obhut einer von euch Schaden nimmt.«

»Ich sollte wirklich zum Unterricht gehen«, widersprach Alisa. »Ich werde mich zu Tode langweilen. Du könntest mir Bücher aus der Bibliothek holen. Du wirst doch nicht etwa den Deckel wieder zuschieben?«

»Nicht wenn du versprichst, dass du in deinem Sarg bleibst. Ich will sehen, was ich tun kann. Und bis dahin kannst du dich ja mit der neusten Ausgabe des *Osservatore Romano* vergnügen.«

»Ich kann inzwischen gerade einmal ein paar Worte Italienisch.«

»Dann lerne es!« Er bestand darauf, dass sie einen Becher mit Blut leerte, dann ließ er sie allein. Ihre Zimmergenossinnen Ivy, Chiara und Joanne waren längst in Richtung goldene Halle aufgebrochen. Alisa blätterte ein wenig in der Zeitung und studierte die Bilder und Karikaturen, doch sie konnte nicht erraten, wovon die Artikel handelten. Das Einzige, was sie erkannte, war ein Bild des Papstes, der als freundlicher Hirte den Leser anlächelte. Sie warf das Blatt zu Boden, kletterte aus dem Sarkophag und ging zu ihrer Reisekiste. Missmutig sah sie ihre Lieblingsbücher durch. Sie hatte sie alle schon mehrmals gelesen und sehnte sich nach etwas Neuem. Vielleicht sollte sie sich einen von Ivys Romanen leihen? Sie zögerte einen Moment. Würde Ivy etwas dagegen haben, wenn sie sich ungefragt ein Buch nahm? Alisa ging zu dem reich verzierten Steinsarg der Irin hinüber. Dahinter lagen auf einem Steinsockel ein paar in einfaches Leinen gebundene Bücher. Alisa ging in die Hocke und studierte die Titel: *Jane Eyre* von Charlotte Brontë, *Stolz und Vorurteil* und *Mansfield Park* von Jane Austen, *Die Sturmhöhe* von Emily Brontë.

Plötzlich spürte Alisa, dass sie jemand beobachtete. Sie fuhr herum und stieß dabei mit dem Ellenbogen gegen die Bücher. Polternd fielen sie zu Boden.

Sie wusste nicht, wen sie zu sehen erwartet hatte. Vielleicht Hindrik, der überprüfen wollte, ob sie noch in ihrem Sarg lag. Doch es war Malcolm, der in die Schlafkammer geschlendert kam. Er blieb kurz stehen, dann ging er zu ihr herüber, bückte sich und half ihr, die Bücher aufzuheben.

»Interessante Werke«, sagte er, als sein Blick über die Buchrücken huschte. »William Blake, die Brontës, Charles Dickens, William Shakespeare und oh – Lord Byron! Das würde ihm gefallen! Sind das deine Bücher?«

Alisa schüttelte den Kopf. »Nein, sie gehören Ivy. Vielleicht sollte ich sie lieber erst fragen, bevor ich mir eines leihe.« Sie ging zu ihrem Sarg zurück, zögerte dann aber und lehnte sich mit auf dem Rücken verschränkten Armen gegen die glatte Außenwand.

»Solltest du nicht besser in deinem Sarg liegen?«, sagte Malcolm und lächelte.

»Solltest du nicht besser im Unterricht sein?«, fragte Alisa zurück.

Der englische Vampir zuckte mit den Schultern. »Ich werde mir eine Ausrede einfallen lassen müssen.«

Alisa seufzte. »Wie konnte mir dieses Missgeschick nur passieren! Und jetzt muss ich auch noch die ganze Nacht hierbleiben!« Das Gefühl der Peinlichkeit schmerzte mehr als die Erinnerung an die Qual, die sie empfunden hatte, und so wehrte sie lässig ab, als Malcolm sich erkundigte, wie es sich angefühlt hatte, als ihr das Amulett verloren gegangen war.

»Ich konnte den Schmerz trotz des schützenden Steines fühlen«, sagte er. »Doch viel schlimmer fand ich die nebligen Gestalten, die versuchten, meinen Geist zu trüben. Ich wäre am liebsten davongelaufen!«

Es schien ihm nicht einmal schwer zu fallen, das vor ihr zuzugeben. Vermutlich hatte er dieses kindische Gehabe einfach schon hinter sich gelassen. Vielleicht fühlte sich Alisa gerade deshalb in seiner Gegenwart ein wenig befangen. Sie schwiegen einige Augenblicke. Alisas Blick wanderte zu der Tasche seiner Tweedjacke, die er über Knickerbockern aus dem gleichen Stoff trug. Etwas Rotes lugte daraus hervor.

»Was ist das?«, fragte sie, um die Spannung des Schweigens zu durchbrechen.

Malcolm zögerte einen Moment, dann zog er eine rote Samtmaske hervor und reichte sie ihr.

»Was ist denn das? Ich meine, wozu brauchst du es?«, fragte Alisa überrascht und drehte die Maske in den Händen. »Tragt ihr so etwas in London?«

»Wenn wir auf die Jagd gehen?« Malcolm schmunzelte. »Das wäre ein seltsamer Anblick. Nein, natürlich nicht. Ich habe sie – äh – hier gefunden.«

Alisa schnupperte an dem weichen roten Stoff. »Drüben im Ostflügel, nicht wahr?«

Malcolm sah sie überrascht an. »Nein. Wie kommst du darauf?«

»Ich kann deinen Geruch sehr stark wahrnehmen und dann noch den süßen Duft eines jungen Menschen. Doch da ist noch mehr, frühere Gerüche, andere Menschen und dann ein Hauch von Alter und Verwesung, wie ich ihn aus dem Ostflügel zu kennen glaube.«

Malcolm nahm ihr die Maske wieder aus der Hand und roch selbst daran. Er ließ sich mit seiner Antwort Zeit. »Du hast eine sehr gute Nase und eine feine Witterung.«

Sie musterte ihn neugierig. »Aus deiner Reaktion schließe ich, dass die Maske nicht von dort stammt. Etwa gar nicht aus der Domus Aurea?«

Wieder zögerte er, doch dann grinste er. »Mädchen sind doch alle gleich neugierig, ob Mensch oder Vampir.« Alisa wollte dies von sich weisen, doch sie war zu begierig darauf, seine Antwort zu hören, daher schwieg sie und sah ihn nur auffordernd an.

»Nun gut, ich denke, dir kann ich es sagen.« Und so erzählte er von seinem nächtlichen Ausflug und dem seltsamen Mädchen, das die Maske verloren hatte.

»Wie spannend!«, rief Alisa. Ihre Augen blitzten. »Ein Geheimnis! Was meinst du? Normal ist so ein Verhalten doch nicht!«

Malcolm nickte. »Ja, und es geht mir nicht aus dem Kopf. Ich wüsste zu gern, was es mit ihr und dieser Verkleidung auf sich hat. Ich bin seitdem noch zwei Mal an der Stelle gewesen, aber sie ist natürlich nicht wieder aufgetaucht.« Er hob die Hände. »Ich denke, wir werden es nie erfahren.«

»Ja leider.« Alisa nickte. »So bleiben uns nur Vermutungen. Eine geheime Botschafterin für einen hohen Herrn? Eine Anhängerin einer verbotenen Religion, der vom Vatikan blutige Verfolgung droht?«

Malcolm lachte. »Du hast eine blühende Fantasie. Nein, dann gehört sie schon eher zu einem der politischen Geheimbünde, die es in Italien ja zuhauf geben soll.«

»Wir werden es nie erfahren«, wiederholte Alisa.

Sie lächelten beide und sahen einander an. Das helle Blau ihrer Augen versank in dem dunklen Blau der seinen. Alisa klammerte sich am Rand ihres Sarkophags fest. Die weichen Knie konnten nur bedeuten, dass sie schwächer war, als sie angenommen hatte. Oder lag es an Malcolms Lächeln? Rasch sah sie zu Boden.

Malcolm räusperte sich und ließ die Maske zurück in seine Tasche gleiten. »Na dann gehe ich jetzt lieber.«

Alisa nickte. »Ja, und ich steige wieder in meinen Sarg, bevor Hindrik mich erwischt und eine ganze Woche hier der Langeweile preisgibt.«

Unter der Tür drehte sich Malcolm noch einmal um. »Wenn du noch mehr spannende Lektüre brauchst, dann frage Vincent, unseren unreinen Begleiter. Er ist mit drei Särgen voller Bücher angereist! Vincent ist ein leidenschaftlicher Sammler und trennt sich nie von seinen wertvollsten Stücken. Wundere dich nicht über ihn. Es ist ein wenig exzentrisch, wenn es um Bücher geht – und er hat sich vorgenommen, eine vollständige Sammlung aller Schriften zusammenzutragen, die von Vampiren und anderen dämonischen Wesen handeln! Wenn du allerdings erst einmal mit den Büchern deiner Freundin anfangen willst, empfehle ich dir *Die Sturmhöhe.* Der dämonische Heathcliff wird dir gefallen. Er hat fast etwas Vampirisches an sich. Vielleicht mögen ihn die Damen und Herren der Londoner Gesellschaft deshalb nicht so sehr und bevorzugen die Bücher der Schwester Charlotte.«

Malcolm hob noch einmal grüßend die Hand und ließ Alisa dann allein. Eine Weile lag sie nur so da und dachte nach. Dann jedoch trieb die Neugier sie noch einmal von ihrem Lager und sie holte sich das Buch von Emily Brontë. Bald hatte die Geschichte sie so gefangen, dass sie erst wieder aufsah, als Seymour seine weiße Schnauze über den Rand des Sarkophags streckte.

»Oh, welch Ehre!«, sagte Alisa, als sie sich von ihrem Schreck erholt hatte, und tätschelte ihm die Ohren. »Ich dachte, du weichst niemals von Ivys Seite.«

»Tut er auch nicht. Er ist nur ein wenig vorausgelaufen, um nach dir zu sehen.«

Alisa richtete sich auf. »Ist es schon so spät? Ich habe nicht gemerkt, wie die Zeit verstrich.«

»Wir haben gerade eine Pause, um Kraft für den zweiten Teil zu schöpfen. Was liest du Spannendes?« Ivy beugte sich vor, um einen Blick auf den Titel zu werfen.

Alisa unterdrückte den Impuls, das Buch vor ihr zu verbergen. »*Die Sturmhöhe.* Ich habe es von deinem Stapel genommen. Ich hoffe, du bist mir nicht böse, dass ich nicht vorher gefragt habe.«

»Aber nein. Ich war ja nicht da und du brauchtest Unterhaltung. Wie gefällt es dir?«

In diesem Moment stürmte Luciano herein. Er streckte ihr einen Becher Blut entgegen. »Hier, trink, ganz frisch, habe ich eben bei Signorina Raphaela geholt. Sie lässt dich grüßen und hofft, dich morgen wiederzusehen.«

»Das hoffe ich auch«, erwiderte Alisa mit einem Knurren und nahm den Trank entgegen.

»Es tut mir ja so leid«, sprudelte er hervor. »Vielleicht wäre das nicht passiert, wenn ich nicht getauscht und du nicht mit dem widerlichen Franz Leopold hättest losziehen müssen.«

Alisa hob nur die Schultern. »Wer kann das schon sagen? So widerlich war er übrigens gar nicht – zumindest nicht die ganze Zeit.«

»Und er hat sie durch die Katakombe bis zum Ausgang getragen«, ergänzte Ivy.

Alisa nickte. Was du vermutlich nicht geschafft hättest, fügte sie in Gedanken hinzu.

»Trotzdem.« Luciano griff nach der Zeitung. »Kannst du inzwischen Italienisch lesen?«, fragte er verwundert.

Alisa schüttelte den Kopf. »Nein, leider nicht, dabei wüsste ich zu gern, was hier in Rom bei den Menschen so passiert. Hindrik hat sie mir gebracht. Er vermutet sicher, dass dies meinen Lerneifer anspornt, und damit liegt er nicht falsch.«

»Wenn du magst, lese ich dir nach dem Unterricht ein paar Artikel vor«, bot Luciano großzügig an. Dann jedoch drängte er Ivy, zum Klassenraum zurückzukehren. »Ich will nicht zu spät kommen. Ich fürchte, ich bin nur noch einen winzigen Schritt vom Rohrstock entfernt.«

Ivy verabschiedete sich von Alisa und folgte ihm. »Ich glaube nicht, dass du Schläge zu befürchten hast«, hörte Alisa sie noch sagen. »Der Conte schätzt es nicht, wenn die Professoren seinen eigenen Clanmitgliedern Schaden zufügen. Sie werden sich also weiterhin an uns halten!«

NOCH MEHR BESUCHER

Franz Leopold langweilte sich. Er war ein paarmal an ihrer Schlafkammer vorbeigeschlendert, doch immer saß ein anderer junger Vampir an Alisas Sarkophag. Nicht dass er sich gewünscht hätte, sich unter die Besucher einzureihen. Er fand es überhaupt völlig unnötig, dass sie solch ein Drama daraus machte und nun wie eine sterbende Kaiserin an ihrem Lager Hof hielt! Ärgerlich schritt er zum fünften Mal an ihrer Schlafkammer vorbei. Er traf auf Karl Philipp und seinen Schatten Tibor.

Der Cousin schlug vor, die Gelegenheit zu nutzen, solange das schreckliche Gör an seinen Sarg gefesselt war. »Wir können Luciano noch einmal auflauern und die Prügel zu Ende bringen, die er verdient.«

Franz Leopold winkte ab und ging weiter. Da sah er Ivy mit Seymour um die Ecke biegen und in die Richtung verschwinden, in der die Kammern der Unreinen lagen. Er hatte gerade beschlossen, ihr zu folgen, als eine Stimme an sein Ohr drang, deren Besitzerin er Hunderte Kilometer weit weg gewähnt hatte. Konnte das sein?

»Bleib hier!«, befahl er Matthias, der ihm als sein Schatten wie immer mit einigen Schritten Abstand folgte, das Gesicht ausdruckslos, den Blick auf den Boden gerichtet.

Franz Leopold eilte durch den nahezu verlassenen Aufenthaltsraum und bog in den nächsten Gang ein, an dessen Ende gerade ein üppig geschmücktes Reifrockkleid um die Ecke verschwand. Solch ausladende Krinolinen trug nur eine: Baronesse Antonia! Was wollte sie schon wieder hier in Rom? Oder war sie erst gar nicht nach Wien zurückgekehrt? Neugierig näherte sich Franz Leopold, bis er ihre Worte verstehen konnte.

»Conte Claudio«, rief sie mit scharfer Stimme. »Ich rede mit Euch! Ich will genau wissen, was geschehen ist und warum Ihr es nicht für nötig erachtet, uns zu informieren!«

»Ihr habt ja auch so davon erfahren«, sagte der Conte abweisend.

»Ja, weil mein Bruder so umsichtig war und mich bat, in der Nähe zu bleiben.«

»*Heimlich* in der Nähe zu bleiben!«, berichtigte Conte Claudio. »Wir hätten Euch durchaus ein angemessenes Quartier zur Verfügung gestellt!«

Sie ignorierte ihn. »Ich verlange zu wissen, wie es Franz Leopold geht.«

»Es geht ihm wunderbar«, rief der Conte. »Das habe ich Euch doch schon gesagt! Ihm ist nichts geschehen. Alisa von den Vamalia ist durch die Decke gebrochen und in der Katakombe ein Stockwerk tief gestürzt. Nichts Tragisches! Sie war nur deshalb ohne Bewusstsein, weil sie ihr Amulett beim Sturz verloren hat.«

Die Baronesse wehrte ab. »Die Vamalia interessiert mich nicht. Viel wichtiger scheint mir allerdings, dass Ihr die Sache hier nicht im Griff habt. Ich habe mich erkundigt. Es ist erschreckend, wie viele Nosferas innerhalb der vergangenen Monate verschwunden sind. Und damit meine ich nicht die Altehrwürdigen, die selbst beschlossen haben, ihre Existenz zu beenden! Wollt Ihr die Liste sehen?«

»Ich kenne sie.«

Doch die Wiener Baronesse ließ sich nicht aufhalten. »Zwei Altehrwürdige, ein Unreiner und drei Clanmitglieder! Unsere Kinder könnten die Nächsten sein. Und Ihr unternehmt nichts dagegen!«

»Ich unternehme sehr wohl etwas dagegen, aber das, verehrte Baronesse, muss ich nicht mit Euch besprechen. Die jungen Vampire sind nicht in Gefahr! Sie verlassen die Domus Aurea nur unter Aufsicht erfahrener Familienmitglieder und Servienten!«

Die Baronesse zischte böse. »Vielleicht vermisst Ihr das ein oder andere Mitglied der Nosferas gar nicht? Man hört von Streitereien und Widerstand. Euer Thron wackelt! Ich jedenfalls weiß, was ich zu melden habe. Und ich sage Euch, die Kinder der Dracas werden nicht mehr lange hier in Rom bleiben, dafür werden wir sorgen! Sie gehören nach Wien.« Würde sich der Conte ihrer Forderung beugen? Gespannt rutschte Franz Leopold noch ein Stück näher.

Seidene Röcke rauschten. »Wer ist dort draußen? Komm aus deinem Versteck!« Ihre Stimme wurde noch schriller.

Franz Leopold huschte um die nächste Ecke und rannte den Gang entlang. Die Baronesse war in einer ihrer gefährlichen Stimmungen, und da schien es ihm nicht ratsam, sich von ihr beim Lauschen erwischen zu lassen. Vielleicht war es eine gute Idee, die Domus Aurea für einige Stunden zu verlassen. Franz Leopold eilte zu der verborgenen Pforte und schlüpfte hinaus.

»Ich habe gesagt, ich brauche dich im Moment nicht!«, fauchte er Matthias an, der hinter ihm ins Freie trat. »Geh zurück, und wage nicht, mir heimlich zu folgen!«

»Es ist meine Aufgabe, Euer Schatten zu sein. Zu diesem Zweck wurde ich gebissen und meines Lebens beraubt«, sagte Matthias emotionslos. Das war schon eine lange Rede für den sonst so wortkargen Unreinen.

»Mag sein, ich will dich aber trotzdem nicht mitnehmen. Als mein persönlicher Schatten musst du mir bedingungslos gehorchen.«

Der Vampir hob seine breiten Schultern. »Wenn Ihr meint. Doch wie soll ich Euch dann beschützen, wenn Ihr gegen die Regel verstoßt und Euch dort draußen in Gefahr begebt? Es wird auch meinen Kopf kosten, wenn Euch etwas zustößt.«

»Das ist dann nicht mehr mein Problem«, erwiderte Franz Leopold kalt und ging davon. Er wusste, dass Matthias nicht gegen seine direkte Anweisung verstoßen würde. Und obwohl er ihn mit seiner stoischen Art eigentlich mochte, freute es ihn, dass er den ehemaligen Wiener Droschkenkutscher in Unruhe versetzt hatte.

Der junge Vampir spazierte zum nächtlichen Kolosseum hinunter, umrundete es und betrachtete den Triumphbogen auf der anderen Seite. Zwischen Amphitheater und Bogen waren die Reste eines großen, runden Brunnens mit einem konischen Mittelbau zu sehen. Franz Leopolds Gedanken weilten jedoch noch in der Domus Aurea, bei der Baronesse und dem Conte. Baronesse Antonia war trotz ihrer Eitelkeit und ihrer fast wahnhaften Leidenschaft für Putz und Tand eine gefährliche Vampirin, die wusste, was sie wollte, und ihre Ziele gnadenlos verfolgte. Selbst ihr Bruder hatte als Clanführer manches Mal Schwierigkeiten, ihr Zügel anzulegen. Die Wahrscheinlichkeit, dass sie sich gegen Conte Claudio durchsetzte, war also gar nicht so gering.

Franz Leopold lauschte verwundert in sich hinein. Er hätte sich freuen und triumphieren müssen bei der Aussicht, dass dieses verhasste Jahr in Rom vielleicht schon bald vorüber war und er in seine Wiener Heimat zurückkehren durfte. Und doch fühlte es sich eher wie Enttäuschung an. Hatte er sich wirklich so schnell an diese feuchten Ruinen gewöhnt? Seltsam.

Ein kurzes Heulen riss ihn aus seinen Gedanken. Franz Leopold drehte sich suchend im Kreis. Konnte das Seymour gewesen sein? Möglich. Vielleicht war Ivy irgendwo hier draußen. Er ließ den Blick zu den Ruinen des Palatinhügels hinaufwandern. War sie etwa allein mit ihrem Wolf unterwegs? Es konnte nicht schaden, das herauszufinden! Franz Leopold eilte zwischen Steinbrocken und Gebüsch auf den Hügel zu. Im Zickzack lief er überwucherte Treppen hinauf und unter Torbögen hindurch, die ihn von einer Terrasse zur nächsten immer höher führten. Bald erreichte Franz Leopold einen Garten, der aussah, als sei er irgendwann später wie ein Teppich über die römischen Ruinen gelegt worden. Am Rand des Gartens brachen die roten Ziegelmauern der Antike wieder durch, die den ganzen Palatinhügel bedeckten. Geschickt sprang Franz Leopold von einem Mauerrest zum nächsten, ohne dass sich auch nur ein Mörtelbrocken löste.

Dann blieb er stehen und konzentrierte sich darauf, Witterung aufzunehmen. War das nicht die Fährte des Wolfes? Er folgte dem leichten Hauch zwischen aufragenden Wänden, die in eine Art Tunnel übergingen, der im rechten Winkel abbog. Als die Spur den jungen Vampir wieder ins Freie führte, hörte er zu seiner Rechten einen Laut. In raschem Lauf überquerte er ein Ruinenfeld und blieb schließlich abrupt an einer Mauer stehen, die ein lang gestrecktes, grasbewachsenes Rechteck tief unter ihm einrahmte, das einst ein Stadion gewesen sein musste.

Eine Windböe rauschte über den Palatin hinweg und beugte die Zweige der alten Kiefern. Der Mond beleuchtete die Mauerreste, strich über den zerfallenen Bau gegenüber, von dem aus vielleicht der römische Kaiser die Wettkämpfe betrachtet hatte, und glitt dann über silberne Locken, die im Nachtwind wehten. Franz Leopold beugte sich weit über die Mauer. Dort drüben war Ivy, kein Zweifel, auch wenn sie sich nun ihre dunkle Kapuze wieder über den Kopf zog und sich im Schutz der Mauern verbarg. Doch da war noch etwas anderes. Er starrte auf den Schatten, der sich dem Mädchen zuwandte. Ja, sich zu ihr herabbeugte, so groß war er. Es war ein Mann. Der Wolf war nirgends zu sehen. War Ivy in Gefahr? Oder ging ihr Verstoß gegen die Regeln noch weiter, als nur hier draußen unerlaubt herumzuspazieren? So oder so, er musste dort hinüber! Er warf noch einen Blick auf den Mann und kniff dann die Augen zusammen. Hatte die Gestalt nicht eine Aura, die sie umgab? Es war nur ein leichtes Flimmern in der Luft. Er musste näher heran!

Franz Leopold ließ den Blick abschätzend die Mauer hinuntergleiten. Vermutlich könnte er die Höhe unbeschadet überwinden, aber sicher nicht unbemerkt! Er schaute sich nach allen Seiten um und entschied dann, das Stadion links zu umrunden. Geduckt hastete er los. Der Mond verschwand hinter den Wolken, trotzdem konnte er vor sich bereits den Aufbau der Kaiserloge erkennen. Wo aber waren Ivy und der geheimnisvolle Fremde? Der junge Vampir blieb hinter der letzten Kiefer stehen und lugte um den dicken Stamm, als Ivy gerade aus einer Nische trat. Sie warf die

Kapuze zurück und schüttelte ihr silbernes Haar. Franz Leopold unterdrückte ein Stöhnen, das ihm plötzlich in der Kehle lauerte. Das einzig Interessante war, wo war ihr Begleiter? In Gefahr schien sie jedenfalls nicht zu sein. Konnte er ihn deshalb nicht mehr sehen, weil sein lebloser Körper dort in den Schatten der Nische vor seinen Blicken verborgen lag? Franz Leopold lauschte in die Nacht. Wenn sie das getan hatte, dann war sie jetzt in seiner Hand! Es war eine Sache, ein wenig auf eigene Faust durch die Ruinen zu streifen, aber vor der Aufnahmezeremonie einen Menschen auszusaugen, das würde hart bestraft werden – wenn er es den Altehrwürdigen verriet. Franz Leopold grinste böse und drückte sich näher an den Stamm, als Seymour aus einem Gebüsch zu seiner Linken auftauchte und zu Ivy lief. Sie kniete sich neben ihn und legte ihre Stirn auf seine. Dann erhob sie sich, straffte den Rücken und trat direkt auf den Baum zu, hinter dem sich Franz Leopold verbarg. Hatte der verfluchte Wolf ihn gewittert?

Der junge Vampir wollte sich nicht die Blöße geben, in seinem Versteck entdeckt zu werden. Daher setzte er eine überlegene Miene auf und trat hoch erhobenen Hauptes auf die Lichtung. »Ah, welch angenehme Überraschung«, säuselte er mit falschem Lächeln. »Ihr auch hier? Nein, es darf mich nicht wundern. Die Nacht ist zu schön, um in den Mauern zu bleiben, die unsere Kerkermeister uns zugewiesen haben – äh nein, ich meine natürlich unsere verehrten Professoren!«

In Ivys Lächeln stand so viel Wärme, dass es schon fast widerlich war. »Ich wünsche dir auch eine gute Nacht, Franz Leopold. Es war für dich sicher nicht schwer, meiner Spur zu folgen. Sollte ich daraus lernen, in Zukunft vorsichtiger zu sein?«

Er erwog, die Unterstellung abzustreiten, ließ es dann aber sein. »Es tut mir leid, dass ich dich gestört habe. Das lag nicht in meiner Absicht. Wo ist denn dein düsterer Bekannter so schnell hin verschwunden?«

Für einen Moment verengten sich ihre türkisfarbenen Augen. »Wovon sprichst du?«

»Ach, nun komm, erzähle es mir. Ich habe euch von dort drüben gesehen. Er war groß und kräftig!« Franz Leopold reckte die Nase ein wenig nach vorn und sog die Luft ein. »Es wird doch wohl kein Mensch gewesen sein, den du hier in der Einsamkeit seines Blutes beraubt hast?«

Ihre Belustigung schien echt. Sie lachte hell auf. Und da er weder an ihr noch von den Ruinen her den Duft eines Menschen ausmachen konnte, war diese Vermutung also falsch. Dann musste es ein Vampir gewesen sein! Aber was war das für eine seltsame Aura gewesen, die die Gestalt umhüllt hatte?

»Komm, lass uns zurückgehen«, schlug Ivy vor und machte sich auf den Weg. Franz Leopold sah noch einmal zu den Ruinen hinüber, dann eilte er ihr nach. Der Wolf knurrte leise.

»Erzähle es mir lieber gleich, denn ich werde es sowieso herausfinden!«

»Warum sollte ich es dir dann erzählen? Willst du mir drohen? Es gibt nichts herauszufinden. Du hast dich getäuscht. Außer Seymour und mir war niemand da!«

Franz Leopold schwieg. Er konzentrierte sich ganz auf ihren Geist. Vorsichtig streckte er seine Gedanken aus, dann dehnte er die Kraft blitzschnell aus – und wurde überrascht. Eigentlich hatte er nicht mit einem Erfolg gerechnet, doch für einen Moment konnte er in ihr Bewusstsein eindringen, ehe sich die Barriere wieder schloss und er mit einem schmerzhaften Stich hinausbefördert wurde. Franz Leopold rieb sich verstohlen die Stirn. Er war überzeugt gewesen, eine Lüge vorzufinden, aber der letzte Satz fühlte sich wahr an. »Außer Seymour und mir war niemand da!«

»Lass es sein!« Sie lächelte zu ihm hoch. »Willst du noch ein wenig durch die Farnesegärten spazieren? Sie sind sehr schön. Kardinal Alessandro Farnese hat sie im sechzehnten Jahrhundert hier zwischen den Ruinen anlegen lassen. Eine prächtige Villa gehört auch dazu. Es war zur Zeit der Renaissance wohl eine beliebte Mode, sich mit dem Prunk der Antike zu schmücken.«

»Verschone mich mit deinen Vorträgen! Bist du jetzt zur Professorin erhoben worden? Du hörst dich schon genauso unerträglich an wie Signora Letizia, das alte Folterweib! Außerdem bin ich auf dem Hinweg auch durch die Gärten gekommen.«

»Nun, dann nicht. Dann gehen wir eben zurück.« Ihre Stimme ließ nicht erkennen, ob er sie gekränkt hatte.

Missmutig tappte der junge Vampir hinter Ivy und Seymour her. Er kam nicht an sie heran. Wie machte sie das nur? Wieder hatte sie ihn ausgetrickst. Konnte sie ihre Gedanken so beherrschen, dass sie aus der Lüge Wahrheit formte? Oder hatte sie ihm nur vorgegaukelt, er könne in ihren Geist eindringen?

Plötzlich blieb Ivy stehen und wandte sich zu ihm um. Sie hatten den Triumphbogen und die Reste des Brunnens bereits hinter sich gelassen.

»Wenn du nach menschlichen Spuren suchst, die hier eigentlich nichts verloren haben, dann musst du dorthin gehen.« Sie deutete auf einen Bogen des Kolosseums. »Die Nonne, die du in der Nacht verscheucht hast, als du uns gefolgt bist, war wieder hier! Und ich schwöre, seitdem sind keine drei Stunden vergangen.«

»Was soll das heißen, ich habe sie verscheucht? Und was bezweckst du mit deinem Vorwurf, ich wäre euch gefolgt? Ich kann gehen, wohin ich will!«

»Solange die Professoren und der Conte beide Augen zudrücken«, ergänzte Ivy und seufzte. »Es war kein Vorwurf und auch keine Unterstellung. Einigen wir uns darauf: Sie ist in jener Nacht davongelaufen, als du hier aufgekreuzt bist.«

»Ja und?«

»Findest du das nicht merkwürdig? Dies ist weder der Ort noch die Zeit für eine einsame Ordensschwester. Was hat sie hier zum wiederholten Mal zu suchen?«

Ivy trat zu dem Bogen und sog die Luft ein.

Franz Leopold folgte ihr. »Ich kann nichts riechen.«

»Doch, ihr Duft ist noch in der Luft. Ganz schwach. Sie benutzt keine der parfümierten Seifen oder Duftwässerchen der Damen. Es ist nur der etwas herbe Geruch ihres jungen Körpers.«

»Hast du sie gesehen?«

»Nein, sie war schon weg, als ich hier vorbeikam. – Du glaubst mir nicht? Seymour hat sie auch gewittert!«

»Ach, und dann hat er dir gesagt: Da war die kleine Nonne wieder?«

Ivy schnitt eine Grimasse. »Nicht in diesen Worten natürlich, aber ich bin durchaus in der Lage, seine Äußerungen zu verstehen.« Er glaubte ihr, und es ärgerte Franz Leopold, dass es ihm selbst nicht gelang, aus dem Winseln und Jaulen des Wolfes etwas herauszuhören.

Sie waren beide etwas verstimmt und legten den Rest des Weges schweigend zurück. Mit übertriebener Höflichkeit, die an Verachtung grenzte, hielt Franz Leopold seiner Begleiterin die verborgene Seitentür auf. Sie dankte ihm spitz und rauschte davon, Seymour wie immer an ihrer Seite.

Franz Leopold sah ihr nach und seufzte leise. Eine kaum wahrnehmbare Bewegung zu seiner Rechten erinnerte ihn daran, dass er nicht mehr allein war. Er ballte die Hände zu Fäusten. Der junge Vampir musste sich nicht umdrehen, um zu wissen, dass Matthias hier auf ihn gewartet hatte.

»Wie du siehst, ist noch alles an mir dran«, sagte er barsch und ging dann, ohne den Schatten eines Blickes zu würdigen, zu seiner Schlafkammer.

*

Am nächsten Abend bestand Alisa darauf, ihren Sarkophag zu verlassen und wieder am Unterricht teilzunehmen. »Ich fühle mich wohl«, log sie, als Hindrik sie kritisch musterte. »Was soll denn noch sein?«

»Trägst du den Rubin wieder, den der Conte euch geben ließ?«

Sie nickte und zog das Lederband mit dem geschliffenen Stein unter ihrem Hemd hervor. »Zuerst dachte ich, es ist nur ein hübsches Spielzeug, um uns Mut zu machen. Aber irgendetwas bewirkt dieser Stein.« Nachdenklich ließ sie ihn durch die Finger gleiten. »Was meinst du? Ist das das Geheimnis ihrer Widerstandskräfte gegen alles Heilige?«

Hindrik beugte sich vor und strich über den Stein. »Nein, so einfach ist es nicht. Der Stein ist nur ein Hilfsmittel, die eigenen Kräfte zu sammeln und zu speichern, bis man ihrer bedarf. Und vielleicht auch, von der Energie, die frei in der Natur schwingt, zu profitieren und einen Teil für die eigenen Zwecke einzusetzen. Doch dazu benötigt man sicher viel Erfahrung und Übung! Und die haben sie. Das ist ihr Geheimnis.«

Alisa schwang die Beine über den Sargrand. »Und deshalb muss ich jetzt zum Unterricht. Du willst doch nicht, dass ich noch mehr versäume?«

Hindrik lächelte und reichte ihr ihre Kleider. »Du hast gewonnen. Aber ich werde in deiner Nähe bleiben und ein Auge auf dich haben.«

»Tust du das nicht immer?«

»Aber ja, doch normalerweise versuche ich, es euch vergessen zu lassen.« Er wartete, bis Alisa sich angezogen hatte, und begleitete sie dann zur Halle mit der goldenen Decke, wo er darauf bestand, dass sie noch einen zusätzlichen Becher mit frischem Blut bekam.

Alisa spürte einen Blick in ihrem Rücken und wandte sich um. Franz Leopold sah sie über den Rand seines Zinnbechers hinweg an. Forsch ging Alisa auf ihn zu. Sie hatte ihn sowieso aufsuchen wollen. »Danke!«

Er hob träge die Augenbrauen. »Bitte? Was willst du?«

»Mich bei dir bedanken, dass du mich aus der Katakombe gebracht hast.«

Er neigte hoheitsvoll den Kopf. »Ja, der Dank ist angebracht für diese, sagen wir, heldenhafte Tat. Es war mir zum Glück ein Leichtes, obwohl du nicht gerade zierlich gebaut bist.« Alisa spürte, wie Wut in ihr hochstieg. Wie schaffte er das nur immer in wenigen Augenblicken? Sie versuchte, ruhig zu bleiben.

Franz Leopold fuhr unterdessen ungerührt fort. »Ja, die meisten Leute unterschätzen mich und müssen diesen Fehler dann reumütig korrigieren. Ich hoffe, du vergisst nicht, dich auch noch angemessen zu entschuldigen!«

»Was?«, brauste Alisa auf. »Wofür sollte ich mich denn entschuldigen? Dass der Boden unter meinen Füßen zusammengebrochen ist? Dass ich in eine Gruft gefallen und ohnmächtig geworden bin?«

»Durch deine Unachtsamkeit hast du mir Unannehmlichkeiten bereitet, und du hast verhindert, dass ich als Sieger aus diesem Wettbewerb hervorgegangen bin. Natürlich wäre es mir sonst gelungen, meinen Fuchs einzuholen. Also ist es deine Schuld, dass ich mich geschlagen geben musste. Und das ist etwas, was mir sehr zuwider ist.« Alisa kamen so viele Schimpfwörter gleichzeitig in den Sinn, dass sie nicht wusste, was sie ihm zuerst ins Gesicht schleudern sollte.

Er sah sie an und grinste. »Pfui, du kennst aber Ausdrücke! Aus dir wird bestimmt keine Dame.« Sie ballte die Fäuste und stampfte mit dem Fuß auf. Dann drehte sie sich mit einem Ruck um und stapfte zu ihrem Tisch zurück. Sie riss ihre Tasche von der Bank und stürmte ohne ein weiteres Wort aus der Halle.

Die heutige Nacht brachte ihnen eine neue Lehrerin, die sie in der italienischen Sprache unterrichten sollte.

»Warum denn das?«, maulte Tammo. »Wir können uns ganz gut in der alten Sprache der Familien verständigen.«

»Das ist schon richtig, aber ihr werdet bald nicht mehr nur mit euresgleichen zu tun haben. Sobald man euch gestattet, euch alleine unter die Menschen Roms zu mischen, ist es sehr von Vorteil, ihre Sprache zu verstehen und auch sprechen zu können.«

Ein Gemurmel setzte ein. »Wann dürfen wir die Domus Aurea alleine verlassen?«, wollte Karl Philipp wissen.

»Oh, das ist nicht meine Entscheidung«, wehrte Signora Valeria ab. »Das ist Conte Claudios Sache. Ich soll euch nur unterrichten. Maurizio, Chiara und Luciano, wenn ihr nicht wollt, dann müsst ihr nicht bleiben.« Grinsend packten die drei römischen Schüler ihre Taschen und verließen das Klassenzimmer.

»Das ist ungerecht«, schimpfte Tammo und verschränkte die Arme vor der Brust.

Alisa zwinkerte ihrem Bruder zu. »Ach, ich denke, dir wird Gerechtigkeit widerfahren, wenn der Unterricht erst einmal in Hamburg stattfindet und alle anderen sich mit Deutsch herumquälen müssen, während wir die ganze Nacht durch die Hafengegend schlendern können.« Bei diesem Gedanken hellte sich Tammos Miene wieder auf und er ergab sich gelassen in sein Schicksal.

Es ging ganz einfach los. »Der Mann – *il uomo*, die Frau – *la donna*, das Kind – *il bambino*.« Die jungen Vampire schrieben die Worte folgsam mit. Federn kratzten über das Papier. Tammo stützte den Ellenbogen auf und legte die Wange in seine Handfläche. Er war der stumme Vorwurf tödlicher Langeweile. Alisa konnte sogar von ihrem Platz aus sehen, dass er die Worte absichtlich hinschmierte. Signora Valeria blieb vor dem Pult stehen und sah dem jüngsten ihrer Schüler eine Weile zu. Alisa versuchte, in ihrer Miene zu lesen. Würde sich nun gleich ein Donnerwetter über dem Haupt ihres Bruders entladen? Zumindest hatte sie keinen Rohrstock in der Hand.

»Dir scheinen die Wörter wohl nicht allzu interessant?«, sagte sie liebenswürdig. Tammo schrak zusammen und verbarg seine Schmierereien unter einem leeren Blatt.

»Dann wollen wir noch ein paar Wörter hinzufügen, die für euch nützlich sein sollten. Sobald ihr die Grundlagen gelernt habt, werden wir zusammen einen Ausflug durch die Gassen unternehmen, die erst nachts erwachen und so manche Vergnügung zu bieten haben. – Dies gilt natürlich nur für die Schüler, die ihre Lektion gelernt haben und in der Lage sind, einen römischen Nachtschwärmer korrekt anzusprechen. Die anderen werden leider hier zurückbleiben müssen.« Nun hatte die Signora selbst Tammos ungeteilte Aufmerksamkeit, und er gab sich Mühe, seine Vokabeln zumindest leserlich zu Papier zu bringen.

»Der Duft – *il profumo,* das Blut – *il sangue,* die Kehle – *la gola,* der Geschmack – *il gusto.*«

»Damit kann man doch gleich viel mehr anfangen«, raunte Sören Alisa zu und grinste.

»Mir gefallen auch: *il consumo* – der Genuss und *la èstasi* – die Ekstase«, fügte Malcolm eine Bank weiter vorne hinzu und warf einen Blick auf Anna Christina, die ihn musterte, als sei er irgendetwas Ekelerregendes. »Oder in diesem Fall passend: *la capra* – die Ziege, *disgustoso e arrogante* – widerlich und arrogant.«

Anna Christinas Augen funkelten. Rowena und Sören prusteten los. Das Wiener Mädchen öffnete den rosa bemalten Mund und überschüttete ihren Banknachbarn mit einer Flut italienischer Sätze.

Malcolm blieb der Mund offen stehen. »Was hat sie gesagt?«

Signora Valeria war zu ihnen getreten, und Alisa kam es so vor, als könnte sie nur mit Mühe ein Lachen unterdrücken. »Das war gut – ich meine sprachlich gesehen. Willst du wirklich wissen, was Anna Christina zu dir gesagt hat?«

Malcolm zögerte. »Ja, schon.«

»Lass mich überlegen, ob ich das zusammenbekomme. Also, wenn ich die schlimmsten Schimpfwörter weglasse, dann bedeutete es in etwa, dass du dumm und hässlich wie eine bleiche Kröte bist und sie das nicht wundert, da du aus einer Familie stammst, die rückständig ist und ungebildet und keine Manieren hat …«

Malcolm hob die Hände. »Genug. Ich denke, den Rest muss ich nicht wissen. Ich will ihr zugute halten, dass sie es nicht besser weiß.« Er erhob sich leicht, legte die Hand auf die Brust und deutete eine Verbeugung an.

»Verehrte Anna Christina, es wird mir eine Ehre sein, dich vom Gegenteil zu überzeugen, wenn wir erst einmal in London sind.« Die Dracas starrte ihn fassungslos an. Wie Alisa fragte sie sich vermutlich, ob das nun Höflichkeit oder eine versteckte Drohung war.

Die Signora unterbrach die beiden und sprach Anna Christina

mit ein paar raschen Sätzen auf Italienisch an. Das Mädchen antwortete ebenso. »Gut, du kannst gehen, wenn du möchtest.«

Ein überlegenes Lächeln breitete sich auf ihrem schönen Gesicht aus und sie warf ihre langen Locken zurück. »Nun Kinder, dann lernt brav«, sagte sie und fegte mit schwingenden Röcken hinaus.

»Das darf doch nicht wahr sein«, jammerte Tammo.

*

Das Zimmer sah aus, als sei ein Wirbelsturm hindurchgefegt.

»Wo ist diese verfluchte Maske!«, schrie Carmelo aufgebracht. Mit großen Schritten durchquerte er den Raum, zog die Schubladen der Kommode auf und begann, die Sachen achtlos auf dem Teppich zu verteilen. Latona kauerte in einem Sessel und hatte die Knie bis an die Brust gezogen. Sie wünschte, sie könnte sich noch kleiner machen. Ihr Onkel Carmelo war eine eindrucksvolle Gestalt. Groß und kräftig gebaut mit noch immer dichtem schwarzem Haar, das nur an den Schläfen bereits ergraut war. Obwohl seit ein paar Jahren sein Bauch ein wenig über den Hosenbund drückte, wirkte er noch immer athletisch mit seinen kräftigen Armen und großen Händen, die ein Schwert wohl zu führen wussten.

»Sie muss doch hier irgendwo sein!«, rief er und setzte seine Suche im Zimmer nebenan fort. Latona ließ langsam die Luft entweichen, die sie viel zu lange angehalten hatte. Ihre Erleichterung währte allerdings nur kurz. Seine Stimme polterte ihren Namen. Latona zuckte zusammen.

»Hast du sie nicht gesehen?«

Das Mädchen starrte angestrengt auf seine Knie. »Nein Onkel Carmelo, was sollte ich mit deiner Maske?«, fragte sie und hoffte, er würde das Zittern in ihrer Stimme nicht bemerken.

»Ja, was solltest du mit meiner Maske«, wiederholte der Onkel versöhnlich. »Und dennoch könntest du mir suchen helfen«, herrschte er sie gleich darauf an.

»Vielleicht hast du sie draußen irgendwo verloren? Sie könnte dir aus der Tasche gerutscht sein.«

Carmelo stöhnte. »Da sei Gott vor! Ich will mir gar nicht ausmalen, was der Kardinal dann mit mir macht.«

Latona sah ihren Onkel neugierig an. »Ist er ein echter Kardinal?«

Carmelo zögerte. »Ich weiß es nicht. Ich habe ihn bisher nur mit seiner Maske gesehen. Allerdings trägt er das rote Gewand der Kardinäle.«

»Und er will keine Frauen in den Zirkel aufnehmen«, fügte Latona hinzu. »Das spricht doch auch dafür, dass er ein Mann der Kirche ist, nicht?«

»Habe ich dir das erzählt?«, wunderte sich ihr Onkel. Das Mädchen nickte.

»Ja, er hat keine sehr hohe Meinung von Frauen. Er sagt, der Verstand einer Frau leidet zu sehr unter dem Einfluss ihrer kaum zu kontrollierenden Gefühle. Zu kühlem, wissenschaftlichem Denken taugt sie nicht und ihre Handlungen werden nicht von Vernunft gesteuert.«

Latona schnaubte abfällig. Ihr Onkel klopfte ihr mit einem milden Lächeln auf die Schultern. »Aber das sagt er natürlich nur, weil er dich und dein schlaues Köpfchen nicht kennt.«

Latona ignorierte den gönnerhaften Ton und sagte stattdessen eifrig: »Ja, und deshalb musst du ihn davon überzeugen, dass es nur gut für den Zirkel ist, wenn er mich auch aufnimmt. Ich kann von großem Nutzen für ihn sein!«

Carmelo machte eine abwehrende Handbewegung. »Kind, vergiss solche Hirngespinste.« Sein Blick verdüsterte sich wieder, als er über das Durcheinander im Zimmer wanderte. »Ich muss los. Ich werde vermutlich die ganze Nacht wegbleiben, also warte nicht auf mich. Bitte mach hier Ordnung und such weiter nach dieser vermaledeiten Maske!« Er nahm sein silbernes Schwert aus dem Versteck und schloss den Gurt um seine Hüfte.

Latona sprang von ihrem Sessel hoch. »Haben wir einen neuen

Auftrag? Ein Mann oder eine Frau? Darf ich den Lockvogel spielen?«

»Ja, ich habe einen neuen Auftrag, es ist ein junger Mann, und nein, du wirst nicht den Lockvogel spielen. Dafür gibt es Mädchen und Frauen, die ihr Geld auch sonst mit zweifelhaften Diensten verdienen.«

Latona zog schmollend die Lippe hoch. »Aber ich war doch früher schon mit dabei, und ich könnte dir helfen, ohne dass du Geld bezahlen musst.«

Seine Miene war hart. »Ja, das war ein Fehler, und es tut mir leid, dass du schon so viel Unmenschliches mit ansehen musstest. Das wird nicht mehr vorkommen.«

»Wie wirst du vorgehen? Die althergebrachte Methode? Schwert und Pflock?«, sagte sie mit einem leichten Beben in der Stimme. Er nickte.

»Kannst du ihn nicht in die alte Zisterne locken?«

»Das ist viel grausamer«, sagte Carmelo sanft. »Sie verbrennen nicht einfach in einer Stichflamme, wenn das Sonnenlicht sie trifft. Sie vergehen über Stunden, bis sie endlich zu Asche zerfallen. Ein Stoß ins Herz und ein Schwertstreich, der ihnen den Kopf von den Schultern trennt, ist eine Gnade dagegen!«

»Warum nur machst du das immer wieder?«, fragte sie leise.

»Warum?« Carmelo lachte. »Weil Vampire böse, verfluchte Wesen sind, die in Gottes Schöpfung nicht vorgesehen waren.«

»Ach was«, rief Latona ärgerlich. »Erzähle mir keine Märchen. Das ist dir doch völlig egal. Du tust es allein wegen des Geldes, das dir dieser Kardinal oder was auch immer er ist dafür bezahlt.«

»Ja, des Geldes wegen. Er bezahlt gut für jeden Rubinanhänger, den ich ihm abliefere.« Ein seltsames Lächeln erhellte Carmelos Gesicht. »Und wegen des Kribbelns im Bauch, das ich habe, wenn ich in die Nacht hinausgehe und mein neues Opfer erwarte.« Er beugte sich herab und küsste ihre Wangen, dann eilte er davon.

Latona wartete, bis sie seine Schritte auf der Treppe nicht mehr hören konnte, dann riss sie ihren Mantel vom Haken und verließ ebenfalls das Haus. Sie lief über die Piazza Venezia am Kapitol vorbei zu dem Ruinenfeld. Wenn die Chance, die rote Maske wiederzufinden, auch noch so klein war, sie musste es wenigstens versuchen!

EINE SILBERNE HAARSTRÄHNE

Malcolm verließ unbemerkt die Domus Aurea. Wieder einmal führten ihn seine Schritte über das Ruinenfeld und wandten sich dann zu zielstrebig einer bestimmten bröckelnden Mauer aus der Antike zu, als dass es Zufall hätte sein können. Seine Gedanken wanderten wie so oft zu dem seltsamen Mädchen und der rotsamtenen Maske, die er nun in seinem Sarg aufbewahrte. Malcolm setzte sich auf einen Marmorblock, lehnte sich mit dem Rücken an einen Säulenstumpf und sah zu den rasch dahinjagenden Wolken auf, die die Sterne und den halben Mond immer wieder verhüllten. Eine Passage aus einem Stück von Shakespeare kam ihm in den Sinn und er murmelte leise die Verse.

Plötzlich hielt er inne und setzte sich kerzengerade hin. Da näherten sich Schritte. Es war kein nächtlicher Fußgänger, der eilig seinem Ziel entgegenstrebte. Auch nicht das torkelnde Schwanken eines Betrunkenen. Die Schritte waren langsam und bedächtig und hielten immer wieder inne. Die Zweige von Büschen raschelten. Er konnte den Schein einer kleinen Lampe ausmachen. Dann kroch ihm der Geruch des Mädchens in die Nase, und Malcolm wusste, was das zu bedeuten hatte. Sie war zurückgekehrt, um das zu suchen, was sie hier verloren hatte. Sie roch verdammt aufregend! Malcolms Atem beschleunigte sich. Nun konnte er sie zwischen den Büschen und Steinblöcken erkennen, wie sie langsam näher kam. Ihr Blick schweifte über die Äste zum Boden und dann zum nächsten Busch. Die Lampe erhellte ihr Gesicht. Obwohl sie heute ein Kleid und einen einfachen Damenmantel darüber trug, war kein Zweifel möglich. Sie war nicht wirklich schön zu nennen, ganz anders als die beiden Vampirinnen aus Wien, und dennoch strahlte sie etwas aus, das ihn über ihr warmes Blut hinaus anzog. Es war diese Ernsthaftigkeit und Entschlossenheit, die seinem Wesen so vertraut war. In ihren Augen schimmerte etwas, das im Blick eines Mädchens ihres Alters nichts verloren hatte.

Sie wäre an ihm vorbeigegangen, ohne ihn zu bemerken, hätte er sie nicht angesprochen. Fieberhaft suchte er nach den Brocken Italienisch, die er gelernt hatte. »Buona sera signorina, cerca qualcosa?«

Latona fuhr zusammen und presste die Handflächen auf ihr rasendes Herz. Dann erst entdeckte sie den Jungen, der sie angesprochen hatte. Sie hielt die Laterne ein wenig höher und betrachtete das ebenmäßige Gesicht, das blonde Haar und die Kleider aus Tweed, die ihr so schmerzlich vertraut erschienen. Sein Akzent jagte einen Stich durch ihre Brust.

»Yes, I'm looking for something I lost a few days ago«, antwortete sie in gepflegtem Englisch, obwohl es schon viele Jahre her war, dass sie es ihre Muttersprache hatte nennen können.

Der Junge lächelte sie an und seine blauen Augen strahlten wie zwei Sterne. »Du sprichst gut Englisch. Zum Glück. Mein Italienisch ist lausig.«

Latona nickte und lächelte zurück. Wie blass er war. Er konnte noch nicht lange in Rom sein. »Ich heiße Latona, und du?«

»Malcolm.« Er nickte ihr zu und deutete einladend auf den Steinblock neben sich. »Setz dich doch. Es ist eine wundervolle Nacht, und es ist schön, in der heimischen Zunge zu plaudern.«

Sie zögerte. Da war etwas an ihm, das ihr Angst machte. Ein Teil ihres Geistes befahl ihr wegzulaufen, so schnell ihre Beine sie tragen konnten. Doch der andere Teil war von diesem hübschen, höflichen Fremden fasziniert. Er war so gar nicht wie die Jungen, die sie kannte. Die die Mädchen verspotteten und an den Zöpfen zogen und mit Steinen nach Katzen warfen. Er war so ernsthaft und erwachsen und sah sie mit einer Intensität an, die ihre Knie weich werden ließ. Sie sank auf den Steinblock hinab.

»Was tust du hier?«, fragte sie ihn.

»Ich genieße die Nacht. Den Mond und die Sterne, die Gerüche und Geräusche, die nur um diese Zeit die Herrschaft über die Welt erlangen dürfen.« Sie wusste nicht, was sie erwartet hatte, doch nicht etwas so Poetisches. Verwundert schüttelte Latona den Kopf.

»Was ist?«

»Du bist so – anders. Anders als alle Jungen, die ich in meinem Leben getroffen habe.«

Malcolm lachte leise. Ein wundervolles Geräusch, das ihr Herz rascher schlagen ließ. »Ja, das ist gut möglich. Doch auch du scheinst mir anders als andere Mädchen. Zumindest habe ich noch nicht gehört, dass es hier üblich wäre, nachts alleine durch die Ruinen zu streifen – und noch dazu in Männerkleidung und mit roten Masken vor dem Gesicht.«

Latona erstarrte. »Du hast mich in jener Nacht gesehen? Dann warst du es, der mich so erschreckt hat?«

Malcolm neigte den Kopf. »Das lag nicht in meiner Absicht. Doch willst du nicht ein wenig meine Neugier befriedigen? Welch großes Geheimnis verbirgt die Nacht vor deinen Mitmenschen?«

Latona zögerte. Mit jedem Augenblick, den sie bei ihm verbrachte, wuchs seine Anziehungskraft. Es war, als würde eine Aura ihn umgeben, die sie wie schwerer Wein beschwingte. Ihre Sinne schienen zugleich verwirrt und geschärft. Und dieser faszinierende Junge interessierte sich für sie und wollte ihre Geschichte erfahren! Wie trivial würde es sich anhören, wenn sie ihm nun sagte, sie habe sich die Kleidungsstücke nur von ihrem Onkel geborgt? Sie sah schon vor sich, wie er sich enttäuscht von ihr abwendete.

Latona strich sich eine Haarsträhne, die sich im Nachtwind gelöst hatte, hinter das Ohr und versuchte, ihrem Lächeln etwas Geheimnisvolles zu geben. »Nun, eigentlich darf ich nicht darüber sprechen«, sagte sie langsam.

»Ich werde Stillschweigen bewahren.« In seiner Stimme war kein Spott zu erkennen.

»Ich gehöre zu einer geheimen Organisation. Dem Zirkel der roten Masken.« Sie sah zu ihm hoch.

Er nickte noch immer ernst. »So etwas kam mir in den Sinn. Und was ist das für eine Organisation?«

»Wir beschützen die Menschen Roms vor dem Bösen!« Nun wanderten seine Augenbrauen ein wenig nach oben. So recht glaubte er ihr wohl nicht.

»Es ist wahr! Während die Menschen schlafen, kämpfen wir gegen böse Mächte. Wir riskieren unser Leben und unsere Seelen!«

»Wie das?«, fragte er erstaunt. »Was sind das für Dämonen, gegen die ihr antretet?«

Latona holte tief Luft und sagte nur das eine Wort: »Vampire!«

Malcolm schwieg. Noch immer sah er sie unverwandt an. Er schien jetzt sogar noch aufmerksamer. »Vampire«, wiederholte er nach einer Weile leise.

»Vampire!«, bestätigte Latona ein wenig schärfer, als sie es beabsichtigt hatte. »Du glaubst wohl nicht an sie? Aber ich versichere dir, sie existieren! Und mein Onkel ist ein berühmter Vampirjäger, dem ich schon seit Jahren als seine Assistentin zur Hand gehe.«

»Ich glaube durchaus an Vampire.« Er beugte sich nach vorn und kam näher. Plötzlich fror sie und die Angst kehrte zurück. Rasch rutschte sie von dem Steinblock, noch ehe er sie berührt hatte.

»Ich muss wieder los. Du hast nicht zufällig meine rote Maske gefunden? Ich habe sie verloren, als ich vor dir weggelaufen bin.« Sie schämte sich ein wenig, das eingestehen zu müssen.

»Ich weiß. Ich habe sie gesehen – und ich habe sie mitgenommen.«

»Dann hast du sie noch?« Erleichterung durchflutete Latona. Sie würde die Maske ihrem Oheim zurückgeben können. »Bitte gib sie mir!«

»Ich habe sie nicht bei mir.«

»Das macht nichts«, sagte sie eifrig. »Ich komme mit dir, dann kannst du sie mir geben, oder du sagst mir, wo du wohnst, dann hole ich sie am Nachmittag ab.«

Malcolm schüttelte den Kopf. »Nein, so einfach geht das nicht. Ich habe eine andere Idee. Du kommst morgen Nacht um diese Zeit wieder hierher, dann übergebe ich sie dir.«

Latona wich ein Stück zurück. »Was denkst du? Ich kann nicht jede Nacht weg.«

»Dann komm, sobald du kannst. Ich werde dich schon finden. Und überlege dir, was du mir zur Belohnung geben möchtest!«

»Was?« Die warnende Stimme in ihrem Kopf wurde lauter.

Er sprang auf und stand nun viel zu nahe vor ihr. Er hob die Hand und strich zart über ihre Wange. Latona wusste nicht, ob es Eis oder Feuer war, das durch ihren Körper fuhr. Sie konnte gar nicht anders, als ihm in die Augen zu sehen. Es war, als würde die Welt um sie im Nebel versinken und nur sie beide allein zurücklassen.

»Einen Kuss?«, bot sie an, obwohl sie das gar nicht hatte sagen wollen.

Malcolm lächelte. »Ja, das ist ein gutes Angebot. Ich nehme es an. Deine Maske gegen einen Kuss.« Seine Fingerspitzen bebten an ihrer Haut, während sie bis zu ihrem Hals herabglitten. Dann zog er die Hand hastig zurück und trat zwei Schritte von ihr weg. Er schien seinen Atem nur mühsam kontrollieren zu können, doch seine Stimme klang wie immer, als er sich von ihr verabschiedete.

»Dann sehen wir uns also bald wieder, Latona. Ich freue mich und kann die Stunde kaum erwarten.« Er verbeugte sich tief, und dann war er verschwunden, so als hätte der Boden sich plötzlich aufgetan und ihn verschluckt. Verwirrt wankte das Mädchen nach Hause.

*

Am nächsten Abend erwartete Professor Ruguccio die jungen Vampire, als sie in den Klassenraum strömten. Wie immer trug er einen teuren Abendanzug und Schuhe aus glänzendem Lackleder, die bei jedem Schritt ein wenig quietschten. Er strich sich das kurze graue Haar zurück.

»Seid willkommen«, begrüßte er sie mit seiner dröhnenden Stimme. »Ihr braucht nicht Platz zu nehmen. Wir werden einen kleinen Ausflug machen.«

Aufgeregtes Getuschel flog von Mund zu Mund. Nach der Nacht in den Katakomben versprach das wieder eine spannende Lektion zu werden. Nur Ireen und Raymond sahen einander ängstlich an. Das englische Mädchen drückte sich eng an Malcolm, und Raymond sah so aus, als hätte er gerne das Gleiche getan, doch er versuchte zumindest, eine gleichmütige Miene aufzusetzen. Rowena dagegen schien mit ihren Gedanken wieder ganz woanders zu sein. Sie summte vor sich hin und streichelte gedankenverloren Maurizios Kater.

»Wo gehen wir heute hin?«, platzte Tammo heraus.

»In eine Kirche! In die Santa Francesca Romana, nicht weit von hier. Habt ihr eure Amulette? Ihr werdet sie brauchen.«

Luciano tastete nach dem Band um seinen Hals und sah, wie auch Alisa ihr Amulett herauszog, dass der rote Stein im Licht der Kerzen blitzte.

»Und nun kommt.« Sie folgten dem Professor. Wie erwartet kamen auch einige der Schatten mit, um ein Auge auf ihre Schützlinge zu haben. Sie hielten jedoch etwas Abstand und blieben unter sich.

Da der Weg dieses Mal nicht weit war, verzichtete Professor Ruguccio darauf, sie in Gruppen aufzuteilen. Doch er befahl Ruhe, während sie den Hügel hinab am Kolosseum vorbeischritten und sich dann der Kirche von ihrer Rückseite her näherten. So sahen sie zuerst ein paar weiße Säulenreste und die Nische, in der einst eine römische Göttin gesessen hatte.

»Bis hierher reichte die Domus Aurea zu Neros Zeiten«, erklärte der Professor. »Kaiser Hadrian hat Neros Vestibül* benutzt, um den Tempel zu bauen.«

Er ließ den Schülern keine Zeit, sich umzusehen, und winkte sie stattdessen weiter. Links erstrahlte der Triumphbogen des Titus im Sternenlicht und dahinter erhob sich der Palatinhügel mit seinem Ruinenfeld. Auf der anderen Seite ragte nun die barocke Kirche Santa Francesca Romana mit ihrem romanischen Glockenturm auf. Professor Ruguccio öffnete eine Seitentür und ließ die Schüler und ihre Schatten eintreten. »Haltet euch vom Weihwasser und dem Tabernakel mit den geweihten Hostien fern.«

Luciano fühlte das bekannte Ziehen im Kopf und die Übelkeit, die von Minute zu Minute zunehmen würde. Er warf Alisa einen Blick zu und bemerkte mit Erleichterung, dass auch sie nervös den roten Stein umklammerte. Allen Schülern, außer Chiara und Maurizio und vielleicht Rowena, konnte man das Unbehagen ansehen. Tammos Blick huschte unstet umher. Raymond und Ireen klammerten sich an Malcolm. Selbst die Dracas konnten ihre Maske der Arroganz nicht mehr aufrechterhalten und blickten sich panisch um.

Luciano fühlte, wie ihm abwechselnd heiß und kalt wurde. Sein Rücken stieß gegen eine Steinkante. Als er sich umdrehte, erkannte er voll Entsetzen das Weihwasserbecken. Hastig trat er zur Seite und fühlte sich sogleich ein wenig besser.

Was war er nur für ein Versager! Er war ein Nosferas und müsste den anderen hier lächelnd vorangehen, ihnen die Bilder und Figuren zeigen. Stattdessen wand er sich wie ein Wurm und hätte sich gern wie die Engländer an einen Rock geklammert. Erbärmlich! Doch so war er schon immer gewesen. Selbst Chiara war mutiger als er. Bereits als kleines Mädchen hatte sie jede Nacht mit Maurizio und ihren Schatten in den Ruinenfeldern gespielt oder war in Kirchen eingedrungen, um sich die eine oder andere Mutprobe auszudenken. Meist um Luciano dann herauszufordern und sich köstlich über ihn zu amüsieren, wenn er kniff oder, jammernd vor Schmerz, wieder herausgerannt kam. Jedenfalls wirkte Chiara ganz entspannt und sah sich eher gelangweilt um. Sie winkte Leonarda heran und begann, mit ihrem Schatten zu tuscheln.

Waren seine Kräfte schlechter entwickelt als die der anderen Nosferas oder fehlte es ihm einfach an Mut? Er blickte zu Alisa und Ivy hinüber, die sich redlich Mühe gaben und keinen Schritt zurückwichen, obwohl die ganze Atmosphäre sie quälte.

»Professore, eine Frage, Signora Enrica sagte, die alten Katakomben hätten die stärkste Wirkung. Mir kommt es jedoch so vor, als – nun ja, als wäre es hier nicht einfacher. Wie kommt das?«, wollte Alisa wissen und schluckte trocken.

»Nun, das hat verschiedene Gründe. Auch diese Kirche ist sehr alt und hat Menschen und Zeiten starken Glaubens erlebt. Ihre Aura ist in diesem Gebäude noch sehr präsent. Doch es liegt vor allem daran, dass ihr nicht daran gewöhnt seid. Mit ein wenig Übung werdet ihr mit diesen Mächten leichter fertig als mit den alten Märtyrern! Bald werdet ihr Fortschritte spüren. Wir Nosferas hatten über Generationen hinweg Zeit, Gewohnheit und Abstumpfung Einzug halten zu lassen und unsere eigenen Kräfte zu stärken. So wie die Menschen in ihrem Glaubenseifer hier im Zentrum der katholischen Kirche nachließen, ließ auch ihre Macht über uns nach. Seht!« Er trat an das Weihwasserbecken und tauchte seine Hand hinein. »Es ist kalt, wie wir sagen. Es steckt kein wahrer Segen mehr in ihm.«

Er zog die Hand aus dem Wasser und schüttelte sie, dass die Tropfen flogen. Panisch wichen die Vampire zurück. Nur Luciano blieb mit zusammengebissenen Zähnen stehen. Er würde sich nicht mehr verstecken und vor jedem Schmerz zurückweichen. Er würde es den anderen zeigen, was es hieß, ein Nosferas zu sein!

Die Tropfen fielen vor Luciano auf die Steinplatten. Bis auf einen. Es zischte und dampfte, als das Weihwasser seine Hand berührte. Einige der jungen Vampire schrien auf. Alisa griff nach seiner Hand und wischte den Tropfen mit dem Ärmel ab. Luciano starrte auf den roten Fleck auf seinem Handrücken.

»Danke«, sagte er langsam.

»Tut er sehr weh?«, erkundigte sich Ivy. Er blickte ihr in die türkis funkelnden Augen und schüttelte den Kopf. »Nein.« Und seltsamerweise stimmte das auch. Dabei hätte es höllisch brennen müssen. Er sah Professor Ruguccio an, der ihm zunickte.

»Ja, gut so. Es kommt auf die Konzentration an. Ihr müsst bei der Sache sein und euch den Kirchenmächten entschlossen entgegenstellen. Wenn die Furcht in euch vorherrscht, dann habt ihr verloren und könnt nur noch fliehen.«

Chiara trat zu Luciano und stieß ihrem Cousin mit dem Ellenbogen in die Seite. »Der heldenhafte Luciano, nein ist das komisch. Dann haben unsere Abhärtungsmethoden anscheinend doch Früchte getragen. Wie erfreulich!«

Der junge Vampir schnitt eine Grimasse. »Anscheinend! Was so ein bisschen Wut doch ausmachen kann.«

Chiara sah ihn nachdenklich an. »Ja, Wut ist eine mächtige Waffe. Es lohnt, sie zu trainieren.«

Der Professor stellte nun Gruppen zusammen, die sich die Kirche auf eigene Faust ansehen und wieder erspüren sollten, welches die machtvollen Gegenstände waren. Luciano zog natürlich mit Alisa und Ivy los. Zu seiner Überraschung gesellte sich auch Franz Leopold zu ihnen. Er war sehr schweigsam und hielt sich ein wenig im Hintergrund. Sie tasteten sich an verschiedene Skulpturen, Reliefe und Bilder heran und merkten, wie unterschiedlich ihre Aura auf sie wirkte. Das Kruzifix strahlte solch eine Macht aus, dass es nur Maurizio gelang, bis auf einen Schritt heranzukommen, und auch er hielt sich nicht lange. Professor Ruguccio dagegen konnte es ohne sichtbares Unbehagen anfassen.

»Er trägt nicht einmal ein Amulett«, raunte Alisa Luciano zu.

Der nickte. »Ja, die Mächtigsten der Familie verzichten darauf. Sie schaffen es auch so, ihre Kräfte aus der Umgebung zu stärken, sie zu bewahren und im rechten Moment zu ihrer Verteidigung zu konzentrieren.«

Alisa umklammerte ihren roten Stein. »Ich glaube, ich werde das gute Stück lieber noch eine Weile behalten.« Sie stöhnte und versuchte zum dritten Mal, eine unscheinbare Steinfigur zu berühren, zuckte aber wieder zurück. »Die würde mir die Handfläche verbrennen«, prophezeite sie und machte Platz für Ivy. Auch ihre schmale Hand zitterte. Sie schloss die Augen, legte die Stirn in Falten und trat dann in winzigen Schrittchen näher, bis ihre Handfläche den Stein streifte. Es knisterte. Funken sprangen über die Oberfläche, aber Ivy rührte sich nicht.

»Gut! Das ist wirklich sehr gut!«, lobte der Professor, der von einer Gruppe zur anderen schritt. »Nun du, Luciano.«

»Ja, lass uns was sehen!«, raunte Franz Leopold.

Dass er nicht auf seinen Erfolg hoffte, war Luciano klar. Doch gerade das spornte ihn an. Und der Blick der beiden Mädchen in seinem Rücken! Er war kein kleines Kind mehr. Er war gewachsen und hatte an Kraft und Mut gewonnen! Er spürte, wie seine Knie weich wurden. Nun ja, zumindest an Kraft.

»Du schaffst das«, hörte er Ivys Stimme zwischen dem Rauschen in seinem Kopf. Luciano reckte das Kinn. Nun gut. Und wenn er sich die ganze Hand verbrennen musste. Er würde nicht mehr wie ein Schwächling dastehen! Unschöne Szenen seiner Kindheit huschten durch seinen Kopf. Er schob sie weg und richtete seine Gedanken ganz auf den Stein und seinen eigenen Schutz. Plötzlich spürte er die raue Oberfläche. Sie war kühl. Kein Schmerz schoss durch seinen Körper. Kein Feuer verzehrte ihn. Strahlend wandte er sich um, doch der Professor war bereits weitergegangen und kümmerte sich um Raymond, der sich wimmernd am Boden wälzte. Auch Tammo sah nicht glücklich aus und hatte sich zwei geschwärzte Finger in den Mund gesteckt. Doch viel wichtiger als ein Lob des Professors war Luciano das anerkennende Nicken Alisas und Ivys Lächeln.

»Du bist dran«, forderte er Franz Leopold auf. Er weidete sich an der nur mühsam unterdrückten Nervosität, die der andere ausstrahlte. An seiner Schläfe zuckte es und er konnte kaum die Finger ruhig halten.

»Na, nervös? Solltest du auch sein. Es kann ganz böse ausgehen, wenn man es nicht richtig macht!«

Franz Leopold ignorierte ihn, umklammerte mit der einen Hand sein Amulett und streckte den anderen Arm weit nach vorn.

Dennoch wollte es ihm nicht gelingen, sich mehr als auf drei Schritte zu nähern. Er schnaubte wütend und knirschte mit den Zähnen, doch es half nichts.

»Kommt, nehmen wir die Figur dort drüben«, schlug Luciano vor.

»Das ist eine Madonna!«, keuchte Franz Leopold.

»Ja, und?« Luciano feixte, obwohl er sich mutiger gab, als er sich fühlte. Das würde noch viel schwerer werden.

Doch zu ihrer aller Überraschung hatte die Figur kaum eine Aura. Sie wandten sich zwei silbernen Kelchen zu. Franz Leopold blinzelte und fuhr sich mit zwei Fingern in den Kragen, um ihn ein wenig zu lockern. Es freute Luciano diebisch, dass die Atmosphäre der Kirche den Vampir aus Wien noch viel stärker belastete als ihn selbst, und er konnte sich ein paar Sticheleien nicht verkneifen.

Bis Franz Leopold ihn am Hemd packte. »Hör auf, das Großmaul zu spielen. Ich warne dich! Ich habe deine kindischen Ängste deutlich gelesen, als wir in der Vorhalle standen und auch vor der Figur vorhin. Soll ich den anderen ein wenig von deinen früheren Heldentaten berichten? Wie du, jammernd und mit schlotternden Knien, davongelaufen bist und dich unter dem Rock von Zita verkrochen hast, damit Maurizio und Chiara dich nicht finden? Ich kann gern noch ein wenig ins Detail gehen!«

Luciano riss sich los. »Kein Bedarf!«

Franz Leopold warf Ivy einen schnellen Blick zu und grinste gehässig. »Oder soll ich lieber über die Gespinste in deinem Kopf sprechen, die ein hier anwesendes – zugegeben hübsches – irisches Mädchen betreffen?«

»Behalte deine schmutzigen Gedanken für dich!«, schrie Luciano aufgebracht. Natürlich sahen Alisa und Ivy und selbst Seymour zu ihnen herüber und verfolgten aufmerksam jedes Wort.

Luciano knurrte gefährlich, doch der Wiener Vampir lachte nur spöttisch. »Es sind deine schmutzigen Gedanken, nicht meine.«

Luciano spürte, wie Hitze in Wellen durch seinen Körper

schwappte. Ein roter Schleier legte sich vor seinen Blick. Er würde ihn angreifen und seine Kehle zerfetzen, ihm seine Fingernägel in den Hals schlagen und sein schönes, blasiertes Gesicht zerkratzen!

Eine Hand legte sich auf seine Schulter. Kühl und beruhigend. Er sah auf die weißen, schmalen Finger mit den sauberen Nägeln hinab. »Du musst nicht fortfahren, Franz Leopold. Ich kenne Lucianos Gedanken und ich finde sie nicht schmutzig!«

Das war vielleicht noch schlimmer als alles, was Franz Leopold hätte sagen können. Dann wäre Luciano wenigstens die Ausrede geblieben, dies alles entspringe allein seiner boshaften Fantasie! Nun jedoch wäre er am liebsten im steinernen Boden der Kirche versunken.

»Ach, so ist das. Dein heimlicher Verehrer findet Gnade vor deinen Augen. Dann willst du ihm doch auch sicher ein Zeichen deiner Gunst verehren!«

Bevor einer von ihnen auch nur ahnte, was Franz Leopold vorhaben könnte, hatte er ein kleines Messer hervorgezogen und eine von Ivys silbernen Haarsträhnen abgeschnitten. Das Haar ringelte sich in seiner Hand zu einer Locke. Er verbeugte sich spöttisch vor Luciano. »Hier, das Zeichen deiner Angebeteten. Gib gut darauf acht und trage es stets an deinem Herzen.«

Luciano starrte so verblüfft auf die silberne Locke, dass er erst gar nicht bemerkte, wie sich Ivys Miene wandelte. Er hatte sie bis jetzt nie anders als gleichmütig freundlich erlebt, die Züge entspannt, die Augen strahlend, ein feines Lächeln um die Lippen. Nun aber stand nackte Panik in ihrem Blick. Ihr Gesicht verzerrte sich zu einem stummen Schrei. Sie schlug die Hände vor den Mund. Seymour knurrte und schnappte nach Franz Leopold, der die Locke rasch in Lucianos Hand fallen ließ. Auch er und Alisa starrten Ivy fassungslos an. Mit dieser Reaktion hätte keiner gerechnet.

»Ivy, was ist denn mit dir los? Nun beruhige dich doch. Er wollte dich nur ein wenig aufziehen. Das wächst doch nach.« Alisa wollte ihr den Arm um die Schulter legen, aber Ivy wich vor ihr zurück und schlug um sich. Sie schüttelte den Kopf, dass ihr Haar durch die Luft peitschte. »Nein!«, schrie sie. »Oh nein!«

»Ivy, hat er dir wehgetan? Sag schon! Was ist mit dir?«

Doch sie antwortete nicht. Sie drehte sich um und rannte durch das Kirchenschiff davon. Seymour jaulte, dann schoss er zur Tür und drückte sie auf. Ivy und der Wolf verschwanden in der Nacht. Die drei sahen ihr mit offenem Mund nach. Was war nur in sie gefahren?

Das wollte auch der Professor wissen, der mit quietschenden Schuhen aus dem Chor geeilt kam. Auch die anderen Schüler sahen neugierig zu ihnen herüber.

»Was ist hier los?« Ruguccio musterte sie aus seinen schwarzen Augen und senkte den Kopf, dass sein Doppelkinn noch betont wurde.

»So genau wissen wir das auch nicht«, sagte Luciano vorsichtig und verbarg die Haarlocke in seiner Hosentasche.

»Sie hat einfach die Beherrschung verloren«, fügte Alisa hinzu.

»Ich gehe sie suchen«, bot Mervyn an.

Der Professor schüttelte den Kopf. »Nein, ihr bleibt alle hier und beendet eure Übungen.« Stattdessen schickte er die beiden Schatten Francesco und Hindrik hinter dem Mädchen her. Sie sollten dafür sorgen, dass sie die Domus Aurea sicher erreichte. Um alles andere konnte man sich später kümmern.

Signor Ruguccio winkte die Schüler zu sich und beendete das Getuschel über Ivys unerklärliches Verhalten. »Kommt alle hierher. Ich möchte euch etwas zeigen. Seht euch diese Fliese dort drüben genau an. Könnt ihr die Vertiefungen erkennen? Das sollen die Knieabdrücke von Petrus und Paulus sein. Die Legende erzählt, Simon der Magier habe versucht, den beiden Aposteln seine Überlegenheit zu beweisen, indem er sich in die Luft erhob. Petrus und Paulus knieten daraufhin auf dieser Fliese nieder und beteten zu Gott um ein Zeichen. Er gab es, indem er Simon vom

Himmel fallen ließ. – So viel zu den amüsanten Heiligengeschichten der Menschen.« Einige der Schüler lachten, andere musterten misstrauisch die so harmlos wirkende Fliese.

»So, und nun möchte ich, dass ein Freiwilliger vortritt und sich das heilige Stück genauer ansieht – und uns sagt, wie groß seine Macht ist.« Die Blicke der Vampire glitten in das Gewölbe des Kirchenschiffs hinauf oder über den Fliesenboden davon, überallhin, nur nicht in die Richtung des Professors.

Schließlich trat Maurizio vor. »Ich mach's. Das Elend kann ja keiner ertragen.«

Doch Ruguccio streckte ihm die Handfläche entgegen. »Danke, aber ich hätte gerne jemanden, der in den vergangenen Jahren nicht unzählige Male hier gespielt hat.« Luciano fühlte, wie er sich entspannte. Dann war er ebenfalls aus dem Spiel. Maurizio zuckte mit den Schultern und wirkte fast ein wenig enttäuscht.

Signor Ruguccios kleine, dunkle Augen wanderten weiter. »Wie wäre es, wenn es Rowena einmal versuchte?«

Malcolm trat an ihre Seite, als wollte er das kleine Mädchen beschützen, schwieg jedoch. Luciano hörte sie leise summen.

»Rowena?«

»Oh, ja, was gibt es?« Sie zog die sommersprossige Nase kraus. »Ich soll die Knieabdrücke untersuchen? Aber gern, Professor.«

Forsch ging Rowena auf die Fliese zu, noch immer leise vor sich hin singend. Die anderen hielten den Atem an. Irgendetwas musste passieren. Sie musste langsamer werden, zögern, ihr Gesicht sich vor Schmerz verzerren. Doch nichts von all dem konnten sie erkennen. Rowena trat zu der Platte, kniete sich hin und strich über die Vertiefungen. Fragend sah sie zu Professor Ruguccio auf. »Und nun, Signor?«

»Sag du es mir.«

»Nichts, ich spüre nichts. Nur eine alte, unebene Fliese.«

»Und was schließt du daraus?«

Rowena erhob sich und schüttelte ihren einfachen Tweedrock aus. »Das waren nicht die Apostel – oder sie waren keine heiligen

Männer!« Sie schnaubte verächtlich und gesellte sich wieder zu Malcolm, der erleichtert wirkte.

»Heilige Männer waren sie schon, das zeigen andere Reliquien, Bilder und Statuen, aber mit dem ersten Punkt hat Rowena recht: Die Apostel haben sich nicht auf diese Fliese gekniet. Die Abdrücke stammen nicht von ihnen!«

Kurz darauf beendete der Professor die Lektion für diese Nacht und führte seine Schüler stattdessen noch über das düstere Trümmerfeld des Forum Romanum. Die Ebene, einst das Herz des politischen Roms, war nur noch ein von Unkraut überwuchertes Brachland, zwischen dem einzelne Säulenbruchstücke und verwitterte Figuren herausragten. Auch auf dem großen Triumphbogen des Titus wuchs Gestrüpp. Am Tag weideten auf der Ebene Kühe und Ziegen, in der Nacht waren sie in kleinen Pferchen zusammengetrieben. Die Tiere drängten sich ängstlich aneinander, als die Vampire lautlos an ihren Gehegen vorbeigingen. Der Professor zeigte ihnen die Gewölbereste der Maxentius-Basilika, die ein beeindruckender Bau gewesen sein musste.

»Ich habe schon wieder Hunger«, seufzte Maurizio, der an einem kleinen Unterstand mit ein paar Ziegen stehen geblieben war.

»Nein! Komm jetzt«, zischte Luciano und zog seinen Cousin weiter, obwohl er ihm im Stillen recht geben musste. Auch er hätte nichts gegen einen Bluttrunk einzuwenden gehabt. Luciano unterdrückte einen Seufzer. Die Nosferas waren dem Genuss einfach mehr zugetan als die anderen. Und das sah man ihnen leider auch an.

So etwas wie Neid stieg in ihm auf, als er die schlanken Körper vor sich betrachtete, deren Bewegungen so voller Grazie waren. Er würde nie so werden. Traurigkeit stieg in ihm auf. Solche Gedanken und Gefühle hatte er nicht gekannt, bis – die anderen hier aufgetaucht waren. Und nun wollte er plötzlich schön sein, elegant und – begehrenswert?

Er spürte den Blick auf seinem Gesicht. Zu spät!

»Dickerchen, das ist doch nicht dein Ernst, oder?« Franz Leopold setzte sein böses Grinsen auf. »Du glaubst doch nicht etwa, ein solches Geschöpf würde auch nur einen Gedanken an dich verschwenden? Nun ja, vielleicht könnte sie noch einen Schatten gebrauchen, der ihre Tasche trägt. Aber so wie es sich anfühlt, würde es dir ja genügen, wie ein Unreiner zu sein, wenn du dadurch in ihrer Nähe sein dürftest.«

»Es kann ja sein, das sie sich nicht viel aus mir macht«, zischte Luciano zurück. »Dich jedenfalls findet sie nur widerlich, obwohl du vielleicht schön sein magst, und sie wird auch nie etwas anderes für dich übrig haben als Verachtung!«

Franz Leopold zog ein wenig die gepflegten Augenbrauen nach oben. »Bist du dir da so sicher? Ich habe anderes in ihren Gedanken gelesen.«

Während des gesamten Heimwegs fühlte sich Luciano leer und elend, und das lag nicht daran, dass der Blutdurst ihn quälte. Ja, den Hunger hatte er völlig vergessen. Er tastete nach der Haarlocke in seiner Tasche und das Herz wurde ihm noch schwerer.

*

Kaum hatten sie die Domus Aurea erreicht, lief Alisa zu ihrer Schlafkammer. Erleichterung durchströmte sie, als sie Ivy auf der Kante ihres Sarkophags sitzen sah, Seymour zu ihren Füßen.

»Ich bin froh, dass dir nichts passiert ist«, sagte sie und setzte sich neben das irische Vampirmädchen. Ivy verbarg das Gesicht in den Händen. Das silberne Haar fiel ihr ins Gesicht. Ganz deutlich sah man die kurze Strähne, die ihr nur noch bis zum Kinn reichte.

»Ach Ivy, was hat dich so durcheinander gebracht? Ich verstehe das nicht. Franz Leopold ist eben ein Widerling. Und Luciano wird über die Kränkung hinwegkommen. Vergiss die ganze Angelegenheit doch einfach.«

Langsam ließ Ivy die Hände sinken. In ihrem Blick lag so viel Verzweiflung, dass Alisa erschrak. Sie legte den Arm um ihre

Schulter. »Dein Haar ist noch immer wundervoll und die Strähne wird nachwachsen!«

»Das bezweifle ich nicht!«, stieß Ivy bitter hervor. Seymour sprang auf und kläffte wild. Sein Fell im Nacken und am Rücken sträubte sich, und er zog die Lefzen hoch, dass man die Reißzähne sehen konnte. Ivy erhob sich, legte ihm die Hand zwischen die Ohren und sprach ein paar Sätze auf Gälisch. »Du hast ja recht«, sagte sie dann. »Vergessen wir das Ganze.«

Als sie sich Alisa wieder zuwandte, war ihr Gesichtsausdruck wie immer. Heiter und gelöst, als könnte nichts auf dieser Welt sie aus der Ruhe bringen. Alisa blinzelte und fragte sich, ob ihre Sinne sie getäuscht hatten. Wie war es ihr möglich, sich von einem Augenblick auf den anderen so zu verändern?

»Komm, gehen wir. Hast du noch ein spannendes Buch für mich? Ich habe *In achtzig Tagen um die Welt* bereits ausgelesen und giere nach mehr. Es war wunderbar!« Ivy hakte sich bei Alisa unter.

»Was, du bist schon fertig? Wir hatten doch kaum Zeit. Du musst ja lesen wie der Blitz.«

Ivy winkte ab. »Ach nein, ich konnte nicht schlafen.« Seymour jaulte.

»Das soll wohl ein Scherz sein.« Alisa lachte. »Sag nicht, dass du nicht wie alle anderen bei Sonnenaufgang in eine Todesstarre verfällst, die bis zum Einbruch der Dämmerung anhält.«

»Erwischt«, sagte Ivy leichthin. »Ich habe heimlich im Unterricht geschmökert.«

»Du? Nein, das hätte ich nicht von dir gedacht!« Alisa hob in gespielter Entrüstung den Zeigefinger. »Da hast du aber Glück gehabt, dass Franz Leopold dich nicht verraten hat.«

»Ach, er ist gar nicht so schlecht, wie er sich gibt«, wehrte Ivy ab.

»Bist du sicher?« Alisa sah sie zweifelnd an.

»Ja, er weiß es nur noch nicht!«

DER ALTEHRWÜRDIGE GIUSEPPE

Als sie am nächsten Abend den Klassenraum betraten, fanden die jungen Vampire zu ihrer Überraschung den altehrwürdigen Giuseppe auf einem Ruhebett vor dem Pult vor. Er hob die knochige Hand und winkte ihnen, ihre Plätze einzunehmen. Alles war natürlich besser als Stunden bei den Geschwistern Letizia und Umberto, die sie untereinander nur noch die Folterknechte nannten. Alisa war allerdings ein wenig enttäuscht, dass ihr Abwehrtraining heute anscheinend nicht fortgesetzt wurde.

Der alte Vampir räusperte sich. »Ich möchte mit euch über Politik sprechen. Über Politik – nicht nur die der Menschen.« Er kicherte leise. »Ah, welch Verwunderung in den Bänken vor mir. Ihr fragt euch, was das mit euch zu tun hat, nicht wahr? Mehr als ihr denkt. Ein guter Politiker studiert vor allem seine Gegner sorgfältig, um seine Chancen und die Gefahren einschätzen zu können. Was glaubt ihr, wer ist unser größter Gegner?« Der Altehrwürdige sah in die Runde. Einige hoben die Schultern.

»Nun Fernand? Was meinst du?«, fragte er den vierschrötigen jungen Vampir aus Paris.

Fernand ließ sich Zeit mit der Antwort und kraulte so lange seine Ratte am Bauch. »Die Menschen«, sagte er schließlich. Einige der Mitschüler lachten.

»Kannst du uns das näher erklären?«, hakte der altehrwürdige Giuseppe nach.

»Ist doch klar. Wir sind die Jäger und sie sind unsere Beute. Das gefällt ihnen natürlich nicht und deshalb sind sie unsere Feinde. Es gibt Vampirjäger unter ihnen, die den Spieß umdrehen und uns jagen und vernichten wollen.« Das war für Fernand eine ungeheuer lange Rede gewesen und so schwieg er jetzt erschöpft.

Giuseppe wandte sich an die schöne Dracas neben ihm. »Marie Luise, wenn Fernand recht hat, dann sind sicher nicht alle Menschen gleich gefährlich für uns. Wer ist unser schlimmster Feind?«

»Die Vampirjäger, das hat Fernand doch schon gesagt.«

»Hm, andere Meinungen?«

»Der Papst!«, rief Chiara dazwischen. »Er ist es doch, der seinen Kardinälen und Bischöfen sagt, sie sollen uns verfolgen und vernichten.«

»Sofern er überhaupt von uns weiß und an unsere Existenz glaubt«, widersprach Malcolm.

»Aber natürlich tut er das! Die Kirche hat uns schon immer bekämpft«, rief Mervyn.

Malcolm nickte. »Das schon, aber nicht mehr alle glauben, dass es uns wirklich gibt. Sie wollen alles mit ihren neuen Wissenschaften erklären.« Er verzog den Mund zu einem Grinsen. »Und Darwin hat uns in seiner Lehre zur Entstehung der Arten, glaube ich, nicht erwähnt.«

»Genauso wenig wie die Bibel uns als Spezies aufzählt – weder von Gott geschaffen noch von Lucifer!«, widersprach Mervyn. »Und dennoch weiß in Irland jeder um unsere Existenz.«

Der Altehrwürdige hob den dürren Arm, über den sich die Haut wie Pergament spannte. »Ah, welch hitzige Debatte. Das gefällt mir. Doch eine Gruppe habt ihr noch gar nicht erwähnt.« Er wartete. Dann sagte er nur ein Wort: »Vampire!« Es klang in dem Saal nach und verhallte dann. Die jungen Vampire der sechs Clans schwiegen überrascht. Einige tauschten fragende Blicke.

»Ja, denkt darüber nach. Warum seid ihr hier? Hättet ihr euch das vor ein paar Monaten träumen lassen? Was habt ihr von den anderen Familien gedacht? Welche Geschichten und Gerüchte erzählt man sich bei euch über die anderen Clans? Sagt man, sie stünden weit unter euch? Seien rachsüchtig und böse? Wert, ausgelöscht zu werden?«

»Wohl zu Recht«, hörte Alisa Franz Leopold hinter sich leise sagen, doch der Altehrwürdige hatte es ebenfalls gehört.

»Zu Recht? Nun, vielleicht. Ich kenne die stolze Familie der Dracas und ich habe in meinem langen Leben schon mehr als einmal im Kampf um Leben oder Vernichtung einem fremden Clanmitglied gegenübergestanden. Und damit war auch ich ein Feind der Vampire, denn ich habe mit meinen eigenen Händen dazu beigetragen, unsere Spezies auszurotten! Und das seid ihr auch, wenn ihr euch, statt euch gegenseitig zu helfen und eure Stärken zu teilen, mit Misstrauen verfolgt und bekämpft. Heute verhöhnt und prügelt ihr euch vielleicht nur, doch in ein paar Jahren? Zieht ihr dann mit einem Schwert in der Hand aus, um dem anderen das Herz herauszuschneiden und den Kopf abzuschlagen?« Die Schüler starrten ihn an. Einige schienen fast unter Schock zu stehen. »Wer gegen sein Familienoberhaupt und gegen die Gemeinschaft der Clans arbeitet, der ist der größte Feind von uns Vampiren!«

Er machte eine Pause und lehnte sich in seinem Ruhebett zurück. Seine Wangen wirkten eingefallen. Er schloss die Augen. Die Rede hatte ihn erschöpft. Die jungen Vampire begannen, zaghaft miteinander zu flüstern, dann schwollen die Stimmen immer mehr an, bis der Alte sich plötzlich wieder aufrichtete und sie mit seinem scharfen Blick musterte.

»Ich möchte, dass ihr einen Aufsatz über die Geschichte der Vampirjagd schreibt. Ihr werdet erstaunt sein, wie viel sich über dieses Thema zusammentragen lässt. Und ihr werdet euch wundern, wie oft wir im Laufe der Jahrhunderte selbst Verderben über unsere Gattung gebracht und so den Menschen in die Hände gespielt haben. Und nun geht. Den Rest der Nacht gebe ich euch frei.« Er erhob sich und schlurfte mit schleppenden Schritten hinaus.

*

»Was sollen wir nur schreiben?«, stöhnte Luciano und starrte auf sein leeres Blatt. Die drei saßen mit ein paar anderen der jungen Vampire im Gemeinschaftsraum. Malcolm kam mit ein paar Büchern unter dem Arm herein und suchte sich einen freien Platz.

»Warst du in der Bibliothek? Ich habe gehört, sie wäre gut ausgestattet«, fragte Alisa. Malcolm schüttelte den Kopf.

Luciano sah von seinem Blatt auf. »Leandro lässt niemanden in die Bibliothek. Da müsste der Conte schon selbst danebenstehen und ihm drohen, ihm jedes seiner so sorgsam gehüteten Haare einzeln auszureißen.«

»Was? Aber der altehrwürdige Giuseppe hat gesagt, ich dürfte hinein«, rief Alisa aus. Enttäuschung machte sich in ihr breit. Sie hatte sich schon so darauf gefreut, in Ruhe die alten Bestände durchsehen zu können, und gehofft, dass sie nicht alle auf Italienisch oder Latein waren! In den vergangenen Wochen hatte sie schon einige Male versucht, den Bibliothekar aufzustöbern, doch er war in den Stunden nach dem Unterricht meist unterwegs.

Luciano winkte ab. »Was der so sagt. Sein Geist verwirrt sich immer mehr. Nicht umsonst musste er vor ein paar Dutzend Jahren die Führung der Familie an seinen Enkel Claudio abgeben. Das ging damals nicht ganz friedlich ab, das versichere ich dir. Es sind auf beiden Seiten ein paar Mitglieder verschwunden und nie wieder aufgetaucht.«

»Aber ich hatte den Eindruck, er stünde auf Conte Claudios Seite«, sagte Alisa verwundert.

Luciano nickte. »Ja, inzwischen schon. Nachdem er sich damit abgefunden hatte, dass er zu den Altehrwürdigen gehört, ging das ganz schnell. Nun ist er der glühendste Anhänger seines Enkels und würde ihn und seine Entscheidungen vermutlich auch mit Feuer und Schwert verteidigen.« Luciano grinste.

»Schönes Bild«, bemerkte Alisa, die sich den alten, hageren Giuseppe in Rüstung auf einem Streitross vorzustellen versuchte. Es kam eher ein trauriger Don Quijote dabei heraus.

Sie schielte auf einen der Titel, die Malcolm vor sich auf dem Tisch liegen hatte. »Was sind das dann für Bücher, wenn sie nicht aus der Bibliothek stammen?«

»Sie gehören Vincent. Ich musste ihm bei meinem Kopf schwören, dass ich sie sorgsam behandle und nicht aus der Hand gebe.

Doch ihr könnt mit hineinsehen, wenn euch das hilft«, bot er großzügig an.

»Ach, ich erinnere mich, du sagtest, euer unreiner Begleiter sammelt Vampir- und andere Schauerliteratur.« Alisa trat näher.

»Drei volle Särge hat er dabei!« Malcolm blätterte in einem Buch und begann zu schreiben.

»Die würde ich mir zu gern mal ansehen«, flüsterte Alisa voller Sehnsucht Ivy zu. »Meinst du, er würde sie uns zeigen?«

Ivy fuhr mit den Fingern durch ihre silberne Lockenpracht. »Ich habe gar keinen Zweifel. Er wird sich überreden lassen.«

Alisa lächelte. »Gut, dann wollen wir ihn suchen.«

Sie begaben sich zuerst zu den Schlafkammern und dann zu den Unterkünften der Servienten, doch dort fanden sie nur die drei Särge mit ihrem wertvollen Inhalt vor.

»Es juckt mich in den Fingern, einmal hineinzuschauen!« Alisa strich mit den Handflächen über das glänzend polierte Holz.

»Ich vermute, dass ihn das nicht gerade milde stimmen würde«, wandte Ivy ein.

»Nein, das denke ich auch nicht. Aber wo kann er nur sein?«

»Seymour wird ihn in wenigen Augenblicken aufspüren!«

»Gute Idee! So ein Wolf ist eine wunderbare Sache.« Alisa strahlte. Sie reichte Ivy ein Stück Papier und ihre neue Stahlfeder.

»Zuweilen«, murmelte Ivy und kritzelte eine kurze Nachricht. Sie faltete das Papier zusammen und hielt es Seymour hin. Er knurrte und schnappte dann so heftig nach dem Zettel, dass er Ivy fast in die Finger gebissen hätte. Dann lief er davon.

»Was hat er?«, fragte Alisa verwundert. »Man könnte meinen, er sei heute schlecht gelaunt.«

»Er ist ein Mann«, schimpfte Ivy. »Erklärt das nicht seine Launen?«

Alisa grinste. »Oh ja, so habe ich das noch gar nicht betrachtet.«

Sie mussten nicht lange warten, bis Seymour zurückkehrte. Er wirkte noch immer ungehalten, soweit Alisa das beurteilen konnte.

Kurz darauf lief Vincent in die Kammer. Er hatte rotblondes Haar und einen noch kindlichen Körper. »Was macht ihr mit meinen Büchern?«, rief er mit seiner hellen Stimme.

»Nichts!«, sagte Alisa und deutete auf die geschlossenen Särge. »Wir haben sie nicht angerührt! Man hat uns erzählt, dass du eine ganz einzigartige Sammlung an Büchern über Vampire und andere Wesen der Nacht zusammengetragen hast, und da wollten wir dich bitten, ob du uns nicht einen Blick auf deine Schätze werfen lässt. Wir gehen bestimmt sorgsam mit ihnen um.«

»Habt ihr euch die Hände gewaschen?«

Das ging ein wenig zu weit, fand Alisa, doch Ivy verkniff sich ein Lächeln und zeigte ihm ihre sauberen Handflächen. »Aber ja! Wir wollen deine Bücher doch nicht beschmutzen.«

Vincent nickte zufrieden und hob den ersten Sarg herunter. Ein erstaunlicher Anblick. Er konnte ihn mit seinen dünnen Armen kaum umfassen, doch das Gewicht schien ihm nichts auszumachen, und so hatte er ihn bereits sacht auf dem Boden abgestellt, ehe die Mädchen ihm überhaupt ihre Hilfe anbieten konnten. Feierlich klappte Vincent den Deckel auf.

»Hier findet ihr alles, was das Herz begehrt. Von Robert Southey und Samuel T. Coleridge bis zu dem berühmten Gedicht von Goethe *Die Braut von Korinth*. Aber auch William Blake, Edgar Allan Poe, die Brontë-Schwestern und Shelley, Coleridge und unseren verehrten Lord Byron. Er hat mir das Buch selbst signiert!«

Alisa und Ivy beugten sich über die Bücher und nahmen das eine oder andere in die Hand. »Dürfte ich *Der Mönch* von Matthew Gregory Lewis einmal lesen?«, bat Alisa.

Vincent zögerte, dann nickte er. »Wenn du mir versprichst, äußerst pfleglich damit umzugehen.«

»Aber ja doch!«

»Dann könnte ich dir noch Shelleys *Frankenstein* und *Melmoth der Wanderer* von Charles Robert Maturin empfehlen.«

»Danke, aber *Frankenstein* habe ich selbst«, sagte Alisa mit einem gewissen Stolz. Vincent reichte ihr die beiden anderen Bände, die sie dankend entgegennahm.

»Du hast ja auch einige französische Autoren«, bemerkte Ivy. »Charles Nodier, Prosper Mérimée und den Comte de Lautréamont. Ich lese Französisch genauso leicht wie Englisch. Mit Deutsch tue ich mich allerdings schwer. Das ist also eher was für dich, Alisa«, sagte sie und zeigte auf einen Stapel mit den Autoren E. T. A. Hoffmann und Heinrich Heine.

Luciano kam in die Kammer geschlendert. »Ihr seid ja immer noch mit den Büchern beschäftigt.«

»Ja, was für eine Fundgrube!« Ivy strahlte Vincent an. Er schien kaum älter als Tammo, doch von Malcolm wussten sie, dass er mindestens vierhundert Jahre alt war. Nun sah Vincent ein wenig unglücklich zu, wie sie sich durch die Schätze seines zweiten Sarges gruben.

»Oh sieh nur, was ist denn das?«, rief Alisa und hielt ein dünnes Heftchen mit dem Titel *Varney der Vampir oder das Blutfest* in die Höhe. »Es müssen mehr als einhundert sein.«

Vincent nahm ihr das Heft aus der Hand, als handle es sich um ein besonders kostbares Kleinod. »Es sind mehr als einhundert! Dieses ist aus dem Jahr achtzehnhundertsiebenundvierzig. Ich habe die komplette Serie. Sie ist wöchentlich erschienen. *Varney* bietet dem geneigten Leser finsteren Grusel, spannende Jagden und Befriedigung fleischlicher Lüste – zumindest in seiner Fantasie. Jede Woche die ganze Wahrheit über uns Vampire für – wie man bei euch sagt – einen Groschen. Ein echtes Schnäppchen!«

Es war ein wenig seltsam. Die helle Kinderstimme und das engelsgleiche Gesicht passten nicht zu der altmodischen, gebildeten Sprechweise.

»Und, habt ihr was für unseren Aufsatz gefunden?«, wollte Luciano wissen. Die Romane interessierten ihn offensichtlich nicht.

»Ein Aufsatz?«, fragte Vincent interessiert. »Worüber?«

»Über Vampire, die Vampire verfolgen«, gab Luciano Auskunft und schnitt eine Grimasse.

»Dann würde ich euch vorschlagen, in die Bibliothek zu gehen. Ihr werdet auf interessantes Material stoßen. Von den Anfängen an! Ich würde selbst gern einige dieser Stücke mein Eigen nennen. Wenn ihr dann noch Fragen habt, stehe ich euch selbstverständlich mit meinem umfangreichen Wissen zur Verfügung!« Er verneigte sich höflich, klappte aber energisch seine Särge wieder zu.

»Du warst hier in der Domus Aurea in der Bibliothek?«, fragte Luciano ungläubig.

»Aber ja!«

»Dann kommen wir auch rein«, sagte Luciano und ging energischen Schrittes davon. Alisa und Ivy folgten ihm.

»Er hat Vincent nicht gefragt, ob er mit oder ohne Wissen des Bibliothekars herumgestöbert hat«, sagte Ivy.

Alisa antwortete nicht. Sie sah sich staunend um. In diesem Bereich der Domus Aurea waren sie noch nicht gewesen. Die Räume östlich und nördlich des achteckigen Saals, in dem wichtige Empfänge und Feste abgehalten wurden, gehörten den Altehrwürdigen. Sie lugten im Vorbeigehen in einige Zimmer und sahen Gesichter, denen sie hier noch nicht begegnet waren. Die meisten der alten Vampire saßen in kleinen Gruppen beisammen und unterhielten sich. Andere jedoch waren allein und starrten nur trübsinnig vor sich hin. Am Ende des Flügels, wo die Zimmer zu einem zweiten Hof hinausführten, der allerdings fast völlig verschüttet war, hatte der Conte die Bibliothek einrichten lassen. Heute war die Tür nicht verschlossen und sie konnten drinnen eine Gestalt ausmachen. Sie gingen auf den Vampir zu, der hinter einem geschwungenen Sekretär saß. Vielleicht ließ ihn das zierliche Möbel noch größer erscheinen, jedenfalls war er ein Bär von einem Mann mit breitem Brustkorb, muskulösen Armen und Beinen und einem Stiernacken. Sein Haar war noch schwarz und schimmerte im Licht einer kleinen Öllampe an der Wand. Ein höchst ungewöhnlicher Hüter alter Bücher!

Er erhob sich, als er sie bemerkte, und kam ihnen entgegen. »Was wollt ihr hier?«, fragte er nicht unfreundlich.

Alisa überschüttete ihn mit ihrer Begeisterung für Bücher und schloss mit der Aufgabe des altehrwürdigen Giuseppe. »Außerdem hat der Altehrwürdige mir vor Wochen bereits versprochen, Euch zu bitten, mir die Bücher zu zeigen.«

»Dann hat er das wohl vergessen«, sagte Leandro bestimmt. Bevor Alisa ihn weiter bestürmen konnte, hörten sie, wie sich Stimmen näherten. Aufgebrachte Stimmen!

»Ich muss Euch nicht zuhören. Ich habe mir diesen Blödsinn lange genug angehört.«

»Wage es nicht, so mit mir zu sprechen! Ich werde das nicht länger hinnehmen. Du bist aufsässig und versuchst, andere gegen mich aufzuwiegeln! Ich weiß, dass du mit einigen gesprochen hast. Die Entscheidung ist gefallen und sie ist gut für uns alle, also bleibe auf dem Platz, der dir gebührt, und höre auf, Unruhe in die Domus Aurea zu bringen. Lass dich warnen, ich kann ungemütlich werden, wenn man mich zu sehr reizt!«

Die beiden Männer bogen um die Ecke und blieben vor dem Bibliothekar und den jungen Vampiren stehen. Conte Claudio versuchte mit wenig Erfolg, ein Lächeln zustande zu bringen.

»Was sucht ihr denn um diese Zeit hier? Solltet ihr nicht im Unterricht sein?« Seine Stirn legte sich in Falten und er wirkte plötzlich trotz seiner Leibesfülle und dem flatternden purpurnen Gewand bedrohlich.

Alisa berichtete zum zweiten Mal von ihrem Aufsatz und betrachtete dabei den Vampir, der den Zorn des Conte erregt hatte. Er war noch jung und strahlte den Überschwang der Männer aus, die überzeugt sind, nun sei ihre Zeit gekommen. Sein Gesicht war noch ein wenig zu weich, doch das dichte dunkle Haar und der gut geformte Körper ließen ihn männlich attraktiv erscheinen. War er ein Vampir der Blutlinie oder ein Unreiner? Dann konnte er mehr Erfahrung besitzen, als der noch etwas naive Ausdruck seiner braunen Augen vermuten ließ. Alisa fing seinen Blick auf. Er starrte sie finster an.

»In die Bibliothek wollt ihr, hm, das ist normalerweise kein

Problem. Leandro kann euch herumführen – wenn er Zeit hat und alles in Ordnung gebracht ist?« Er sah den Bibliothekar fragend an.

Der nickte widerstrebend. »Gut, aber nicht jetzt. Ich muss noch ein paar Dinge«, er hielt inne und wiederholte dann die Worte des Conte, »in Ordnung bringen.«

Conte Claudio hatte offensichtlich sein Gleichgewicht wiedergefunden, denn er nickte und lächelte sie nun offen an. »Leandro wird euch ein paar Bücher heraussuchen, die für euch hilfreich sein können.« Alisa nickte ein wenig enttäuscht. Sie hatte gehofft, sich in der Bibliothek umsehen zu können.

»Kann ich dann auch gehen, verehrter Conte?«, fragte der junge Vampir in einem derartig respektlosen Ton, dass es Alisa nicht gewundert hätte, wäre er dafür vom Conte gezüchtigt worden. Die Hände des Clanoberhaupts zuckten, doch er behielt die Beherrschung.

Der andere zeigte auf seinen Abendanzug. »Ich habe heute Nacht noch etwas vor, wie Euch nicht entgangen sein dürfte!«

»Ja, du kannst gehen«, sagte der Conte in gepresstem Ton. »Aber lass dir das eine Warnung sein!« Der Dunkelhaarige wandte sich mit einer wegwerfenden Handbewegung ab und eilte davon.

»Das solltet Ihr Euch nicht bieten lassen«, schimpfte der Bibliothekar.

»Ich weiß, aber es ist nicht einfach, diese jungen Revolutionäre im Zaum zu halten. Sie haben es bei den Menschen oft genug gesehen, wie leicht man einen Herrscher stürzen kann.«

»So weit wird es nicht kommen!«, sagte Leandro barsch.

»Hoffen wir es!«

Plötzlich schien der Conte zu bemerken, dass die Schüler und der Wolf noch immer an der Tür standen. »Worauf wartet ihr? Ach ja, auf eure Bücher. Leandro!«

Der Bibliothekar verschwand hinter einem Regal und kam kurz darauf mit fünf Büchern zurück, die er Alisa in die Arme fallen ließ.

»So, dann könnt ihr jetzt gehen!«, sagte der Conte und schob sie zur Tür hinaus.

*

Latona trat von einem Fuß auf den anderen. Sie zupfte nervös an ihrer Abendtoilette herum – ein Tornürenkleid aus schimmerndem Seidentaft mit einer gerafften Schleppe und einem doppelten Spitzenbesatz. Das Dekolleté war so tief, dass man den Ansatz ihrer hoch geschnürten Brüste sehen konnte. Sie stieß den Atem in kurzen Stößen aus. Vielleicht hätte sie für diesen Abend das Korsett nicht so eng schnüren sollen. Womöglich fiel sie im entscheidenden Moment in Ohnmacht! Sie konnte es noch immer nicht fassen. Er hatte eingewilligt, sie mitzunehmen! Zwar hatte sie ihm das Versprechen nach zwei Flaschen schwerem Rotwein abgerungen, doch das war egal. Versprochen war versprochen. Sie konnte ihm ansehen, dass er seine Leichtfertigkeit jetzt schon bereute!

»Onkel Carmelo, wo bleibst du? Wir kommen noch zu spät!«

»Nicht so nervös, meine Liebe. Es hat eben erst zehn Uhr geschlagen. Kein Mann von Welt geht so früh aus!«

»Er ist ein Vampir!«

»Der für einen Mann von Welt gehalten werden will. Vertraue mir, wir werden rechtzeitig da sein.«

Er sah gut aus in seinem Frack. Das lange Cape verbarg das Schwert, dessen Scheide er in der Linken trug. Er setzte den Zylinder auf und bot Latona den Arm. »Hast du das Fläschchen?«

»Aber ja! Ich habe nicht vor, mich aussaugen zu lassen!«

Er tätschelte ihr die Hand. »So ist es recht. Wir dürfen kein Risiko eingehen. Ich brauche dich noch eine Weile.«

»Wozu? Um Vampire zu jagen?«, murmelte sie so leise, dass er es nicht hören konnte.

Carmelo winkte eine Droschke heran. Er wäre gern ein wenig durch die Nacht geschritten und hätte sich so auf das vorbereitet, was er gleich tun musste, aber aus Rücksicht auf Latonas unpraktische Kleider musste er darauf verzichten. Hoffentlich war das Betäubungsmittel stark genug. Er hatte es auf diese Weise noch nicht ausprobiert. Bei einem Menschen wäre diese Menge tödlich. Doch würde sie für einen Vampir ausreichen? Er war sich nicht sicher. Bisher kannte er die Wirkung nur, wenn der Vampir das Betäubungsmittel mit dem Blut seines Opfers aufgenommen hatte. Es war überlebensnotwendig, dass der Vampir zumindest für ein paar Augenblicke gelähmt oder verwirrt war. In einem fairen Kampf hatte ein Mensch gegen diese Kräfte keine Chance. Vampire waren zu stark und zu schnell.

Bei seinen bisherigen Experimenten hatte er jedes Mal mit dem Leben der »Freiwilligen« gespielt, die sich zuerst hatten beißen lassen müssen. Natürlich war es nicht schwer, eines der Straßenmädchen zu einem ungewöhnlichen Auftrag zu überreden, doch seit er das letzte Mal zu spät eingegriffen hatte, regten sich Skrupel in ihm. Er konnte nur hoffen, dass seine neue Idee nicht Latonas Leben in Gefahr brachte. Er mochte seine Nichte inzwischen wirklich gern. Sie war ihm längst nicht mehr das lästige, verstörte Balg, das er nach dem Tod seines Bruders und dessen Frau aus England zu sich geholt hatte.

Latona hakte sich bei ihm unter, während die Kutsche über das unebene Pflaster ratterte. »Du bist so schweigsam, Onkel Carmelo. Woran denkst du?«

Er versuchte sich an einem zynischen Lächeln. »An den Beutel voller Geld, den wir schon in wenigen Stunden in Händen halten werden! Woran denn sonst?«

DER FRIEDHOF DER FREMDEN

»Wo ist denn Francesco? Ich habe ihn heute noch gar nicht gesehen«, fragte Alisa, als sie ein paar Abende später wie gewöhnlich in der goldenen Halle beisammensaßen.

Luciano seufzte. »Ich habe ihm erlaubt, mit ins Teatro Argentina zu gehen. Ich werde es schon ein paar Stunden ohne meinen Schatten aushalten.«

»Und warum seufzt du dann so schwer? Was ist das für ein Stück?«

Luciano winkte ab. »Ich habe keine Ahnung. Es geht mir ja nicht um das Theaterstück – und Francesco sicher auch nicht. Es geht um die vielen Menschen, die dort zusammentreffen. Es wird ein rauschendes Fest werden – nicht nur für die Menschen! Leicht bekleidete, parfümierte Damen, verschwitzte Männerleiber. Das muss ein Duft sein! Ich stelle es mir vor, wie er sein Opfer ausspäht und in eine düstere Ecke lockt, um ihm dann seine Zähne in den Hals zu senken. Menschenblut! Es muss einfach köstlich sein, nach dem, was die anderen sagen. Ich wüsste zu gern, wie es schmeckt.« Luciano fuhr sich mit der Zungenspitze über die Lippen.

»Es war mir schon von Anfang an klar, dass du noch nie Menschenblut gekostet hast«, sagte Franz Leopold in jenem unerträglich herablassenden Ton, der Alisa jedes Mal unwillkürlich die Fäuste ballen ließ.

»Nein, hat er nicht, genauso wenig wie alle anderen hier Anwesenden«, sagte sie an Lucianos Stelle scharf. »Denn es ist verboten, und das zu Recht!«

»Du kannst für dich sprechen und vielleicht auch für unser Dickerchen Luciano, aber nicht für mich!«, erwiderte Franz Leopold. »Es ist köstlich! Lasst es euch gesagt sein! Ihr wollt niemals wieder dieses stinkende Tierblut trinken, wenn ihr es einmal auf der Zunge geschmeckt und die Ader unter euren Lippen schlagen gespürt habt!« Er starrte missmutig in seinen Becher und leerte ihn dann mit einem Zug. »Was tut man nicht alles, um nicht zu verhungern.«

Tammo beugte sich vor. Seine Augen glänzten. »Du hast es getan? Das ist ja irre. Los, erzähl es uns! Wie war es? Wie hast du den Mensch eingefangen? War es ein Mann oder eine Frau?«

Franz Leopold machte eine wegwerfende Handbewegung. »Das ist nicht der rechte Ort und die rechte Zeit, um über so etwas zu sprechen.« Er nickte zu Zita und Raphaela hinüber, die gerade mit zwei vollen Krügen in die Halle zurückkehrten.

»Aber später, wenn wir in einer der Schlafkammern allein sind, dann kannst du uns doch davon berichten«, drängte Tammo weiter.

»Da gibt es nichts zu berichten!«, schimpfte Alisa. »Merkst du nicht, dass er sich nur wichtig macht? Er mag ja ein Großmaul sein, aber ich traue ihm dennoch so viel Verstand zu, den Sinn dieses Verbots zu begreifen. Wir sind noch nicht stark genug, um die Menschen zu beherrschen und ihnen ihre Erinnerung zu trüben, wenn wir ihr Blut nehmen. Ja, der Geschmack muss unglaublich sein, gerade deshalb dürfen wir erst davon kosten, wenn wir auch dem Drang nachgeben können, immer wieder davon zu trinken. Denn wenn wir ihr Blut nicht bekommen, wird es uns in den Wahnsinn – oder zumindest zu unbedachten Taten treiben!«

Franz Leopold sah sie an. Etwas wie Trauer glänzte für einen Moment in seinen braunen Augen. Alisa blinzelte. Nein, sie musste sich irren. Neben dieser Arroganz war für solche Gefühle kein Platz.

»Unsere Oberlehrerin hat gesprochen«, stöhnte er. »Verzeiht, mir ist übel. Ich brauche ein wenig frische Luft!« Und damit stolzierte er hinaus. Tammo sah ihm enttäuscht hinterher.

»Dann wollen wir um Tammos Willen hoffen, dass Franz Leopold seine Geschichte für sich behält«, sagte Ivy leise, als sie neben Alisa den Saal mit der goldenen Decke verließ.

»Seine Lügen!«, schnaubte Alisa.

Ivy schüttelte den Kopf. »Nein, seine Geschichte!«

Alisa blieb abrupt stehen. »Du glaubst ihm diese Aufschneiderei?«

»Ich kenne die Wahrheit, und ich weiß, dass er sich schon mehr als einmal für seinen Leichtsinn verflucht hat. Er hat unter den Folgen mehr zu leiden, als er sich jemals hätte vorstellen können.«

Alisa pfiff durch die Zähne. »Bei allen Dämonen, das ist unglaublich.« Sie funkelte Ivy aus ihren hellblauen Augen an. »Erzähl mir, wie es dazu kommen konnte.«

Ivy lächelte. »Und wenn du vor Neugier platzt, von mir wirst du nichts erfahren. Frage ihn, wenn du es wissen willst.«

»Niemals! Ich werde diesem Wichtigtuer nicht auch noch schmeicheln!«

*

Die Lektion an diesem Abend begann wieder einmal mit Übungen im Klassenraum, doch um Mitternacht verkündete Professor Ruguccio, dass sie den Unterricht nun nach draußen verlegen würden. Professoressa Enrica würde sie begleiten und auch die Servienten Pietro, Matthias und Hindrik sollten als Führer mitkommen. Zu ihrer Überraschung schloss sich auch der Bibliothekar Leandro an. Er hatte vor, einige Inschriften auf den Grabsteinen zu kopieren.

Der Weg führte am Circus Maximus vorbei und dann eine Straße entlang, auf der zu dieser Zeit noch einige Kutschen unterwegs waren. Doch die kleinen Gruppen schattenhafter Gestalten fielen anscheinend niemandem auf. Sie hatten die Schmalseite des Circus noch nicht vollständig passiert, als Alisa unvermittelt stehen blieb und sich nach etwas bückte.

Luciano ließ sich ebenfalls zurückfallen. »Was hast du da?«

Sie hielt ihm wortlos ein kleines Stück Stoff hin. Schwerer tiefroter Samtstoff. Luciano zuckte mit den Schultern. »Ja und?

Ein Stück Samt. Aus irgendeinem Kleidungsstück herausgerissen. Nach was riecht es?«

Alisa hielt es sich dicht unter die Nase. »Ich kann diese Nonne riechen, die wir beim Kolosseum beobachtet haben!«

»Was?« Luciano sah sie zweifelnd an und nahm ihr das Stück Stoff aus der Hand. »Ich weiß nicht. Es sind zu viele Gerüche, die sich überlagern. Und selbst wenn? Wirf es weg.«

Luciano schloss sich wieder seinen Mitschülern an. Alisa roch noch einmal an dem Samt und steckte ihn dann in ihre Tasche. Vielleicht bildete sie sich da etwas ein, aber eines wusste sie ziemlich sicher: Sie hatte diesen Stoff schon einmal in Händen gehalten.

Nach einer kleinen Piazza verebbte der Strom der nächtlichen Reisenden, und bald waren die Vampire die Einzigen, die noch auf der Straße unterwegs waren. An der Piazza Porta San Paolo, an deren Südseite die Stadtmauer entlangführte, versammelten sie sich wieder. San Paolo selbst war *fuori mura,* also außerhalb der Mauern gelegen; doch nicht die Grabkirche des heiligen Paulus, die Kaiser Konstantin hatte errichten lassen, war ihr Ziel. Der Professor geleitete seine Schar am Tor vorbei auf ein steinernes Monument zu.

»Was ist denn das?«, fragte Ivy und deutete auf das Gebilde aus weißen Steinquadern, das in die Stadtmauer eingefügt war. »Eine Pyramide, in Rom?«

Alisa betrachtete das Bauwerk. »Vielleicht hat Kleopatra Caesar hier in Rom besucht und ihm eine kleine Pyramide als Gastgeschenk mitgebracht?«

Luciano grinste. »Nicht ganz. Aber die Zeit ist gar nicht so verkehrt. Sie ist ein paar Jahre vor Christi Geburt von einem wichtigen Volkstribun aufgestellt worden, der sich anscheinend nach ägyptischem Vorbild bestatten lassen wollte.«

»Was unser Dickerchen nicht alles weiß«, säuselte Franz Leopold im Vorbeigehen.

»Ja, ist das nicht schön?«, sagte Ivy in ihrem weichen Tonfall. »Ich finde es viel angenehmer, mir von Luciano Geschichten aus der Vergangenheit anzuhören als von dir grundlose Beleidigungen und Sticheleien. Wie wird das wohl sein, wenn wir zu euch nach Wien kommen? Ich bedaure es schon jetzt, wenn du uns von euren Geschichten ausschließt.«

Franz Leopold setzte ein paarmal dazu an, etwas zu erwidern, ließ es dann aber und gesellte sich wieder zu seinen eigenen Clanmitgliedern, die sich wie immer ein wenig abseits hielten. Auch die Londoner waren lieber unter sich und Joanne und Fernand schienen nur Tammo richtig zu akzeptieren. Es würde noch ein langer Weg sein, bis Misstrauen und Vorurteile unter den Familien verschwanden.

Alisa sah zu Malcolm hinüber. Sein Gesicht hatte bereits die schärferen Konturen eines jungen Mannes, seine Haltung konnte man nur als aristokratisch bezeichnen. Selbst wenn er nicht die dunkle Schönheit besaß, die Franz Leopold und seinen Familienangehörigen zu Eigen war und die jedes Herz zum Stolpern brachte, wenn man sie nur anblickte, so sah Malcolm doch auf seine Weise sehr gut aus.

Ja, es gab spezielle Kandidaten unter den jungen Vampiren, bei denen Alisa gar nichts dagegen einzuwenden gehabt hätte, wenn sie sich für eine bessere Verständigung der Clans interessiert hätten. Eine viel bessere!

Sie spürte Franz Leopolds Blick und wandte rasch den Kopf ab. Und es gab auch jene, bei denen sie nicht traurig wäre, sie niemals wieder sehen zu müssen!

Wie zufällig ließ sich Alisa neben Malcolm treiben. Er lächelte freundlich, als er sie bemerkte. »Sag mal, hast du die rote Maske noch, die du mir mal gezeigt hast?«

Malcolm zögerte. »Ja, schon, aber nicht hier. Warum?«

Alisa zeigte ihm das Stoffstück. »Ich würde sagen, es ist der gleiche Samt.«

»Hm, wenn du meinst.«

»Ich werde ihn mit der Maske vergleichen«, sagte Alisa und hob ein wenig herausfordernd das Kinn.

»Warum? Nur weil sich jemand vielleicht ein Kleidungsstück aus dem gleichen Stoff zerrissen hat?«

Alisa zögerte. »Nein, nicht deshalb. Du wirst jetzt vielleicht lachen, aber ich muss immer wieder an diese Maske denken, seit du sie mir gezeigt hast. Sie kommt mir nicht vor wie eine Verkleidung, die man sich für einen Maskenball machen lässt.« Und was hat eine Nonne mit rotem Samt zu schaffen?, fügte sie in Gedanken hinzu. Hilflos hob sie die Schultern. »Es ist nur ein seltsames Gefühl.«

»Geheimbünde und Verschwörungen«, sagte Malcolm.

»Du machst dich über mich lustig«, seufzte sie.

»Nein, ich frage mich nur, was ich glauben soll und was nicht.«

Professor Ruguccio führte sie um eine Mauer herum, die an die Stadtmauer anschloss, jedoch viel niedriger war. Vor einem Gittertor blieb er stehen und setzte ihrer Unterhaltung damit ein Ende.

»Hinter der Mauer liegt der ›nicht katholische Friedhof der Fremden‹. Viele Romreisende sind hier begraben, so auch der Sohn des berühmten Dichters Goethe oder die englischen Dichter Keats und Shelley. Wir werden uns die Gräber ansehen.« Er führte sie zwischen den Grabsteinen und Monumenten, die ganz unterschiedlichen Alters waren, den schnurgeraden Weg hinauf, der von alten Zypressen gesäumt war.

»Shelley?«, fragte Ivy. »Der Shelley, dessen Frau Mary den *Frankenstein oder Der moderne Prometheus* geschrieben hat? Ich habe es gelesen und es hat mich tief beeindruckt.«

»Ja, das ist richtig. Er ist jung gestorben. Ertrunken, bei einem Segelausflug. Sagt man zumindest.«

Plötzlich blieb der Professor stehen. Seine dröhnende Stimme und das Quietschen seiner Schuhe verstummten. »Enrica, es gibt Besucher«, raunte er der Vampirin zu. »Würdet Ihr bitte nachsehen, was das zu bedeuten hat?« Die für eine Nosferas geradezu magere Frau nickte kurz, dass ihr grauer Dutt ein wenig ins Wanken geriet, dann huschte sie davon.

»Bleibt hinter den Büschen und Grabsteinen verborgen«, wies der Professor sie an. Alisa ließ sich hinter ein mächtiges Grabkreuz fallen und kroch dann im Schatten eines Busches zum nächsten Stein, den ein Engel mit ausgebreiteten Armen krönte.

»Was hast du vor?«, murmelte Ivy, die dicht hinter ihr geblieben war. Alisa zuckte zusammen. Ihre Freundin bewegte sich nicht nur absolut lautlos, sie verstand es auch, ihre Aura zu verbergen.

»Ich bin einfach nur neugierig«, hauchte Alisa und kroch weiter. Sie hörte Stimmen und kauerte sich hinter einen breiten Steinblock. Als sie sich ein wenig reckte und zwischen dem Sims und einem Lorbeerbusch hindurchspähte, entdeckte sie einen Mann. Der Unbekannte hockte im Schneidersitz auf einem flachen Steinblock vor einem Grab, eine Öllampe neben sich. Er hatte etwas auf dem Schoß und beugte sich immer wieder herab. Was machte er da? Alisa sah Ivy fragend an.

Das irische Mädchen kniff die Augen zusammen. »Er schreibt etwas.«

Nun konnte Alisa die Feder in seiner Hand erkennen und nickte. Der Mann wirkte noch recht jung, sein Haar fiel ihm in leichten Wellen in den Nacken und er trug einen Abendanzug.

»Oscar? Wo sind Sie? Ich habe es satt, hier nachts auf einem Friedhof herumzustehen. Was tun Sie in Gottes Namen?«

Drei weitere Gestalten kamen den Weg herunter und blieben bei dem schreibenden Mann stehen. Die mittlere war eine elegant gekleidete Frau, die sich bei den beiden Männern untergehakt hatte. Der Mann zu ihrer Linken beugte sich vor, um die Inschrift zu entziffern.

»Shelley? Doch nicht etwa *der* Shelley? Der diese gruseligen Geschichten geschrieben hat und mit Mary Wollstonecraft verheiratet war?« Er streckte seine Hände wie Klauen nach dem Hals der Dame aus. »Florence, nehmen Sie sich in Acht, ich bin Frankenstein, das Monster, und ich bin gekommen, Ihnen Ihr Herz herauszureißen!«

Die Frau kreischte und wich ein Stück zurück. »Mr Henry Irving! Sie mögen ja ein begnadeter Schauspieler sein, aber Ihre Manieren sind schauderhaft. Was fällt Ihnen ein, mich mit solch grausigen Dingen zu erschrecken!«

»Das nennt man Weltliteratur!«

»Und wenn Sie darauf verzichten würden, hier weiter herumzuschreien und mir die Konzentration zu rauben, dann würde auf diesem Stein vielleicht auch ein Stück Weltliteratur entstehen«, schimpfte der jüngere Mann mit der Feder in der Hand.

»Aber ja!«, rief der Schauspieler theatralisch aus. »Aus unserem jungen Oscar Wilde wird bestimmt einmal ein berühmter Poet, und aus meinem Freund und Agenten Bram Stoker hier an meiner Seite, dem brillanten Journalisten und frischgebackenen Ehemann unserer entzückenden Florence, wird sicher auch noch ein bemerkenswerter Literat. Doch nun lasst unseren Freund Oscar zu Wort kommen. Wir wollen hören, was er hier an diesem schaurigen Ort zu Papier gebracht hat.«

Der junge Mann zierte sich. »Nun gut. Aber nur ein paar Zeilen. Dann kehren wir in die Stadt zurück. Ich kenne ein kleines Gasthaus mit wundervollen Spezialitäten und noch besseren Weinen!«

Henry Irving und Florence stimmten ihm enthusiastisch zu. Oscar Wilde räusperte sich und las:

»Und wo die brennend roten Mohne schwanken,
Da lauert wohl im Schoß der Pyramide,
Dass nie gestört wird dieser Totenfriede,
Antike Sphinx mit grimmig-großen Pranken …«

»Sehr schön, mein Freund, sehr schön!«, rief der Schauspieler und klopfte dem Mann auf die Schulter, obwohl der offensichtlich noch nicht zum Ende gekommen war. »Doch nun lasst uns die Heimat der Toten verlassen. Ich lechze nach einem ordentlichen Essen! Wie kann man nur auf die Idee kommen, sich nachts auf einem Friedhof herumzutreiben!«

»Ich finde es faszinierend.« Die Augen des Mannes namens

Bram Stoker glänzten, als er den Blick über die zwischen alten Bäumen und Büschen versteckten Grabsteine schweifen ließ.

»Ich habe viel über Phänomene des Todes oder vielmehr des Untodes gelesen und auch mit Leuten gesprochen, die behaupten, tatsächlich einem dieser Untoten begegnet zu sein, die einem das Blut und die Seele aussaugen. Es sind Wesen der Nacht, schnell und lautlos wie Schatten, obwohl sie keinen Schatten haben. Sie sind die Jäger und wir ihre hilflose Beute. Da, seht euch um, hinter jedem dieser Steine könnte sich ein Vampir verbergen, dessen Blutdurst ihn aus seinem Grab getrieben hat.«

Florence stieß einen spitzen Schrei aus und klammerte sich an den Arm ihres Gatten. »Bram, ich bitte dich, sprich nicht so! Du machst mir Angst. Glaubst du, diese Wesen gibt es wirklich?«

»Aber ja!« Ihr Ehemann nickte heftig mit dem Kopf. »Es geht das Gerücht um, dass selbst Lord Byron, Shelleys alter Gefährte, noch immer als Blutsauger unter uns weilt.«

»Na, wenn das nicht nur der blühenden Fantasie eines Poeten entsprungen ist«, wiegelte der Schauspieler ab und forderte seine Freunde zum dritten Mal zum Gehen auf.

»Ich werde jedenfalls weitere Nachforschungen anstellen, und dann schreibe ich ein Buch über Vampire!«, verkündete Bram Stoker.

Oscar Wilde packte seine Schreibutensilien ein und drängte sich an Florences freie Seite. »Siehst du, meine Liebe, es wäre doch besser gewesen, wenn du mich gewählt hättest statt einen Mann, der sich mit Blutsaugern abgibt.« Seine Worte wehten zu den Lauschern herüber, dann waren die Menschen verschwunden und die Gräber lagen wieder verlassen unter dem nächtlichen Sternenhimmel.

Ivy stieß Alisa in die Seite. »Komm, lass uns umkehren, bevor jemand unsere Abwesenheit bemerkt.« Alisa nickte und kroch mit Ivy zurück zu den anderen, die sich noch immer in den Büschen verbargen und sich sichtlich langweilten.

Zu ihrer Überraschung verteilten die Professoren keine weiteren Aufgaben für diese Nacht, sondern erlaubten den jungen Vampiren, in kleinen Gruppen über den nächtlichen Friedhof zu streifen und sich am Duft des Verfalls zu erfreuen.

»Ihr habt in den vergangenen Wochen hart gearbeitet und viel gelernt«, sagte der Professor. »Also los! Worauf wartet ihr?«

Alisa, Ivy und Luciano zogen gemeinsam los. Wieder schloss sich ihnen Franz Leopold an. Sie schlenderten zwischen den Gräbern hindurch, als Geräusche sie plötzlich innehalten ließen.

Das Erste, was sie hörten, war ein leises Knarren wie von den Rädern eines Karrens, dann vernahmen sie Stimmen und unterdrücktes Gelächter. Die verrosteten Angeln des Gittertores neben der Kirche kreischten, als die beiden Flügel aufgeschoben wurden. Die Vampire gingen in Deckung. Kurz darauf tauchten vier Männer auf, die eine Handkarre mit sich führten. Zwei zogen und zwei schoben von hinten an.

»Was ist das für ein seltsamer Ort«, flüsterte Alisa. »Geht es hier jede Nacht so belebt zu? Was mögen diese Menschen um diese Zeit hier wollen?«

»Ich denke, etwas Verbotenes, das sie bei Tageslicht nicht wagen«, vermutete Ivy. Der Karren kam unweit ihres Verstecks zum Stehen.

»Hier muss es irgendwo sein. Ich habe mir das Grab bei Tageslicht noch einmal angesehen«, sagte einer, der groß und kräftig schien.

»Ich kann nichts sehen«, meinte ein anderer. »Sollen wir eine Laterne entzünden?«

»Nein!«, zischte der Rest im Chor. »Willst du den Totengräber aufschrecken? Wir können nicht riskieren, noch einmal erwischt zu werden, sonst werfen sie uns von der Universität!«

»Mein Vater würde mich lebendig häuten, wenn ich das Stipendium verlöre«, sagte der Letzte im Bunde.

»Wirklich? Dann muss er über medizinische Kenntnisse verfügen«, sagte der Mann neben ihm. Die anderen kicherten.

»Das tut er«, erwiderte die vorherige Stimme düster.

Sie schienen um die zwanzig zu sein. Studenten, nach ihren Worten und ihrer Kleidung zu schließen. Offensichtlich ging es ihnen nicht darum, heimlich einen Körper zu verscharren, denn der Karren war bis auf ein paar alte Decken leer. Was also wollten sie?

»Hier ist es!«, rief einer. Er war ein wenig vorausgegangen und winkte die Freunde nun mit dem Karren zu sich. Er war groß und dünn und bewegte sich schlaksig wie viele der Halbwüchsigen unter den Menschen.

»Wie alt ist die Leiche?« Die anderen zogen zwei Schaufeln unter den Decken hervor und traten an das frische Grab, auf das ihr Kamerad zeigte.

»Zwei Tage! Keine Stunde mehr. Er war ein Reisender aus England und ist an einem Fieber gestorben. Ich war mit dem Professor im Spital, als er ihnen auftrug, ihn rasch zu begraben.«

»Also, dann frisch ans Werk, damit wir etwas unter unsere Klingen bekommen, bevor die Nacht zu Ende ist.« Die Stimme klang geradezu übertrieben munter. Zwei packten sich die Schaufeln und begannen, die lockere Erde wegzuräumen, bis Metall auf Holz stieß.

»Ist das eine Schufterei!«, beschwerte sich einer der Grabenden und reichte seine Schaufel weiter. »Mario, du kannst auch etwas tun. Sonst darfst du nachher nicht mitmachen!«

»Ich will Herz und Lunge!«, rief der Kleinste von ihnen, der etwas untersetzt war.

»Ich bekomme den Schädel. Schließlich habe ich euch von der frischen Leiche erzählt!«

Die jungen Vampire sahen sich an. »Was haben die nur vor?«, fragte Ivy.

»Eine Leiche stehlen und zerteilen«, sagte Franz Leopold und zuckte mit den Schultern. »Vielleicht ist das hier im heiligen Rom so üblich.«

»Ist es nicht!«, fuhr Luciano ihn an.

»Vielleicht ein satanischer Kult? So etwas soll es an vielen Orten geben«, schlug Ivy vor. »Manche bringen Menschenopfer. Vielleicht zählt es auch, Teile von einem bereits Verstorbenen zu opfern.«

Alisa begann, leise vor sich hinzulachen. »Nein, ich denke nicht, dass dies etwas mit finsteren, religiösen Kulten zu tun hat. Eher das Gegenteil! Ich halte sie für Studenten der Medizin!«

»Ja, und?«, fragten die anderen verständnislos.

»Dieser Leichenraub dient ihrem Studium! Die katholische Kirche verbietet Sektionen – Tote zu zerschneiden, um den Aufbau und die Funktion des menschlichen Körpers zu erforschen. Nur bei Tieren ist das gestattet. Da aber bereits Leonardo da Vinci erkannt hat, dass der Körperaufbau eines Schweins oder eines Hundes durchaus Unterschiede zu dem eines Menschen aufweist, gibt es eben heimliche Sektionen. Leonardo soll für seine Studien übrigens auch Tote aufgeschnitten haben.«

Franz Leopolds Augen funkelten. »Eigentlich gar keine schlechte Idee, obwohl sie von Menschen stammt.«

»Was?«

»Leichen aufschneiden und den Körper studieren. Ich halte das für durchaus interessant.«

»Du meinst, es bringt auch uns Erkenntnisse …«, begann Ivy.

»Die uns auf der Jagd hilfreich sein könnten. Ja, das meine ich.«

»Das ist verrückt!«, wehrte Alisa ab. »Wollt ihr den Studenten ihre mühsam ausgegrabene Leiche wieder abjagen?«

»Ein durchaus amüsanter Gedanke«, meinte Franz Leopold. Sie sahen zu den Männern hinüber, die die Erde inzwischen herausgeschaufelt hatten und sich abmühten, den Deckel des einfachen Holzsargs aufzuwuchten. »Aber nein, ich fürchte, das würde ein zu großes Geschrei werden. Ich dachte eher daran, uns eine eigene Leiche zu suchen. Es gibt hier mehrere frische Gräber.«

Ein Knacken durchbrach die Stille der Nacht, als die Leichenräuber es endlich schafften, den Deckel mithilfe der beiden Schaufeln aufzuhebeln. Der Dicke stieß einen Laut des Abscheus aus und presste sich ein Taschentuch vor Mund und Nase. »Sehr frisch riechen tut der aber nicht. Ich glaube, mir wird schlecht.«

»Reiß dich zusammen«, sagte der Lange streng. »Pack lieber mit an und hilf, ihn auf den Karren zu legen.«

»Denk dran, alles nur für die Wissenschaft«, sagte sein Kompagnon und stieß ihm feixend in die Rippen.

Der Dicke maulte, fasste aber mit an. Zu viert gelang es ihnen, den Leichnam auf den Karren zu legen. Dann machten sie sich daran, das Grab wieder zuzuschaufeln.

Der Geruch der Leiche wehte zu den jungen Vampiren herüber. Alisa fand ihn nicht so unangenehm, wie die Reaktion des Mannes es hätte vermuten lassen. Er war ein wenig süßlich und sprach vom Werden und Vergehen des Lebens. Genießbares Blut floss schon lange nicht mehr in diesen Adern und dennoch verursachte der Geruch ein Kribbeln in ihrem Körper. Ihre Sinne waren plötzlich hellwach, die Muskeln wie vor einem Sprung auf die Beute angespannt. Ihre Nasenflügel zitterten, die Augen verengten sich, um das Opfer besser fixieren zu können. Alisas Finger krampften sich um einen steinernen Sims. Sie warf den anderen einen raschen Blick zu. Auch in ihnen war das Jagdfieber erwacht.

»Vier, es sind nur vier«, murmelte Franz Leopold. »Das ist nichts. Ich müsste ihnen nur nahe genug kommen, dass ich ihnen in die Augen sehen und in ihre Gedanken eindringen kann. Das wären dann gleich fünf Studienobjekte für den Unterricht. Professor Ruguccio wird erfreut sein.« In den Tiefen seiner dunklen Augen glomm es rot.

Alisa und Ivy tauschten besorgte Blicke. Wollte er ihnen nur einen Schreck einjagen, oder hatte er wirklich vor, diese Wahnsinnsidee in die Tat umzusetzen?

»Achtet darauf, dass das Grab nachher wieder so aussieht wie zuvor!«, erklang die Stimme des Schlaksigen. »Wir dürfen keinen Verdacht erregen. Was glaubt ihr wohl, was passiert, wenn sie nachsehen und den Sarg leer vorfinden!«

»Ach, dann glauben sie, sie haben es mit einem Widergänger zu tun. Oder noch besser: mit einem Vampir, der sich aus seinem Grab erhoben hat und nun hier herumschleicht und allen das Blut aussaugt.«

»Sehr amüsant!«, meinte sein Kumpan trocken. »Und wer soll so etwas glauben?«

»Viele glauben an Vampire. Vor allem jetzt, nach diesen ungeklärten Todesfällen. Blutleere Leichen mit Bisswunden? Ich bitte dich, das können doch nur Vampire sein.« Der Dicke grinste.

»Ja, ja, das Volk will gern an seinen Spukgeschichten festhalten. Aber ich schätze, der Totengräber hätte eher uns im Visier. Wir sollten also dafür sorgen, dass von unserem Engländer keine Teile wieder auftauchen.« Er legte die Decken sorgfältig über den Toten und packte dann die Deichsel. »Los, helft mit!«

Franz Leopolds Augen verengten sich. »Seht ihr, man muss sie von ihrem Irrglauben befreien. Sie scheinen die Möglichkeit, sie könnten hier auf dem Friedhof einem Vampir begegnen, für einen Scherz zu halten. Überzeugen wir sie vom Gegenteil!«

Er wurde von drei Paar Händen gepackt. »Bist du verrückt? Du meinst das doch nicht wirklich!«, schimpfte Alisa. Obwohl er sich wehrte, ließen sie nicht von ihm ab, bis die Studenten mit ihrer Last auf dem Karren durch das Tor verschwunden waren. Dann erst traten sie zurück. Franz Leopold funkelte sie böse an und zupfte sich seinen Frack zurecht.

»Was seid ihr doch für Feiglinge!« Er wandte sich ab und ging hocherhobenen Hauptes davon. Die anderen folgten ihm kopfschüttelnd. Franz Leopold schritt geradewegs auf Professor Ruguccio zu und erzählte ihm von seiner Idee, menschliche Leichen als Studienobjekte zu benutzen.

Der Professor starrte ihn erst verdutzt an, doch dann breitete sich ein Lächeln auf seinem Gesicht aus. »Guter Einfall, Franz Leopold, das muss ich sagen! Dann sucht uns mal ein paar frische Gräber, damit wir sie gleich mitnehmen können. Drei genügen! Die Servienten sollen sie ausgraben und zur Domus Aurea tragen.« Damit eilte er davon, um Signora Enrica von der Idee zu berichten.

Franz Leopold drehte sich zu den anderen um. »Nun, das hättet ihr nicht gedacht«, meinte er und lächelte überlegen.

»Nein«, sagte Alisa. »Das hätte ich wirklich nicht gedacht!«

Luciano grinste. »Ich sage das ja nur ungern, aber ich denke, dank Franz Leopolds Einfall werden wir morgen Nacht ein paar interessante Stunden erleben. Ich bin gespannt!«

Franz Leopold legte sich die Handfläche auf die Brust und verbeugte sich. »Ich danke für dieses ungewohnte Lob aus römischem Mund und freue mich, dass meine Idee so geschätzt wird.«

Seine Worte klangen spöttisch, doch Alisa hatte das Gefühl, dass sie mehr Wahrheit enthielten, als der Wiener Vampir zuzugeben bereit gewesen wäre.

ANATOMIEUNTERRICHT

Der Heilige Vater saß in seinem üppig grünen Garten im Vatikan, eine späte rote Rose in den Händen. Gedankenverloren fuhr er mit den Fingerspitzen die Ränder der Blütenblätter entlang. Er hörte die Schritte im Gras und das Hüsteln – seine Sinne waren trotz seiner Amtszeit von nun schon fast zweiunddreißig Jahren noch immer erstaunlich jung –, doch er ignorierte die Störung, solange es möglich war.

Zweiunddreißig Jahre, dachte er. Kein anderer Papst vor ihm hatte das Glück gehabt, eine so lange Zeit im Amt bleiben zu dürfen. Warum hatte der Herr gerade ihn ausgewählt, so lange auf dem höchsten Thron der Christenheit zu sitzen? Welche Aufgaben hielt er noch für ihn bereit?

Er war nicht müßig gewesen, seit er den Namen Pius IX. angenommen hatte. Und er war nicht bequem. Er hatte das Dogma der Unbefleckten Empfängnis Mariens verkündet und noch viel wichtiger: die Unfehlbarkeit des Papstes bei der Verkündung eines Dogmas. Dies war in gewisser Weise auch eine Art, seinen Protest zu zeigen, dass er, der der mächtigste Mann der Christenheit sein sollte, ohnmächtig als Gefangener im Vatikan festsaß – oder besser gesagt, in der winzigen Parzelle, die der italienische König und sein unsägliches Parlament ihm gnädig gelassen hatten, als sie beschlossen, ihm seinen Staat, der ihm von Gott selbst gegeben worden war, mit Waffengewalt zu entreißen. Aber er war nicht ganz so machtlos, wie sie alle dachten. Gut, er konnte seinen Staat nicht in offener Schlacht zurückerobern. Seine wenigen Schweizer Gardisten und ihre altmodischen Waffen taugten dazu nicht und auch die Franzosen beschränkten ihr Unterstützungsangebot auf Asyl in ihrem Reich. Nein, er musste andere Wege gehen. Dass sein Wort beim einfachen Volk noch zählte, hatte sein Aufruf zum Wahlboykott bei Androhung kirchlicher Strafen gezeigt. Diese widerlichen Nationalisten hatten ihn damals zwar zur Flucht ins Asyl getrieben, aber er hatte dafür gesorgt, dass nur wenige Menschen zur Wahlurne gingen, um diese widerrechtliche Nationalversammlung zu wählen. Pius unterdrückte einen Seufzer. Diese Republik war 1849 nur ein kurzes Zwischenspiel geblieben, und es war ihm schon bald möglich gewesen, in den Vatikan zurückzukehren. Aber war die Situation jetzt viel besser?

Vielleicht hätte er damals forscher und mutiger sein sollen, als Vincenzo Gioberti ihm von seinem kühnen Traum erzählte, ganz Italien unter einem römischen Papst zu einigen. Wenn er nicht so zögerlich gewesen wäre, vielleicht säße dann jetzt nicht Vittorio Emanuelle auf einem Königsthron in Rom. Vielleicht gäbe es dann ein vereintes, göttliches Italien unter dem Schutz des Heiligen Vaters. Was sonst käme hier auf Erden dem Paradies näher?

Nun, vielleicht würde ihm die Geschichte eine zweite Chance geben. – Würde Gott der Herr ihm eine zweite Chance geben!

Das Hüsteln hinter seinem Rücken wurde lauter und drängender, und so sah der Papst ein, dass er es nicht länger ignorieren konnte. »Treten Sie vor. Was gibt es?«

Der Camerlengo, Sekretär und Vertreter im Falle des Ablebens des Papstes, und ein Korporal der Schweizergarde folgten der Aufforderung, näherten sich und grüßten, wie es ihren Ämtern nach angemessen war.

»Nun sagen Sie, was Sie auf dem Herzen haben«, forderte Pius den Sekretär mit einem etwas gezwungenen Lächeln auf.

»Kardinal Angelo wünscht, Euch zu sprechen, Heiliger Vater«, sagte der Camerlengo mit jener unterwürfigen Stimme, die der Papst so verabscheute, dass er schon mehrmals in seinen Gebeten Abbitte für die Ablehnung geleistet hatte, die er dem Sekretär entgegenbrachte.

»Dann lassen Sie ihn nicht länger warten. Ich werde ihn hier empfangen.« Nun, den Kardinal liebte er ebenso wenig. Dieser war allerdings kein Mann, dem man mit mitleidiger Verachtung begegnete. Im Gegenteil. Er war eine starke Persönlichkeit, die etwas Geheimnisvolles, Unheimliches ausstrahlte. Ein Raubtier, vor dem man sich in Acht nehmen und das man besser nicht aus den Augen lassen sollte.

»Heiliger Vater.« Der Kardinal verbeugte sich und küsste den ihm dargebotenen Ring. Die tief stehende Sonne ließ sein Gewand wie frisches Blut glänzen.

»Setzt Euch, verehrter Kardinal. Was wünscht Ihr?« Pius musste sich anstrengen, seine Hände ruhig im Schoß liegen zu lassen.

»Zuerst, wie geht es Euch, Heiliger Vater? Sagt mir, wie fühlt Ihr Euch?«

Pius überlegte. »Gut, ja eigentlich wunderbar. Erstaunlich wunderbar, wenn ich mein hohes Alter bedenke.«

»Ja, fünfundachtzig ist ein stolzes Alter«, bestätigte der Kardinal und lächelte aus irgendeinem Grund selbstzufrieden. »Ich bin gekommen, um Euch zu sagen, dass man die Leiche des verehrten Grafen Bernardo aus dem Tiber gezogen hat. Noch ein enger Vertrauter des Ministerpräsidenten Cavour und ein Anhänger des Königs, der Euch nicht mehr schaden wird.«

Pius war entrüstet. »Ihr tut ja gerade so, als würde ich meine Gegner einen nach dem anderen kaltblütig ermorden lassen!«

Der Kardinal neigte den Kopf. »Aber nein, das würde mir nicht in den Sinn kommen, Heiliger Vater. Die Leiche wurde bleich und blutleer ans Ufer gespült und wies, wie die anderen auch, nur unbedeutende Verletzungen auf.«

Er sieht aus wie eine Katze, die am Sahnetopf genascht hat, dachte der Papst, fragte aber lieber nicht genauer nach, was der Kardinal über die sich häufenden politischen Morde im Kreis der Königsvertrauten und der einflussreichen Mitglieder des Parlaments wusste. Zu sehr fürchtete er die Antwort.

»Ich kann es dennoch nicht bedauern, dass unsere – ich meine Eure Gegner weniger werden. Das Ziel rückt näher!«, rief der Kardinal. Die Begeisterung ließ seine Augen glühen. »Wir werden es erleben! Ein vereintes Italien unter der Hand der heiligen, katholischen Kirche. Unter Eurer Hand, Heiliger Vater!«

»Vielleicht«, sagte Pius zögernd. »Wenn ich noch so lange auf dieser Erde weilen darf.«

Der Kardinal wechselte das Thema. »Ich habe Euch eine Kette aus Rubinen machen lassen und Euch gebeten, sie zu tragen.«

Pius zog das Geschmeide unter seinem weißen Gewand hervor. »Es wäre nicht angebracht, sie offen zu zeigen.«

»Ja, ja, da habt Ihr recht«, stimmte ihm der Kardinal hastig zu. Er zog ein weißes Tuch aus seiner Tasche und schlug es auseinander. »Seht her, ich habe noch einen dieser wundervollen Steine für Euch, den man Eurer Kette hinzufügen sollte.«

Er streckte fordernd die Hand aus und Pius reichte ihm das Schmuckstück. Der Kardinal befestigte den Anhänger und gab die Kette zurück. Pius hielt sie in seiner Hand und betrachtete sie. Welch seltsame Gefühle sich in ihm regten. Es waren perfekt geschliffene Rubine mit einer Leuchtkraft, als seien sie lebendig. Sie strömten Kraft aus, und es war ihm, als wollte er sie immer wieder berühren. Und doch gab es auch eine Stimme, die ihm riet, das Blendwerk des Teufels von sich zu werfen.

»Gibt es sonst noch etwas, das Ihr mir berichten möchtet?«, fragte Pius. Seine Stimme klang kühl.

»Nein, Heiliger Vater. Ich bitte, mich empfehlen zu dürfen.«

Pius nickte und winkte den Schweizergardisten heran, der immer in Blickweite stand, um seine Befehle entgegenzunehmen.

»Passt auf Eure Gesundheit auf«, sagte der Kardinal.

»Das liegt allein in Gottes Hand!«

Der Kardinal berührte noch einmal die Hand des Heiligen Vaters. »Natürlich ist es unser Herr im Himmel, der Eure Gesundheit erhält, dennoch bitte ich Euch, die Kette immer zu tragen!«

Er ging. Pius IX. sah ihm nach und strich verwirrt über die roten Edelsteine in seinem Schoß.

*

»Raus aus den Kissen«, rief Alisa, zog sich im Gehen die Hosen hoch, band ihr Hemd zu und schlüpfte in die passende Jacke. Wieder einmal durchflutete sie ein Gefühl der Dankbarkeit, dass Hindrik sie von Tornüre und engen Röcken befreit hatte. »Komm, zieh dich an. Wir werden heute tote Menschen aufschneiden«, rief sie übermütig und gab Ivys Sargdeckel einen kräftigen Stoß, sodass er zur Seite glitt.

Ivy setzte sich auf. »Ich habe dich gehört. Ich komme ja schon, auch wenn ich deine Begeisterung nicht teilen kann.«

»Die Wissenschaft der Medizin ist faszinierend. Was die Menschen in den vergangenen Jahrhunderten herausgefunden haben, ist einfach unglaublich! Sie sind nicht wie wir. Die menschlichen Körper sind zerbrechlich und für Krankheiten aller Art anfällig. Und ihre Kräfte zur Selbstheilung sind gegen unsere mehr als kläglich! Es gibt für sie so viele Möglichkeiten, frühzeitig zu sterben.«

»Ein sauberer Vampirbiss«, schlug Joanne vor und ließ ihre Zahnlücke sehen.

»Ja, auch das«, gab Alisa zu, »aber ich meine eher Cholera und Pest, Tollwut und Schwindsucht oder eben Unfälle aller Art, bei denen Knochen brechen und Wunden entstehen, die sich dann entzünden und zum Tod führen.«

»Welch erfreuliches Thema noch vor dem abendlichen Mahl«, spottete Chiara, die sich von Leonarda gerade das Korsett schnüren ließ, das ihre üppige Figur noch besser zur Geltung brachte.

»Es ist erfreulich! Ich meine, sie haben gelernt, Knochenbrüche zu schienen und Wunden zu vernähen und …« Plötzlich hielt sie inne. Etwas Silbernes schimmerte neben Ivys Kopfkissen. Alisa beugte sich über den Rand und holte eine Haarlocke hervor. Verwirrt hielt sie sie zwischen den Fingern und sah zu Ivy hinüber, die sich gerade ihr leuchtendes Gewand über den Kopf zog. Ihr langes Haar trug sie wie üblich offen. Es fiel in sanften Wellen über Schultern und Rücken. Ganz deutlich sah Alisa wieder die kürzeren Enden der Strähne, die Franz Leopold in der Kirche abgeschnitten hatte.

Sie hielt die Locke hoch. »Er hat es doch nicht etwa schon wieder gewagt?«

»Was?« Ivy sah auf und bemerkte die Haarlocke in Alisas Hand. »Wo hast du das her?«

»Aus deinem Sarg. Hat Franz Leopold dir schon wieder eine Locke abgeschnitten? Warum hast du nichts gesagt?«

Ivy machte zwei schnelle Schritte auf sie zu und riss Alisa die Haarsträhne aus der Hand. »Nein, hat er nicht. Du brauchst also um meinetwillen keinen Rachefeldzug zu planen!«

Seymour jaulte und schnappte nach Alisas Jacke.

»He, was ist denn in dich gefahren?« Sie fühlte sich ein wenig gekränkt. Bisher hatte sie gedacht, der Wolf würde sie akzeptieren, ja, mehr noch, dass die Zuneigung, die sie für das edle Tier empfand, auf Gegenseitigkeit beruhte.

Ivy stopfte die Locke in ihren Beutel und griff in Seymours Nackenfell. »Nichts! Er ist zuweilen nur ein wenig launisch.« Der Wolf knurrte. »Du kannst ihn ruhig streicheln. Er mag dich.«

»Sicher?« Zaghaft legte sie die Hand in seinen Nacken. Er winselte nur. Alisa sah zu Ivy auf. »Aber woher hast du die Locke dann? Hast du sie von Luciano zurückgefordert oder hat er sie dir freiwillig gegeben?«

Ivy lächelte ein wenig schief. »Du hast Ähnlichkeiten mit Seymour, das muss ich schon sagen. Wenn du mal etwas gepackt hast, dann lässt du nicht mehr los, koste es, was es wolle. Ja, was Hartnäckigkeit anbetrifft, da seid ihr euch wirklich ebenbürtig.«

Alisa sah dem Wolf in die gelben Augen. »Ich weiß nicht, ob ich das als Kompliment auffassen soll.«

Ivy hakte sich bei ihr unter und zog sie aus der Schlafkammer. »Komm jetzt. Ich habe Hunger. So möchte ich mich nicht ans Leichenzerteilen machen. Sonst begehe ich in meiner Gier noch eine Dummheit und falle über die Studienobjekte her.« Alisa grinste.

»Und nun berichte mir von den unglaublichen medizinischen Entdeckungen der Menschheit«, forderte Ivy sie auf, als die beiden durch die kaum beleuchteten Gänge zur Halle mit der goldenen Decke hinüberschlenderten.

Alisas Augen funkelten vor Begeisterung. »Hast du schon mal von Louis Pasteur, von Robert Koch oder von Ignaz Semmelweiß gehört?«

Ivy schüttelte den Kopf und forderte die Freundin auf, weiterzusprechen. Bis sie die Halle erreichten, hatte Alisa sie darüber aufgeklärt, dass es kleine Lebewesen waren, die die Krankheiten der Menschen verursachten und auch das Essen verdarben. Der Franzose Pasteur hatte nachgewiesen, dass Hitze diese Tierchen in der Nahrung zerstörte.

»Und der Arzt Semmelweis hat erkannt, dass bereits einfache Lauge oder auch Chlorkalk die Übertragung der Gifte von Kranken oder Leichen auf Gesunde verhindert. Er erließ hygienische Vorschriften beim Umgang mit Gebärenden und erreichte so, dass heute sehr viel weniger Frauen im Kindbett an dem gefürchteten Fieber zugrunde gehen.« Alisas Wangen glühten. Sie betraten die Halle, wo ihnen ein Gewirr von Stimmen und warmer Blutduft entgegenschlugen.

Luciano entdeckte sie als Erster und winkte ihnen zu. »Oh, ich sehe, Alisa ist wieder in einer ihrer gefährlichen Phasen, in denen sie allen das faszinierende Wissen der Menschheit vermitteln muss«, sagte er und zwinkerte Ivy mit einer gespielt tragischen Miene zu. »Du hast mein größtes Mitgefühl. Komm, setz dich schnell neben mich und stärke dich, das hast du jetzt sicher nötig. Raphaela, wir haben hier einen Notfall!«

Die junge, hübsche Vampirin wandte sich zu ihnen um und kam an ihren Tisch geeilt. Das Kind auf ihrem Rücken greinte. »Was für einen Notfall? Wer ist im Begriff, an Blutarmut zu verderben?«

Ivy lachte hell auf, während Alisa dem Römer einen beleidigten Blick zuwarf. Die Freundin nahm ihren Arm und zog sie mit auf die Bank. »Raphaela, Luciano übertreibt wieder einmal maßlos, aber du kannst uns dennoch zwei Becher einschenken, aber bitte randvoll! Und dann lass uns darauf anstoßen, dass wir Vampire den kleinen Tierchen gegenüber so außerordentlich robust sind!«

Alisa zögerte einen Moment, doch dann fiel sie in Ivys unwiderstehliches Lachen ein.

*

Die jungen Vampire hatten sich schon gefragt, wer wohl den Anatomieunterricht übernehmen würde. Dennoch waren sie überrascht, als der Bibliothekar Leandro den Klassenraum betrat und sie aufforderte, ihm zu folgen.

»Er sieht wirklich nicht aus wie ein Bücherwurm«, stellte Alisa wieder einmal fest.

»Nicht wahr? Er ist eher ein Kämpfer, der die Objekte seines Schutzes auch mit Gewalt verteidigen würde, denn der typische Gelehrte«, stimmte ihr Ivy zu.

Leandro führte sie in einen kahlen Raum, in dem nur drei einfache Holztische standen. Auf ihnen lagen die drei Toten, die sie vergangene Nacht aus ihren Särgen geholt hatten. Jemand hatte ihnen die Kleider ausgezogen. An den Wänden brannten zwei Öllampen in ihren eisernen Haltern und beleuchteten die bleichen Körper.

»Ich habe zuvor noch keinen toten Menschen von so Nahem gesehen«, stellte Alisa selbst überrascht fest. Sie strich mit den Fingerspitzen über einen kalten Arm.

Es waren zwei Männer und eine Frau. Während die Frau und der Mann, der ganz links aufgebahrt war, aus der Blüte des sowieso sehr kurzen Menschenlebens herausgerissen worden waren, hatte der Mann in der Mitte ein recht hohes Alter erreicht. Sechzig oder siebzig. Die Menschen alterten sehr rasch, nachdem sie den Höhepunkt ihrer Kräfte überschritten hatten, und ihr Körper verfiel zusehends. Ein Vampir wurde zwar ebenso schnell wie ein Mensch erwachsen, doch dann verlangsamte sich alles. Die Mitte seines Lebens, in der er seine größten Kräfte besaß, dauerte zwei- bis dreimal so lange an wie bei einem Menschen, und das Alter kannte keine Grenze. Wenn der Wille sie nicht verließ, konnten die Altehrwürdigen ewig weiterexistieren.

Alisa richtete ihre Aufmerksamkeit wieder auf die bleichen Menschenleiber. Wie die drei zu Tode gekommen waren, ließ sich nicht so leicht sagen. Nur der Körper des jungen Mannes wies äußerliche Verletzungen auf, die vermutlich sein Leben beendet hatten. Menschenkörper waren ja auch zu empfindlich! Knochenbrüche brauchten Wochen oder gar Monate, um zu verheilen, und wenn sie nicht sorgsam behandelt wurden, wuchsen sie schief zusammen, und die Glieder waren nicht mehr recht zu gebrauchen. Selbst die kleinsten Wunden begannen oft, zu faulen und zu eitern, und konnten den ganzen Körper vergiften, bis der Mensch starb.

»Was meinst du?«, fragte Ivy.

»Ein Unfall oder ein Sturz. Vielleicht hat er zu viel Blut verloren. Der Riss dort drüben an der Seite erscheint mir recht tief.« Bei den anderen beiden Körpern konnten sie nur Vermutungen anstellen.

»Die Frau ist im Kindbett gestorben«, sagte Luciano und senkte verlegen den Blick.

Die beiden Mädchen sahen ihn überrascht an. »Woraus schließt du das?«

»Pietro hat es gesagt. Das Kind war mit ihr im Sarg, doch sie haben seine Leiche dort gelassen.«

Alisa legte ihre Hand auf die genauso bleiche Hand der Menschenfrau. Sie konnte noch nicht lange tot sein. Ihre Haut wies an der Unterseite zwar dunkle Flecken auf, aber ansonsten hatte die Fäulnis noch keinen sichtbaren Schaden angerichtet. Bei den Männern dagegen waren die Bäuche aufgetrieben und aus Nase und Ohren rann dunkle Flüssigkeit. Alisa betrachtete noch immer die tote Frau. Ein seltsames Gefühl durchströmte sie. Wie merkwürdig, dass so viele in dem Augenblick starben, da sie ihre Art doch mehren wollten. Die Frauen waren so verwundbar und so zerbrechlich.

Ivy nickte, als sie ihre Gedanken laut aussprach. »Ja, in Irland ist das auch so. All die jungen Frauen laufen Jahr für Jahr mit geschwollenen Bäuchen herum und begraben die meisten ihrer Kinder, nachdem sie nur ein paar Augenblicke, Tage oder Monate auf der Erde weilten. Man kann zusehen, wie die Mütter mit jedem Jahr mehr verblühen, bis ihnen bei einer weiteren Geburt die Kraft fehlt und sie mit ihrem Kind ins Grab gelegt werden. Unsere Familien leiden darunter, dass gar keine Kinder mehr entstehen, doch wenn eines geboren wird, dann ist es kräftig, und ihm ist ein langes Dasein beschert. Manchmal frage ich mich, ob auch die Menschen zum Aussterben verdammt sind.«

Alisa schüttelte den Kopf. »Nein, das glaube ich nicht. Sie werden sich immer stärker vermehren, wenn ihre Erkenntnisse in der Medizin weiter so rasch voranschreiten. Vielleicht werden sie mit ihren Erfindungen den Tod irgendwann ganz besiegen und ewig existieren können wie wir.«

»Bei allen Dämonen, sie ist schon wieder bei ihrem Lieblingsthema angelangt«, stöhnte Luciano und verdrehte die Augen.

»Ruhe!«, dröhnte die Stimme des Bibliothekars durch den Raum. Das Gemurmel der jungen Vampire erstarb. Er hatte sich eine Schürze umgebunden und hielt ein scharfes Messer in den Händen, wie es Chirurgen wohl für ihre Operationen verwendeten.

»Kommt alle her. Ich fange mit diesem Mann an und zeige euch die Lage der wichtigen Adern. Es gibt Adern mit wohlschmeckendem Blut und solche mit fahlem. Ihr erkennt es an der Farbe und am Druck, der in der jeweiligen Bahn herrscht. Das frische Blut fließt stärker und ist von hellerem Rot. Ihr könnt es natürlich auch an seinem Geruch erkennen. Er prickelt ein wenig in der Nase und ist süßer. Aber Achtung! Werden diese Bahnen von einem ungestümen Biss verletzt, kann das menschliche Wesen leicht verbluten, selbst wenn wir uns an die Anweisung halten, dem Opfer nur so viel zu nehmen, dass es sich in kurzer Zeit wieder erholen kann.«

Der Bibliothekar begann, die Haut des Toten aufzutrennen und die wichtigen Bahnen, von denen er gesprochen hatte, freizulegen. Er führte die Schneide erstaunlich geschickt und präzise, was man ihm bei seinen Pranken gar nicht zugetraut hätte. Dann schnitt er den aufgequollenen Leib in Form eines Y auf und zeigte ihnen die Organe der Menschen, deren Verletzung meist zu ihrem Tod führte.

»Seht genau hin und passt auf«, mahnte Leandro. »Wenn wir hier fertig sind, werdet ihr selbst einen Teil freilegen.«

Tammo trat von einem Fuß auf den anderen. »Ist das nicht unglaublich?«, raunte er seiner Schwester zu. »Ich fühle eine solche Gier in mir, dass ich nicht weiß, wie ich mich beherrschen soll. Es ist mir, als müsste ich auf alle viere fallen und wie Seymour in die Nacht heulen. Ich möchte wie ein Raubtier hinauslaufen und mir eine Beute reißen.«

Alisa wusste, wovon er sprach. Sie selbst fühlte diese Unruhe in sich und das dumpfe Gefühl, wenn sich die Eckzähne weiter vorschoben. Der Geruch der Toten im Raum, der immer intensiver wurde, vernebelte ihren Verstand. Auch die anderen waren in einem Zustand zitternder Anspannung. Spitze Zähne schimmerten im Lampenschein. Selbst Seymour strich leise winselnd durch den Raum. Nur der Bibliothekar wirkte ganz ruhig. Vielleicht hatte er gelernt, den süßen Schmerz des Hungers zu beherrschen und zu unterdrücken. Es kostete Alisa große Überwindung, die ihr zugeteilte Aufgabe zu erledigen. Die Bilder und Wünsche, die in ihrem Geist entstanden, waren aufregend und erschreckend zugleich. Sie war fast ein wenig erleichtert darüber, dass die Clanmitglieder noch ein paar Jahre streng darauf achten würden, dass keiner ihrer Nachkommen auf Menschenjagd ging.

*

Am frühen Morgen, noch bevor der Himmel sich erhellte, zu einer Zeit, da die meisten der jungen Vampire träge in den Sesseln ihres Aufenthaltsraumes saßen, schlüpften die drei Freunde noch einmal ins Freie und wanderten ein wenig zwischen den Ruinen umher.

»Das war spannend!«, schwärmte Alisa. »Ich habe so viel Neues über die Menschen gelernt. Es ist viel einprägsamer, wenn man selbst mit einem Messer in der Hand neben dem Körper steht, als wenn man nur in einem Buch blättert!«

»Hört, hört«, lästerte Luciano. »Und das aus dem Mund unserer Bücherfanatikerin! Du wirst doch nicht etwa das Lesen aufgeben wollen?«

»So ein Unsinn«, schimpfte Alisa. »Es heißt doch nicht entweder oder. Die praktischen Aufgaben bringen aber zusätzliche Erkenntnisse und Übung im Umgang mit dem Skalpell. Ich kann die Studenten gut verstehen, dass sie heimlich sezieren, obwohl die Kirche es verboten hat.«

»Meine Erkenntnis besteht vor allem darin, dass die Anwesenheit von Leichen meinen Hunger noch unerträglicher macht«, sagte Luciano und zog eine klägliche Grimasse.

»Seid still«, zischte Ivy plötzlich mit ungewohnt scharfer Stimme.

»Wieso? Wir ...«, fragte Luciano.

»Still!«, herrschte ihn Ivy an. Sie lauschten, konnten aber nur das sanfte Rauschen des Windes hören.

»Was ist?«, raunte Alisa, die dicht an Ivy herangetreten war. »Hörst du etwas?« Nun fiel auch ihr auf, dass Seymour das Fell sträubte und sich schützend vor Ivy gestellt hatte.

»Nein, ich kann nichts hören und auch nichts riechen. Es ist mehr eine Ahnung.« Ivy zuckte hilflos mit den Schultern.

Alisa schloss die Augen und versuchte, mit ihrem Verstand die Umgebung abzutasten. Da waren ganz schwach verschiedene Spuren von Menschen und Vampiren, die ihr bekannt schienen. Die Fährten der Menschen stammten alle nicht aus dieser Nacht. Nichts Ungewöhnliches. Nichts, was Ivy und Seymour beunruhigen sollte. Und doch war da noch etwas, eine ihr fremde Macht, die ihr Geist nicht so recht fassen konnte. Was war das für ein

Wesen, das diese Schwingungen hinterließ? Das Gefühl wurde immer deutlicher.

»Ein Mensch ist es nicht«, wisperte sie. »Was dann? Ein Vampir?«

»Wenn ja, dann keiner, den ich kenne! Ich kann keinen der uns bekannten Clandüfte ausmachen«, flüsterte Luciano heiser. Sein Körper bebte wie bei einem Menschen, der fror.

Alisa starrte abwechselnd ihn und Ivy an. »Ich auch nicht. Aber welche Kreatur soll das sein, wenn sie nicht einem der sechs Clans angehört?«

»Das ist genau die Frage, die mich beunruhigt. Ich habe diese Aura schon zwei Mal wahrgenommen, einmal, als ich mit Seymour alleine draußen war und auf Franz Leopold getroffen bin, und dann wieder, als wir zusammen umherspazierten. Ich habe dem aber nicht viel Bedeutung beigemessen. Sie war auch nicht so klar wie jetzt. Kommt, lasst uns zur Domus Aurea zurückkehren. Seymour ist so unruhig, das ist kein gutes Zeichen!«

Alisa hätte zu gern mehr über das rätselhafte Wesen herausgefunden, wagte aber nicht einmal einen Versuch, die anderen zu überreden. Ivy wirkte seltsam eingeschüchtert, als sie sich von Seymour den Hügel hinaufdrängen ließ. So kannte sie die Irin gar nicht und diese plötzliche Veränderung beunruhigte Alisa mehr als alles andere.

Später, als sie sich in ihren Särgen zur Ruhe legten, kam Alisa noch einmal auf die unbekannte Macht zu sprechen, fand Ivy jedoch ungewöhnlich abweisend. Ein wenig gekränkt schwieg sie schließlich.

»Lass mich erst einen Tag darüber ruhen und nachdenken«, bat Ivy irgendwann. »Ich bin so verwirrt.«

»Bei Tag kann man nicht denken!«, gab Alisa zurück. »Nicht einmal träumen kann man, solange die Sonne über dem Horizont steht.«

Ivy nickte nur und befahl Seymour, zu ihr in den Sarg zu springen. An diesem Tag wollte sie ihn anscheinend ganz in ihrer Nähe wissen, während ihr Körper in seine todesähnliche Starre verfiel.

DIE BIBLIOTHEK DER DOMUS AUREA

Endlich sprach Onkel Carmelo die Worte, auf die sie so fieberhaft gewartet hatte: »Ich gehe heute aus und werde vermutlich erst in den Morgenstunden zurückkommen. Warte nicht auf mich, mein Kind.« Er küsste Latona zum Abschied auf beide Wangen. Das Mädchen sah zu ihm hoch und versuchte, weder Erleichterung noch freudige Erwartung zu zeigen. Es fiel ihr schwer, weiterhin ruhig mit ihrem Stickrahmen dazusitzen, bis der Onkel das Haus verlassen hatte. Dann aber warf sie die Handarbeit auf den Tisch, sprang auf und riss den Deckel ihrer Kleidertruhe auf. Was sollte sie anziehen? – Als ob das eine Rolle spielte. Sie wollte ja nur die Maske abholen. Und sie würde ihr Versprechen einlösen müssen und dem fremden Londoner Jungen einen Kuss geben. Ihr Magen vollführte seltsame Sprünge.

Ein Kuss! Na und? Was war schon ein Kuss. Doch so leicht ließen sich weder ihre weichen Knie noch ihr schlingernder Leib überlisten.

Latona zog sich dreimal um, ehe sie in einem schlichten gelben, jedoch noch recht neuen Kleid und einem für die Nacht zu leichten Sommercape das Haus verließ. Es fiel ihr schwer, nicht zu rennen. Vermutlich war er gar nicht da. Warum sollte er jede Nacht auf dem Ruinenfeld auf sie warten? Außerdem war es noch zu früh. Er hatte gesagt, zur gleichen Zeit. Latona überquerte die Piazza Venezia und strebte auf die Reste der römischen Ruinen zu. Je näher sie dem Steinblock kam, auf dem sie mit ihm gesessen hatte, desto heftiger schlug ihr Herz. Sie hatte das Gefühl, keine Luft mehr zu bekommen. Doch wie Angst fühlte es sich nicht an.

»Sollte es aber«, sagte sie leise vor sich hin. »Es ist mitten in der

Nacht und du kennst ihn doch gar nicht. Und hier ist weit und breit kein Mensch zu sehen!«

»Das halte ich für einen Vorteil«, antwortete seine Stimme.

Latonas Herz machte einen Satz und ging nun zu unregelmäßigem Flattern über. Malcolm kam auf sie zugeschritten, doch kein Rascheln oder Knirschen war zu hören. Er setzte sich wieder auf den Marmorblock und winkte Latona näher. Selbst wenn es nicht ihre Entscheidung gewesen wäre, sie hätte gar nicht anders gekonnt, als seiner Aufforderung nachzukommen. Zaghaft ließ sie sich auf der Kante nieder. Obwohl das Blau seiner Augen sie jede Nacht verfolgt hatte, schaute sie nun wie gebannt auf ihre Hände hinab.

»Hast du mir die Maske mitgebracht?«

»Aber ja. So hatten wir es besprochen.« Seine Stimme klang sanft.

»Dann gib sie mir bitte.« Sie sah ihn noch immer nicht an.

»Jetzt gleich? Hast du es so eilig? Wollen wir nicht noch ein wenig plaudern?«

»Worüber willst du reden?« Zaghaft ließ sie ihren Blick an seinen so britischen Kleidern hinaufwandern, bis die blauen Augen sie wieder gefangen nahmen.

»Vielleicht ein wenig mehr über deinen gefährlichen Auftrag als Vampirjägerin?«

Sie hob verlegen die Schultern. »Ach nein, das ist alles streng geheim.«

Malcolms Mundwinkel zuckten ein wenig, doch seine Stimme veränderte sich nicht. »Das verstehe ich, dennoch bin ich schrecklich neugierig. Vampire sind aufregend!«

Latona nickte. »Ja, aufregend schon. Ich habe viel über sie nachgedacht. Sie sind böse Wesen, die Gott auf dieser Erde nicht vorgesehen hat, und doch tun sie mir manches Mal fast – leid.« Sie stieß ein unsicheres Lachen aus. Malcolms Augenbrauen wanderten vor Erstaunen ein Stück höher.

»Das wundert dich, nicht wahr? Aber sie können so menschlich wirken, als hätten sie Gefühle wie wir. Ängste und Sehnsüchte. Und dann dieser Blick, wenn es zu Ende geht.« Sie starrte wieder auf ihre Hände.

Malcolm räusperte sich. »Wie viele hast du denn schon gesehen und bei ihrer, ähm – Vernichtung mitgeholfen?«

»Nicht so sehr viele. Der Oheim nimmt mich nicht immer mit, doch sprechen wir von etwas anderem. Willst du mir nicht die Maske geben?«

Malcolm zog sie aus der Tasche und hielt sie ihr hin. Hastig griff Latona danach und ließ sie unter ihrem Cape verschwinden. Das Mädchen erhob sich. »Danke, du weißt nicht, wie wichtig es für mich und für den Onkel ist, sie wiederzuhaben.«

Er fragte nicht weiter danach. Stattdessen stand er ebenfalls auf und kam zu dem Punkt, den sie zitternd erwartet und vor dem sie sich gefürchtet hatte. »Und mein Kuss?«

»Ich stehe zu meinen Versprechen«, sagte Latona würdevoll und hob das Gesicht ein wenig. Ihr Körper jedoch versteifte sich, als er die Arme um sie legte. Sein Atem war kühl und roch süßlich, nach irgendetwas, was ihr nicht einfallen wollte. Dann spürte sie seine Lippen. Wie kalt sie waren. Sie verharrten einen Augenblick regungslos. Das war es. Sie hatte ihr Versprechen eingelöst und würde nun gehen. Doch sie konnte sich nicht rühren, dabei hielten seine Arme sie gar nicht so fest. Seine Lippen öffneten sich leicht und begannen, sich sacht zu bewegen. Etwas Hartes, Spitzes drückte gegen ihre Unterlippe.

Latona dachte nicht mehr ans Heimgehen. Sie konnte gar nicht mehr denken. Ihr Körper und ihr Geist waren ihrer Kontrolle entglitten. Dabei war es nur ein Kuss! Und es war nicht ihr erster. Einmal hatte ein Junge ihr gegen ihren Willen einen Kuss aufgezwungen, doch zweimal hatte sie es durchaus gewollt und provoziert. Es war aufregend gewesen und prickelnd wie der erste verbotene Schluck Champagner, doch das hier war etwas ganz anderes. Das raubte ihr den Verstand! Latona sah ihm in die Augen und erschrak, es waren die eines Raubtiers. Er ließ von ihr ab, trat einen Schritt zurück und verschränkte die Arme auf dem Rücken.

»Ich danke dir«, sagte er schmeichelnd, und auch sein Blick war wieder sanft. Das trübe Nachtlicht musste sie genarrt haben.

»Ich danke dir«, gab sie zurück. Ohne dass sie es wollte, hoben sich ihre Hände an seine Wangen. Sie wollte ihn an sich ziehen und dieses unglaubliche Gefühl noch einmal erleben. »Malcolm«, hauchte sie mit belegter Stimme.

Da trat der Mond vollständig hinter den Wolken hervor und warf ihren Schatten über den weißen Marmor. Ihren Schatten allein. Latonas Hand verharrte reglos an seiner kalten Wange, während ihr Geist zu begreifen begann. Ein Schatten. Der eines Mädchens. Das war nicht möglich! Ihr Blick huschte über sein weißes, reines Gesicht und suchte nach einer anderen Erklärung, bis sie die beiden Spitzen bemerkte, die zwischen seinen Lippen hervorlugten.

»Du bist ein Vampir?«, presste sie hervor.

»Ich habe nie das Gegenteil behauptet«, sagte er fast heiter.

»Ein Vampir!« Nun war es helle Panik. Plötzlich konnte sie sich wieder bewegen. Die ersten Schritte wich sie zurück, ohne ihn aus den Augen zu lassen, doch er folgte ihr nicht. Dann drehte sich Latona um und rannte, wie sie noch niemals in ihrem Leben gerannt war.

Auf seinem Rückweg hatte Malcolm viel Stoff zum Nachdenken. Nicht nur über den Kuss und den Rausch der Begierde, der in ihm geweckt worden war. Hatte er Latonas Reden über Vampirjäger beim ersten Mal nur für Aufschneiderei gehalten, so stieg nun das ungute Gefühl in ihm auf, sie wisse wirklich, wovon sie sprach, und dies habe nichts mehr mit der blühenden Fantasie eines Mädchens zu tun. Was sollte er jetzt machen? Zum Conte gehen und seine Geschichte erzählen? Malcolm lachte hart auf. Das würde ihm schlecht bekommen! Doch wie konnte er von dem Mädchen und den Vampirjägern berichten, ohne die Treffen zu erwähnen?

Er wälzte das Problem in seinem Kopf hin und her. Bis er seinen Sarg erreicht hatte, war er zu der Überzeugung gelangt, der Conte habe seine Dienste sicher nicht nötig. Vermutlich wusste der Clan längst über diese Menschen Bescheid und beobachtete sie, um sie bei Gefahr unschädlich zu machen.

Und wenn nicht? Malcolm versuchte, sein Unbehagen zu verdrängen. Selbst wenn er mit dem Conte redete, was konnte er ihm schon sagen? Er wusste nicht einmal, wo das Mädchen wohnte, wer die anderen waren und was sie planten.

Ja, zischte eine Stimme in ihm, die er nicht hören wollte. Deine kläglichen Informationen würden nichts nützen, weil du die Gelegenheit, das Mädchen auszufragen, ungenutzt hast verstreichen lassen. Für den Kuss eines Menschen!

*

In der nächsten Nacht machten sich Alisa und Ivy noch einmal zur Bibliothek auf. Nachdem sich Leandro in der Anatomiestunde fast zugänglich gezeigt hatte, wollten sie noch einen Versuch wagen, einmal auf eigene Faust die Bestände durchstöbern zu dürfen.

Gleich nach dem Unterricht zogen sie los.

»Ich möchte unbedingt mehr über Anatomie lernen und außerdem bin ich mit meinem Aufsatz über die Vampirjagd einfach noch nicht zufrieden«, sagte Alisa.

Ivy lächelte. »Und wenn du die ganze Bibliothek umgedreht und selbst ein ganzes Buch darüber geschrieben hättest, würdest du immer noch denken, es könnte noch mehr geben.«

»Bin ich wirklich so schlimm?«

Ivy schüttelte den Kopf, dass ihre silbernen Haarlocken flogen. »Nicht schlimm, wissbegierig und gründlich. Zwei sehr gute Eigenschaften.«

»Die den anderen auf die Nerven gehen!« Alisa seufzte.

»Nur denen, die ihr Dasein allein nach ihrer Gier und deren Befriedigung ausrichten! Davon solltest du dich nicht beeinflussen lassen.«

Alisa blieb stehen. »Aber selbst Luciano macht sich über mich lustig!«

»Vielleicht damit er nicht zeigen muss, wie sehr er dich bewundert?«

»Er bewundert dich!«, sagte Alisa bestimmt.

»Oh nein. Er hat sich ein wenig in meine ungewöhnliche Lockenpracht verguckt, aber seine Bewunderung gilt deinem Geist!« Alisa seufzte noch einmal. »Was ist?«, wollte Ivy wissen. »Du bist doch nicht etwa wie die jungen Menschenfrauen, deren Putzsucht nur dazu dient, dass ihre so vergängliche äußere Hülle von Männern bewundert wird?«

»Aber nein«, sagte Alisa so würdevoll wie möglich. »Ich hoffe doch sehr, dass ich diese menschliche Oberflächlichkeit nicht in mir trage.«

»Ob sie allein menschlicher Natur ist, bezweifle ich«, murmelte Ivy und nickte zum Ende des Ganges hin, von wo ihnen die beiden Wienerinnen in ihren üppig mit Rüschen und Schleifen dekorierten Reifrockkleidern entgegengerauscht kamen.

»Macht gefälligst Platz!«, herrschte Anna Christina sie an und drängte sich dann mit hochgerecktem Kinn an ihnen vorbei. Kaum waren die beiden um die Ecke verschwunden, hörten sie sie jemanden ankeifen, der ihnen leichtsinnigerweise in den Weg gelaufen war. Kurz darauf kam Luciano schnaufend herbeigestürzt. Er wirkte ein wenig, als habe er gerade einen Kampf auf Leben und Tod überstanden. Alisa und Ivy musterten ihn fast mitleidig.

»Hier seid ihr«, keuchte er. »Ich habe euch schon überall gesucht. Wo geht ihr hin?«

»In die Bibliothek«, gab Alisa bereitwillig Auskunft. Luciano schien enttäuscht, bot aber an, sie zu begleiten. Sie gingen weiter, überquerten den Hof und folgten dem Gang, der sie zur achteckigen Halle brachte. Stimmen schallten ihnen entgegen. Sie blieben stehen und lugten neugierig um eine der Säulen herum in die Halle.

»Claudio, Ihr müsst herausfinden, wer dafür verantwortlich ist, und den oder die Täter entsprechend bestrafen«, forderte einer der Altehrwürdigen, den Alisa nur vom Sehen kannte. »Es ist Euer Neffe, der verschwunden ist! Wenn Ihr nicht Manns genug seid, den Vorfall zu klären, dann kann ich mich auch selbst aufmachen. Das muss aufhören! Er ist ja nicht der Erste.« Er hob einen Stock mit silbernem Knauf und drückte die Spitze dem Conte gegen die Brust. Der schlug den Stock mit einer kraftvollen Bewegung zur Seite.

»Ich unternehme etwas dagegen und ich bin auch bei der Untersuchung dieser leidigen Morde an ranghohen Menschenmännern nicht müßig, verlasst Euch darauf, altehrwürdiger Marcello.«

»Geschwätz, leeres Geschwätz!« Der Alte ballte die magere Faust und schlug auf den Tisch. »Wieder eine seltsam blutleere Leiche mit unbedeutenden Verletzungen am Hals! Wieder ein wichtiger Mann aus dem Königspalast!«

Ein weiterer Altehrwürdiger mischte sich ein, der noch kleiner und ausgemergelter war. Seine Stimme klang, als würde man Pergament zerreißen. »Der Codex wurde für alle festgeschrieben, als Conte Giuseppe noch der Anführer der Familie war, und viele Jahrzehnte haben sich alle daran gehalten. Mit vereinten Kräften haben wir die menschenabwehrende Aura um die Domus Aurea verstärkt und so einen Platz geschaffen, der uns allen dauerhaft Schutz bietet. Conte Giuseppe hat uns mit harter Hand geführt und das war gut so. Er hatte auch die Launenhaften und Leichtsinnigen im Griff und erteilte ihnen beizeiten eine Lehre, die sie nicht wieder vergessen haben. So etwas gab es unter seiner Herrschaft nicht!«

»Es war ein Fehler, Euch die Treue zu schwören«, fiel der altehrwürdige Marcello wieder ein. »Euer Neffe hatte recht! Wir hätten schon damals ahnen müssen, dass Ihr zu faul und zu weich und vielleicht auch zu dumm seid, um Conte Giuseppes Erbe fortzuführen.«

Bisher hatte der alte Clanchef geschwiegen, doch nun stemmte er sich von seinem Ruhebett hoch. »Nun ist es genug! Ich habe euch geführt und ihr habt meinen Entscheidungen vertraut. Und meine Entscheidung war es auch, die Führung an meinen Enkel Claudio weiterzureichen. Ich gebe euch recht, dass nicht alles ganz so ist, wie es sein sollte, aber es wird uns hier nichts geschehen! Claudio ist der Situation gewachsen und wird unsere Familie schützen und stärken. Und nun lasst ihn mit eurem Gekeife in Frieden! Geht in eure Kammern oder nehmt euch eine Sänfte und lasst euch in die Stadt tragen!«

Die drei Lauscher sahen einander unbehaglich an und zogen sich dann leise zurück, ehe sie entdeckt wurden. Lieber wählten sie einen anderen Weg zur Bibliothek.

»Ich verstehe nicht ganz, was das zu bedeuten hat«, sagte Alisa nach einer Weile. »Ist es bei euch verboten, Menschen zu töten?«

»Wie der Altehrwürdige schon sagte, es ist ein Codex, an den wir uns halten. Das haben alle geschworen. Ist es bei euch denn erlaubt?«, fragte Luciano zurück.

Alisa überlegte. »Es gibt kein Gesetz dagegen und auch keine Strafe. Dame Elina und ihre Vertrauten haben irgendwann gemerkt, dass die Kommissare der Polizei auch bei den einfachen Leuten ungewöhnliche Todesfälle untersuchen und bei der Jagd nach dem Täter immer größere Hartnäckigkeit an den Tag legen. Es wurde für unsereins zu gefährlich, unsere Opfer zu töten und ihre Leichen zurückzulassen. So lernten die Vamalia, nur so viel Blut zu nehmen, dass sich die Menschen bis zum anderen Tag erholten, und dafür zu sorgen, dass sie sich nicht mehr an den Vorfall erinnerten. Es war nicht nötig, ein Gesetz zu erlassen, da es ja unvernünftig wäre, die Polizei auf uns aufmerksam zu machen.«

»Sind denn alle Vamalia so vernünftig?«, rief Luciano aus. »Wird denn keiner von seinem Hunger geleitet und schlägt über die Stränge? Ich kann es nicht glauben! Nun ja, wenn ich dich ansehe, vielleicht doch. Bei uns jedenfalls gibt es Leidenschaft und nicht zu zähmende Gier, und deshalb muss es auch Verbote und Strafen geben, um alle daran zu erinnern, was gut für die Familie ist.«

»Ja, nur soweit ich das mitbekommen habe, ist dem Conte die Sache ein wenig entglitten«, fügte Ivy vorsichtig an.

Luciano hob entschuldigend die Arme. »Er kann ja nicht überall in Rom sein. Viele ziehen allein los, und keiner kann sagen, was sie die Nacht über treiben. Ich denke, er wird es schon richtig machen. Er ist unser Clanführer und wir können ihm vertrauen!«

Damit schien für ihn das Thema erledigt zu sein. Alisa hätte dagegen noch viele Fragen gehabt. Auch zu dem Neffen, der vermisst wurde. Handelte es sich etwa um den wilden Schwarzhaarigen, dessen Streit mit Conte Claudio sie hier in diesen Gängen mit angehört hatten? Dann war es vielleicht verständlich, dass der Conte so kühl reagierte.

Da sie in diesem Moment die Bibliothek erreichten und Luciano ihnen bereits die Tür aufhielt, verschob sie die Angelegenheit auf später und begrüßte stattdessen Leandro. Er ließ so etwas Ähnliches wie ein Lächeln sehen und winkte die drei jungen Vampire herein.

»Was wünscht ihr? Immer noch der Aufsatz? Das kann ich kaum glauben!«

Es klang nicht abweisend, aber auch nicht erfreut. Doch vielleicht war das einfach seine Art. Wichtig war allein, dass er sie in Ruhe stöbern ließ!

Ivy trat neben Alisa und lächelte zu ihm hoch. »Es gibt tatsächlich noch ein paar Aspekte, die wir unseren Aufsätzen gerne hinzufügen würden, und dann interessieren wir uns noch für – andere Werke«, beendete sie lahm ihren Satz.

»Andere Werke?« Wollte der Bibliothekar ihnen helfen, die Bücher zu suchen, oder war da ein gewisses Misstrauen in seiner Stimme?

»Habt Ihr medizinische Abhandlungen?«, fragte Alisa. »Euer Vortrag über den Aufbau und die Funktionsweise des menschlichen Körpers war sehr interessant und wir würden das Gelernte gern noch ein wenig vertiefen.«

Der Bibliothekar betrachtete sie mit gerunzelter Stirn. Vielleicht war er sich nicht sicher, ob er ihr den Lerneifer glauben sollte. Dann aber nickte er. »Kommt mit. Die Bücher der Medizin und Anatomie stehen dort drüben. In der zweiten Reihe gibt es Werke über Gifte und Gegengifte, über Kräuter und deren heilende Wirkung. Die dort oben sind in Griechisch, ab dem Buch in rotem Leder sind es lateinische Schriften, die während des Mittelalters in diversen Klöstern angefertigt wurden. Dort drüben stehen die neueren Werke der Universitäten. Da sind auch einige deutsche dabei.«

»Danke für Eure Mühe, wir kommen jetzt allein zurecht!«, sagte Alisa und strahlte ihn an. Hoffentlich ging er endlich!

Sie hörten, wie sich die Tür zur Bibliothek öffnete und dann wieder schloss. »Hallo? Leandro, wo bist du? Ich bringe die Bücher zurück, die du mir gegeben hast«, rief eine helle Stimme. Das war Vincent. Welch glücklicher Zufall! Leandro wandte sich ab und verschwand zwischen den Regalen. Kurz darauf hörten sie seine tiefe Stimme im Wechsel mit der des kindlichen Vampirs aus London.

Alisa wandte ihre Aufmerksamkeit den Büchern um sich herum zu. Was für Schätze auf allen Regalbrettern! Sie hätte Jahre hier zubringen können, ohne sich jemals zu langweilen. Luciano dagegen hatte bald genug. Er stellte die Bücher, in denen er geblättert hatte, ins Regal zurück und schlenderte dann ziellos zwischen den Reihen hindurch. Ein ganzes Stück vom Medizinregal entfernt traf er auf Ivy, die hastig ein Buch zurücklegte, als sie ihn kommen hörte, und erschrocken aufsah.

Luciano hob beschwichtigend die Hände. »Bin nur ich. Was suchst du denn?«, fragte er und sah ihr neugierig über die Schulter.

»Nicht das, was hier steht, jedenfalls.« Enttäuschung schwang in ihrer Stimme. »Gibt es denn keine Bücher über die frühe Geschichte der Familien? Die ersten Kriege und auch die Zeit davor?«

»Doch, natürlich. Ich erinnere mich, dass mir Francesco mal ein solches Buch gezeigt hat. Die stehen alle da drüben.« Luciano führte Ivy um das Regal herum zu einem Schrank hinter der Säule. Doch der war leer.

»Hm, ich bin mir sicher, dass Francesco es hier reingestellt hat. Es ist schon eine Weile her, dass er es sich geliehen hat, und ich habe ihn nur zufällig begleitet, als er es zurückbrachte, aber ich bin mir ziemlich sicher.« Er ließ den Blick über den leeren Schrank wandern. »Nun ja, vielleicht irre ich mich doch und es war ein anderer Schrank. Sieht hier drinnen ja alles gleich aus. Es ist ja sicher keiner gekommen, um sich den ganzen Stapel auf einmal zu leihen, oder?«

Ivy wiegte den Kopf hin und her. »Das wohl nicht, aber vielleicht hat Leandro sie weggeräumt?«

»Ja, vielleicht«, gab Luciano widerstrebend zu, »wobei ich mir nicht vorstellen kann, warum er das tun sollte.«

»Jedenfalls bleibt mir nun nichts anderes übrig, als ihn zu fragen«, fügte Ivy mit einem Seufzer hinzu und wandte sich zum Gehen.

»Ja, wenn es dir so wichtig ist.«

Ivy trat zu Leandro, der noch immer mit dem kleinen Vincent sprach.

»Ja? Was möchtest du?« Ivy trug ihren Wunsch vor. Sie hatte den Mund noch nicht geschlossen, als Leandro fast ein wenig ungestüm den Kopf schüttelte.

»Da muss sich Luciano irren! Nun ja, er ist ja nicht gerade das, was man einen Bücherwurm nennt.« Er stieß ein bellendes Lachen aus. »Jedenfalls haben wir hier in der Bibliothek keine solchen Bücher!« Er wandte sich demonstrativ wieder dem kleinen Londoner Vampir zu, der ihn erstaunt anstarrte.

Als die drei die Bibliothek verließen, um ihre Särge für den Tag aufzusuchen, kam Alisa noch einmal auf das Gespräch zwischen dem Conte und den Altehrwürdigen zu sprechen, das sie mit angehört hatten.

»Habt ihr den Eindruck, der Conte tut wirklich etwas gegen diese Vorkommnisse? Seit wir hier sind, sind schon mehrere Clanmitglieder verschwunden, und so wie es sich darstellt, haben sie ihre Existenz nicht freiwillig beendet. Und dann noch die toten Menschen? Ich habe jedenfalls nicht gehört, dass er ernsthaft versucht, dem auf den Grund zu gehen.«

»Vielleicht bekommen wir nicht alles mit?«, gab Ivy zu bedenken. »Immerhin hat er ein paar Servienten auf die zugegeben jedes Mal vergebliche Suche geschickt, wenn jemand vermisst wurde.«

Alisa schnaubte abfällig. Luciano sah sie finster an. »Versteh mich nicht falsch, Luciano, ich habe nichts gegen euren Clanführer und will ihm auch nichts unterstellen, aber vielleicht macht er es sich zu einfach? Es ist ja viel bequemer, sich jeden Abend mit der Sänfte ins Theater oder sonst wohin tragen zu lassen und dem Genuss zu frönen, als in den eigenen Reihen nach einem schwarzen Schaf zu suchen, das sich nicht an die Regeln hält.«

Luciano holte tief Luft. Sie dachte schon, er würde wütend werden und das Oberhaupt seiner Familie verteidigen, doch er sagte nur: »Ich weiß es auch nicht, aber ich werde Francesco fragen. Es gibt kaum etwas, was ihm in der Domus Aurea entgeht.«

Die drei verstummten, als sie in die Oktogonhalle traten und den altehrwürdigen Giuseppe entdeckten, der auf seinem Ruhebett lag und in einem Buch las. Sie traten näher und grüßten höflich. Der Alte hob den Blick und lächelte dann. »Ah, ihr seid das. Welch schöne Nacht, um durch die Stadt zu schlendern – wenn ich mich nur nicht so erschöpft fühlen würde. Vielleicht ist es aber auch nur die Langeweile.« Er hob das Buch hoch. »Selbst die Bücher habe ich alle schon mehrmals gelesen.«

Alisa legte den Kopf schief, um den Titel lesen zu können. »*Del Primato Morale e Civile Degli Italiani* von Vincenzo Gioberti. Das klingt interessant.«

Der Altehrwürdige lachte gackernd. »Interessant? Über den moralischen und politischen Primat der Italiener? Kind, du musst dich in der Kunst des Lügens noch üben! Nein, es ist das hochtrabende Gewäsch eines katholischen Priesters, aber die Idee ist interessant! Gioberti ist der Auffassung, dass Italien in der Geschichte der Menschheit vor allem deshalb eine außerordentliche Rolle gespielt hat, weil es der Sitz des Papsttums war. Es sei die schützende Hand und die Kraft der Kirche gewesen, die die Stadtstaaten vergangener Jahrhunderte habe aufblühen lassen. Und nun sei es für den Papst wieder an der Zeit, die Rolle des Führers zu übernehmen. Des geistlich und moralischen, aber auch des politischen!«

Alisa runzelte die Stirn. »Glaubt Ihr daran? Dass der Papst den König vertreiben und seine Stelle einnehmen könnte?«

Der Altehrwürdige zuckte mit den Achseln. »Das Buch ist aus den Vierzigerjahren. Zumindest damals hat Pius IX. die Gelegenheit nicht ergriffen, alle unter seinem Banner zu vereinen und die Österreicher zu verjagen, was ja das größte Anliegen der Länder Norditaliens war.« Alisa und Ivy hörten aufmerksam zu, während Luciano demonstrativ gähnte.

»Ah, ich sehe, die Politik der Menschen langweilt euch. Außerdem ist die Nacht weit fortgeschritten. Ich denke, es ist an der Zeit, dass ihr eure Särge aufsucht.«

Und damit waren sie entlassen. Alisa warf Luciano einen Blick voller Unmut zu, doch er schien es nicht zu bemerken. Er war nur allzu offensichtlich froh, dem Vortrag des Alten zu entkommen.

Die Freunde verabschiedeten sich und gingen zu ihren Schlafkammern, wo die Servienten schon auf sie warteten, um ihnen aus den Kleidern und in die steinernen Sarkophage zu helfen. Chiara lag bereits in ihren Kissen, während Leonarda ihr Kleid ausbürstete. Ivy und Alisa wünschten den anderen eine ungestörte Ruhe und kletterten in ihre Särge. Hindrik kam herein, warf einen prüfenden Blick durch den Raum und legte dann erst Ivys Deckel auf und dann Alisas.

Vertraute Finsternis hüllte sie ein. Stille senkte sich über die Domus Aurea, als sich die letzten Särge schlossen. Bevor Alisa einschlief, huschte noch ein Gedanke durch ihren Sinn.

Vielleicht musste der Conte das schwarze Schaf ja gar nicht suchen, weil er es nur zu gut kannte?

*

Er warf den langen, weiten Umhang über die Schultern und schob die rote Maske in die Tasche. Zum Glück hatte Latona sie wiedergefunden. Wie war sie nur unter die Matratze seines Bettes gekommen? Für einen Moment fragte sich Carmelo, wann er sich das letzte Mal so betrunken hatte, dass er sich danach nicht mehr an seine Handlungen erinnern konnte. Doch dann kam ihm das bevorstehende Treffen wieder in den Sinn. Der Kardinal hatte gerufen und die Mitglieder des Zirkels folgten seiner Anweisung!

Carmelo schüttelte den Kopf. Diese Italiener! Sie hatten schon immer eine Schwäche für Geheimgesellschaften und Maskeraden besessen. Sie liebten geheime Zeichen, mit denen man sich unbemerkt als Mitglied eines Bundes ausweisen konnte, wenn man einander zufällig in den Gassen oder Gasthäusern begegnete. Es gab Berührungen mit der Hand, Blicke, Schrittkombinationen und natürlich jede Menge Codewörter. So auch im Zirkel der roten Masken. Carmelo tastete nach dem samtweichen Stoff. Obwohl er gern über diesen seltsamen Bund lachte und vor Latona über die Männer spottete, die sich in ihrer Verkleidung so wichtig vorkamen, lief ihm doch ein kalter Schauder über den Rücken, wenn er an den Kardinal dachte. Er war ein gefährlicher Mann, der wusste, was er wollte, und der seine Ziele rücksichtslos verfolgte. Und wenn er dazu über Leichen gehen musste. Über die Leichen von Menschen und anderer Wesen, die es nach Meinung der Kirche gar nicht geben durfte!

GROSSE PLÄNE

Ein kalter Wind fegte über den Petersplatz und heulte um die Ecken des Papstpalasts. Die geruhsamen Stunden in seinem Garten waren vorüber. Pius IX. saß an seinem Sekretär, doch er konnte sich nicht auf die Schreiben der Gesandten konzentrieren, die vor ihm ausgebreitet lagen. Er hatte seine Mitarbeiter weggeschickt, um für ein paar Minuten allein zu sein. Ja, das Alleinsein vermisste er. Es hatte seinen Preis, der Vater aller Katholiken zu sein. Als Bischof oder gar als kleiner Pfarrer hatte er noch nicht die ganze Welt auf seinen Schultern getragen. Wie lange das schon her war! Pius IX. schloss die Augen. Er war so müde.

Ich werde alt. Zu alt! Seine Finger umschlossen die roten Steine, die unter seinem Gewand ruhten. Wie er dieses Geschmeide hasste! Er hatte das Gefühl, es sich von der Brust reißen und gegen die Wand schleudern zu müssen. Oder mit den Füßen zu zertreten wie eine widerliche Schlange.

Ein schiefes Lächeln hob einen seiner Mundwinkel. »Ja, ich werde alt und absonderlich.« Wie konnte man ein Schmuckstück hassen? Nein, diese Gefühle galten wohl eher dem, der es ihm gegeben hatte und der ihn stets drängte, sich nicht von den Steinen zu trennen.

Ein Klopfen an der Tür ließ ihn aufschrecken. Es würde doch nicht schon wieder Kardinal Angelo sein? Abscheu überflutete ihn wie eine Welle. Das waren Gefühle, die eines Papstes nicht würdig waren, und dennoch konnte er nichts dagegen tun. Ob man den Kardinal vielleicht an den Amazonas oder nach Alaska versetzen konnte? Er dachte an seine eigene Reise nach Chile vor so vielen Jahren. Welch eine Tortur! Eine echte Prüfung Gottes. Pius IX. unterdrückte einen Seufzer. Wenn das heutzutage nur so einfach wäre. Die großen Renaissancepäpste hätten sich nicht gescheut, ihre Widersacher zu verbannen oder das Problem mit ein wenig Gift zu lösen. Er bekreuzigte sich hastig. Nein, das war kein Gedanke, den man weiterfolgen sollte. War denn der Kardinal überhaupt ein Widersacher? Er wollte ihm das geben, was jeder Papst in seinen Träumen begehrt haben musste: die Herrschaft über ein vereintes Italien. Einen Gottesstaat Italien!

»Heiliger Vater? Darf ich Euch stören?« Es war die Stimme seines Camerlengo. Was blieb ihm anderes übrig, als ihn hereinzurufen?

Der graue Haarkranz erschien, dann das schlichte dunkle Gewand. Er legte die Hände zusammen und verbeugte sich. »Signor Giovanni Battista de Rossi ist angekommen und wünscht, Euch zu sprechen.«

Pius IX. spürte, wie sich seine Miene erhellte. »Wie schön! Ja, bringen Sie den Signor gleich zu mir. Ich bin ja so gespannt, von seinen Plänen zu hören.«

Der Camerlengo blickte ein wenig säuerlich drein, enthielt sich aber jeden Kommentars und beeilte sich, den Gast hereinzuführen. Der Papst ging dem Archäologen entgegen.

»Ach, mein lieber Signor de Rossi. Ich freue mich, dass Sie wieder im Land sind. Sie haben so Großes für Rom und für die ganze Christenheit geleistet. Setzen Sie sich, mein Werter. Trinken Sie ein Glas Wein mit mir?«

Signor de Rossi dankte dem Papst und ließ sich auf der Kante des unbequemen Sessels nieder, der aus der Zeit der großen französischen Könige stammte und dessen Vergoldung langsam abzublättern begann.

Der Papst hob sein Glas. »Auf Ihre großen Entdeckungen! Die Katakomben San Callisto mit den Papstkrypten und das Cubiculum des Severus! Ach, ich erinnere mich noch daran, als wäre es gestern gewesen, und die Rührung überkommt mich wieder, wenn ich daran denke, wie Sie mich dort in die Vergangenheit der frühen Christen geführt haben. Was haben Sie nun für Pläne?

Wollen Sie mit Ihrem Kollegen Signor Canina weiter an der Via Appia graben?«

De Rossi schüttelte den Kopf. »Nein, mir schwebt etwas anderes vor.« Er machte ein geheimnisvolles Gesicht. »Der Einfall kam mir schon vor Jahren, als wir uns den ersten Teil des Kolosseums vorgenommen haben.«

Pius IX. spürte plötzlich ein Kribbeln. Die Ausgrabungen am Kolosseum waren damals von seltsamen Unfällen begleitet gewesen. Über Nacht waren nicht nur Gerüste angesägt und Ausrüstung zerstört worden, einige Arbeiter hatten auch ihr Leben lassen müssen. Nicht dass sie in den Ruinen zu Tode gestürzt oder verschüttet worden wären. Das kam bei Ausgrabungen immer vor. Nein, die Leichen lagen am Morgen einfach so auf der Baustelle. Seltsam verrenkt und blutleer. Gerüchte über Widergänger und Vampire waren laut geworden und der Mob drohte mit Aufstand. Der Kardinal hatte die Ausgrabungen stoppen lassen und verboten, weiter in die Geheimnisse des alten Roms einzudringen, nicht nur am Kolosseum, auch auf dem Palatin und dem Forum Romanum am Fuß des Kapitolhügels. Es war Ruhe eingekehrt.

»Und woran denken Sie dieses Mal?«, fragte der Papst und beugte sich vor, die Handflächen vor Anspannung aneinandergepresst.

Statt einer Antwort öffnete Giovanni Battista de Rossi seine Aktenmappe und reichte dem Papst einige Zeichnungen. »Sind Euch diese Motive vertraut, Heiliger Vater?«

Pius IX. nickte. »Aber ja, selbst in meinem Palast und in der Engelsburg gibt es ähnliche Bemalungen.«

Der Archäologe nickte. »Ja, sie waren eine Zeit lang sehr beliebt. Man nannte diese Malerei *grottesco*, grotesk, nach dem Ort, wo man ihre Vorbilder entdeckt hatte: in Grotten und unterirdischen Gemächern! Die Künstler seilten sich durch ein Loch in der Decke hinab und kamen in eine Wunderwelt, die sie zum Staunen brachte. Pinturicchio war dabei, Perugino und Filippo Lippi, ja, selbst der hochverehrte Raffael, um einige der Renaissancemaler zu nennen, die diese Motive immer wieder verwendeten. Doch dann geriet der Ort wieder in Vergessenheit.«

»Was ist das für ein Ort?«, drängte der Papst.

Der Archäologe ließ sich Zeit. »Es ist das goldene Haus Neros, die Domus Aurea!«

Der Papst hustete. Als er sich wieder beruhigt hatte, ächzte er: »Das ist unmöglich! Jeder weiß, dass Neros Nachfolger seine Spuren getilgt und seinen Palast zerstört haben!«

»Aber nicht völlig! Kaiser Trajan hat seine Therme über den Ostflügel gebaut. Und dort rund um den Hügel müssen wir suchen! Was haltet Ihr davon, Heiliger Vater?« Seine Begeisterung schien keine Grenzen zu kennen, doch Pius IX. zögerte.

»Warum wollen Sie ausgerechnet Nero zurück in unsere Köpfe bringen? Er hat unzählige Christen grausam hingerichtet.«

Der Archäologe nickte. »Das ist richtig, doch wenn man sich seiner wieder erinnert, gedenkt man auch der unzähligen Märtyrer.«

»Das ist ein guter Gedanke!« Pius IX. schob das drohende Bild des Kardinals beiseite und überließ sich der Vorfreude auf unschätzbare Entdeckungen. Seine Wangen begannen zu glühen. »Ich werde sehen, was ich Ihnen aus meinen Kassen zur Verfügung stellen kann. – Nein, danken Sie mir noch nicht, es wird nicht viel sein. Der Papst ist ein Gefangener in seinem eigenen Palast. Aber ich werde einen guten Diplomaten zum König und seinem Parlament schicken, um Ihre Sache zu unterstützen. Es ist jetzt ihre Stadt. Sollen sie dafür sorgen, dass Roms große Geschichte wieder ans Tageslicht kommt!«

*

Ivy war mit Seymour draußen unterwegs und Luciano hatte sich zusammen mit Tammo und Joanne eine Stunde Nachsitzen bei den Foltergeschwistern eingehandelt. So nutzte Alisa die Gelegenheit und machte sich zur Schlafkammer der Jungen auf, nachdem sie Malcolm im Aufenthaltsraum nicht angetroffen hatte. Die Tür war nur angelehnt. Alisa räusperte sich vernehmlich, wartete eine Weile und stieß die Tür dann auf. Fünf aufgeklappte Sarkophage standen in dem Raum, doch keiner der Vampire, die hier schliefen, war zu sehen. Alisa wusste, dass die beiden Särge an der linken Wand ihrem Bruder Tammo und Sören gehörten, daneben ruhte Mervyn. Rechts standen die Särge von Raymond und Malcolm aus London. Alisa ließ ihren Blick über die Ruhestätten schweifen. Während Mervyn offensichtlich an krabbelnden Tieren aller Art interessiert war – was die Anzahl verschlossener Gläser neben seinem Sarg zeigte –, offenbarten Raymonds säuberlich zusammengelegte Decke und die aufgeschüttelten Kissen einen Ordnungssinn, den sie bei ihm nicht erwartet hätte. Neugierig trat Alisa an Malcolms Sarg heran. Die Maske war nirgends zu entdecken, was nicht verwunderlich war. Sie hatte nicht erwartet, dass er sie offen herumliegen lassen würde. Alisa streckte die Hand aus, hielt dann aber inne. Sollte sie seinen Sarg heimlich durchsuchen oder ihn doch lieber fragen?

Ein Geräusch ließ sie herumfahren. Sie wich zur Wand zurück, als Malcolm die Schlafkammer betrat. Seine Augenbrauen wanderten erstaunt nach oben. »Ich glaube, du hast dich verlaufen«, sagte er ein wenig kühl.

Alisa schüttelte den Kopf. »Nein, ich habe dich gesucht. Ich wollte dich bitten, mir die Maske noch einmal zu zeigen.«

Malcolm runzelte die Stirn. Alisa hielt den Blick fest auf sein Gesicht gerichtet und rutschte ein Stück von seinem Sarg weg. War er verärgert? Dachte er, er habe sie beim Schnüffeln erwischt? Das Gefühl von Empörung wollte sich nicht so recht einstellen.

»Warum willst du sie sehen? Ist das so wichtig?«

Alisa wand sich. »Nein, nicht wichtig, es interessiert mich nur.« Sie hob entschuldigend die Hände. »Nenne es von mir aus weibliche Neugier.«

Er lächelte, und Alisa sah erleichtert, dass seine Züge sich wieder glätteten. »Gegen seine Neugier kann man natürlich nur schwer ankommen«, sagte er spöttisch. »Aber leider kann ich dir nicht helfen. Ich habe die Maske nicht mehr.«

»Was? Warum? Hast du sie weggeworfen?«

Zu ihrer Überraschung wich er ihrem Blick aus und schien sich nicht so recht wohl zu fühlen. »Nein, nicht direkt.«

»Was denn dann?« Alisa ließ nicht locker.

»Ich habe sie zurückgegeben.«

Alisa schwieg für eine Weile, dann fragte sie verblüfft: »Wem? Dem Mädchen, das sie verloren hat?« Malcolm nickte. »Wie das? Und warum?«

»Weil sie mich darum gebeten hat.«

Alisa ging zu Malcolms Sarg zurück und hockte sich auf die Steinkante. »Ich glaube, diese Geschichte möchte ich von Anfang an hören!«

Malcolm schenkte ihr ein schiefes Lächeln. »Das glaube ich dir gern, aber ich weiß nicht, ob ich darüber sprechen sollte. Es könnte mich in Schwierigkeiten bringen!«

»Warum? Glaubst du etwa, ich würde etwas davon weitererzählen?« Sie war gekränkt. »Das kannst du nicht glauben! Ich schwöre es!«

Malcolm seufzte und setzte sich neben sie. »Vielleicht wirst du deinen voreiligen Schwur schon bald bereuen.« Er räusperte sich und schien zu überlegen, wie er am besten beginnen sollte. Alisa fiel es zwar schwer, ihn nicht zu drängen, doch sie schwieg, bis er zu sprechen begann.

»Ich sah das Mädchen wieder, als es zurückkam, die verlorene Maske zu suchen. Nennen wir es Zufall. Tja, und da habe ich sie angesprochen.« Wieder zögerte er.

»Und? Hast du sie gefragt, was es mit der Maske auf sich hat?«

»Ja!« Seine Stimme klang anders als sonst.

»Was ja?«

»Sie hat behauptet, zu einer Art Geheimbund zu gehören – desen Ziel es ist, Vampire zu jagen!«

Alisa war für einige Augenblicke sprachlos. »Glaubst du ihr das etwa? Das kann nicht wahr sein! Das Mädchen wollte sich nur wichtig machen – oder?«

Malcolm hob die Schultern und ließ sie wieder fallen. »Das dachte ich zuerst auch, doch dann …« Er beendete den Satz nicht. Beide schwiegen eine Weile, bis er leise fortfuhr: »Dann sagte sie Dinge, als hätte sie schon mit unsereins zu tun gehabt und wüsste, wovon sie spräche. Und nun weiß ich nicht mehr, was ich denken soll.«

Alisa sprang auf. »Selbst wenn das Risiko, dass sie die Wahrheit gesagt hat, noch so klein ist, müssen wir dem Conte davon berichten!«

»Ach ja? Und hast du dir auch überlegt, was er mit mir macht, wenn er erfährt, dass ich alleine draußen war und mich mit einem Mädchen getroffen habe? Egal ob ich sie gebissen habe oder nicht.«

»Hast du?«

»Nein!«, rief er verärgert.

»Schlimmstenfalls schickt er dich nach Hause«, sagte Alisa.

»Ja, und das kann und will ich nicht riskieren!«

»Dann willst du diese Information einfach für dich behalten?«, rief sie entsetzt.

Malcolm hob beschwichtigend die Hände. »Wir wissen ja nicht einmal, ob es eine wichtige Information ist. Außerdem hat der Conte seine Leute und ist sicher nicht auf meine zufällige Entdeckung angewiesen.«

Alisa war nicht überzeugt. »Ich weiß nicht so recht. Ich würde es ihm sagen.«

Malcolm nickte. »Siehst du, ich habe dir gesagt, dass du deinen Schwur nur allzu schnell bereuen wirst. Aber ein Schwur ist ein Schwur.«

»Ja, ein Schwur ist ein Schwur.« Alisa seufzte. »Ich hoffe nur, dass deine Entscheidung die richtige ist.«

»Das hoffe ich auch.«

*

Das Jahr neigte sich dem Ende zu. Die Menschen bereiteten sich auf ihre heilige Feier der Geburt Christi vor und schmückten die Kirchen und Plätze. In der Domus Aurea war nichts von solchen Festlichkeiten zu spüren. Dafür kam Conte Claudio eines Abends in die Halle mit der goldenen Decke und verkündete etwas, was die jungen Vampire einmütig aufstöhnen ließ. Da stand er in seiner Robe aus smaragdgrünem Samt, legte die Finger mit den langen, gekrümmten Nägeln zusammen und lächelte zufrieden in die Runde.

»Das hätte mich gleich misstrauisch machen sollen«, beschwerte sich Tammo später. »Das konnte ja nur Unheil bedeuten!«

Ein Zischen breitete sich in der Halle aus, bis die Gespräche nach und nach verebbten. Erst als alle verstummt waren und den Conte aufmerksam anblickten, begann er zu sprechen.

»Ihr seid nun schon fast vier Monate hier in der Domus Aurea, und wie mir eure Professoren berichten, sind eure Fortschritte beachtlich. Ja, eure Lehrer sind mit euch zufrieden – zumindest die meisten haben sich lobend geäußert.« Luciano und Alisa sahen sich vielsagend an.

»Jedenfalls habe ich mich mit euren Professoren beraten«, fuhr der Conte fort, »und wir sind der Meinung, dass ihr so weit seid, eure neuen Künste in einem angemessenen Rahmen zu präsentieren. Wir haben diese moderne Erfindung der Menschen, die sie Telegrafie nennen, genutzt und den Oberhäuptern eurer Familien eine Nachricht zukommen lassen.«

»Vielleicht ist der Spuk ja dann endlich vorbei und wir dürfen früher als erhofft nach Hause fahren?«, hörte Alisa Anna Christina zu ihrem Cousin sagen.

Franz Leopold zuckte nur mit den Schultern. »Glaube ich nicht. Freu dich nicht zu früh!«

Der Conte fuhr ein wenig lauter fort. »Wir haben sie eingeladen, uns in der Domus Aurea zu besuchen und anwesend zu sein, wenn ihr euer erstes großes Examen ablegt.« Noch immer lächelnd sah er in die Runde.

»Eine Prüfung?«, ächzte Sören und durchbrach damit die Totenstille, die nach den Worten des Conte eingetreten war.

»Ich glaube nicht, dass unsere Seigneurs kommen«, erklärte Joanne tapfer. »Wie sollte eine Telegrafie sie in den Labyrinthen unter der Stadt erreichen?« Die Wiener Schüler stöhnten leise. Nur Ivy und den Londonern schien diese Ankündigung keinen Schreck einzujagen.

Conte Claudio machte die Hoffnungen der Pyras zunichte. »Alle haben bereits zugesagt und werden in den nächsten Tagen hier eintreffen. Die Prüfung wird am Samstag sein. Ihr habt also noch fünf Nächte, um euch vorzubereiten.«

»Wie können wir uns den Ablauf der Prüfung vorstellen?«, wagte Luciano das Wort zu ergreifen. »Es wird doch sicher nur eine praktische Demonstration unserer Widerstandskräfte gegen die Macht der Kirche und ihrer Artefakte verlangt?« Er sah den Conte flehend an, doch der schüttelte den Kopf.

»Dies wird ein zentraler Teil sein, doch ich möchte, dass eure Professoren alles prüfen, was sie euch gelehrt haben. Ihr müsst auch eure Kenntnisse in der italienischen und lateinischen Sprache und in der alten und jüngeren römischen Geschichte vor dem Gremium der Clanführer demonstrieren.«

Wenn überhaupt möglich, so ging der Schreck nun noch tiefer. Tammo barg das Gesicht in den Händen, Joanne stieß einen Klagelaut aus und Karl Philipp fluchte vernehmlich. Auch Alisa und Luciano sahen einander erschrocken an. Die Sprachen schreckten sie beide nicht sonderlich, aber römische Geschichte?

Ivy erhob sich und klemmte ihre Tasche unter den Arm. »Dann sollten wir in den nächsten Tagen nach dem Unterricht unsere Aufzeichnungen zusammen durchgehen und den Stoff wiederholen.«

»Die Aufzeichnungen durchgehen? Über römische Geschichte? Ach, und du glaubst, dass mir mein chaotisches Geschreibsel irgendwie weiterhelfen kann?« Luciano schnaubte unwillig und sah zu Alisa hinüber.

»Ein wenig werden uns meine Notizen sicher helfen. Zusammen können wir das Fehlende vielleicht ergänzen. In der Bibliothek …«

Luciano unterbrach sie schroff. »In der Bibliothek, in der Bibliothek«, äffte er sie nach und warf voller Verzweiflung die Arme in die Luft. »Das scheint deine Lösung für alles zu sein! Natürlich gibt es dort Bücher zur alten römischen Geschichte, aber du scheinst zu vergessen, dass wir nur fünf Nächte Zeit haben. Und ich habe den Conte nicht sagen hören, der Unterricht falle bis dahin aus. Es ist hoffnungslos.« Ivy hakte sich bei ihm unter und dirigierte ihn in Richtung Klassenraum.

Kurz darauf saßen sie Professoressa Enrica gegenüber, die wie üblich mit strenger Miene auf ihre Schüler herabblickte. »Beginnen wir. Ich rate euch, gut aufzupassen und euch zu konzentrieren. Nutzt diese Gelegenheit, vor der Prüfung noch einmal zu üben. Ich werde vor dem Komitee viel von euch verlangen. Ihr werdet an eure Grenzen gehen müssen und jede noch so kleine Unaufmerksamkeit wird euch scheitern lassen!« Da stand sie kerzengerade aufgerichtet, das Haar zu einem straffen Knoten gebunden, in ihrem schlichten, hochgeschlossenen Kleid mit dem weißen Kragen und keiner zweifelte an ihren Worten!

*

Sie kamen alle! Nach und nach trafen die Gäste aus Wien und London, aus Paris und Hamburg ein. Zuletzt, am Morgen vor der Prüfung, landete das Schiff, das Donnchadh, den Clanführer der Lycana, und seinen wunderschönen jungen Schatten Catriona nach Rom brachte. Gut gelaunt begrüßte Conte Claudio seine Gäste und gab sich alle Mühe, die aufflammenden Streitereien zwischen den Familien zu schlichten. In einigen Fällen half allerdings nur, sie zu trennen und in weit voneinander entfernten Quartieren unterzubringen.

Am Abend der Prüfung trugen die Servienten der Nosferas lange Tische in die prächtig geschmückte achteckige Halle und verteilten die Stühle so, dass jede Familie ein wenig Abstand zur nächsten wahren konnte. Den Dracas ließ er die Plätze zuweisen, die am weitesten von denen der Pyras entfernt waren. Während in der großen Halle die Vorbereitungen in vollem Gang waren, saßen die jungen Vampire vor ihren abendlichen Bechern. Signorina Raphaela und Signora Zita mühten sich, eine gelöste Stimmung zu verbreiten und die Niedergeschlagenen aufzuheitern, doch es schien alles vergebens. Weder Raphaelas Lachen und Schmeicheln noch Zitas mütterlicher Trost oder ihre Ratschläge halfen. Es blieb ungewöhnlich ruhig an diesem Abend und nur da und dort wurden flüsternd ein paar Worte gewechselt. Einige hatten eng beschriebene Blätter vor sich liegen oder umklammerten den Rubin um ihren Hals. Als der Conte in Begleitung der Professoren Enrica und Ruguccio eintrat, reckten die Schüler nervös die Hälse.

»Es ist so weit!«, verkündete Conte Claudio mit einem Gesichtsausdruck, als würde er ihnen Geschenke überreichen. »Die Prüfung kann beginnen. Wir haben uns verschiedene Aufgaben ausgedacht, aber auch die Führer der anderen Familien dürfen euch Fragen stellen oder euch zu praktischen Übungen auffordern. Je nachdem was wir von euch verlangen, werdet ihr euch einzeln oder zu zweit an die Lösung machen.«

»Hoffentlich muss ich nicht mit einem der Dracas antreten oder noch schlimmer der Pyras«, murmelte Luciano.

»Franz Leopold ist aber gar nicht schlecht«, sagte Ivy. »Er hat sich gut vorbereitet, obwohl er stets bemüht war, so zu tun, als kümmere ihn das bevorstehende Examen überhaupt nicht.«

»Dir entgeht aber auch gar nichts!«, entfuhr es Alisa.

»Nicht viel«, gab Ivy zu.

Die Stimme von Conte Claudio unterbrach ihren Austausch. »Ivy-Máire!«

Sie sah fragend zu ihm auf. Die Blicke der anderen huschten zu der irischen Vampirin. »Ja, Conte Claudio?«

»Folge mir. Du bist die Erste.«

Ohne zu zögern erhob sich Ivy, strich ihr langes schimmerndes Gewand glatt und verließ gemeinsam mit Seymour die Halle.

»Ich weiß nicht, ob ich sie beneiden oder bemitleiden soll«, sagte Luciano. »Immerhin hat sie es bald hinter sich. Ich bin ja so gespannt, was sie erzählt. Sicher kann sie uns ein paar Hinweise geben, worauf wir achten sollten, wenn wir nicht den Unmut der Prüfer erregen wollen.«

»Darauf, dass die Antworten korrekt sind?«, schlug Alisa vor.

Luciano ballte die Fäuste und knurrte bedrohlich. »Manchmal könnte ich dir den Hals herumdrehen! Sei vorsichtig, was du sagst. Dies ist nicht der rechte Moment, meine Beherrschung auf die Probe zu stellen.«

»Ah, wie ich höre, liegen hier die Nerven blank!« Franz Leopold kam mit dem üblichen überlegenen Lächeln herangeschlendert. »Nun ja, vermutlich hast du allen Grund nervös zu sein, aber dass du Alisa für eine wahre – wenn auch nicht sehr geistreiche Antwort – gleich mit den Fäusten drohst? Das wird eine schwarze Nacht für dich werden, fürchte ich.«

»Was willst du hier?«, fuhr ihn Alisa an.

»Vielleicht bedarfst du wieder meines Schutzes?«, schlug Franz Leopold vor. »Obwohl ich es sogar dir zutraue, mit unserem Dickerchen alleine fertig zu werden, wenn er vor Angst völlig durchdrehen sollte.«

»Verschwinde!«, sagte Alisa nur und wandte sich demonstrativ von ihm ab. Franz Leopold zuckte mit den Schultern und gesellte sich wieder zu seinem Vetter und seinen Cousinen. Eine Weile herrschte Stille in der Halle.

Luciano spielte mit seinem leeren Becher. »Wo sie nur bleibt? So lange kann die Prüfung doch nicht dauern. Ich hoffe, wir haben genug Zeit, sie ausführlich zu befragen.«

Luciano wurde enttäuscht. Ivy kehrte gar nicht in die Halle mit der goldenen Decke zurück. Vermutlich hatte sie genau aus diesem Grund die Anweisung bekommen, sich von den anderen fernzuhalten, und es war typisch für ihre direkte, aufrechte Art, dass sie sich daran hielt. Als Nächstes wurden Chiara und Fernand aufgerufen, dann Raymond, danach Sören mit Ireen.

»Hoffentlich bekomme ich einen guten Partner!«, wiederholte Luciano in einer unermüdlichen Litanei. »Wenn ich mit Franz Leopold zusammen gehen soll, werde ich mich weigern!«, kündigte er an, aber Alisa wusste, dass das nur eine leere Drohung war. Schließlich wurde Luciano aufgerufen. Allein. Er warf Alisa noch einen letzten verzweifelten Blick zu, dann folgte er Signora Enrica zu seiner Prüfung.

ZWISCHENPRÜFUNG

Luciano trat in die Halle, die wie für ein Fest geschmückt worden war. Zwischen antiken Statuen und grünen Girlanden entdeckte er auch einige Gegenstände, die aus den umliegenden Kirchen entwendet worden sein mussten. Obwohl er sich am liebsten hinter einer der Statuen versteckt hätte, straffte er den Rücken und schritt auf die Kommission zu. Seine tiefe Reverenz fiel durchaus elegant aus, und er stolperte auch nicht über seinen langen Umhang, den er heute ausgewählt hatte, um sich ein erwachseneres Aussehen zu geben. Hoffentlich war ihm das weite Ungetüm mit den vielen Schulterkragen bei den praktischen Übungen nicht im Weg. Der Conte erhob sich, stellte ihn den Gästen noch einmal vor und begrüßte ihn im Namen des Clans und der anderen Familien.

Er soll endlich anfangen, bevor ich noch nervöser werde!

»Beginnen wir mit der Geschichte des antiken Roms! Von wann bis wann herrschte Kaiser Augustus und wie hießen seine vier Nachfolger?«

Stille senkte sich über die prächtige Oktogonhalle. Luciano schwieg. Sein Kopf war nur noch ein finsterer, leerer Raum. Sicher wäre ihm die Antwort eingefallen, wenn er nicht den Blick starr auf Professoressa Letizia gerichtet hätte, die ihre Knöchel knacken und den Rohrstock mit unheilvollem Zischen gegen ihre Stiefel klatschen ließ.

Umberto übernahm. »Wann herrschte Servius Tullis? Was weißt du über Domitian? Wann verließ Konstantin Rom? Wer hat Hannibal besiegt?«

Die Fragen prasselten auf ihn ein, doch Luciano rührte sich nicht. Die Professoren schwiegen und ließen die letzte Frage im Raum hängen.

»Luciano? Weißt du die Antwort?«, fragte Conte Claudio, als die Stille sich immer länger dehnte und die anderen Prüfer bereits die Köpfe schüttelten.

»Was? Verzeiht, Conte.« Luciano hob ruckartig den Kopf, als wäre er aus einer Trance erwacht.

»Dann sage uns doch wenigstens, wer vierundfünfzig bis achtundsechzig nach Christi in Rom herrschte«, bat der Conte mit einem Flehen in der Stimme.

»Nero«, flüsterte Luciano.

»Was? Ich verstehe keinen Ton«, polterte Professor Umberto. »Du bist eine Schande für unser ganzes Haus, du Versager!«

»Jetzt ist es aber genug!«, mischte sich Signora Enrica ein. »Hört mit diesem Theater auf!« Die Vampirin in ihrem biederen blauen Kleid mit dem weißen Kragen wirkte plötzlich Ehrfurcht gebietender als selbst der massige Professor Ruguccio. Sie trat in die Mitte der Halle. »Luciano, bitte wiederhole, was du eben gesagt hast. Sieh mich an!«

Luciano richtete seinen Blick auf sie und sah in ihre braunen Augen. Je nachdem wie die Wimpern sie beschatteten, leuchteten sie in einem Goldton und wirkten kurz darauf wieder fast schwarz. Luciano räusperte sich und sagte dann laut: »Von vierundfünfzig bis achtundsechzig nach Christi herrschte Nero über Rom.«

»Gut«, sagte Signora Enrica. »Weißt du noch Antworten auf andere Fragen, die die Professoren Umberto und Letizia dir gestellt haben?«

Luciano schüttelte den Kopf. Dann plötzlich hörte er Alisas Stimme in seinem Geist, wie sie die Namen herunterbetete, immer und immer wieder. Er konnte sie sogar vor sich sehen, wie sie mit untergeschlagenen Beinen auf dem Ruhekissen saß, das schwere, in Leder gebundene Buch aus der Bibliothek auf den Knien. Der trübe Lichtschein der Lampe ließ Schatten über die klaren Linien ihres Gesichts tanzen, und immer wieder schob sie sich eine ihrer blonden Haarsträhnen, die sich regelmäßig aus der aufgesteckten Frisur lösten, hinter das Ohr.

»Kaiser Augustus herrschte vom Jahr siebenundzwanzig bis zum Jahr vierzehn nach Christus«, sagte Luciano klar und deutlich. »Ihm folgten Tiberius, Caligula, Claudius und Nero. Servius Tullis herrschte um fünfhundertneunundsiebzig bis fünfhundertvierunddreißig vor Christus. Es war die Zeit der Republik.«

Luciano wollte gar nicht mehr aufhören. Namen und Daten sprudelten aus ihm hervor. Als er schließlich den Mund schloss, senkte sich wieder Stille über die Halle, doch dieses Mal umhüllte ihn eine Atmosphäre der Anerkennung. Die fremden Clanführer und ihre Begleiter nickten einander wohlwollend zu und der Conte strahlte offen. Auch Signora Enrica stand die Zufriedenheit ins Gesicht geschrieben.

»Sehr gut, Luciano!« Die Professorin wandte sich den anderen Mitgliedern des Gremiums zu. »So, nachdem wir diesen Teil endlich abgehakt haben, kommen wir zu den wirklich wichtigen Dingen, die die Schüler in den vergangenen Monaten hier gelernt und geübt haben.«

Einer von Conte Claudios Getreuen mit dem Körperbau eines Ringers trug auf ihren Wink zwei Truhen heran und stellte sie vor Luciano auf dem Boden ab. Die Professorin wartete, bis der Helfer sich wieder entfernt hatte, ehe sie Lucianos Aufgabe verkündete.

»In diesen Kisten befinden sich zwei Gegenstände, die heilige Kräfte besitzen. Zuerst möchte ich, dass du uns – bevor du die Kisten öffnest – sagst, welcher Gegenstand mächtiger ist. Dann sieh dir die Objekte an und bestimme, aus welcher Zeit sie stammen. Zuletzt nimm sie heraus und bring sie zu unserem erlauchten Komitee von Prüfern.« Sie grinste wölfisch und ließ ihre spitzen Zähne sehen. »Verstanden?«

Luciano nickte und die Professorin trat zur Seite. Der junge Vampir widerstand dem Drang, seinen Rubin zu umklammern. Er musste sich nur konzentrieren und seine Kräfte bündeln. Luciano trat an die erste Kiste heran und streckte die Hände aus. Einen Augenblick stand er reglos da, die Handflächen ein paar

Zoll über dem Deckel der Kiste schwebend. Die Aura, die ihn erreichte, war nur schwach. Entweder der Gegenstand war noch nicht alt, oder er war von jemandem hergestellt worden, der nicht die rechte christliche Überzeugung in sich trug. Erleichtert wandte sich Luciano der zweiten Kiste zu, doch er hatte sich noch nicht auf drei Schritte genähert, als Erleichterung und Zuversicht mit einem Schlag verschwanden. Die Kirchenmagie, die ihm entgegenschlug, war lähmend! Das würde hart werden. Wenn er es überhaupt schaffte, ohne ohnmächtig zu werden. Luciano zwang sich, näher zu treten und seine Hände auszustrecken. Sie zitterten heftig, doch er zählte bis zehn und zog sich erst dann keuchend ein Stück zurück. Laut berichtete er, was er herausgefunden hatte.

Signora Enrica nickte. »Gut. Und nun öffne die Truhen.«

Luciano zögerte. Er klappte den Deckel der ersten auf und entdeckte ein kleines Bild, das irgendeinen Heiligen zeigte, zumindest war eine Scheibe aus Blattgold um seinen Kopf gelegt. Luciano holte es heraus und ging damit an den Tischen der Prüfer entlang. Während er das Bild präsentierte, sprach er von seiner Vermutung, dass das Gemälde nicht sehr alt sei und der Glaube des Malers nicht aufrecht und tief gewesen sein könne.

»Das ist korrekt«, bestätigte Signora Enrica. »Es stammt aus einer Werkstatt, die Bilder und andere Gegenstände für die Devotionalienhändler* herstellt, die diese dann im Vatikan und in der Stadt als Heilsbringer an Reisende verkaufen. Ich vermute, es wurde in den Vierziger- oder Fünfzigerjahren gemalt.«

Sie verstummte und sah Luciano auffordernd an. Nun blieb ihm nichts anderes übrig, als sich der zweiten Truhe zuzuwenden. Wie sollte er es schaffen, sie zu öffnen und dann gar den Gegenstand herauszunehmen, der ihm schon in dieser Entfernung Pein bereitete? Luciano versuchte, sich noch einmal zu sammeln. Er durfte nicht an die Prüfung denken und an die fremden Vampire hier in der Halle. Er brauchte seine ganzen Kräfte, um gegen dieses machtvolle Artefakt bestehen zu können. Er schloss die Augen und begann, leise zu summen, bis er seinen Geist völlig auf den

Inhalt in der Truhe ausgerichtet hatte. Das Objekt war klein und unförmig, eher farblos. Was konnte das sein? Luciano tappte wie von unsichtbaren Fäden gezogen näher. Es rauschte und dröhnte in seinem Kopf. Sein Körper schien zu vibrieren. Und dann kam der Schmerz. Luciano keuchte, dennoch streckte er den Arm aus und umklammerte den Griff. Mit einem Ruck riss er den Deckel auf. Ein heißer Wind wehte sein Haar zurück. Die Besucher der anderen Familien stöhnten auf und auch einige der Nosferas wichen zurück. Nur Professoressa Enrica trat ein Stück näher, so als wollte sie ihn stützen – oder verhindern, dass er Hals über Kopf davonrannte, was Luciano am liebsten getan hätte. Stattdessen ging er noch näher heran und umschloss das kleine Etwas. Seine Haut begann zu qualmen, als er es ins Licht hob. Ein Knochen! Ein winziger Knochen!

»Er ist echt«, keuchte Luciano und trat wankend auf die Prüfer zu. »Das ist der Knochen eines frühen Märtyrers!«

Einige sprangen von ihren Plätzen auf. Ein paar der Prüfer schrien, die Seigneurs aus Paris warfen ihre Stühle um und pressten sich knurrend an die Wand. Auch Dame Elina aus Hamburg ächzte und griff sich an die Brust. Als Luciano mit hölzernen Schritten auf die beiden Besucher aus Wien zukam, kreischte Baron Maximilian auf, während seine Schwester lautlos zusammenbrach und wie eine Puppe leblos unter den Tisch rutschte.

»Gut gemacht«, kommentierte Professoressa Enrica. »Du kannst den Knochen in die Truhe zurücklegen. Deine Prüfung ist zu Ende. Du hast sie bestanden!«

*

Die Nacht schritt voran. Es war gegen Mitternacht und die Hälfte der Halle bereits geleert, als Franz Leopold aufgerufen wurde. Er erhob sich so ruhig und gelassen wie nur möglich. Eine Prüfung vor dem dicken Conte in seinen lächerlich bunten Roben und seinen Professoren, was konnte ihm da schon passieren? Allerdings saßen auch Baron Maximilian und die Baronesse Antonia unter den Prüfern. Doch was verstanden die schon von der Abwehr kirchlicher Kräfte?

Sein Name war in der Halle verklungen, und er schritt bereits auf Signora Enrica zu, als diese noch einen Namen rief. »Alisa de Vamalia.«

Franz Leopold warf ihr einen schnellen Blick zu. Ablehnung stand in ihren Augen, als sie sich erhob. Mit unbeweglicher Miene kam sie auf Signora Enrica zu, doch in ihren Gedanken konnte er Wut und Enttäuschung, aber auch Verunsicherung lesen. Franz Leopold wäre auch lieber alleine geprüft worden, aber es hätte schlimmer kommen können.

Sie gingen nebeneinanderher, den Blick geradeaus gerichtet. Auch als sie in der Halle vor die Tische der Prüfer traten, sahen sie einander nicht an. Der alte Giuseppe begann mit Fragen zu der neueren Geschichte Roms, über Mazzini und Garibaldi und über die Vereinigung Italiens zu einem Königreich. Sie schlugen sich beide recht ordentlich. Während der Altehrwürdige weiterfragte, schweiften Franz Leopolds Gedanken ab. Ihn ließ das alles kalt. Was ging ihn das politische Gezerre der Menschen an? Die Grenzen wanderten hierhin und dorthin, mal herrschte ein König, dann gab es eine Republik. Was kümmerte es ihn? Hauptsache, die Menschen waren da, lebten und feierten und gaben leichtsinnig ihr warmes Blut!

Eine Weile ließen die Prüfer Giuseppe gewähren, dann unterbrach Conte Claudio die Fragen zur Geschichte und rief Professore Ruguccio in die Mitte, um die praktische Übung zu erläutern.

»Wir werden nachher mit euch zum Kolosseum hinuntergehen«, begann der Professor. »Ich habe dort heute Nacht ein Kästchen versteckt, das äußerlich diesem hier gleicht. Verfolgt meine Fährte und findet das Kästchen. Öffnet es nicht! Bringt es hierher und zeigt uns, was es enthält. Ich werde ein paar ausgewählte Prüfer ins Kolosseum begleiten, sodass sie von dort eure Suche beobachten können. Ihr dürft anfangen.«

Franz Leopold schritt auf den Ausgang zu, doch Alisa blieb stehen und betrachtete das Kästchen von allen Seiten. »Nun komm schon! Was glaubst du, kann das leere Ding dir verraten?«

»Ich will es mir nur genau einprägen. Wer weiß, vielleicht gibt es dort mehrere versteckte Kästchen. Ich kann nicht sagen, was sich unsere Prüfer ausgedacht haben!«

Franz Leopold schnaubte abfällig und fügte dann leiser hinzu. »Lass uns endlich anfangen, damit wir diese Farce bald hinter uns haben!« Er spürte, wie sie mit sich rang, doch dann schluckte sie die Bemerkung, die sie ihm gern entgegengeschleudert hätte, hinunter und eilte ihm nach durch das Tor in die Nacht hinaus. Der Weg war ihnen vertraut, und so hatten sie die Nordseite des Amphitheaters bereits erreicht, als die Prüfer gerade erst die Domus Aurea verließen.

»Bis die hier unten sind, haben wir das Kästchen längst gefunden«, sagte Franz Leopold zuversichtlich, doch noch ehe sie die Fährte des Professors aufgenommen hatten, wurden sie aufgehalten. Der Bibliothekar trat ihnen in den Weg.

»Ihr könnt hier erst rein, wenn die Prüfer ihre Plätze eingenommen haben«, sagte Leandro mit seiner tiefen, ruhigen Stimme, die jeden Widerspruch ausschloss. Unruhig traten die beiden jungen Vampire von einem Fuß auf den anderen, während die Prüfer den Hügel herabkamen. Es wunderte Franz Leopold nicht, den Baron und die Baronesse zu sehen und auch die hochgewachsene Hamburgerin Dame Elina. Sie waren natürlich daran interessiert, wie sich ihre Erben schlugen. Die anderen Clanmitglieder hatten sich wohl für ihre weichen Sessel entschieden. Außer dem Conte und Professor Ruguccio waren nur noch der altehrwürdige Giuseppe und Signora Enrica mitgekommen. Die Prüfungskommission verschwand im Kolosseum. Endlich trat Leandro beiseite und ließ sie passieren. Sie entfernten sich ein wenig von seinem Geruch, um die Fährte des Professors zu finden.

»Er ist da rein!«, sagte Franz Leopold bestimmt, nachdem sie die aufragenden Bögen einmal umrundet hatten.

Alisa nickte. »Ja, das würde ich auch sagen. Aber hast du auch die andere Aura wahrgenommen?«

»Er war allein!«

Sie nickte. »Das schon, dennoch ist da noch etwas Seltsames, was ich nicht einordnen kann.«

»Willst du jetzt hier noch lange herumstehen? Dann mach das! Ich jedenfalls werde das Kästchen holen!«

Ihre Beherrschung war heute fast bewundernswert! Sie presste die Lippen zusammen und folgte ihm in den Gang, der erst ein paar Stufen hinabführte und sie dann mit einigen Abzweigungen in den inneren Bereich unter der Arena brachte. Alisa schwieg eisern, doch ihre Gedanken kreisten noch immer um den seltsamen Geruch. Franz Leopold konzentrierte sich auf die Fährte, obwohl er nicht abstreiten konnte, dass sie recht hatte. Da war noch etwas. Kein Vampir und natürlich auch kein Mensch. Vielleicht etwas, das von dem Kästchen ausging? Aber er hütete sich, seine Vermutung auszusprechen. Stattdessen drang er wieder in ihre Gedanken ein. Sie waren erstaunlich klar und strukturiert für jemanden, der zur Familie der Vamalia gehörte und dann auch noch von weiblichem Geschlecht war!

»Hör auf damit!« Sie blieb unvermittelt stehen und funkelte ihn an. »Geh aus meinen Gedanken! Wenn du etwas wissen willst, dann frage, aber hör auf, heimlich in meinen Geist einzudringen!«

»Bitte«, sagte Franz Leopold und zuckte mit den Schultern. »Da gibt es sowieso nichts Interessantes zu lesen.«

Er spürte noch ihren Zorn aufwallen, dann gelang es ihr, ihr Bewusstsein vor ihm zu verschließen und ihn hinauszudrängen. Wütend stapfte sie weiter, ohne auf ihn zu warten. Franz Leopold sah ihr nach, entschloss sich dann jedoch, ihr zu folgen. Baron Maximilian wäre vermutlich nicht erfreut, wenn er wegen einer kleinen Streiterei mit einer Vamalia die Prüfung nicht zu Ende führte. An der nächsten Gabelung holte er Alisa ein. Sie witterte nach rechts, dann nach links und wieder nach rechts. Natürlich, kaum musste sie der Fährte alleine folgen, geriet sie ins Straucheln!

»Ich komme schon!«, sagte er gönnerhaft. »Die Spur ist ja so deutlich, dass man sie gar nicht verlieren kann – sollte man meinen!«

Alisa fauchte ihn an. »Aber ja! Und sie verläuft in beide Richtungen, Herr Besserwisser! Nun, was sagst du jetzt?«

Franz Leopold brauchte nicht lange, um zu erkennen, dass Alisa schon wieder recht hatte. Er prüfte die Fährten zweimal, dann sagte er: »Die nach rechts ist stärker!«

Alisa nickte. »Gut, dann nach links.«

»Was? Du willst der schwächeren Spur folgen? Ist das jetzt die berühmte Logik der Weiber?«

»Ja, genau, aber ich kann versuchen, es so zu erklären, dass auch ein Dracas es begreifen kann!«

Ah, es war so weit. Ihre Augen sprühten geradezu Funken und sie hätte ihn am liebsten am Hals gepackt und geschüttelt. Franz Leopold lächelte. Er konnte der Versuchung einfach nicht widerstehen, sie immer wieder herauszufordern, bis sie die Beherrschung verlor. »Ich höre?«

Sie atmete ein paarmal ein und aus, bis sie sich etwas beruhigt hatte, dann sagte sie mit gepresster Stimme: »Welche Erklärung kann es für die doppelte Spur geben? Er ist in den einen Gang hineingegangen und auf dem Rückweg aus dem anderen hinausgekommen. Also ist die Spur des Hinwegs ein wenig älter und daher schwächer.«

Das war gar nicht dumm gedacht, musste Franz Leopold zugeben, und er sagte es ihr auch. »Anderseits muss auch die andere Spur zum Ziel führen«, wandte er ein.

»Ja, aber lautete Professor Ruguccios Anweisung nicht, den gleichen Weg wie er zu nehmen? Vielleicht wertet er es als Fehler, wenn wir uns auf seinem Rückweg nähern?«

Franz Leopold hob die Hände. »Die Gedankengänge von Professoren sind vermutlich noch seltsamer als die weiblicher Hirne. Also gut, dann gehen wir eben links.«

Sie kamen noch an einigen Kammern vorbei, dann bog die

Fährte in einen Schacht ab, im dem sich vielleicht einer der Seilzüge befunden hatte, mit denen man die gigantischen Kulissen der Spiele bewegte.

Alisa trat in den Schacht und betrachtete die aufragenden Wände. Prüfend ließ sie die Handflächen über die glatten Steine gleiten. »Da kommen wir nicht hinauf«, sagte sie mit einem Seufzer.

Franz Leopold trat neben sie. »Warum sollten wir da hinaufwollen?«

»Weil das Kästchen dort oben in der Wand ist. Ich spüre wieder diese Schwingung.«

Er wollte schon etwas Abfälliges erwidern, doch da fühlte er es auch. Irgendwo dort oben, in einer Nische verborgen, musste das Kästchen sein. »Wenn der alte Professor das geschafft hat, dann können wir das auch!«, verkündete er und schob die Fingerspitzen in eine Fuge zwischen den Steinen. Sie war so schmal, dass nicht einmal sein Fingernagel hineinpasste. Er versuchte es an einer anderen Stelle, doch er schaffte es nicht einmal, einen Schritt über den Boden zu gelangen.

Alisa strich derweil ganz langsam an der Wand entlang, um die Position des Kästchens zu bestimmen. Nach der zweiten Runde blieb sie stehen. »Es muss genau über mir sein. Kannst du etwas erkennen?«

Franz Leopold brach seine Kletterversuche ab und wich bis zur anderen Wand zurück. Den Kopf in den Nacken gelegt, suchte er das Mauerwerk ab. »Ja, ich glaube, dort oben ist das Kästchen. Es fügt sich wie ein Mauerstein ein, aber die Farbe weicht ein wenig ab.«

Alisa stellte sich neben ihn. »Ja, du hast recht.« Sie schwiegen und dachten beide das Gleiche: Es ist verdammt hoch!

»Stell dich auf meine Schultern«, wies Franz Leopold Alisa an.

»Ich glaube nicht, dass das reicht.«

»Wenn du es nicht versuchst, sicher nicht!«

Alisa stieg auf sein gebeugtes Knie und erklomm dann geschickt seine Schultern. Franz Leopold umfasste ihre Fußgelenke und richtete sich auf. »Und?«

»Nein! Da fehlt noch fast ein Schritt. Auf diese Weise haben wir keine Chance. Lass mich wieder runter. Vielleicht können wir ein Seil auftreiben und es von der Schachtöffnung aus versuchen.«

»Das wäre aber nicht auf den Spuren des Professors«, erinnerte Franz Leopold.

»Na und? Ist aber besser, als mit leeren Händen zurückzukommen!«

»Es muss eine Möglichkeit geben, die Aufgabe so zu bestehen, wie sie gestellt wurde«, beharrte Franz Leopold. »Ich hoffe für uns beide, dass du einen guten Gleichgewichtssinn hast!«

»Was? Was hast du vor?«

»Zapple nicht so herum! Stell dich auf meine Handflächen.«

Ihre Füße traten auf seine Hände und er schloss die Finger. Ganz langsam hob er sie hoch. Sie spannte Beine und Bauch an und balancierte mit den Armen, sodass er sie gerade hochstemmen konnte. Es ging einfacher, als er gedacht hatte. Schon stand er mit ausgestreckten Armen an der Wand. »Und?«

Er fühlte, wie sich Alisa reckte. Sie stellte sich auf die Zehenspitzen. »Ich kann es mit den Fingerspitzen berühren. Nur noch wenige Zentimeter!«

»Und wie soll ich das machen?« Es blieb ihm nichts anderes übrig, als sich ebenfalls auf die Zehen zu stellen. Alisa stieß einen Triumphschrei aus und ihre Erleichterung flutete zu ihm herunter.

Franz Leopold ließ sich auf die flachen Sohlen sinken und nahm die Arme herunter, bis die Ellenbogen auf der Höhe seiner Schultern waren. Geschmeidig glitt Alisa zu Boden. »Da ist es!« Sie hielt das Kästchen in den Händen.

»Lass sehen! Was ist drin?«

Sie zog das Kästchen zurück. »Lass es uns erst zurückbringen, bevor wir es öffnen.«

»Warum?«

»So lautet die Anweisung. Und außerdem habe ich ein ungutes Gefühl!«

Franz Leopold setzte seine verächtliche Miene auf, doch er nickte. Er wusste, was sie meinte. Er strich mit dem Fingernagel über den Deckel und spürte einen Schauder durch seinen Körper gehen. Die Aura, die aus der Kiste drang, war nicht sonderlich stark. Und doch …

Sie eilten zurück. Das Prüfungskomitee erwartete sie bereits am Ausgang. Dame Elina nickte Alisa anerkennend zu und auch die Dracas zeigten zufriedene Gesichter. Gemeinsam gingen sie zur Oktogonhalle der Domus Aurea zurück. Als sich der Lärm und das Stühlerücken gelegt hatten, richteten sich die Gesichter gespannt auf die beiden jungen Vampire, die das Kästchen vor sich auf einen Tisch stellten.

»Was glaubt ihr, ist darin? Was für eine Art von Gegenstand?«, fragte Professor Ruguccio. Franz Leopold konnte deutlich seine Anspannung spüren, die gar nicht zu der schwachen Aura passte, die der kleinen Kiste entströmte. Er tastete mit seinem Geist nach Alisa.

Ich habe dir gesagt, du sollst das lassen! Verschwinde!!

Alisa, hör mir zu. Öffne deinen Geist! Das Drängen seiner Gedanken lockerte ihren Widerstand, doch das Misstrauen blieb.

Warum? Was könntest du wollen, das diesen Übergriff rechtfertigt?

Ich glaube, ich weiß nun, was mit dem Kästchen nicht stimmt. Du hast es ja auch gespürt! Der Gegenstand darin ist sehr, sehr mächtig. Das sagt mir schon allein die Nervosität unseres Professors, der nicht von unserer Seite weichen will, um jederzeit eingreifen zu können.

Und warum können wir dann die Aura nicht deutlicher spüren? Noch während Alisa lautlos die Frage stellte, formte sich in ihren Köpfen die Antwort. Es musste etwas im Deckel und in den Wänden des Kästchens verborgen sein, das die Aura abschirmte. Fast abschirmte. Eine leichte Verschiebung entstand beim Aufeinandertreffen der beiden Kräfte. Das war es, was sie neben der Fährte des Vampirs gespürt hatten.

Ich vermute, wir werden uns ordentlich die Finger verbrennen, wenn wir das Ding einfach aufmachen, dachte Franz Leopold. *Wenn es bei den Fingern bleibt! Ich denke nicht, dass ich mir das antun möchte!*

Und was schlägst du vor, sollen wir stattdessen tun? Ihnen einfach sagen, was wir vermuten?

Oh nein! Sie sollen ihr Spektakel bekommen! Pass auf, ich habe eine Idee.

Alisa lauschte seinen Gedanken und nickte dann. Ein unterdrücktes Lächeln spielte um ihre Lippen.

»Nun? Was ist?«, drängte der Professor.

»Die Aura ist schwach und soll uns vorgaukeln, dass wir es nur mit einem harmlosen Artefakt zu tun haben.«

Signor Ruguccio öffnete den Mund für die nächste Frage. Alisa und Franz Leopold rückten so nah zusammen, dass ihre Oberarme gegeneinanderdrückten. Sie umfassten je eine Schmalseite des Kästchens und neigten es so, dass der Deckel auf die Prüfer zeigte. Der Professor blieb stumm und starrte sie nur fassungslos an.

»Jetzt!«, rief Franz Leopold, und gemeinsam hoben sie den Deckel an. Ein Lichtblitz durchzuckte die Halle. Die Prüfer schrien auf. Einige warfen sich zu Boden. Signora Enrica sprang hinzu und auch Professor Ruguccio wollte nach dem Kästchen greifen, doch da schlossen Alisa und Franz Leopold den Deckel wieder. Sie traten ein Stück vom Tisch zurück und zwinkerten einander zu. Der Schutz in Wänden und Boden hatte sie davor bewahrt, sich auch nur die Fingerspitzen zu verbrennen.

»Wie ihr alle gesehen habt, ist der Gegenstand zu mächtig, um aus dem Kästchen genommen zu werden«, sagte Franz Leopold kühl und sah in die Runde der Clanoberhäupter, die sich ein wenig verwirrt wieder aufrappelten.

»Das war sehr gut«, lobte Professor Ruguccio und klemmte sich das gefährliche Kästchen unter den Arm. »Ich habe keine weiteren Fragen. Ich werde diesen Schatz nun wieder an einen sicheren Ort bringen.«

Die beiden jungen Vampire sahen ihm nach. »Ich frage mich, was mit uns geschehen wäre, wenn wir das Kästchen einfach geöffnet hätten«, murmelte Alisa.

»Ich vermute, wir hätten diese Prüfung nicht bestanden«, antwortete Franz Leopold. »Diese nicht und auch keine weitere mehr!«

Alisa sah ihn verblüfft an. Dann begann sie zu lachen. »Lass mir wenigstens den Glauben, der Professor wäre rechtzeitig eingeschritten!«

Franz Leopold wandte sich ab. »Wenn du es gern möchtest, dann will ich dir deine Illusion nicht rauben. Jedenfalls war diese Prüfung spannender, als ich es erwartet hätte.« Und mit diesen Worten verließ er die Halle.

*

Der Conte lächelte jovial in die Runde der Clanführer und ihrer Begleiter. »Nun, nachdem alle Schüler gezeigt haben, dass sie diese Monate wohl zu nutzen wussten und ihre Kräfte gestärkt haben, möchte ich die Nacht mit einem besonderen Umtrunk beenden. Meine Getreuen haben im großen Hof alles vorbereitet. Folgt mir, lasst euch auf den Ruhesofas nieder und erlebt, wie die Nosferas zu genießen verstehen! Ich verspreche euch, ihr werdet dieses Geschmackserlebnis nicht vergessen!«

Die Besucher sahen einander fragend an. Was konnte der Conte meinen?

»Er wird ein paar junge Mädchen und Knaben vom Theater besorgt haben«, vermutete Seigneur Lucien.

»Das will ich nicht hoffen«, erwiderte Dame Elina pikiert. »Das wäre barbarisch!«

Seigneur Thibaut zuckte mit den Achseln. »Aber meist sehr unterhaltsam und geschmacklich unübertroffen! Ich vermute, dass unsere Österreicher auch ihre Orgien zu feiern wissen!«

»Rauschende Feste und Bälle und auch Hofaufführungen durchaus, Seigneur Thibaut«, gab die Baronesse affektiert zurück.

»Aber sicher keine wüsten Orgien, wie Ihr es offensichtlich in den Labyrinthen unter Paris zu tun pflegt!«

»Woher wollt Ihr wissen, wie es bei uns zugeht? Wir laden Euch jedoch gerne zu einem unserer Feste ein!«

»Danke nein, mir reicht in diesem Fall durchaus meine Vorstellungskraft!« Sie klappte ihren Fächer auf und wedelte sich frische Luft ins Gesicht, als müsse sie eine üble Ausdünstung der Seigneurs vertreiben. Die beiden Pyras gönnten ihr noch einen bösen Blick und setzten sich dann weit weg von der Baronesse und ihrem Bruder.

Als alle Platz genommen hatten, trat Conte Claudio in die Mitte. Er hatte sich einen mit goldenen Runen bestickten Samtmantel umgelegt, der ihn wie einen römischen Kaiser der Vergangenheit aussehen ließ. Vielleicht sogar wie Nero, in dessen Haus er nun seine Feste feierte? Theatralisch hob er die Hände und ließ die Diener eintreten. Sie brachten allerdings weder Tänzerinnen noch Schauspieler mit. Sie trugen schwer beladene Tabletts in den Hof und verteilten diese auf den niederen Tischen. Auf den Tabletts standen verkorkte Flaschen. Die meisten trüb und staubig. An manchen hafteten sogar die Reste von Spinnweben.

»Was wird denn das?«, fragte Dame Elina verwundert und wandte sich zu Lord Milton um, doch der Londoner Clanführer blickte genauso irritiert drein.

Conte Claudio ließ den Blick über seine Gäste wandern. »Wie ihr alle wisst, ist Blut nicht gleich Blut. Es nährt uns und gibt uns unsere Kräfte, aber es kann noch mehr sein. Das Blut von Tieren erhält uns am Leben, das Blut der Menschen jedoch ist uns immer wieder ein neues Sinnenfest. Jeder Mensch riecht und schmeckt anders!« Er machte eine Pause und sah in die erwartungsvollen Gesichter der Anwesenden.

»Menschen kennen einen ähnlichen Genuss. Es ist der Wein! Habt ihr sie einmal beobachtet, wenn sie sich einen besonderen Wein reichen lassen oder ein Glas Champagner trinken? Uns ist dies nicht vergönnt, doch einer unserer Servienten, der vor mehr als einhundert Jahren Kellermeister dreier Päpste war, brachte uns auf die Idee, Blut mit ein paar Tropfen erlesenen Weins oder Champagners zu mischen. Wir begannen mit unseren Versuchen und waren begeistert! Der Geschmack des Blutes lässt sich so noch steigern, beglückt und berauscht! Nein, schaut nicht so skeptisch drein, kostet es und lasst euch von den unbekannten Gaumenfreuden überzeugen!« Er winkte seine Diener heran, die die ersten Kelche füllten und verteilten.

»Wir beginnen mit einem Champagner Jahrgang zweiundsechzig aus dem Hause Nicolas Ruinart, gemischt mit dem Blut zweier Tänzerinnen aus dem Ballettensemble der Oper.«

Der Conte wartete, bis jeder einen Kelch in Händen hielt, dann hob er den seinen. »Nun denn, auf unsere Kinder. Mögen sie unsere Familien zu neuer Größe führen!«

Die Gäste nippten vorsichtig an ihrem Getränk. Auf so manchem Gesicht zeigte sich bald schon ein Lächeln. Die beiden Seigneurs schnalzten mit der Zunge und selbst Baronesse Antonia leerte ihren Kelch in einem Zug und verlangte nach mehr.

Conte Claudio schmunzelte. »Ah, ich sehe, ich habe die meisten bereits beim ersten Glas überzeugt. Dann fahren wir mit einem der vier großen Rotweine aus dem Bordeaux fort: dem Haut-Médoc Château Latour, gemischt mit dem Blut kräftiger, junger Schweizergardisten.« Er sah zu Dame Elina hinüber, die noch immer ein wenig skeptisch schien.

»Es ist erstaunlich«, sagte sie, »doch ich fürchte, man verliert bei diesem Genuss schnell seinen klaren Kopf.«

Der Conte verneigte sich in ihre Richtung. »Das ist richtig, aber das ist bei solchen Festen auch durchaus Absicht, verehrte Dame Elina! Kommen wir zu einem vortrefflichen Wein aus dem Großherzogtum Burgund und wandern dann weiter nach Savoyen, bevor wir uns den Weinen zuwenden, die das nun vereinte Königreich Italien zu bieten hat.«

OPERNABEND

Der Kardinal hatte zu einem Treffen gerufen, und nun kamen sie einer nach dem anderen die Treppe zum geheimen Versammlungsort herunter, wie üblich in ihren weiten Umhängen und mit der roten Maske vorm Gesicht. Auch der Kardinal hatte seine Maske angelegt und den schwarzen Umhang, der seine rote Robe verborgen hatte, über einen Steinblock geworfen. Stumm musterte er die Männer, wie sie eintraten, sich verbeugten und auf ihren Stühlen Platz nahmen. Der letzte Stuhl blieb leer. Der Vampir hatte also nicht vor, an diesem Treffen teilzunehmen. Oder hatte er sich gar ein weiteres Opfer geholt? Rasch ließ der Kardinal den Blick über die verhüllten Gestalten schweifen. Genauer gesagt über ihre Schatten. Gut, unter allen Umhängen und Masken steckten Menschen. Die Anspannung fiel ein wenig von ihm ab. Er räusperte sich.

»Lasst uns beginnen. Ich habe gute Nachrichten. Wir sind unserem Ziel wieder ein Stück näher gekommen. Der Papst erfreut sich nach wie vor bester Gesundheit und wird unseren Plänen dienen. Und um Vittorio Emanuele II. und sein Parlament wird es immer – sagen wir – lichter. Nach Ratazzis Tod hat Depretis angedeutet, er wolle sich aus gesundheitlichen Gründen zurückziehen!«

Ein anderer meldete sich zu Wort. »Auch Graf Robilant geht es nicht gut. Er leidet unter Blutarmut und ist so schwach, dass ein Vertreter für einige Wochen sein Amt als Außenminister übernehmen soll, während die Ärzte ihn mit Spenderblut kräftigen wollen.«

Der Kardinal nickte zufrieden. »Gut, der Nächste.«

»Aus internen Kreisen hört man, dass Graf Balbo in seine Heimat zurückkehren will. Der König ist alles andere als begeistert, seinen Berater zu verlieren. Der Graf erklärt jedoch, es werde Zeit, sich wieder um die eigenen Ländereien zu kümmern. Allerdings hörte ich einen Diener sagen, der Graf habe ihm gegenüber geäußert, ihm scheine das Klima in Rom zu ungesund.«

»Vorzüglich!« Der Kardinal rieb sich die Hände. »Nächster!«

So ging es reihum. Einer berichtete von Unruhen in Rom, weil das einfache Volk genug hatte von mysteriösen Todesfällen und die Austreibung der Teufel forderte! Die *commissari* der *polizia* versagten. Wer anders als die Kirche konnte jetzt noch helfen?

Die Nachrichten versetzten den Kardinal in einen Zustand des Rausches, als habe er zu viel schweren Rotwein getrunken. Es ging voran. Die wichtigen Leute der Regierung verschwanden, erkrankten oder verließen Rom freiwillig. Noch eine Weile musste das Zermürben und Aushöhlen weitergehen. Aber dann, am Tag, an dem der König sterben würde, wäre das Volk reif, den Papst als seinen alleinigen Herrn und Retter freudig zu begrüßen. Und dann würde sich ein Heer aufmachen, alles Unheilige von Italiens Boden zu tilgen!

Der Kardinal erhob sich, um die Versammlung zu beenden, als sich eine Hand in die Höhe reckte. »Verzeiht, Eminenz, dürfte ich noch eine Frage stellen?«

»Ja, bitte.«

»Haltet Ihr es nicht für – sagen wir – gefährlich, die geplanten Grabungen auf dem Oppius zuzulassen?«

Es war sicher nicht klug, zuzugeben, dass er keine Ahnung hatte, wovon der vierte Maskenmann sprach, doch der Kardinal war so verdutzt, dass er ihn nur anstarren konnte. »Werdet deutlicher!«, stieß er hervor.

»Der Archäologe de Rossi ist zurück und hat beim Heiligen Vater vorgesprochen und Pius hat den Camerlengo zum König geschickt. Sowohl der König als auch das Parlament haben Interesse bekundet und ihre Unterstützung zugesagt!«

»Was will er denn dieses Mal ausgraben?«, fragte der Kardinal und versuchte, seiner Stimme einen gelangweilten Tonfall zu geben.

»Sie suchen nach der Domus Aurea, dem goldenen Palast Neros.«

Kardinal Angelo war es, als würde der Boden unter seinen Füßen schwanken. »Das muss Euch nicht kümmern«, sagte er mit heiserer Stimme. »Ich werde dafür sorgen, dass es nicht zu dieser oder einer anderen Ausgrabung in der Gegend kommt.« Er griff nach seinem Umhang und schwang ihn über die Schultern.

»Unser Treffen ist hiermit beendet! Möge Gott mit uns sein und unsere heiligen Ziele unterstützen.« Die anderen murmelten eine entsprechende Erwiderung, während der Kardinal an ihnen vorbei die Treppe hinaufstürmte. Gleich morgen würde er dem Papst einen Besuch abstatten und ihm klarmachen, dass es besser wäre, solche Pläne in Zukunft vorher mit seinem Kardinal zu besprechen!

*

»Heute wird kein Unterricht stattfinden«, verkündete Conte Claudio am Abend nach der Prüfung in der goldenen Halle. »Bevor die ersten Gäste wieder abreisen, werden wir alle zusammen in die Oper gehen. Es ist ein großes gesellschaftliches Ereignis, bei dem viele Menschen anwesend sein werden. Es wird euch verwirren, ja vielleicht sogar ängstigen oder eure Fantasie beflügeln. Damit die Versuchung nicht zu groß wird, dürft ihr nicht einen Augenblick alleine sein! Geht zu zweit oder dritt und genießt den Abend. Außerdem werde ich euch jeweils einen unserer Schatten zuteilen, der angehalten ist, euch im Auge zu behalten. Und nun kehrt zu euren Schlafkammern zurück und lasst euch beim Umkleiden helfen.« Sein Blick verharrte etwas missbilligend auf Alisa, die wie üblich Hose, Hemd und Jacke trug. Allerdings sah sie darin wesentlich schmucker aus als Joanne oder ihr noch schmuddeligerer Cousin Fernand.

»Keine Katzen und keine Ratten!«, fügte der Conte noch beim

Hinausgehen hinzu. Fernand und Maurizio machten lange Gesichter.

Raphaela strahlte und summte vor sich hin, während sie die leeren Becher einsammelte.

»Kommst du auch mit?«, fragte Alisa.

Die junge Servientin nickte. »Der altehrwürdige Marcello hat um meine Begleitung gebeten, erst in die Oper und dann noch in ein Etablissement, in das wir euch noch nicht mitnehmen würden. Conte Claudio hat nichts dagegen. Ich war schon eine Ewigkeit nicht mehr aus!«

»Marcello?« Vage stieg das Bild eines Altehrwürdigen in Alisas Geist auf, der gegen den Conte schimpfte und zeterte.

Raphaela zog eine Grimasse. »Ja, es gibt sicher angenehmere Partner für eine Nacht in Rom, aber ich will mich nicht beklagen. Ich komme schon mit ihm zurecht und ich freue mich auf die Oper!« Sie stellte rasch die letzten Becher auf ihr Tablett und eilte davon, um sich umzuziehen, denn heute durften auch die Unreinen ihre graue Einheitskleidung ablegen und sich mit einer Abendgarderobe schmücken – wenn auch keiner so prächtigen wie die Vampire reinen Blutes!

Außer den Dracas, die immer aussahen, als wollten sie gerade auf einen Ball gehen, mussten sich alle Schüler umkleiden. Wobei der Conte auch den beiden österreichischen Mädchen neue Kleider bringen ließ, der hiesigen Mode entsprechend ohne ausladenden Reifrock, stattdessen mit einer Tornüre und einer gerafften Schleppe. Alisas Kleid war vom Blau eines Lapislazuli und passte wundervoll zu ihren Augen, die im Widerschein nun dunkler erschienen. Zwei junge Servientinnen halfen ihr, das rötlichblonde Haar mit einem Brenneisen in Locken zu legen und mit diversen edelsteinverzierten Kämmen und Nadeln hochzustecken. Ivys Kleid war türkis. Ihr silbernes Haar versteckte sie, so gut es ging, unter einem kecken Hütchen mit gefärbten Straußenfedern. Chiara sah in ihrem blutroten Kleid mit schwarzer Spitze einfach hinreißend aus! Die meisten der jungen Vampirinnen stolzierten hocherhobenen Hauptes auf und ab und versuchten gar nicht erst, ihre Erregung zu verbergen. Joanne schien die Einzige zu sein, die alles andere als glücklich über die Abwechslung war. Sie sah an ihrem Kleid hinab, das schlichter und nicht so figurbetont war wie die Kleider der anderen, dennoch fühlte sie sich sichtlich unwohl.

Im Hof trafen sie auf die Jungen und die Gäste des Conte. Sie waren ebenfalls alle prächtig anzusehen. Conte Claudio stach wie üblich mit einem Farbenspiel aus der Menge heraus, das Alisa blinzeln ließ. Die geblümte Weste war zu den engen gelben Hosen und der saftig grünen, gemusterten Jacke ein wenig zu viel des Guten!

Sänften wurden herbeigetragen, und am Fuß des Hügels fuhren einige Kutschen vor, um die Gäste zum Teatro dell'Opera zu bringen. Lange Zeit hatte Rom kein Opernhaus besessen, doch nun hatte sich die neue Hauptstadt des Königreichs endlich wieder eines bauen lassen. Es war nicht annähernd so prächtig wie die Scala in Mailand oder das Gran Teatro La Fenice di Venezia, aber es würde durchaus seine Dienste tun. Ja, seine Schlichtheit und Kühle waren sogar gewollt, um das neue Zeitalter des Fortschritts zu unterstreichen.

»Was wird heute aufgeführt?«, fragte Alisa, als sie hinter Ivy und Luciano in eine Sänfte kletterte.

»*Der Barbier von Sevilla* von Gioachino Rossini«, gab Luciano bereitwillig Auskunft. »Bei ihrer Uraufführung hier in Rom war die Oper kein großer Erfolg, doch inzwischen lieben die Römer das Stück. Genauso wie *Aschenputtel* und *Wilhelm Tell*, die letzte Oper, die er vor seinem Tod schrieb.«

Ivy war ungewöhnlich schweigsam und wirkte bedrückt. Sie spielte abwesend mit ihrem schlichten Armreif, der aus dem grünen Marmor unter den Mooren von Connemara gefertigt worden war, so hatte sie es Alisa einmal gesagt. »Er bindet mich an meine Heimat«, waren ihre Worte gewesen, und ihre Stimme hatte ganz fremd geklungen. Sicher dachte sie gerade an Irland – und an Seymour.

Vielleicht war der Grund für ihre melancholische Stimmung, dass Conte Claudio ihr verboten hatte, Seymour mitzunehmen. Sie sei noch nie von ihm getrennt worden, hatte sie sich ereifert, doch der Conte war hart geblieben und hatte den Wolf in ein steinernes Gelass sperren lassen. Nun schien ihr alle Freude verdorben, doch Alisa war zuversichtlich, dass der Zauber der Nacht sie bald ablenken würde.

Der Platz vor der Oper war hell erleuchtet. Von überall strömten vornehm gekleidete Menschen herbei. Alisa betrachtete die üppigen Kleider, Hüte, Schmuck und Fächer und sehnte sich nach der Bequemlichkeit ihrer Hosen. Luciano verbeugte sich und bot den beiden Mädchen galant je einen Arm. Unter den wachsamen Blicken der Schatten stiegen die jungen Vampire die Stufen hinauf und betraten die große Halle.

»Ist es nicht aufregend?« Chiara stürmte mit gerafftem Spitzenrock auf sie zu. »Ich liebe es! So viele Menschen und dieser Geruch überall, man wird ganz schwindelig davon.«

»Ja, schwindelig«, meinte Ivy, deren Lächeln ein wenig gequält wirkte. Die unzähligen Gaslichter verbreiteten blendende Helligkeit und trotz der winterlichen Temperaturen draußen war es drinnen bereits stickig heiß.

»Mir sind das zu viele Menschen, und ich habe das Gefühl, ich sollte davonlaufen!«

Luciano umfasste ihren Arm ein wenig fester. »Du gewöhnst dich daran. Ich finde es aufregend und beängstigend zugleich. Ich fühle, wie meine Zähne hervordrängen, und traue mich kaum, den Mund zu öffnen. Ich denke immer, die Menschen müssten alle stehen bleiben, sich zu mir umdrehen und mich anstarren.«

Alisa kicherte etwas nervös. »Wenn sie heute jeden anwesenden Vampir anstarren wollten, blieben nicht mehr allzu viele für jeden Einzelnen von uns übrig.«

Luciano fiel in ihr Lachen ein, doch Ivy murmelte: »Das sind immer noch genug.«

»Dann lasst uns unsere Plätze aufsuchen. Wir sitzen dort drüben auf der linken Seite in einer Loge zusammen mit Chiara, Tammo und Malcolm. Ich kann euch, bis es anfängt, noch ein wenig über Rossini und das Stück erzählen, wenn es euch interessiert.«

»Gern!« Und so führte Luciano sie geschickt durch das Gedränge zu ihrer Loge, während er vom Leben und Sterben Rossinis berichtete.

»Der große Giuseppe Verdi hielt viel von ihm und hat nach Rossinis Tod die zwölf bedeutendsten Komponisten Italiens eingeladen, um gemeinsam eine Totenmesse für Rossini zu komponieren. Sie sollte am ersten Jahrestag seines Todes uraufgeführt werden, doch aus irgendwelchen Gründen wurde die *Messa per Rossini*, Messe für Rossini, bis heute nicht gespielt.«

Alisa warf Luciano einen erstaunten Blick zu. »Du weißt ja eine Menge. Ich wusste gar nicht, dass du dich so für Musik begeistert.«

Luciano wand sich ein wenig. »Ich fand die Oper schon immer faszinierend und war ein paarmal mit dem altehrwürdigen Giuseppe in verschiedenen Aufführungen, aber normalerweise rede ich nicht darüber. Ich glaube, dies ist keine Leidenschaft, die bei Vampiren Bewunderung hervorruft.«

Alisa hob die Schultern. »Na und? Glaubst du, in meiner Familie versteht irgendjemand meine Passion für die Erfindungen der Menschen und ihre Zeitungsnachrichten? Aber meist kümmert mich das nicht. Ich finde dagegen ihre Art, müßig in die Nacht hineinzuleben, einfach nur langweilig!«

»Du bist sehr weise«, sagte Luciano. Er kramte ein Opernglas hervor und reichte es Alisa.

Sie nahm es und dankte. »Obwohl meine Augen durchaus scharf genug sind, um die Vorgänge auf der Bühne gut ohne Opernglas zu erkennen.«

»Darum geht es nicht«, belehrte sie Luciano. »Es gehört einfach dazu, dass man die Darsteller durch das Glas betrachtet und in der Pause darüber spricht, was sie geboten haben. Wir müssen uns also noch merken, wer heute Graf Almaviva singt, Rosine, Marzelline und Dr. Bartolo und natürlich den Figaro!«

»Ich wusste gar nicht, dass ein Opernabend so kompliziert ist«, erwiderte Alisa mit einem gespielten Seufzer und zwinkerte Luciano zu. Sie richtete ihr Glas auf die Kuppel über dem Saal und betrachtete das Gemälde, das sich über dem Zuschauerraum wölbte und vielleicht das einzig wirklich Prächtige am neuen Opernhaus war. Dann wurden die Lichter im Zuschauerraum gelöscht und nach und nach verebbte das Geschnatter in den Rängen und im Parkett. Der Vorhang erstrahlte im Licht der Gaslampen. Dann rafften ihn unsichtbare Seile in die Höhe und gaben den Blick auf die Bühne frei.

*

Latona ließ das Opernglas sinken. »Onkel, dort drüben in der Loge sitzen Vampire!« Sie reichte das Glas an Carmelo weiter, der lange in die Ränge gegenüber blickte.

»Ja, du hast recht, meine Liebe, und nicht nur in dieser Loge. Hast du die seltsamen Gestalten dort drüben gesehen? Ich kann mir nicht vorstellen, dass sie von hier sind.«

Latona strich sich das lange zartgelbe Kleid mit den rostroten Schleifen glatt, ehe sie wieder zu dem Opernglas griff, das ihr Onkel ihr hinhielt. Es war, als wollte sie Zeit gewinnen. Wofür? Ihr Herzschlag beschleunigte sich, doch sie versuchte, vor sich selbst nicht zuzugeben, dass sie nur nach diesem einen blauen Augenpaar Ausschau hielt und nach dem blassen Gesicht mit den Lippen, die sie geküsst hatten. Erst zu Hause, als sie ihren Hals genau untersucht hatte, war die Frage in ihr aufgestiegen, warum er sie geküsst hatte, aber nicht gebissen. Vampire lebten vom Blut ihrer Opfer. Sie waren böse Wesen, die keine Rücksicht und kein Mitleid kannten – keines der Gefühle, die nur den Menschen zu eigen waren. Oder etwa doch nicht? Hatte ihr Onkel ihr nicht alles über diese Wesen erzählt? Oder wusste auch er es nicht besser?

Die Stimme Carmelos klang wie von fern. »Es ist doch sehr ungewöhnlich, wie viele von ihnen heute hier versammelt sind. Ich finde keine Erklärung dafür. Zumindest keine, die mich nicht sehr beunruhigen würde«, fügte er leise hinzu. Latona antwortete nicht. Sie hielt den Blick weiter durch das Opernglas gerichtet.

Da sah sie ihn. Ihr Herz machte einen Sprung, und sie dachte, sie könne nicht mehr atmen. Mit drei anderen Vampiren, die ihm ähnlich sahen, aber einige Jahre jünger sein mussten, saß er aufrecht hinter der Brüstung. Seine grobe Jacke hatte er gegen einen eleganten Frack getauscht. Im Hintergrund konnte sie weitere Gestalten erahnen, doch die interessierten sie nicht. Sie starrte nur unverwandt auf Malcolm und versuchte, gleichmäßig ein- und auszuatmen.

Obwohl die Handlung auf der Bühne ihrem ersten Höhepunkt entgegenstrebte, wandte sich Malcolm plötzlich vom Geschehen ab und sah direkt zu ihrer Loge herüber. Latona fuhr zurück und presste den Rücken gegen die Stuhllehne. Das Opernglas entglitt ihren Händen und fiel ihr in den Schoß. Er hatte sie bemerkt! Ja, er schaute ihr genau in die Augen. Selbst in diesem trüben Licht und in dieser Entfernung war es ihr, als könne sie das tiefe Blau in ihnen erkennen.

Carmelo beugte sich zu ihr herüber und befreite das Opernglas aus ihren Schleifen und Rüschen. »Nun, meine Liebe? Was ergibt deine Volkszählung?«, fragte er mit mildem Spott in der Stimme.

»Was?« Sie konnte nur mit Mühe den Kopf wenden, um ihren Onkel anzusehen.

»Wie viele Vampire hast du gezählt? Ihre Zahl scheint dich zu erschrecken. Du bist ganz bleich geworden!« Er tätschelte ihre Finger, die so eiskalt waren wie Malcolms Hände, Wangen und Lippen.

»Es läuft mir ein kalter Schauder über den Rücken!«

»Ja, es sind verdammt viele!«

Latona nahm sich vor, nicht mehr an die blauen Augen zu denken, und versuchte sich an einem Lächeln. »Onkel, du fluchst? Das wirst du hoffentlich in deiner Beichte erwähnen!«

»Aber sicher! Ich möchte doch nicht noch mehr Sünden auf meine arme Seele laden.« Er sprach noch immer in leichtem Ton, aber Latona spürte, dass auch er angespannt war. »Vielleicht kommen sie alle nach Rom, um sich zu vereinen und gemeinsam gegen die Menschen vorzugehen.«

»Meinst du wirklich?« Ihre Stimme zitterte. »Sehr angriffslustig wirken sie nicht. Findest du, sie sehen gefährlich aus?«

Carmelo schüttelte den Kopf. »Nein, aber sie sind gefährlich! Und deshalb werde ich weiterhin zu dieser Maskerade gehen und dem Kardinal helfen, auch wenn er mir im Moment von all diesen Raubtieren als das tödlichste erscheint.«

»Wenn du meinst, dass das das Richtige ist, Onkel Carmelo«, würgte Latona hervor und sah wieder zu der Loge hinüber, in der Malcolm saß, doch der schien gebannt vom Spiel auf der Bühne.

Carmelo umschloss hart den Arm seiner Nichte. »Ich möchte, dass du während der Pause hier bleibst! Und wenn wir gehen, wirst du stets an meiner Seite sein. Alles andere wäre zu riskant!«

Sie nickte, erleichtert und zugleich enttäuscht und traurig.

*

In der Pause strömte das Publikum ins Foyer und das große Treppenhaus. Es wurde Champagner ausgeschenkt und man reichte erlesene Häppchen auf feinem Porzellan – zumindest für die Besucher der teuren Logen. Das einfache Volk blieb unten unter sich.

Anna Christina stand oben auf der Treppe und sah sich mit gelangweiltem Blick um. »Es ist erbärmlich provinziell. So schlicht und kalt mit diesem grauweißen Marmor.« Marie Luise stimmte ihr wie üblich zu, obwohl sie vermutlich nicht einmal genau wusste, wovon ihre ältere Cousine sprach.

»Wien hat einfach eine andere Klasse. Ich frage mich, warum wir uns dieses Vorstadtspektakel antun müssen.«

»Ich kann dieses Gesinge sowieso nicht ertragen«, brummte Karl Philipp. »Ich weiß nicht, warum die Frauen immer in den höchsten Tönen herumkreischen müssen.«

»Das, bester Vetter, nennt man einen Sopran!«, sagte Franz Leopold ärgerlich. »Und sie ist wirklich gut!«

Er stellte das unberührte Champagnerglas ab, das ihm einer der menschlichen Bediensteten in die Hand gedrückt hatte, und stürmte die Treppe hinunter. Er war wütend. Es war besser, sich zornig zu fühlen als hilflos, denn auch wenn er versuchte, es vor sich selbst nicht zuzugeben, wusste er, dass Menschenansammlungen ihn verunsicherten. Es war wie ein leichter Schwindel und es wurde mit jedem Mal schlimmer. Er konnte ja nicht behaupten, dies sei sein erstes gesellschaftliches Ereignis, und zu Beginn war es auch ganz anders gewesen. Es war eher diese prickelnde Erregung, die das Blut in Wallung bringt. Eine Vorfreude, die sich von Mal zu Mal steigerte, bis – ja, bis er gegen die Regel verstieß, der junge Vampire zu gehorchen hatten.

Von Unruhe getrieben, strich Franz Leopold durch die Gänge. Die Gesichter verschwammen vor seinen Augen, die Gespräche wurden zu einem Rauschen. Kleider tauchten wie verwischte Farbkleckse auf und verschwanden wieder. Bis auf eines. Plötzlich wurde Franz Leopold bewusst, dass er schon eine ganze Weile einem bestimmten rosafarbenen Kleid folgte, in dem ein junges blondes Mädchen steckte. Sie strebte auf die Tür der Räume zu, zu denen nur Damen Zutritt hatten, um sich frisch zu machen oder eine Örtlichkeit aufzusuchen, die nur Menschen benötigten. Die Tür schloss sich lautlos hinter ihr. Für einige Augenblicke blieb Franz Leopold davor stehen. Es hatte bereits zum dritten Mal geläutet. Die Aufführung ging weiter. Er sollte in seine Loge zurückkehren. Die Tür öffnete sich und entließ drei junge Damen. Das Mädchen im rosafarbenen Kleid war nicht dabei. Franz Leopold verbeugte sich und ließ sie passieren. Kichernd eilten sie den Gang entlang. Nun war sie alleine dort drin. Er wusste es, auch wenn er nicht sagen konnte, warum.

Die anderen würden ihn vermissen und nach ihm suchen, und wenn sie ihn hier fanden, dann würde er Ärger bekommen. Verdammt großen Ärger! Franz Leopold leckte sich über die Lippen. Er drückte die Klinke hinunter und trat in den von Kerzenleuchtern erhellten Raum. Das Mädchen saß in einem Sessel vor dem Spiegel, eine Puderquaste in der Hand. Ihre Augen waren rot gerändert. Hatte sie geweint? Als sie die Tür hörte, drehte sie sich um und starrte Franz Leopold an.

»Verzeiht Signor, dieser Raum ist nur für Damen. Ihr müsst das Schild an der Tür übersehen haben!«

Franz Leopold verneigte sich tief. »Nein, Signorina, das habe ich nicht.«

*

»Er ist nicht zurückgekommen«, sagte Ivy. Sie klang beunruhigt.

»Was? Wer denn?«, erkundigte sich Luciano, der die beiden Mädchen beim dritten Läuten zu ihrer Loge zurückführte.

»Franz Leopold. Ich habe ihn vorhin die Treppe hinunterlaufen sehen.«

»Ja und?«, mischte sich nun Alisa ein.

»Er war alleine und er ist nicht zurückgekommen.«

»Das ist nicht unser Problem«, sagte Luciano und schob ihnen die Stühle zurecht. »Es ist Matthias' Aufgabe, auf ihn aufzupassen und zuzusehen, dass er keine Dummheiten macht.«

Ivy schwieg, doch sie beugte sich immer wieder vor, um in die Loge sehen zu können, die sich die jungen Dracas mit ihren Begleitern teilten. Das Licht wurde gelöscht und der Vorhang erhob sich wieder. Obwohl die Darsteller auf die Bühne zurückkehrten, widmete Ivy ihre ganze Aufmerksamkeit noch immer der Loge der Dracas.

»Er ist in Schwierigkeiten. Ich kann Matthias im Hintergrund stehen sehen und er ist genauso beunruhigt!«

»Wo willst du hin?«, rief Alisa und wollte Ivy am Arm festhalten, doch sie war schon hinausgeschlüpft. Von den Nachbarlogen wurde herübergezischelt. Unschlüssig sank Alisa auf ihren Sessel zurück, während die Tür leise ins Schloss fiel. »Sollen wir ihr folgen?«, fragte sie Luciano.

Er schüttelte den Kopf. »Ich fürchte, das wird das Durcheinander nur noch größer machen. Sieh, Matthias hat seine Loge ebenfalls verlassen. Wir können nur warten und hoffen, dass Ivy nicht in einer kompromittierenden Situation erwischt wird.«

Ivy lief durch das leere Treppenhaus. Ein paar Nachzügler kamen ihr entgegen, doch es waren alles Menschen. Wo steckte Franz Leopold nur? Wenn er eine Dummheit beging, dann hatte sie mit einem Menschen zu tun. Mit einem einzelnen Menschen. Vermutlich mit einem weiblichen! Und wo konnte man im Moment mit der größten Wahrscheinlichkeit auf einen einzelnen weiblichen Menschen treffen? Ivy raffte die Röcke und lief den Gang entlang. Mit einem Stoß öffnete sie die Tür mit dem verschnörkelten Schriftzug *signora*.

Ihr Blick traf auf den des jungen Vampirs. Er hatte beide Arme um die Taille eines Mädchens in einem rosa Kleid gelegt. Es lehnte sich ganz friedlich gegen seine Brust. Seine Kraft der Gedanken hatte er meisterhaft eingesetzt. Wut und Verwirrung rangen in seinen Augen, als er Ivy auf sich zukommen sah.

»Du solltest sie jetzt loslassen«, sagte Ivy ruhig und löste seine Hände von dem rosaroten Taft.

»Ich habe nichts getan! Verschwinde! Das geht dich nichts an.«

Mit einem raschen Blick auf den unversehrten Hals des Mädchens nickte Ivy. »Ja, es ist alles gut. Noch ist es gut! Und damit das so bleibt, wirst du mir jetzt folgen, denn du bist es, der hier nichts zu suchen hat!«

Sie umfasste seine Hände kräftiger, als er es ihr vermutlich zugetraut hätte, und zog ihn zur Tür. Erst wehrte er sich, doch dann folgte er ihr. »Das geht dich nichts an«, sagte er noch einmal trotzig.

Um Ivys Lippen spielte ein Lächeln. »Wie kann ich es hinnehmen, dass ein Mann die Räume der Damen aufsucht, ohne ihn auf seinen Irrtum hinzuweisen und den Fehler zu korrigieren?«

Franz Leopold starrte sie verdutzt an, dann lachte er. »Du bist ein seltsames Mädchen, Ivy-Máire!«

»Ich nehme das nun einfach als Kompliment.« Sie schob Franz Leopold auf den Gang hinaus. Ehe sie die Tür zufallen ließ, warf sie noch einen Blick auf das Mädchen, das auf den Hocker vor dem Spiegel gesunken war. Sie würde sich an nichts erinnern.

»Und nun lass uns in unsere Logen zurückkehren, ehe uns jemand vermisst.« Sie hielt ihn noch immer an der Hand. Gemeinsam liefen sie den Gang entlang, doch weit kamen sie nicht. Am Fuß der Treppe trafen sie auf Matthias.

»Was soll das bedeuten?«, fragte er scharf.

Ivy wollte gerade zu einer Erklärung ansetzen, als Franz Leopold ihr zuvorkam. Offensichtlich hatte er seine Geistesgegenwart und seinen arroganten Tonfall wiedergefunden. »Ich denke nicht, dass es dich zu interessieren hat, wenn ich mich mit einer Dame treffe«, sagte er und sah Matthias herablassend an. »Wir hatten die Anweisung, stets zu zweit zu sein, und dagegen verstoßen wir schließlich nicht, oder?«

Matthias schnappte nach Luft. »Eine Lycana?«, stieß er hervor.

»Ich denke, es ist Zeit, Ivy zu ihrer Loge zurückzubringen. Die Vorstellung nimmt bereits wieder ihren Lauf«, sagte Franz Leopold kalt, verbeugte sich knapp und bot ihr den Arm. Ivy hakte sich bei ihm unter und raffte mit der anderen Hand den langen Rock. Schweigend schritten sie die Treppe hinauf und bis zur Tür, die in ihre Loge führte.

»Danke«, sagte Franz Leopold leise, ehe er sich abwandte und mit seinem Schatten davonging.

DIE HERAUSFORDERUNG

Ohne Anmeldung und ohne auch nur anzuklopfen, stürmte der Kardinal in die Privatgemächer des Papstes. Die beiden Männer der Schweizergarde riefen ihm empört hinterher, wagten aber nicht, ihn aufzuhalten.

Pius IX. war erschöpft. Er hatte den ganzen Tag Gruppen von Pilgern empfangen und ihren Nöten, aber auch ihrer Begeisterung gelauscht, was er eigentlich gern tat, doch nun war er müde und sehnte sich nach Ruhe. Und was er jetzt noch am allerwenigsten wollte, war, den Kardinal empfangen und mit ihm sprechen. Ja, allein sein Anblick war ihm eine Qual. Dennoch stemmte er sich aus seinem abgewetzten Lieblingssessel hoch und ging zur Tür, um den Schweizergardisten zu versichern, dass alles seine Ordnung habe. Er rang sich sogar ein beruhigendes Lächeln ab, obwohl rein gar nichts seine Ordnung hatte. Das war ihm nach einem Blick in des Kardinals Miene klar. Etwas hatte ihn erzürnt, und er würde nicht versuchen, diese Tatsache zu verbergen. Kardinal Angelo wartete nur darauf, dass der Papst die Tür schloss, um keine unfreiwilligen Zeugen zu haben für das, was der Heilige Vater sich gleich anhören musste. Dies würde nicht angenehm werden.

Für einen kurzen Augenblick erwog Pius IX., den Kardinal einfach stehen zu lassen. Doch er war nicht mehr der Knabe Giovanni Maria Mastai-Ferretti, der vor Schwierigkeiten davonlaufen und sich im Garten verstecken konnte. Er war das Oberhaupt der Christenheit, und er musste sich nun anhören, was sein Kardinal zu sagen hatte. Pius IX. nickte den Wachen noch einmal zu und schloss dann behutsam die Tür.

»Nun, was führt Euch so unverhofft zu mir?«

»Setzt Euch, Heiliger Vater«, sagte der Kardinal barsch.

Oje, so unangenehm! Pius IX. fühlte sich alt wie schon lange nicht mehr, als er zu seinem Sessel zurückschlich. Nein, vielleicht sollte er sich lieber an den Sekretär setzen. Der unbequeme Stuhl zwang ihn zumindest zu einer aufrechten Haltung und ließ ihn nicht so klein und unterwürfig erscheinen wie die weichen Kissen seines Sessels. Der Papst faltete die Hände auf der Tischplatte.

»Nun? Ist etwas vorgefallen?«, fragte er so freundlich wie möglich.

Der Kardinal lehnte den Stuhl, den seine Heiligkeit ihm anbot, ab und lief stattdessen mit auf dem Rücken verschränkten Händen vor dem Sekretär hin und her.

»Allerdings ist etwas vorgefallen, weil Ihr Euch nicht an meine Anweisungen gehalten habt! Oder entspricht es etwa nicht den Tatsachen, dass Ihr de Rossi Eure Unterstützung für seine wahnwitzige Grabungsidee zugesagt und ihn damit auch noch zum König und zur Regierung geschickt habt, damit sie ihm Geld und Leute geben?!«

Zorn stieg in Pius IX. auf. Er hatte gedacht, über solche Gefühle längst erhaben zu sein, doch in diesem Augenblick war es alles, was er fühlte! »Anweisungen? Eure Anweisungen? Mir ist nicht bewusst, dass der Heilige Vater Anweisungen seines Kardinals befolgen muss!«

Kardinal Angelo bemerkte wohl, dass er in seiner Erregung zu weit gegangen war. Er zwang sich, auf dem angebotenen Stuhl Platz zu nehmen. »Verzeiht, Eure Heiligkeit, das war leichtfertig von mir im Überschwang der Gefühle dahergeredet. Natürlich trefft Ihr Eure Entscheidungen selbst. An mir ist es nur, Euch gute Ratschläge zu erteilen und zu hoffen, dass Ihr ihre Vorzüge erkennt.«

Gut gesprochen, dachte Pius IX. Er war sich der eindringlichen Wirkung der Persönlichkeit in der roten Robe wohl bewusst. Er war ein Verführer, mit Worten und mit Gesten.

»Und welchem Eurer wohlgemeinten Ratschläge habe ich versäumt zu gehorchen?«, fragte der Papst etwas schärfer, als er es beabsichtigt hatte. »Was ist falsch an Signor de Rossis Plan?« Er erwartete, der Kardinal würde nun von Neros üblem Charakter anfangen, von seiner Verschwendungssucht und vor allem seiner Grausamkeit, die so viele Christen das Leben gekostet hatte. Seine Gegenargumente waren bereits sorgfältig zurechtgelegt. Zu seinem Erstaunen sagte der Kardinal jedoch:

»Erinnert Ihr Euch nicht mehr, was die Grabung am Kolosseum angerichtet hat? Sie hat unheilige Schatten geweckt, Dämonen der Hölle, die so manchen guten Christen ins Verderben gestürzt haben. Wollt Ihr das wieder riskieren, um ein paar alte Gemäuer ausgraben zu lassen?«

»Kardinal«, sagte Pius IX. verblüfft, »ich hätte nicht gedacht, dass Ihr diesem Gespensterglauben des einfachen Volkes anhängt.«

Der Kardinal stützte sich mit beiden Händen auf die Schreibtischplatte und beugte sich so weit vor, dass der Papst vor ihm zurückwich. »Das Volk ist weiser, als wir es uns manches Mal vorstellen können. In diesen Ruinen gibt es etwas Unheiliges, und es wäre unklug, es zu reizen.«

»Wenn es dort wirklich so etwas wie Dämonen des Teufels gibt, dann ist es unsere Pflicht als Vertreter der heiligen Kirche, uns ihnen zu stellen und sie zu bekämpfen!«

Der Kardinal nahm seine Wanderung durch das Zimmer wieder auf. »Ja, das ist es, aber nicht jetzt. Es ist noch zu früh. Glaubt mir! Dies ist nicht der geeignete Zeitpunkt.« Er blieb stehen und sah den Papst eindringlich an. »Vertraut mir! Ruft de Rossi zurück, ehe ihm oder seinen Männern etwas Schreckliches zustößt, das Ihr nicht vor dem Herrn im Himmel verantworten wollt.«

Für einen Moment überlegte Pius IX., ob er dem Kardinal dieses eine Mal widerstehen und sich seinen Forderungen entgegenstellen sollte. Doch war es so wichtig, den Palast Neros gerade jetzt auszugraben? Die Visionen des Kardinals hatten nichts von ihrer verführerischen Kraft verloren. Ein vereintes Italien unter der Führung der heiligen Mutter Kirche … War ein alter, römischer Kaiserpalast es wert, diese Vision zu gefährden?

Pius IX. zwang sich zu einem Lächeln. »Gut, wenn Ihr meint, dann graben wir die Domus Aurea erst später aus.«

Die Anspannung schien aus dem Körper des in Rot gewandeten Mannes zu weichen. Er verbeugte sich vor seinem Kirchenoberhaupt. »Wie immer habt Ihr eine weise Entscheidung getroffen, Heiliger Vater. Ich darf mich für heute empfehlen.«

»Habe ich denn eine Entscheidung getroffen?«, sagte der Papst leise, als der Kardinal das Zimmer verlassen hatte. »Oder habe ich mich nur wie immer gefügt?«

*

»Seht mal!« Ivy zog verwirrt die Augenbrauen zusammen und deutete auf Zita, die sich heute den Säugling auf den Rücken gebunden hatte. »Wo ist Raphaela?«, fragte sie die rundliche Servientin, die zum ersten Mal nicht die mütterliche Güte ausstrahlte, mit der sie die jungen Vampire sonst stets empfing.

»Nicht da«, sagte sie kurz angebunden. Sie war nicht bereit, weiter über das Thema zu reden, sondern verteilte mit grimmiger Miene die vollen Becher.

»Da gab es wohl Ärger«, vermutete Luciano.

»Wenn ihr nur nichts zugestoßen ist«, meinte Ivy besorgt.

Alisa winkte ab. »Das kann ich mir nicht vorstellen. Ich habe sie in der Oper gesehen und dann hat sie den altehrwürdigen Marcello noch woandershin begleitet. Vielleicht hat sie sich noch nicht von den dortigen Lustbarkeiten erholt?«, sagte sie verschmitzt.

Ivy nickte. »Wollen wir es hoffen.«

Als sie nach dem Unterricht in den Gemeinschaftsraum zurückkehrten, kamen sie noch einmal auf Raphaela zu sprechen, doch dann lenkten die Worte, die von einer anderen Sitzgruppe herüberwehten, sie von der Servientin und ihrem Fehlen an diesem Abend ab.

»Es ist eben eine unumstößliche Tatsache, dass die Dracas den anderen Familien überlegen sind«, sagte Franz Leopold und wandte sich wieder seiner Lektüre zu. Sein gelangweilter Tonfall zeigte, dass es nicht einmal eine bewusste Provokation sein sollte, sondern dass er tatsächlich daran glaubte. Alisa fühlte, wie wieder Wut in ihr hochstieg. Ivy schien es zu spüren, denn sie legte beruhigend die schmale, kühle Hand auf die ihre. Ihr Blick wanderte zu Luciano, der Feder und Papier von sich schob und den Wiener Vampir mit zusammengekniffenen Augen anstarrte.

Franz Leopold hob ganz langsam den Kopf und klappte das Buch zu. In seinen Augen schimmerte etwas, was Alisa und Ivy gleichzeitig die Luft anhalten ließ. »Ich entnehme dem Schwall animalischer Laute und hasserfüllter Schimpftiraden, dass du nicht in der Lage bist, dem Gang meiner Überlegungen zu folgen.«

Luciano bebte vor Zorn, und Franz Leopolds gestelzte Formulierung führte nicht dazu, ihn zu kühlen. Er trat ein Stück näher, seine Hände öffneten und schlossen sich wie in einem Krampf.

»Wie verblendet, ja blind bist du in deiner Überheblichkeit? Jede einzelne Unterrichtsnacht führt uns allen vor Augen, dass ihr nichts weiter könnt als reden und eurer Putzsucht frönen. Ich kann mich nicht erinnern, dass es auch nur einem von euch gelungen wäre, ein Kreuz zu berühren oder Weihwasser ohne Verbrennungen zu überstehen. Selbst Fernand und Joanne sind inzwischen besser als ihr.«

Franz Leopold winkte lässig ab. »Wer redet denn von diesem unnützen Schulkram! Baron Maximilian hat sich in einem sentimentalen Moment auf diese Schulgeschichte eingelassen, weil er mit euch Mitleid empfand. Nun ertragen wir eben eine Weile eure mittelalterliche Dekadenz – und die Dummheit und Grobheit der anderen hier Anwesenden.« Er machte eine ausladende Handbewegung. »Ich bin mir nicht sicher, ob es wirklich lohnenswert ist, euch und eure Familien zu erhalten. Die Vamalia, die mit hündischem Eifer die Erfindungen der Menschen bestaunen und die, wie ich gehört habe, im stinkenden Hafenschlick von Hamburg hausen. Die Lycana, die auf ihrer Insel vermutlich noch bei den Wölfen schlafen. Über die Pyras muss ich wohl kein weiteres

Wort verlieren. Da genügt ein Blick auf Joannes verfilztes Haar, das sie sicher schon seit Monaten nicht mehr gewaschen hat, und Fernand, dessen Gedanken mal wieder einzig auf eine Prügelei gerichtet sind, die er anscheinend jede Nacht benötigt. Vergiss es, ich prügle mich weder mit Ratten noch mit räudigen Straßenkötern – und daher auch nicht mit dir! Ach, und dann noch unsere Gastgeber hier in diesen feuchten Verliesen, die ihnen angemessen sind, wenn ich mir den rattenfressenden Maurizio so ansehe. Bei allen Dämonen! Die Einzigen, die außer uns vielleicht noch eine Daseinsberechtigung haben, sind die Vyrad. Ich will die Entscheidungen des Barons nicht in Zweifel ziehen, aber ich weiß nicht, ob er sich klargemacht hat, welch klägliche Erscheinungsformen er hier zu erhalten hilft!«

Alisa war sicher, dass Luciano sich nun auf ihn stürzen und ihm mit den Resten seiner Krallen die Kleider vom Leib fetzen würde. Und mit dieser Überzeugung stand sie nicht allein. Auch Franz Leopolds Schatten Matthias spannte den Körper an und machte sich bereit, seinem Herrn zu Hilfe zu eilen. Dafür trat Francesco hinter Luciano und warf dem anderen Servienten einen warnenden Blick zu.

Doch zu Alisas Erstaunen trat Luciano mit einem Lächeln auf Franz Leopold zu. »Dass ihr Dracas euch mit Schmähreden auskennt, das wissen wir jetzt zur Genüge. Wie wäre es, wenn ihr uns einmal zeigt, ob ihr noch zu etwas anderem taugt? Ich habe bisher auf keine deiner großen Reden auch nur eine Tat folgen sehen. Gut, wenn ihr euch im Unterricht nicht beweisen wollt, bitte, das ist mir egal. Ich höre immer nur dein leeres Geschwätz, dass ihr die Ersten sein könntet, wenn es euch der Mühe wert wäre.«

»Komm zur Sache! Deine ungeschliffenen Formulierungen schmerzen mir in den Ohren.« Alisa fühlte, dass er jetzt nicht mehr so unbeteiligt war, wie er sich gab. Seine Anspannung wuchs.

»Ich fordere deine Familie heraus, ihre Überlegenheit zu beweisen!«

»Was, du gegen mich? Bist du deiner Existenz jetzt schon überdrüssig?« Franz Leopold lachte und sah den dicklichen Römer mit übertrieben mitleidiger Miene an. »Überlege es dir, bevor es zu spät ist. Es würde nicht viel von dir übrig bleiben!«

»Ich habe nicht vor, mich mit dir zu schlagen«, sagte Luciano und ahmte recht gut den kalten Tonfall der Dracas nach. »Das wäre zu einfach. Außerdem hast du auch Ivys und Alisas Familien beleidigt. Nein, ihr dürft versuchen, eure Überlegenheit zu beweisen, von der ihr so viel redet, die aber nur in eurer Einbildung existiert!«

Alisa sah zu Ivy hinüber. Was hatte Luciano vor? Das klang nach Ärger. Doch Franz Leopolds Neugier schien geweckt. »Und, wie soll dieser Kampf aussehen?«

Luciano grinste. »Wir brechen morgen, wenn die letzten Gäste abgereist sind, nach dem Unterricht um drei Uhr auf. Wer zuerst da ist, hat gewonnen und die Überlegenheit seines Clans damit bewiesen. Drei gegen drei. Du darfst dir also gern noch zwei deiner großartigen Verwandten zur Unterstützung mitnehmen. Unser Ziel ist ein Engel. Der Engel auf der Spitze des Castello de Sant Angelo!«

»Die Engelsburg des Papstes«, hauchte Alisa entgeistert. Ivy erhob sich und trat zu Luciano, der Franz Leopold gerade die Hand entgegenstreckte, um die Wette zu besiegeln. Ihre Miene war wie immer unergründlich.

»Luciano, ich glaube nicht, dass ich die Ehre meiner Familie verteidigen muss.« Entsetzen breitete sich auf Lucianos Gesicht aus, daher sprach Ivy schnell weiter. »Dennoch werde ich mich nicht entziehen, wenn du entschlossen bist, diesen …«, sie zögerte kurz, »… Wettstreit durchzuführen. Ich werde allerdings nicht ohne Seymour gehen können. Er würde meinem Befehl nicht gehorchen.«

»Kannst du ihn nicht hier einsperren, damit er uns nicht hinterherläuft?«, begehrte Luciano auf und sah sie flehend an.

Ivy schüttelte mit Nachdruck den Kopf. »Nein, das kann ich nicht. Tut mir leid.«

Franz Leopold machte eine wegwerfende Handbewegung. »Macht euch wegen des Wolfs keine Gedanken. Wir nehmen die Herausforderung an und sind großzügig zu euch. Euer Haustier darf euch begleiten. Wenn die Glocken von Santa Francesca Romana morgen die dritte Stunde einläuten, beginnt der Wettlauf.«

»Wen wirst du mitnehmen?«, erkundigte sich Ivy.

»Karl Philipp natürlich«, antwortete Franz Leopold. Sein älterer Vetter trat an seine Seite und nickte knapp. »Und dann, hm, Anna Christina?«

Seine Cousine schreckte aus ihren Gedanken hoch. »Was soll ich?«

»Uns zur Engelsburg begleiten«, klärte Franz Leopold sie auf, als ginge es nur darum, einen anderen Raum in der Domus Aurea aufzusuchen. »Es geht um unsere Familienehre!«

»Das ist mir egal!«, rief sie und strich sich mit einer Bürste sorgfältig durch ihre Lockenpracht. »Du glaubst doch nicht etwa, dass ich mir für so einen wahnwitzigen Einfall die Röcke beschmutze und womöglich die neue Spitze zerreiße?«

Luciano wandte sich ab. »Macht das unter euch aus. Mir ist es egal, wen du mitnimmst. Der Wettstreit beginnt mit dem dritten Glockenschlag!« Er fasste Ivy und Alisa bei den Ellenbogen und führte sie hinaus. Seymour folgte ihnen. Sein Schwanz peitschte unruhig hin und her und die Ohren zuckten nervös. Er schien begriffen zu haben, dass es um eine große Sache ging. Und sie schmeckte ihm gar nicht!

*

»Sie muss mit!«, bestimmte Karl Philipp. Er fauchte seine Cousine an.

»Gar nichts muss ich!«, gab diese zurück und beugte sich über den Fächer aus Schwanenhaut, den sie mit schwarzen Lilien bemalte.

»Ach, die Familienehre ist dir also nichts wert? Du glaubst

nicht, dass wir denen endlich unsere Überlegenheit beweisen müssen?«

Sie zuckte mit den Schultern. »Muss ein Adler einer Ratte zeigen, dass er über ihr steht? Du hättest dich gar nicht erst auf diesen Wettkampf einlassen sollen. Aber wenn es für euer männliches Ehrgefühl sein muss, dann geht halt zu zweit. Ihr schafft doch wohl dieses Pack mit seinem Wolf!«

»Ja, schon«, sagte Franz Leopold, »aber die Bedingung heißt drei gegen drei. So etwas muss man einhalten.«

Plötzlich schlenderte Malcolm heran. »Da gebe ich dir recht. Bei einem Ehrenhandel müssen sich beide Seiten an die beschlossenen Regeln halten. Du hast unsere Familie nicht beleidigt. Wenn ihr noch einen dritten Wettstreiter braucht, kann ich mich also anbieten. Wir halten uns ebenfalls lieber von den anderen fern. Was natürlich nicht heißt, dass ich deine Aussage unterstütze! Selbst wenn ich durchaus der Meinung bin, dass es bessere und schlechtere Familien gibt, würde ich eure nicht zu denen rechnen, denen eine Führungsrolle zusteht.«

»Und warum bietest du uns dann deine Unterstützung an?«, wollte Franz Leopold wissen.

»Oh, nur des fairen Wettkampfs wegen. Drei gegen drei, so lautet die Regel. Ich wäre also nur der Ersatzspieler, der dem Ausgang des Kampfes mit Interesse, aber ohne Leidenschaft entgegensieht.«

»Danke nein, wir brauchen dich nicht«, lehnte Franz Leopold ab. »Unsere Familie wird die anderen allein besiegen!«

Karl Philipp nickte zustimmend. Er packte seine Cousine hart am Arm und schüttelte sie, dass der Fächer zu Boden fiel. »Du wirst uns begleiten. Spar dir deine Zicken, die kannst du dir danach wieder leisten. Morgen jedoch wirst du mit uns kommen und diesen Würmern beweisen, wie tief sie unter uns stehen.«

Anna Christinas Eckzähne schoben sich über die Unterlippe und glitzerten gefährlich im Lampenschein. »Lass mich los!«

»Du musst es tun«, bedrängte sie nun auch Franz Leopold.

»Du solltest dich allerdings umziehen. Mit diesem Ungetüm von einem Kleid wärst du uns nur im Weg!«

»Also gut, aber nun lasst mich in Ruhe!« Sie warf ihnen einen hochmütigen Blick zu, bückte sich nach ihrem Fächer und rauschte hinaus.

Karl Philipp zog seinen Vetter in ein kleines steinernes Gelass und angelte drei Holzknüppel hinter einem alten Steinsarg hervor. Er grinste böse, während er einen der glatt polierten Knüppel in seine Handfläche klatschen ließ.

»Ich wusste, dass der Tag kommt, an dem uns diese hübschen Teile gute Dienste leisten werden. Komm, nimm dir einen. Wir werden ihnen auflauern und sie für eine Weile ins Land der Träume schicken! Ich freue mich schon darauf, unserem kleinen Dicken ein wenig den Schädel zurechtzuklopfen. Und der neunmalklugen Alisa tut es nur gut, wenn sie mal ein bisschen zurechtgestutzt wird!« Er ließ den Knüppel durch die Luft sausen. »Und dann ist Silberlöckchen dran!«

»Wenn wir Ivy anrühren, haben wir Seymour an der Kehle«, gab Franz Leopold zu bedenken.

Karl Philipp zuckte mit den Schultern. »Fürchtest du dich vor einem Wolf?«

»Ich habe vor nichts Angst, doch bedenke, dass er und seine Herrin aus Irland stammen und er ganz sicher keines dieser gewöhnlichen Tiere ist, wie sie in den Wäldern um Wien herumschleichen. Wir sollten nicht den Fehler machen, ihn zu unterschätzen!«

»Dann müssen wir ihn zuerst drannehmen. Ich übernehme das Vieh, du schaltest Luciano aus und Anna Christina kümmert sich um Alisa. Sobald ich den Wolf erledigt habe, greife ich mir Ivy. Sie werden hübsch schlafen! Und wenn sie dann mit dröhnendem Schädel erwachen, sind wir längst in der Engelsburg.«

Franz Leopold wog den Knüppel in seiner Hand und legte ihn dann wieder hinter den Sarg zurück. Fordernd streckte er die Hand aus. »Ich halte nichts davon.«

»Was? Du traust dich wohl nicht.«

»Das hat damit nichts zu tun. Ich finde es nicht gut!«

Karl Philipp sah ihn verständnislos an. »Warum denn nicht? Das ist die einfachste Möglichkeit und absolut sicher. Sie werden keinen ihrer Unreinen mitnehmen, denn das verstößt gegen die Regel des Wettstreits!«

»Ja, so ist es. Und dem Gegner auflauern und ihn mit Knüppeln niederschlagen, verstößt ebenfalls dagegen.«

Ein berechnendes Lächeln teilte Karl Philipps Lippen. »So? Hat das einer von euch beiden erwähnt?«

Franz Leopold schüttelte den Kopf. »Nein, aber das ist klar.«

Karl Philipp war noch immer nicht bereit, seine Waffe herzugeben. »Wenn wir es nicht machen, dann spielen wir ihnen die Trümpfe in die Hand! Dann werden sie uns an einer günstigen Stelle auflauern, um uns auszuschalten.«

Franz Leopold überlegte kurz, dann schüttelte er den Kopf. »Nein, das werden sie nicht.«

»Und warum nicht?«, wollte sein Cousin wissen. »Wie kannst du dir da so sicher sein?«

»Sie denken anders. Da gibt es so etwas wie Ehre, eine Art Moralkodex, an den man sich hält, wenn man nicht das Gesicht verlieren will.«

Karl Phillip starrte ihn an. Franz Leopold konnte sein Erstaunen und dann eine Welle von Abscheu spüren. »Ich glaube, mir wird schlecht. Habe ich da so etwas wie Bewunderung in deinen Gedanken gelesen?«

»Unsinn!« Franz Leopold fauchte. »Leg endlich den Knüppel weg und komm. Wir wollen allen die Überlegenheit unserer Familie vor Augen führen, damit sie uns den Respekt erweisen, der uns zusteht, und deshalb werden wir diesen Wettkampf fair gewinnen!« Er stapfte hinaus. Er konnte wohl fühlen, dass sein Cousin sich fragte, ob er den Verstand verloren habe.

»Ehrlich gewinnen«, murmelte Karl Philipp. »Als ob es darauf ankommen würde. Wir müssen stärker und schneller sein und uns durchsetzen. Dann wird unsere Familie über den anderen stehen. Mit welchen Mitteln wir das erreichen, ist völlig nebensächlich!«

*

Am nächsten Abend nach dem Unterricht eilte Anna Christina sofort in ihre Schlafkammer und traf sich kurz darauf in einem leeren Raum mit ihren beiden Cousins. Sie trug jetzt eine enge schwarze Hose, Stiefel und ein schwarzes Hemd mit Rüschen an Kragen und Ärmeln. Nur ihre Miene war noch genauso abweisend wie gestern.

Franz Leopold ließ seinen Blick an ihr hinabwandern und lächelte ihr zu. »Das ist schon besser! Lasst uns aufbrechen und ihnen zeigen, was in uns Dracas steckt.«

Anna Christina zog eine Grimasse. »Ja, vor allem dieser albernen, eingebildeten Ivy mit ihrem räudigen Wolf!«

Fast wären Franz Leopold ein paar Widerworte herausgerutscht, doch er schluckte sie noch rechtzeitig hinunter. Stattdessen warf er Karl Philipp einen wütenden Blick zu, der die Knüppel mitgebracht hatte und nun einen davon Anna Christina überließ. Rasch wandte sich Franz Leopold ab und stürmte auf die verborgene Tür zu, die sie ins Freie brachte. Schweigend eilten sie auf das Kolosseum zu. Sie hatten es beinahe so weit umrundet, dass der Weg, der durch den Triumphbogen zum Forum führte, vor ihnen lag, als Franz Leopold ein verführerischer Duft in die Nase stieg. Er hielt so abrupt an, dass Anna Christina in ihn hineinrannte. Sie wollte eine Schimpftirade loslassen, doch Franz Leopold drückte ihr unsanft die Hand auf den Mund.

»Still!«, raunte er ihr ins Ohr. »Riechst du das nicht?«

Sie befreite sich aus seinem Griff und reckte die Nase vor. »Ein Mensch«, hauchte sie.

»Ja, eine Frau«, bestätigte Franz Leopold.

Auch Karl Philipp hatte sie bemerkt. Seine Zähne blitzten im Sternenlicht. »Sie ist ganz in der Nähe«, raunte er heiser. Seine aufsteigende Erregung umgab ihn wie eine Wolke. »Lasst uns näher herangehen!«

Er wartete nicht auf die Zustimmung der anderen. Geschmeidig wie ein Schatten glitt er zwischen den Trümmern hindurch. Den beiden anderen blieb nichts übrig, als ihm zu folgen. Nun spürte auch Franz Leopold, wie sein Blut in Wallung geriet. Und er erkannte auch den süßen Geruch mit dem Hauch herber Kräuter. Die Nonne! Ivy hatte recht. Sie kam immer wieder zu diesem Platz am Kolosseum. War es auch das letzte Mal gegen drei Uhr gewesen? Franz Leopold wusste es nicht mehr. Aber er wusste, dass dies für eine junge Menschenfrau kein normales Verhalten war! Und noch weniger für eine Ordensschwester, was sie laut Ivy ja sein sollte.

Karl Philipp blieb nur einen Bogen von der Frau entfernt stehen. Natürlich hatte sie die Gefahr noch nicht bemerkt. Menschen waren erstaunlich stumpfsinnig – und anscheinend auch ebenso leichtfertig! Franz Leopold schloss für einen Moment die Augen und konzentrierte sich auf ihren Geruch. Ja, kein Zweifel. Es war die gleiche Frau. Ein Wunder, dass sie bisher von keinem der Bewohner der Domus Aurea angegriffen worden war. Vielleicht verzichteten die Nosferas absichtlich darauf, Menschen so nah an ihrem Domizil auszusaugen. Das wäre eine Erklärung.

»Ich werde sie mir holen«, hauchte Karl Philipp und leckte sich über die Lippen.

Franz Leopold schreckte hoch. »Nein! Wir müssen los. Die Zeit läuft. Gleich wird die Turmuhr schlagen.«

»Was interessiert mich deine dumme Wette. Hier ist eine Menschenfrau, ganz allein!«

Nun strahlte auch Anna Christina Verärgerung aus. Sie griff nach dem Ärmel seiner Jacke. »Wette oder nicht, du weißt, dass es für uns verboten ist, und das aus gutem Grund. Es ist gefährlich!«

Karl Philipp sah kalt auf sie hinab. Sie war zwar zwei Jahre älter als er, doch auch einen halben Kopf kleiner. »Ich kann selbst entscheiden, wann es für mich so weit ist. Wenn du es bisher nicht getan hast, bist du selbst schuld, doch ich werde mir nun nehmen, was mir zusteht. Kannst du nicht auch ihr Herz schlagen hören? Das Blut in ihren Adern spüren? Die Wärme fühlen? Der Druck hinter meinen Zähnen bringt mich fast um und ich kann und will die Gier nicht länger bezähmen!« Anna Christina nickte wie in Trance. Ihre Zähne ragten über die geschminkten Lippen.

Franz Leopold schluckte trocken. Seine Gier nach menschlichem Blut war am größten, weil er der Versuchung bereits erlegen war. Aber nur er hatte auch in den Abgrund des Wahnsinns geblickt, der hinter dem kurzen Rausch lag, wenn der Vampir jung und schwach war. Ihm war zu spät klar geworden, dass die älteren Mitglieder des Clans diese Regel nicht aufgestellt hatten, um die jungen Vampire zu strafen, sondern um sie zu schützen. Er würde nicht zulassen, dass die beiden diesen Fehler wiederholten!

Franz Leopold umklammerte ihre Oberarme. Eindringlich sprach er auf sie ein. »Kommt, hört ihr nicht die Glocke schlagen? Der Schaden, den es uns bringen würde, wiegt den Genuss nicht auf! Lasst die Nonne in Ruhe und folgt mir.«

Anna Christina zögerte. Sie war für seine hypnotische Stimme durchaus empfänglich, doch Karl Philipp riss sich los. Er war bereits in eine Raserei verfallen, die ihn für eine Beeinflussung seiner Gedanken unempfindlich machte. Ehe Franz Leopold es verhindern konnte, stand er schon neben der Nonne und begrüßte sie in stockendem Italienisch. Die beiden anderen stöhnten und sahen einander Hilfe suchend an. Was sollten sie tun? Sie hörten seine gurrende Stimme mit dem tiefen Unterton, der die Ängste seines Opfers im Keim erstickte. Es war so einfach! Und falls sie es überlebte, würde sie am Morgen keine Erinnerung mehr an den gut aussehenden Räuber haben. Franz Leopold beugte sich vor, um besser sehen zu können. Offensichtlich wollte sich Karl Philipp nicht mit langen Reden aufhalten. Er bog den Kopf der Frau zurück, schob hastig den Schleier weg und riss ihren weißen Kragen auf, um die pulsierende Ader am Hals freizulegen.

Anna Christina ergriff Franz Leopolds Hand. »Wir müssen ihn da wegbringen!«

»Ja, er stürzt sich und auch uns ins Unglück.«

»Es kommt jemand! Spürst du es nicht? Es ist einer der Altehrwürdigen der Nosferas!«

Auf Anna Christinas Sinne konnte man sich verlassen und nun stieg auch Franz Leopold der ranzige Geruch des Alters, gemischt mit süßlicher Verwesung, in die Nase. Nein, wenn man Karl Philipp in dieser Situation erwischte, würde ihm das nicht bekommen!

»Hilf mir!«, befahl er dem Mädchen an seiner Seite. Mit zwei riesigen Sätzen hechtete er vor und griff Karl Philipp mit beiden Händen am Hals, noch ehe er seine Zähne durch die weiße Haut der jungen Nonne stieß. Anna Christina folgte ihm. Mit ihrer Hilfe gelang es Franz Leopold, seinen Vetter zurückzureißen. Er knurrte und fauchte. Seine spitzen Fingernägel hinterließen blutige Spuren in den Gesichtern und auf den Armen der anderen, aber es gelang ihnen, Karl Philipp bis zu der Ruine des Brunnenhauses zu schleppen, ehe der alte Vampir auftauchte und, recht beschwingt seinen Stock mit Elfenbeingriff herumwirbelnd, direkt auf die Nonne zutrat, die sich ein wenig verwirrt den Schleier zurechtrückte.

»Ich verfluche euch«, schimpfte Karl Philipp. Immerhin hatte er sich so weit beruhigt, dass er leise sprach und sich nicht mehr gegen ihren Griff wehrte. »Nun bekommt der Alte das frische Blut.«

»Man könnte fast meinen, er habe gewusst, wen er hier antreffen würde.« Sie starrten zu dem Bogen hinüber, in dem der Altehrwürdige sich nun vor der Ordensschwester verbeugte und ihr den Arm anbot. Sie ergriff ihn und ließ sich von ihm über das Ruinenfeld davonführen.

»Seltsam, sehr seltsam«, murmelte Franz Leopold.

In diesem Moment schlug die Glocke auf dem Turm von Santa Francesca Romana drei Uhr.

DURCH DIE CLOACA MAXIMA

Es war nicht einfach, sich unbemerkt aus der Domus Aurea zu stehlen! Zum Glück war der ewig wachsame Hindrik nicht im Aufenthaltsraum gewesen, als sie den Wettstreit beschlossen hatten, doch Alisa zweifelte nicht daran, dass er nur allzu schnell davon erfahren könnte. Es hatte einfach zu viele Zeugen gegeben, die nun nichts Besseres zu tun hatten, als Wetten auf den Sieg der einen oder der anderen Gruppe abzuschließen. Es waren sogar schon die ersten Prügeleien entbrannt. Niemand wunderte sich darüber, dass Fernand und Joanne darin verwickelt waren. Die Pyras hielt gerade einen ausgeschlagenen Zahn in Händen und wischte sich mit einem Tuch das Blut von einem tiefen Kratzer in der Wange, als Alisa, Ivy und Luciano den Gemeinschaftsraum verließen und zu der ihnen schon vertrauten Tür huschten. Die Glocke würde gleich drei Uhr schlagen. Von ihren Kontrahenten fehlte jede Spur.

»Wir müssen vorsichtig sein«, raunte Luciano. »Ich wette, die haben sich bereits auf die Lauer gelegt, um uns irgendwie außer Gefecht zu setzen.«

Ivy schüttelte mit Nachdruck den Kopf. »Nein, das würden sie nicht tun. Das wäre gegen die Regel.«

Luciano schnaubte. »Und du meinst, das kümmert die? Du bist wirklich naiv!«

Alisa musste ihm im Stillen recht geben. Sie traute diesen Dracas alles zu! Karl Philipp war grausam und würde sich aller Mittel bedienen, die ihm einfielen. Und Franz Leopold war nicht besser!

Ivy schüttelte noch immer den Kopf. »Nein, ich glaube das nicht. Außerdem würde Seymour sie schon von Weitem riechen und uns rechtzeitig warnen.«

»Das beruhigt mich schon eher«, murmelte Alisa und kraulte den weißen Wolf zwischen den Ohren. Er schüttelte ihre Hand ab, obwohl er sich die Zärtlichkeiten sonst durchaus gefallen ließ.

»Was ist?« Auch die anderen sahen alarmiert auf den Wolf, der zwei schnelle Schritte nach vorn machte und dann wie angewurzelt stehen blieb, eine der Vorderpfoten noch in der Luft.

»Er hat etwas gewittert«, flüsterte Ivy.

»Ich sag's ja«, gab Luciano zurück. Sie konnten nichts Ungewöhnliches entdecken, dennoch zweifelte keiner der drei, dass Seymour etwas bemerkt hatte, das eine Gefahr für sie bedeuten könnte.

»Lasst uns einen anderen Weg wählen, nicht den üblichen am Kolosseum vorbei«, schlug Alisa vor. Die anderen nickten. Sie duckten sich hinter Büsche und Steinblöcke, als Ivy plötzlich stehen blieb und zum Kolosseum zurückblickte.

»Seht ihr das?« Seymour war sofort an ihrer Seite und winselte. Ivy ging ein Stück zurück. »Es ist diese Nonne! Was hat sie schon wieder hier zu suchen?«

Die anderen stellten sich neben sie und spähten hinter dem Busch hervor. »Und wer ist das, der ihr den Arm reicht?«, fragte Alisa. »Ein Vampir, ohne Zweifel. Ein Mitglied deiner Familie, Luciano. Kannst du ihn erkennen? Ich würde sagen, so wie er sich bewegt, ist es einer der Altehrwürdigen.«

Luciano nickte zögernd. »Ja, sicher, es könnte Conte Claudios Großonkel Mario sein, ein jüngerer Bruder des altehrwürdigen Giuseppe. Er hatte mit dem Conte schon zweimal einen Riesenkrach, weil er sich einfach nicht beherrschen kann oder will und ein paar junge Frauen bis zum letzten Tropfen ausgesaugt hat. Sein Schatten hat die Leichen in den Tiber geworfen, aber wie das so ist, sie wurden bald wieder angespült und es gab eine polizeiliche Ermittlung. Die Zeitungen haben darüber geschrieben.«

»So wie es aussieht, will er heute mit dieser jungen Nonne ausgiebig speisen«, sagte Ivy.

»Dass er noch alleine ausgeht«, wunderte sich Alisa. »Wo ist sein Schatten?«

Für einen Moment fühlte Alisa den Wunsch, die Frau aus den Klauen des alten Vampirs zu befreien und sie davor zu warnen, jemals wieder nach Einbruch der Dunkelheit in die Nähe der Ruinen zu kommen. So ein dummer Gedanke! Egal was die Nonne hier schon zum wiederholten Male hergeführt hatte, vermutlich war es heute Nacht ihr letzter Besuch.

Luciano kaute auf seiner Lippe. »Das ist schon ungewöhnlich. Die Alten gehen nie alleine aus – und vor allem gehen sie nicht! Selbst die kräftigen Mitglieder der Familie lassen sich in Sänften tragen. Ich kann keinen Servienten entdecken. Merkwürdig!«

»So unerklärlich ist das gar nicht, wenn der Conte ihm verboten hat, die Beute zu töten«, gab Alisa zu bedenken. »Er führt sie weg, damit ihn keiner bei seinem verbotenen Treiben überrascht.«

Ivy nickte. »Ja, so wird es wohl sein. Dennoch kann ich das nicht recht begreifen. Es wirkte ja gerade so, als habe sie auf ihn gewartet!«

»Seltsam, sehr seltsam«, murmelte Alisa. In diesem Moment schlug die Glocke auf dem Turm von Santa Francesca Romana drei Uhr.

»Wer ist das dort unten?«, fragte Luciano und deutete auf die Ruinen des Brunnenhauses, von dem sich drei Gestalten lösten.

»Das sind unsere Gegner«, sagte Ivy.

»Also, machen wir, dass wir fortkommen, ehe sie Zeit haben, uns mit einer Falle den Weg zu verstellen«, drängte Alisa. Die drei huschten davon. Sie nahmen nicht den Hauptweg über das Forum, der trotz der zahlreichen Büsche und Steinblöcke zu wenig Deckung bot. Luciano führte sie an der Nordseite einiger Tempelruinen vorbei, die das Forum Romanum säumten. Dann huschten sie über das Ruinenfeld irgendeiner Basilika auf die Curia zu, wo sich einst der römische Senat versammelt hatte und die dann ein paar hundert Jahre später – wie sollte es anders sein – in eine christliche Kirche umgewandelt worden war.

»Dort drüben ist jemand«, keuchte Luciano und zog die Mädchen hinter dem schlichten, rechteckigen Bau in Deckung. »Ein paar Servienten mit einer Sänfte. Sie dürfen uns nicht entdecken. Sonst sind wir erledigt. Sie würden uns gnadenlos zurückschleppen, sobald wir versuchten, den Kapitolhügel zu passieren.«

»Mir war auch, als hätte ich dort drüben unterhalb des Palatins zwei Männer gesehen. Sie wirkten fast wie eine Patrouille«, sagte Ivy und deutete auf die üppig bewachsene Felswand, die sich über den verfallenen Tempeln erhob.

Luciano nickte und ließ ein Stöhnen hören. »Ja, ich weiß. Es gab schon immer ein paar Schatten, die den Auftrag hatten, ein Auge auf uns zu haben, wenn wir aus der Domus entwischten. Und jetzt, nachdem einige Clanmitglieder verschwunden sind und vermutlich vernichtet wurden, hat der Conte die Wachen wohl verstärkt. Verständlich! Ich will mir gar nicht ausmalen, was eure Familien mit ihm anstellen würden, wenn einem von euch hier in Rom etwas zustoßen sollte.«

»Du meinst, sie ergreifen uns, sobald wir uns zu weit von der Domus Aurea entfernen?«

Luciano hob die Schulter. »Ich nehme es an. Wir müssen sehr vorsichtig sein und alle Deckung ausnutzen, die sich uns bietet, bis wir den Kapitolhügel überschritten haben.«

Alisa lugte um die Ecke der Curia und ließ den Blick schweifen. »Keiner zu sehen.«

»Sie sind aber irgendwo dort draußen«, sagte Luciano überzeugt und grinste dann. »Und ich hoffe, sie schnappen sich die Dracas! Und nun folgt mir leise!«

Er führte sie nicht durch den Triumphbogen und über die Treppe zum Kapitol hinauf, sondern kroch zwischen dornigen Büschen und hohem Gras um die Curia herum und dann einen kurzen, steilen Hang hinauf. Schließlich hechtete Luciano schwerfällig über eine Mauer und legte sich sofort flach auf den Boden. Als er niemanden entdeckte, winkte er den anderen, den Kirchplatz zu überqueren. Sie hatten die gegenüberliegende Seite schon fast erreicht, als sie eine Gestalt oben auf dem Kapitol ausmachten, die die Treppe hinunter auf sie zukam.

»Schnell! Dort rein!«, keuchte Luciano und zerrte Ivy und Alisa in die Vorhalle der Kirche San Giuseppe. Sie kauerten sich in den Schutz eines Treppenabgangs, der vor dem Kirchenportal in die Tiefe führte, und beobachteten den Vampir, der in Richtung Triumphbogen verschwand. Luciano wollte gerade sagen, dass die Luft nun rein sei, als sich drei Gestalten über die Mauer in den Kirchhof schwangen. Ein Flüstern wehte zu ihnen herüber.

»Ich bin mir sicher! Sie sind in diese Kirche gelaufen und noch nicht wieder herausgekommen.«

Die größte der drei zog einen Knüppel hervor und ließ ihn in die Handfläche klatschen. »Wunderbar! Wir werden sie gebührend empfangen, wenn sie wieder rauskommen. Sie werden die Engelsburg heute Nacht ganz sicher nicht zu Gesicht bekommen!«

Luciano fluchte leise und auch Alisa schimpfte vor sich hin. »Was machen wir jetzt?«, raunte Ivy. »Soll ich rausgehen und mit ihnen reden? So geht das nicht!«

»Nein!«, wehrten die anderen beiden gleichzeitig ab. Plötzlich grinste Luciano breit. »Jetzt werden wir ein wenig in die Trickkiste greifen und die Dracas ratlos zurücklassen! Kommt weiter, aber leise!« Er stieg die Treppe hinunter und trat in einen kleinen Raum, der unter dem Kirchenschiff liegen musste. Der typische Geruch von stets feuchtem Tuffgestein schlug ihnen entgegen.

»Was ist das?«, fragte Alisa.

»Dies ist ein Teil des Mamertinum, des berüchtigten Gefängnisses. Es war mal viel größer, doch der für uns wichtige Teil ist erhalten! Kommt mit.« Er führte sie noch eine Treppe tiefer in eine Art Kapelle mit unverputzten Wänden.

Alisa konnte wieder das Summen in ihrem Kopf hören, das mit jedem Schritt stärker wurde. Erst kribbelten ihre Finger, dann die Hände und zuletzt Arme und Beine. Das Kribbeln wurde zu Schmerz. Auch Ivys Züge zeigten eine ungewöhnliche Anspannung. »Luciano, spürst du nichts?«, stöhnte Alisa.

»Doch!« Der Römer nickte mit seltsam ruckhaften Bewegungen. »Es tut mir leid, aber das ist der einzige Weg hinaus, der uns nicht in die Nähe der Verräter bringt. Angeblich wurden die Apostel Petrus und Paulus hier gefangen gehalten.«

Alisa keuchte und drängte sich dicht an Luciano, der die Kapelle rasch passierte und noch eine Treppe tiefer stieg.

»Das oben war mal der Wachraum, und hier ist die Zelle, in der sie angeblich saßen. Der alte Giuseppe sagt, es war unter den römischen Feldherren üblich, die wertvolleren Gefangenen aus den eroberten Gebieten im Triumphzug durch die Stadt an diesen Ort zu führen und sie in diesen Zellen dann zu ermorden oder verhungern zu lassen.«

»Und wie geht es jetzt weiter?«, fragte Ivy fast belustigt. »Kerkerzellen sind nicht gerade für ihre Ausgänge berühmt!«

Luciano schmunzelte. »Kommt hierher. Das Geheimnis dieses Kerkers ist, dass man sich eine bequeme Lösung schuf, die Leichen loszuwerden.« Er kniete sich auf den Boden und machte sich daran, einen eisernen Deckel zu öffnen, was ihm aber erst gelang, als Alisa ihm half. Der Gestank von faulem Wasser schlug ihnen entgegen. »Das ist der älteste Teil des Kerkers und war vielleicht mal eine Zisterne.«

Alisa steckte den Kopf in die Öffnung. »Da sollen wir hinunter? Dort scheint es noch weniger einen Ausgang zu geben!«

Ivy beugte sich über sie. »Und was ist mit Seymour? Es scheint mir zu eng für einen guten Sprung.«

Luciano sah sie erschrocken an. »Daran habe ich gar nicht gedacht. Ich gehe zuerst und fange ihn dann auf, damit er sich nicht die Beine bricht.« Ivy nickte ein wenig unglücklich. Seymour zog zwar die Lefzen hoch, schien sich aber zu fügen.

Luciano zwängte sich in das Loch, hing einige Augenblicke an den steinernen Rand geklammert und ließ sich dann zu Boden plumpsen. Alisa und Ivy halfen dem Wolf durch die Öffnung und ließen ihn dann in Lucianos ausgestreckte Arme fallen. Das Gewicht des Tieres warf ihn um, sodass er auf den Rücken fiel.

Seymour bellte kurz auf und wälzte sich von Luciano hinunter. Der Junge erhob sich stöhnend.

»Ist Seymour in Ordnung?«, rief Ivy besorgt.

»Ja, völlig, und ich glaube, ich bin auch heil geblieben. Danke der Nachfrage.«

Seine Begleiterinnen kicherten. »Ach, so zerbrechlich ist ein Vampir nicht«, sagte Alisa und schwang sich durch das Loch. Mit einem eleganten Sprung landete sie neben Luciano. Ivy folgte.

»Und sage mir nun nicht, du hast dich geirrt und wir müssen Seymour dort wieder hinaufheben, denn das erscheint mir um einiges schwieriger!«

Luciano grinste. »Keine Sorge!« Er versuchte, sich den Schmutz von den Hosen zu wischen, verschmierte den stinkenden Schleim jedoch nur und ließ es daher sein. Es gab genug Schatten, die ihm nach ihrer Rückkehr das Gewand wieder säubern würden.

»Also los«, drängte Alisa, »zeige uns deinen genialen Ausgang. Wir haben nicht ewig Zeit, wenn wir gewinnen und vor den anderen die Engelsburg erreichen wollen. Ich halte Franz Leopold und seine Bande zwar für ausgemachte Ekel, aber nicht für ungeschickt und dumm! Sie werden bald darauf kommen, dass wir ihnen entwischt sind.«

Luciano nickte und trat an eine eiserne Tür. Der Riegel war verrostet und klemmte, aber mit vereinten Kräften schafften sie es, ihn zurückzuziehen. Knarrend schwang die Tür auf. Das vorher kaum wahrnehmbare Geräusch von fließendem Wasser wurde stärker. »Dieser unterirdische Kanal ist die Cloaca Maxima.«

»Ah, die unauffällige Entsorgung der Leichen!«, sagte Ivy mit einem Nicken.

*

»Sie sind in der Kirche verschwunden!«, sagte Anna Christina noch einmal.

»Bist du dir ganz sicher?«, hakte Franz Leopold nach.

Sie schenkte ihm einen verächtlichen Blick. »Was glaubst du, wie viele weiße Wölfe hier heute Nacht herumlaufen? Außerdem waren sie zu dritt.«

»Gut, wenn sie da rein sind, müssen sie ja auch wieder rauskommen!«

»Still!«, raunte Karl Philipp. »Da kommen noch zwei die Treppe runter.« Sie duckten sich hinter einen Mauervorsprung und warteten, bis die beiden Vampire sie passiert hatten.

»Hast du gesehen, dort drüben sind auch zwei«, raunte ihm Anna Christina zu.

Franz Leopold fluchte. »Das ist kein Zufall. Die kommen nicht einfach von ihrer Jagd zurück, die bewachen das Gelände.«

»Das hat dieser Bastard sicher gewusst!«, schimpfte Anna Christina.

»Unser fetter Luciano? Aber sicher. Das wird ihm noch ein paar Schläge extra einbringen!«

»Dazu müsste er aber zuerst wieder aus der Kirche rauskommen«, erinnerte ihn Franz Leopold.

»Ich weiß auch nicht, was sie dort drinnen so lange treiben.« Anna Christina trommelte mit ihren wohl manikürten Nägeln auf eine Marmorplatte.

»Dann gehen wir rein und sehen nach«, entschied Karl Philipp und stürmte schon durch die Vorhalle in das kleine Kirchenschiff. Die Treppe zur Linken, die in die Tiefe führte, beachtete er nicht.

»Wo sind die nur hin?«, fragte Anna Christina. Dass die anderen sich nicht in der Kirche aufhielten, war ihnen nach einem kurzen Blick klar.

»Ich glaube, sie sind hier runter«, sagte Franz Leopold, der mit geblähten Nasenflügeln an der steilen Treppe stehen geblieben war. Langsam stiegen sie die steilen Stufen hinunter. Die Macht der alten Kirche hüllte sie ein und jeder Schritt fiel ihnen schwerer. Das war ja noch schlimmer als in den Katakomben! Sie fanden eine zweite Treppe, doch in Franz Leopolds Kopf dröhnte es inzwischen so, dass er sich nicht sicher war, ob er die Fährte noch immer wahrnahm oder ob es nur eine Einbildung seiner getrübten Sinne war. Wohin hätten sie hier unten auch gehen können? Dies war ein Kerker, gebaut, um seine Gefangenen zu bewahren und zu vergessen.

»Ich muss hier raus!«, stöhnte Anna Christina.

»Ja, lass uns gehen«, pflichtete ihr Karl Philipp bei. »Der Teufel weiß, wohin sie entwischt sind. Was bringt es uns, hier länger zu suchen? Wir verlieren nur Zeit.«

Widerstrebend gab Franz Leopold nach und folgte ihnen zum Eingang zurück. »Wir müssen unsere Aufpasser abschütteln!«, sagte er eindringlich und spähte über die oberste Treppenstufe. »Wenn wir das nicht schaffen, werden wir verlieren.«

»Wir sind stärker und schneller als sie.« Karl Philipp blickte wohlgefällig an seinem schlanken Körper hinab.

»Unsinn«, schnaubte Franz Leopold. »Auf diese Weise geht es nicht. Wir müssen uns auf die Fähigkeiten besinnen, die uns von ihnen unterscheiden.« Er grinste. »Ja, das könnte funktionieren, wenn wir uns genau abstimmen.«

»Wovon redest du?«, herrschte ihn Anna Christina an. Geduld gehörte eindeutig nicht zu ihren Tugenden.

»Von unserem Geist! Wir können die Gedanken anderer lesen und wir können ihre Gefühle beeinflussen. Natürlich ist das über größere Entfernungen schwierig, aber wenn wir unsere Kräfte zusammenschließen, dann könnte es klappen. Wir müssen ihnen eingeben, dass es keinen Grund gibt, nach uns Ausschau zu halten und uns den Weg zu versperren. Und dann sollten wir uns schleunigst aus dem Staub machen. Ich vermute, mehr als ein paar Augenblicke können wir die Täuschung nicht aufrechterhalten. Aber das dürfte genügen.«

Karl Philipp schlug seinem Vetter anerkennend auf die Schulter. »Nicht schlecht. Du erstaunst mich immer wieder. Lasst uns anfangen!«

Anna Christina sah zwar noch immer ein wenig skeptisch drein, doch sie reichte ihren Vettern die Hände. So traten sie vor die Kirche und sandten ihre beruhigenden Gedanken und Gefühle über das Trümmerfeld. Dann liefen sie los. Franz Leopold übernahm schon bald die Führung. Sie hasteten den Hügel hinauf, rannten über den Platz mit der Reiterstatue und dann die lang gezogene Prachttreppe hinunter. Erst als der Palazzo Venezia ihnen Deckung gab, hielten sie an. Ganz still blieben sie stehen und tasteten mit ihrem Bewusstsein nach Verfolgern, die nach ihnen suchten, konnten aber nichts entdecken.

»Los, weiter«, drängte Franz Leopold.

»Und wohin?«, wollte Anna Christina wissen. »Kennst du dich hier aus? Ich habe keine Ahnung, wo diese Engelsburg liegt.«

»Sicher weiß hier jeder, wo die Burg ist. Wir könnten die Damen dort drüben fragen«, schlug Karl Philipp vor und zwinkerte in die Richtung zweier freizügig gekleideter Frauen, die ganz sicher nicht zu den Damen der römischen Gesellschaft gehörten.

»Kommt nicht infrage«, wehrte Franz Leopold ab und griff vorsorglich nach seinem Arm. »Du hattest für heute schon genug Damengesellschaft. Wir werden die Burg auch so finden.« Er zog ein Blatt Papier hervor. Der Bogen war alt und etwas vergilbt und offensichtlich aus einem Buch herausgerissen. Er zeigte Rom mit dem Tiber, der die Stadt wie eine sich windende Schlange in zwei Hälften schnitt. Sie erkannten das Kolosseum, das Oval des Circus Maximus und den Kapitolhügel.

»Hier sind wir jetzt.« Franz Leopolds Finger glitt zu dem blauen Band und fuhr dann ein Stück an ihm entlang. »Dort ist der Petersdom und das hier direkt am Tiberufer ist die Engelsburg.«

Anna Christina beugte sich vor. »Na, wenigstens scheint es da eine Brücke zu geben.«

Franz Leopold nickte und steckte die Karte wieder ein. Nachdem er sich die Lage der Gassen einmal eingeprägt hatte, stellte es für ihn keine Schwierigkeit mehr dar, den Weg zu finden.

Sie mieden die belebten Straßen, auf denen prächtige Privatkutschen rollten oder Droschken die späten Nachtschwärmer aufnahmen, um sie nach Hause zu bringen. Viele hatten sich berauscht und waren mit unsicheren Schritten unterwegs. Ab und zu wehte Gesang zu den jungen Vampiren herüber. Franz Leopold eilte durch enge, schmutzige Gässchen zum Tiber hinunter und folgte dann dem schlammigen Uferstreifen. Zuerst sahen sie die Kuppel des Petersdoms auf der anderen Seite aufragen. Dort also war der Papst zu finden. Der Fluss schien direkt auf die wichtigste Kirche der Christen zuzuführen, wand sich dann jedoch in einer scharfen Biegung nach Osten.

Franz Leopold blieb für einen Moment stehen. »Da, seht. Das ist unser Ziel.« Trutzig, ja ein wenig abweisend erhob sich die Festung am Nordufer des Flusses, Felsblöcke und Mauerziegel fest miteinander verschmolzen. Das Castello de Sant Angelo wirkte mehr wie ein riesiger, runder Turm, denn wie die Burgen, die die Wiener Vampire kannten. Ganz oben auf der Spitze sahen sie den bronzenen Engel mit seinem Schwert.

*

Luciano stieg in den dunklen Gang. Die beiden Mädchen und der Wolf folgten ihm. Hier unten war es so finster, dass sie nur vage die Umrisse und Bewegungen der anderen erkennen konnten. Sie tasteten sich am Rand des dahinströmenden schmutzigen Wassers entlang. So gut die Vampire selbst in wolkenverhangenen Nächten draußen sahen, in dieser Finsternis taugten auch ihre Augen nicht viel. Hier unten hätte man sich schon einer Fledermaus mit ihren hellen Rufen bedienen müssen, um Einzelheiten ausmachen zu können.

Lucianos Stimme klang dumpf und vermischte sich mit dem Rauschen des Wassers, als er ihnen voranging und über die Cloaca Maxima erzählte. Er schritt voran, ohne einmal zu zögern, was sie vermuten ließ, dass dies nicht das erste Mal war, dass Luciano sich hier herunterwagte.

»Man sagt, dieses Kanalsystem stamme von den Etruskern oder die Römer hätten die Kunst der Entwässerung von den Etruskern gelernt. Jedenfalls war vor dem Bau der Cloaca Maxima das ganze Tal zwischen dem Kapitolhügel und dem Palatin ein Sumpf, vom Tiber regelmäßig überschwemmt. Erst danach konnten die Römer das Forum bebauen. Auch heute noch überflutet das Hochwasser im Winter regelmäßig die unteren Stadtteile, vor allem den Hafen und das Judenviertel, aber durch die Entwässerung fließt es besser ab.«

Lucianos Stimme hallte dumpf von den Wänden wider, während er den Freunden voranging. Bald schon war es Alisa, als könne sie ihn besser erkennen. Die Luft wurde frischer. Sie näherten sich dem Ausgang am Tiberufer. Fischerboote moderten im Schlick vor sich hin. Bis auf ein paar streunende Hunde und die allgegenwärtigen Ratten waren keine Lebewesen mehr unterwegs. Auch im südlichsten der drei Stadthäfen ein Stück flussabwärts war es ruhig. Luciano winkte sie weiter. Sie waren bald gezwungen, das Ufer zu verlassen, da die Grundmauern einiger Häuser bis in die Fluten des Tibers hinabreichten. Lautlos huschten die drei jungen Vampire durch die leere Gasse, bis ein schmales Tor ihnen den Weg versperrte. Links führte eine Brücke auf die Tiberinsel, rechts verlief die Straße in einem Bogen an einer geschlossenen Häuserfront entlang, die abweisend wie die Mauern einer mittelalterlichen Festung wirkte.

»Wohin jetzt?«, fragte Alisa.

Luciano zögerte. »Ich weiß nicht. Das ist das Judenghetto. Allerdings hat der Papst vor einigen Jahren die nächtliche Torsperre aufgehoben. Wir sollten also wenigstens eines der Tore zu beiden Seiten offen finden. Das Judenviertel ist ein Gewirr winziger Gässchen und es leben unglaublich viele Menschen dort! Oder wir gehen über die Brücke und queren die Insel, um ins Viertel Trastevere zu gelangen. Der Weg ist zwar weiter, aber ich denke, wir kommen dort am Ufer schneller voran – und wir gehen nicht das Risiko ein, den Dracas auf der Engelsbrücke zu begegnen, falls sie inzwischen gemerkt haben, dass wir ihnen entwischt sind.« Er sah die Mädchen fragend an.

Alisa wandte sich der Brücke zu. »Wir sind gute Läufer!«

Ivy nickte und lief mit Seymour bereits auf die Ponte Fabricio zu, die sie auf die Insel führte.

*

Latona trat nach einem kurzen Klopfen in Carmelos Zimmer und schloss die Tür hinter sich. Sie trug ein Abendkleid aus roter Seide, das ihrem fast mageren Körper schmeichelte. Das schwarze Haar hatte sie zu einer kunstvollen Frisur aufgetürmt, die ihr Vorhaben sicher nicht unbeschadet überstehen würde. Latona fühlte sich plötzlich erwachsen. Sie verbannte alle Erinnerungen an Malcolm und den Kuss aus ihrem Kopf und versuchte, sich nur auf ihre Aufgabe zu konzentrieren. Sie war die Assistentin von Carmelo, dem großen Vampirjäger!

»Nun, soll ich wieder den Lockvogel spielen? Was haben wir denn heute? Einen Alten? Ich hoffe nur, keinen von diesen zahnlosen Greisen.«

Carmelo lächelte grimmig. »Wenn er wirklich zahnlos wäre, könnte das von Vorteil sein, aber ich denke, so einfach wird er es uns nicht machen.« Viel zu sorgsam faltete er seine Zeitung zusammen und legte sie neben seinen Sessel. »Und um auf deine erste Frage zurückzukommen, nein, du wirst heute nicht den Lockvogel spielen. Daher ist deine Aufmachung völlig ungeeignet. Du musst dich umziehen.«

Latona schwankte zwischen Enttäuschung und Erleichterung, sagte aber schroff: »So, du willst mich nicht mehr. Hast du eine Bessere gefunden?«

»Es gibt keinen Grund, ärgerlich zu werden und die gesellschaftlichen Umgangsformen, die ich dir mühsam habe angedeihen lassen, zu vergessen. Es war das letzte Mal sehr knapp, und ich möchte weder, dass uns einer entwischt, noch dass es einen von uns erwischt. Du wirst mir helfen. Also zieh dir etwas Praktisches und Unauffälliges an, in dem du zur Not auch ein Stück laufen kannst. Kein mörderisches Schuhwerk!«

Latona nickte. »Und wie machen wir es, wenn wir dieses Mal keinen Lockvogel haben?«

»Wir haben einen.«

»Bitte?« Sie klang schriller, als sie es beabsichtigt hatte.

»Der Kardinal hat angeordnet, dass Nicola den Vampir zu uns führt.«

Latona schüttelte fassungslos den Kopf. »Die kleine Nonne? Das will ich nicht glauben. Dann kann er kein richtiger Kirchenmann sein! Er schickt diese kleine, naive Ordensfrau los? Ich fand es schon unentschuldbar, sie die Briefe abholen zu lassen.«

Carmelo kratzte sich die ergrauten Schläfen. »Du meinst, das spricht dafür, dass er kein Mann der Kirche ist? Er hat es ihr befohlen, und sie würde für ihn, ohne mit der Wimper zu zucken, in die Hölle hinabsteigen. Nun ja, das kommt der Sache ja auch verflucht nahe. Ich bin geneigt, ihn gerade deswegen für einen echten Kardinal zu halten!«

»Du bist zynisch.« Latona seufzte.

»Wundert dich das? Das Leben als Vampirjäger macht zynisch.« Er starrte finster auf seine Schuhspitzen, doch plötzlich zuckte es um seine Lippen. »Ja, zynisch, aber auch reich. Lass uns noch ein paar von diesen Steinen abliefern, dann können wir uns für den Rest unseres Lebens bequem zur Ruhe setzen. Hat es sich dann nicht gelohnt, Rom von seinen Blutsaugern zu befreien?«

»Haben wir das denn?«, fragte Latona zurück. »Manches Mal denke ich, wir haben nur einen Bruchteil der Vampire Roms aufgespürt. Wir, beziehungsweise der Kardinal, wenn man es ganz genau nimmt.«

Carmelo nickte nachdenklich. »Ja, das ist schon erstaunlich. Ich frage mich, wie er das immer wieder macht. Ich habe es nur einmal geschafft, einem Vampir allein auf die Schliche zu kommen und ihn in eine Falle zu locken, und das hat mich fast zwei Jahre gekostet.«

»Und er scheint sie nach Belieben aus der Tasche ziehen zu können und weiß stets, was sie in der letzten Nacht ihres Daseins vorhaben. Nur die blutige Arbeit, die gibt er an uns weiter.« Sie überlegte. »Ich denke, ich sollte heute Nacht Schwarz tragen.«

»Willst du um unser Opfer trauern?« Der Spott schimmerte in seinen dunklen Augen.

Latona verdrängte energisch Malcolms Gesicht, das sich schon wieder in ihr Bewusstsein geschlichen hatte. »Nein, auf Schwarz sieht man die Blutflecken nicht«, erwiderte sie und rauschte aus dem Zimmer.

DIE ENGELSBURG DES PAPSTES

»Wie kommen wir da hinein?«, wollte Anna Christina wissen. Eine berechtigte Frage. Die drei Vampire umrundeten suchend die Festungsmauer.

»Zuerst müssen wir in den inneren Ring gelangen«, stellte Franz Leopold fest. »Die alten Sternschanzen sind auf der Flussseite ja fast im Schlamm versunken. Die sind kein Hindernis.«

»Ja, das stimmt, und dann? Sieh dir die glatt verputzten Wände an!«

»Aber nur die Hauptmauern, nicht die der Bastionen an den Ecken«, erwiderte Franz Leopold. »Seht, dort drüben, die Bastion rechts neben dem Tor ist niedriger als die anderen, und die Ziegel in der Ecke sind so verwittert, dass wir dort sicher hochklettern können.«

Anna Christina verzog das Gesicht, sagte aber nichts, sondern folgte ihren Vettern, die bereits begannen, die Mauer zu erklimmen. Sie mussten vorsichtig sein. Zwar gab es genug Lücken und Vorsprünge, die ihren Fingern und Schuhen Halt boten, doch viele Steine waren locker, der Mörtel im Lauf der Zeit brüchig geworden. Trotzdem erreichten sie den Wehrgang zügig und ohne große Schwierigkeiten. Anna Christina lehnte sich über die Brüstung und blickte in den Laufgraben hinunter, der sich um die Burg zog.

»Es gibt sicher irgendwo eine Treppe«, sagte sie.

»Wozu?«, fragte Franz Leopold. »So hoch ist es auch wieder nicht. Wir können springen!« Schon schwang er die Beine über die Mauerbrüstung. Mit einem langen Satz hechtete er vor und landete geschickt auf Füßen und Händen. Die anderen folgten ihm. Karl Philipp schimpfte zwar ein wenig vor sich hin, doch auch er schien den Sprung gut überstanden zu haben. Er zog seinen Gürtel mit dem leichten Degen zurecht. Franz Leopold richtete sich auf und klopfte sich den Schmutz von der Hose. Er hatte auf diese hinderliche Waffe verzichtet.

»Kommt, lasst uns eine Runde drehen. Vielleicht finden wir eine offene Tür oder ein Fenster, durch das wir kriechen können.«

Sie hatten kein Glück. Bald schon standen sie wieder an der Stelle, an der sie ihren Rundgang begonnen hatten. Franz Leopolds Blick wanderte an der Wand der Burg empor, die sich unendlich in den Nachthimmel zu erheben schien.

Anna Christina stellte sich neben ihn. »Und wie jetzt weiter? Du willst doch nicht etwa an diesen Mauern emporklettern?«

»Es ist ganz schön hoch«, pflichtete ihr Karl Philipp bei.

»Ja, aber sieh dir den Wechsel der Ziegel und Quader an. Sie sind uralt und porös und so unregelmäßig vorspringend, dass es ein Leichtes sein wird.«

Anna Christina nickte. »In diesem alten Bereich schon, doch der obere Teil des Festungsturms scheint mir schwieriger. Sieh nur, wie der Ring mit diesen Bögen vorragt. Meinst du nicht, dass der Abstand zu den Fensternischen zu groß ist?«

Franz Leopold wiegte den Kopf hin und her. »Kann sein. Das ist von hier unten schwer abzuschätzen. Ich würde aber sagen, wir können es schaffen. Wenn ihr wollt, versuche ich es erst alleine.«

»Was soll das bringen?«, wehrte seine Cousine ab. »Wir sind so weit gekommen und von den anderen fehlt noch jede Spur. Jetzt nehmen wir uns auch den Triumph, der uns gebührt!«

Sie reckte sich, schob die Fingerspitzen zwischen die bröckelnden Mörtelstücke und stieg dann mit den Füßen nach. Sie machte eine gute Figur, wie sie sich stetig höher schob, den Körper immer gespannt, den Leib eng an die Mauer gedrückt. Franz Leopold folgte ihr rasch. Er war der Geschickteste der drei und hatte sie bald überholt. Karl Philipp dagegen hatte einige Mühe. Vor allem sein Degen war ihm im Weg und verhakte sich ein paarmal. Auch trat er immer wieder kleine Mörtelbrocken los und mehrmals rutschten seine Sohlen ab. Er fluchte.

»Du musst dich langsamer und gleichmäßiger bewegen«, rief ihm Franz Leopold zu, der den Mauerring schon fast erreicht hatte. »Und schieb den Degen weiter nach hinten. Folge mir!« Er hielt inne und sah nach oben. Ja, das müsste gehen. Franz Leopold zog sich an den gewellten Bogenstützen nach oben, verlagerte das Gewicht seitwärts und klemmte eine der Stützen zwischen die Beine. Nun konnte er den Körper ausstrecken und sich so weit nach außen lehnen, dass er den nächsten schmalen Sims zu fassen bekam. Für einen Menschen wäre das ein Kunststück gewesen, dem sein Körper nicht standgehalten hätte, doch für einen jungen Vampir war das Hindernis nicht allzu schwer zu überwinden. Franz Leopold zog sich auf den gerundeten Sims und richtete sich dann langsam auf. Wie er vermutet hatte, konnte er die Kante der Fensternische greifen. Geschafft! Anna Christina, die ihn genau beobachtet hatte, saß kurz darauf schon in der Fensternische nebenan. Als Karl Philipp, schimpfend und stöhnend, bei ihnen anlangte, hatte Franz Leopold bereits das Fenster geöffnet.

»Willkommen in der Engelsburg! Ich wusste, dass wir es schaffen. Also los, sehen wir zu, dass wir uns einen schönen Platz auf dem Dach reservieren, auf dem wir bequem auf unsere Herausforderer warten können!«

*

Die drei jungen Vampire und der weiße Wolf liefen am Ufer entlang. Seymour rannte mit weiten Sprüngen voran. Ivy und Alisa waren kaum langsamer. Nur Luciano fiel immer weiter zurück. »Luciano, nun komm schon!«, rief Alisa ungeduldig.

Der Nosferas stöhnte. Seine Brust schmerzte und in seinem Kopf begann es zu hämmern. Warum nur hatte er sich auf diesen irrsinnigen Wettkampf eingelassen? Das war natürlich keine echte Frage, da die Antwort klar auf der Hand lag: Weil jemand diesen unerträglichen Angeber Franz Leopold und seine ganze

Sippschaft in ihre Schranken weisen musste! Und warum ist dir das so wichtig? Warum musst du das tun?, bohrte eine Stimme in seinem Kopf weiter und lachte spöttisch.

Luciano sah Ivys silberne Lockenpracht im Takt ihrer Schritte vor sich auf und ab wippen. Die dunkle Kapuze war zurückgerutscht und hing nun über den Rücken hinab. Ihr schlanker Körper bewegte sich flink, lautlos und voller Anmut. Ihre nackten Füße schienen über dem Boden zu schweben. Allein dieser Anblick war es wert, jede Mühsal auf sich zu nehmen!

Ah, du tust das für Ivy! Meinst du wirklich, du kannst sie mit einer solchen Aktion beeindrucken, noch dazu wenn ihr verliert, weil du einfach zu langsam und zu träge bist? Die Stimme in seinem Kopf klang ein wenig nach Franz Leopold.

»Luciano! Nun komm schon! Trödle nicht so«, rief Alisa über die Schulter zurück. »Die Dracas sind vielleicht schneller, als uns lieb sein kann!«

Luciano ballte die Fäuste, bemühte sich aber, noch schneller zu laufen. Wann war er das letzte Mal so gerannt? Er konnte sich nicht daran erinnern. Er brauchte seine ganze Kraft, um nicht zu stolpern und auf dem Pflaster aufzuschlagen. Das Bild des Petersdoms tanzte verschwommen vor seinen Augen. Luciano bemerkte, dass der Fluss sich nach Osten zu winden begann. Gut, gleich würden sie die Engelsburg sehen und dann wären sie bald da, und dann konnte er endlich anhalten und sich ein wenig ausruhen, während sie auf die Dracas warteten.

Da kam das Castel Sant Angelo in Sicht. Die drei liefen am Ospedale di Santo Spirito vorbei, dem Hospital, das hier bereits vor mehr als sechshundert Jahren vom damaligen Papst für die Bedürftigen errichtet worden war. Auch heute noch konnten arme Frauen unerwünschte Kinder durch die *rota* schieben und sie so unerkannt der allgemeinen Fürsorge überlassen, statt sie, wie früher üblich, im Tiber zu ertränken.

Doch in diesem Moment richtete nicht einmal Alisa auch nur einen Teil ihrer Aufmerksamkeit auf die Menschen und ihre Probleme. Seymour war schlitternd zum Stehen gekommen und hob leise jaulend die Schnauze. Ivy erreichte ihn als Erste.

»Was hat er?«, wollte Alisa wissen, als sie neben ihr anhielt.

Ivy kniff die Augen zusammen, dann deutete sie auf die Mauern der Engelsburg. »Siehst du das?«

»Bei den höllischen Dämonen.«

»Was? Was ist los?«, wollte Luciano wissen, der nun keuchend zu ihnen stieß. Er beugte sich nach vorn und presste beide Hände in die Seiten. Alisa warf ihm einen Blick zu, in dem er eine Mischung aus Verwunderung und Mitleid zu lesen glaubte. Beides traf ihn. Ivy zeigte noch immer auf die Burg. Als Luciano erkannte, auf was sie deutete, vergaß er sogar seine Gier nach Blut, die nach dem Lauf größer denn je war.

Kein Zweifel. Die drei Wiener Vampire stiegen gerade über die äußere Umfassungsmauer. Sie konnten Franz Leopold erkennen, der seine Hand helfend Anna Christina entgegenstreckte. Dann entschwanden sie ihren Blicken.

»Das darf doch nicht wahr sein«, stöhnte Luciano. »Wie kommen die denn so schnell hierher?«

Alisa lief weiter. »Kommt! Noch geben wir uns nicht geschlagen.« Die anderen folgten ihr.

»Müssen wir auch über die Mauer klettern?«, fragte Ivy, die sich zu Luciano zurückfallen ließ. »Wir können Seymour nicht zurücklassen.«

»Nein, keine Mauer erklettern«, keuchte Luciano. »Wir nehmen den Passetto.«

»Passetto? Was ist das?«, fragte Ivy, die neben ihm herzuspazieren schien, obwohl Luciano so schnell rannte, wie er konnte.

»Ein Rettungstunnel für den Papst vom Palast zur Burg«, stieß er hervor. »Dort, auf der Westseite.«

Luciano rannte auf den beschädigten Schutzwall der Sternschanze zu. An der Stelle, an der der Passetto ihn überquerte, ragten seine Bögen kaum mehr als fünf Schritte über dem Boden auf. Er deutete auf einen Baum, der seine Zweige bis über den steinernen Pfad reckte. Rasch kletterten sie hinauf. Selbst Seymour gelangte mit ein wenig Hilfe über die dicken Äste nach oben und sprang durch eine zerbrochene Abdeckplatte in den Gang, der den Päpsten lange Zeit als Fluchtweg gedient hatte. Im Laufschritt überquerten sie den Graben und erreichten die Bastion San Marco. Sie querten den niederen Verteidigungsturm, auf dessen Plattform ein paar rostige Kanonen standen. In den Ecken lagen steinerne Kugeln, von Moos und Flechten überzogen.

Luciano winkte sie weiter den Wehrgang entlang. »Dort drüben ist ein Steg, und ich weiß, wie man die Tür öffnet.«

»Seht ihr das?«, rief Alisa. »Sie klettern tatsächlich an der Außenmauer der Burg hinauf!« Klang da etwa Bewunderung in ihrer Stimme? Luciano warf ihren Gegnern nur einen kurzen Blick zu. Er hatte Wichtigeres zu tun, als ihre geschmeidigen, schlanken Körper zu bestaunen, die sich nach einer lautlosen Melodie zu bewegen schienen. »Wie elegant! Wie wunderschön!« Hatte eines der Mädchen das gesagt oder narrten ihn wieder die Stimmen in seinem Kopf?

Luciano querte den steinernen Steg und stemmte die Tür auf, die sich nur verklemmt hatte, nicht aber abgeschlossen war. »Kommt!«

Sie eilten weiter über eine ansteigende Rampe mit flachen Stufen, die die gesamte Festung gerade durchschnitt. Links öffnete sich ein Gang, der in einer weiten Spirale abwärts führte. Luciano aber folgte der Rampe nach oben. Über eine hölzerne Brücke überwanden sie einen Abgrund, der eine Kammer im Zentrum der Burg bildete. Alisa kam es vor, als sei sie in einem uralten Mausoleum, nicht in einer päpstlichen Schutzburg. Luciano nickte, als sie es laut aussprach.

»Ja, die Burg ist auf dem Mausoleum des Hadrian erbaut. Das ist die Urnenkammer und dort unten windet sich der Gang in einer riesigen Spirale bis in das Fundament hinunter. Aber dafür haben wir jetzt keine Zeit. Wir müssen zu dem Engel hinauf!«

Luciano kannte sich wirklich gut in der Burg aus. Er bog zwei

Mal links ab und folgte den Treppen in einen Hof. Die beiden Mädchen erhaschten kurze Blicke in einst prächtige Gemächer, die heute offensichtlich keine Päpste mehr beherbergten, sondern als Lager und Waffenkammern genutzt wurden. Die bemalten Decken erinnerten an die Malereien der Domus Aurea.

Sie liefen über den Hof auf eine weitere Treppe zu. Alisa legte den Kopf in den Nacken. Dort war der Engel, fast zum Greifen nahe auf seinem Podest!

Oben angelangt rannte Luciano die Galerie entlang, die einen weiten Ausblick über ganz Rom bot. Noch ein paar Stufen, die sie in ein Gemach mit gewölbter Decke führten. Eine enge Wendeltreppe schließlich brachte sie zur Plattform hinauf. Die drei stürmten auf die Dachterrasse hinaus und stießen fast mit den Dracas zusammen. Für einen Wimpernschlag sahen sie einander nur an. Seymours Knurren löste die Erstarrung.

»Hinauf zum Engel!«, riefen Alisa und Franz Leopold gleichzeitig und krallten sich schon in die erste weiße Schmuckleiste, die das Einzige war, was ihnen in dieser Wand Halt bot. Vorsichtig zogen sie sich hoch und griffen nach der nächsten Leiste. Die anderen folgten ihnen. Luciano und Karl Philipp glitten immer wieder ab, während die anderen sich mühsam weiterarbeiteten. Seymour lief jaulend auf der Plattform auf und ab. Franz Leopold war Alisa ein kleines Stück voraus, dann kam Ivy, die nicht schneller vorankam, da sie Alisa an dieser Stelle nicht überholen konnte. Ebenso erging es Anna Christina.

Das weiße Podest, auf dem der bronzene Engel stand, die Schwertklinge gesenkt, um sie in die Scheide zu stecken, war nicht sehr hoch. Alisa reckte sich und umklammerte die Kante. Mit Schwung zog sie sich hinauf, schwang sich auf den Sockel und griff nach einem der nackten Knie des Engels.

»Gewonnen!«, jauchzte sie, kurz bevor ihre Hand nicht wie erwartet auf harte Bronze stieß, sondern einen vielleicht ebenso kühlen, aber doch weicheren Arm umgriff. Sie sah in das schönste und kälteste Gesicht, das sie kannte.

»Nicht ganz«, sagte Franz Leopold und lächelte. »Wir waren eindeutig schneller!«

»Ich habe den Engel zuerst berührt.« Sie bemerkte, dass sie sich noch immer an Franz Leopolds Handgelenk festhielt. Alisa ließ ihn so hastig los, dass sie beinahe nach hinten gefallen wäre, doch er packte sie am Ärmel, bis sie ihr Gleichgewicht wiedergefunden hatte.

»Du willst schon gehen?«, säuselte er. »Dann wünsche ich dir einen guten Flug!« Zwar ließ er sie los, doch Alisa stand jetzt sicher und konnte ihn wütend anfunkeln.

»Gib zu, dass wir schneller waren und den Wettkampf gewonnen haben!«

Franz Leopold setzte seine übliche arrogante Miene auf und ließ den Blick schweifen. »Ich sehe nur unser Dickerchen dort unten stehen und wie ein Hund klägliche Blicke zu uns heraufwerfen!«

»Ja, er steht dort zusammen mit Karl Philipp ...«

»... und die beiden fangen jeden Augenblick eine Prügelei an«, ergänzte Ivy und sprang auf die Plattform zurück. Doch Seymour hatte sich bereits zwischen die beiden jungen Vampire gestellt, die sich mit gefletschten Zähnen anknurrten.

»Sehen wir uns an, wie mein Vetter den kleinen Dicken zu Brei verarbeitet, oder mischen wir uns ein?«, fragte Franz Leopold. »Was meinst du Alisa?« Sie gab ihm keine Antwort, sondern folgte Ivy. Franz Leopold zuckte mit den Schultern und sprang dann ebenfalls elegant nach unten zurück.

»Keiner hat den Sieg errungen!«, sagte Ivy. Als die anderen ihre Stimmen erhoben, um zu protestieren, brachte sie sie mit einer einzigen energischen Handbewegung zum Schweigen. Obwohl sie von ihrer Körpergröße her die Kleinste war, strahlte sie eine Autorität aus, die sie mächtiger erscheinen und ihre zierliche Gestalt in Vergessenheit geraten ließ.

»Alisa und Franz Leopold haben gleichzeitig die Engelstatue berührt. Wir anderen vier sind zurückgeblieben. Also wenn es Sieger gibt, dann sind es die beiden, von uns anderen knapp gefolgt. Ich denke, der Wettkampf hat gezeigt, dass unsere Familien sich gar nicht so sehr unterscheiden. Wir haben verschiedene Kräfte, die aber alle nützlich sind, und wir können sowohl gegeneinander als auch miteinander kämpfen. Lasst uns noch eine Weile diesen wundervollen Ausblick über die vom Mond beschienene Ewige Stadt Rom genießen. Dann sollten wir uns auf den Heimweg machen, denn das Licht der Sterne im Osten beginnt bald zu verblassen.«

»Was für eine Rede! Mir schwirrt der Kopf, Signora Professoressa«, sagte Franz Leopold, doch es klang nicht halb so spöttisch, wie er vermutlich beabsichtigt hatte.

»Ja, es ist ein wundervoller Blick«, bestätigte Alisa, die an die Brüstung getreten war. Der Tiber bewegte sich träge zwischen seinen schlammigen Ufern. Auf den Kähnen und Fischerbooten des nördlichsten der drei Stadthäfen brannten Laternen, deren Licht sich im Wasser spiegelte. Der ein oder andere Fackelträger bewegte sich durch das Gassengewirr am anderen Ufer auf die Piazza Navona zu. Der warme Feuerschein huschte über die Wände der dicht beieinanderstehenden Häuser. Doch die meisten Menschen Roms ruhten zu dieser Stunde, kurz bevor die ersten Marktleute sich mit ihren Waren zu den verschiedenen Plätzen der Stadt aufmachten. Die friedliche Stimmung griff auf sie über, bis Karl Philipp sie rüde durchbrach.

»Gar nichts ist entschieden! Vielleicht haben wir den ersten Teil nur knapp gewonnen, aber den Rückweg werden wir klar für uns entscheiden!« Er packte Franz Leopold, der neben Alisa und Ivy stand und mit ihnen über die Dächer der Stadt sah, an der Schulter. »Los, steh hier nicht so herum, als müsstest du den Mond anheulen. Der Wettlauf geht weiter!«

Anna Christinas Augen begannen zu funkeln. »Ja, der Wettlauf geht weiter!« Und schon eilten die drei die Treppe hinunter und verschwanden um die Biegung.

»He, was soll das?«, rief ihnen Luciano nach. »Dieser zweite

Wettlauf war nicht abgemacht!« Er schnaufte empört. »Ich renne nicht ein zweites Mal durch ganz Rom!«

»Was?« Alisa sah ihn aus weit aufgerissenen Augen an. »Du willst ihnen den Triumph gönnen, uns auf dem Rückweg zu schlagen? Das kannst du nicht machen! Nur weil du dich nicht anstrengen willst?«

»Luciano ist noch zu erschöpft«, sagte Ivy, und obwohl in ihrer Stimme kein Vorwurf lag, protestierte Luciano. Lieber würde er unterwegs zusammenbrechen, als diese Schmach zuzugeben! Entschlossen straffte er die Schultern.

Alisa strahlte. »Also dann los! Zeig uns den kürzesten Weg.«

Und schon lief er die Treppe hinab, die von der Dachterrasse bis zur Galerie führte, in den Hof und an den Gemächern der Renaissancepäpste vorbei.

»Rechts oder links?«, rief Alisa und sprang ungeduldig von einem Bein auf das andere, bis Luciano endlich in Sicht kam.

»Rechts, die Rampe runter!«

Sie verließen die Festung und hasteten dann an der Außenmauer vorbei bis zu einem Törlein, das Luciano öffnen konnte. »Wir nehmen jetzt das andere Ufer, das ist kürzer«, keuchte er. »Über die Brücke!«

Als sie die Brücke betraten – Seymour voran –, hatten die drei Wiener Vampire den Tiber bereits überquert und verschwanden im Gewirr der Gassen.

*

»Du musst dir die Hände waschen«, sagte Carmelo. Latona sah auf ihre blutigen Handflächen hinab. »Vielleicht solltest du das nächste Mal auch schwarze Handschuhe tragen.« Seine Stimme war ohne jede Emotion.

»Vielleicht«, sagte sie leise und vermied, zu dem Körper hinzusehen, der reglos in der Ecke des Hofes lag. »Kann ich jetzt gehen?«

Seine Miene wurde weicher. Er legte ihr die Hand auf die

Schulter. »Ja, geh nur ins Zimmer, wasch dich und zieh dich um. Ich werde derweil unsere Spuren verwischen. Und dann werden wir zusammen etwas essen. Ich kenne eine kleine Bar, da kochen sie uns auch zu dieser Uhrzeit noch etwas.«

Sie nickte stumm. Noch konnte sie sich nicht vorstellen, überhaupt jemals wieder etwas hinunterzubekommen. Dieses Mal war es schlimm gewesen. Schlimmer als sonst? Oder wurde sie mit jedem Mal empfindlicher? Sie hätte gedacht, sie würde mit der Zeit abstumpfen, kälter werden, vor allem für die Alten und Hässlichen nichts mehr empfinden, aber die Hoffnung hatte sie getrogen. Sie sagte sich immer wieder, dass sie Monster waren, keine Menschen, die nichts auf dieser Erde zu suchen hatten, doch es gelang ihr nicht so recht.

Carmelo drückte kurz ihre Hand. »Es ist nur ein Trick, weißt du. Sie können unseren Geist beeinflussen, uns wehrlos, ängstlich oder empfindungslos machen, ja sogar uns alles vergessen lassen. Und eben auch als letzten Trumpf, wenn es für sie gefährlich wird, unser Mitleid entfachen, um sich zu retten.«

Latona sah auf den Körper hinab. »Das hat in diesem Fall ja nicht sehr gut für ihn funktioniert.«

»Nein, hat es nicht.«

Latona rieb die blutigen Hände gegeneinander. »Du musst hier noch alles wegräumen und sauber machen. Wirst du ihm den Kopf abschlagen?«

Carmelo nickte. »Du weißt, dass es nötig ist. Aber zuerst brauche ich den Stein.«

Er kniete sich neben den kalten Körper und schob seine Finger zwischen Jacke und Hemd. Nichts. Er öffnete die Goldknöpfe und schnürte das Seidenhemd auf. Weiß schimmerte die Brust im Mondschein. Die Wunde, die die Klinge hinterlassen hatte, wurde gnädig von dem dunklen Stoff der Jacke verdeckt. Von dem Rubin, den die anderen an Lederbändern oder feinen Goldketten um den Hals getragen hatten, fehlte jede Spur.

»Geh und wasch dich«, sagte Carmelo in schärferem Ton. »Ich

werde ihn durchsuchen, bis ich den Stein habe, und dann hier – aufräumen. Warte im Zimmer auf mich.«

Er riss dem Vampir die Jacke herunter und das Hemd vollends auf. Latona wandte sich ab. Diese Geste kam ihr brutaler vor als Carmelos Stich mit der Klinge ins Herz seines Opfers. Nein, verbesserte sie sich in Gedanken. Der Vampir war der Räuber und die Menschen seine Opfer. Mit raschen Schritten eilte sie zu ihrem Zimmer in dem kleinen Hotel gegenüber der halb verfallenen Kirche San Nicola de Cesarini. Zwei Katzen begrüßten sie und strichen ihr maunzend um die Füße.

Es ist erstaunlich, wie viele Katzen es gibt, dachte sie und konzentrierte sich auf die schwarzen und rötlich gefleckten Fellbündel, um nicht an den blutigen Leib zu denken, den Carmelo nun mit einem weiten Schwung seines Schwertes endgültig zerstörte. Und die Seele befreite?

Sie strich den Katzen über den Rücken und lief dann die Treppe zu ihrem Zimmer hinauf. Das Wasser in ihrer Waschschüssel war längst kalt, doch Latona zog sich nackt aus und wusch sich immer wieder mit dem rauen Lappen. Scheuerte über ihre Haut, die längst vom Blut befreit war und nun rot und wund zu glühen begann. Endlich hielt sie inne, griff nach ihrem Leintuch und trocknete sich ab. Sie hatte gerade ihr dünnes Unterkleid übergeworfen, als Carmelo ohne anzuklopfen ins Zimmer stürmte. Er schien jedoch ihren Aufzug gar nicht zu bemerken.

»Ich habe ihn vom Kopf bis zu den Füßen durchsucht. Nichts! Ich habe mit einer Fackel den ganzen Platz abgeleuchtet. Ebenfalls: Fehlanzeige! Er hat ihn auch nicht bei unserem Kampf verloren.« Carmelo hob die Arme und ließ sie dann wieder fallen. Auf seiner sonst so beherrschten Miene zeichneten sich Verzweiflung, aber auch Wut ab. »Er hatte keinen dieser Rubinanhänger bei sich!«

Latona warf sich einen Umhang über. »Vielleicht haben nicht alle Vampire so einen Stein.«

Carmelo stürmte auf sie zu, packte sie an den Schultern und

schüttelte sie unsanft. »Dir ist wohl nicht klar, was das bedeutet? Wir werden kein einziges Silberstück bekommen. Nichts! Der Kardinal bezahlt nur gegen Lieferung.«

Latona löste vorsichtig seine Hände, die sich schmerzhaft in ihre nackten Schultern krallten. »Das ist ärgerlich, aber was können wir dagegen tun? Ich vermute nichts.«

»Nein, nichts!«, rief er aufgebracht. »Wir haben uns in Gefahr gebracht und Rom von einem weiteren Blutsauger befreit für nichts. Wir sind unserer Freiheit keinen Schritt näher gekommen.«

»Dann müssen wir eben noch eine Weile weitermachen«, sagte sie so sanft wie möglich.

»Und was, wenn wir bisher nur Glück gehabt haben? Was, wenn die meisten gar keinen Stein haben und wir Nacht für Nacht umsonst suchen und jagen?«

Latona schlang die Arme um den Leib. Plötzlich fror sie. Gleichzeitig brannte ihre Haut und sie fühlte sich einsam und schutzlos. »Dann bleibt uns nur zu beten und zu hoffen, dass Gott uns auf die richtige Fährte führt.«

Carmelo schnaubte abfällig. »Gott? Doch wohl eher des Teufels Kardinal!«

IN DER FALLE

»Wie jetzt weiter?« Alisa wartete am Ende der Brücke auf Luciano, der schnaufend angerannt kam. Sie versuchte gar nicht, ihre Ungeduld zu verbergen. Wie konnte Ivy noch immer so ruhig bleiben, so als stünde nichts auf dem Spiel!?

»Was steht denn auf dem Spiel? Unsere Ehre in Franz Leopolds Augen?« Ivy lächelte, als sie Alisas fast empörten Blick bemerkte. »Es ist wirklich nicht schwer zu erraten, was du denkst. Du zitterst ja geradezu vor Unruhe. Warum ist es dir so wichtig, ihm deine Überlegenheit zu zeigen?«

Endlich langte Luciano am Ufer an und bog gleich in eine enge Gasse ein. Alisa und Ivy folgten ihm. Seymour rannte mal voraus, drehte dann wieder um und kehrte zu ihnen zurück.

»Das habe ich nicht nötig«, erwiderte Alisa entrüstet. »Es geht hier nicht nur um Franz Leopold, sondern um seine ganze Familie, die sich für etwas Besseres hält und uns mit ihrer Verachtung schmäht.«

»Und dir ist es wichtig, das Bild nach deinen Vorstellungen geradezurücken.« Ivy ließ nicht locker. Alisa achtete kaum mehr auf ihre Umgebung. Die Gassen glichen einander: Sie waren eng und verwinkelt, der Boden mit Unrat verschmutzt. Ratten huschten davon, wenn sich ihre Schritte näherten. Grau und mit blätterndem Putz ragten die Wände der Häuser in den blasser werdenden Nachthimmel.

»Ja, ich finde, die Dracas müssen endlich begreifen, dass sie nicht über uns stehen. Denn solange sie sich überlegen fühlen, werden sie sich weiterhin separieren, ja, vielleicht sogar die anderen Familien bekämpfen und die Oberherrschaft über uns alle anstreben. Sieh dir nur an, wie sie mit ihren Unreinen umgehen!

Sie sind ihre Sklaven, die sie ohne mit der Wimper zu zucken, der Vernichtung preisgeben würden, wenn es nur ihrer Bequemlichkeit diente!«

Ivy wiegte unschlüssig den Kopf. »Im Kern sind deine Gedanken leider richtig, auch wenn du in deinem Urteil zur Übertreibung neigst.«

Alisa ging nicht darauf ein: »Nur wenn sie einsehen, dass sie Stärken, doch vor allem auch Schwächen haben, die sie nur mit Hilfe der anderen Familien überwinden können, werden sie sich der Idee dieser gemeinsamen Akademie öffnen. Und nur dann können wir alle Vorteile daraus ziehen. Nur dann können wir überleben und eine gemeinsame, starke Blutlinie gründen!«

Ivy nickte. »Und gerade deshalb bin ich mir nicht sicher, ob so ein Wettstreit der richtige Weg ist. Geht es hier nicht wieder darum, wer über wem steht? Darum, den anderen in den Schmutz zu stoßen und ihn in seiner Niederlage zu verspotten?« Sie hatten Luciano bereits wieder überholt und hinter sich zurückgelassen. Nun bremste Ivy ihren Schritt und ließ ihn vor der nächsten Abzweigung aufholen.

»Oh ja, das werde ich!«, keuchte er. »Mich an ihrer Niederlage weiden und diese Angeber unseren Spott wie ranziges Blut schmecken lassen. Allein der Gedanke treibt mich an und lässt mich diese Anstrengung ertragen!«

Sie tauschten Blicke. »Ja, es ist noch ein weiter Weg«, gab Alisa zu. »Soll ich nun schwören, dass ich alle Feindseligkeit ablege und immer nur freundlich zu diesen … Dracas sein werde?«

Ivy lachte glockenhell. »Ich würde dir deinen Schwur nicht glauben. Du erstickst ja bereits an deinen Worten!«

Sie überquerten den Campo de Fiori, auf dem schon bald die Marktstände aufgebaut werden würden, für Fisch und Gewürze, Obst, Gemüse, aber auch für die Blumen, die ihm seinen Namen gaben. Früher, als der Platz noch eine Wiese gewesen war, hatten hier regelmäßig Hinrichtungen stattgefunden. Die älteren unter den Vampiren erinnerten sich noch an die Spektakel und an die lodernden Scheiterhaufen. Heute war der Blutgeruch längst verweht.

Luciano führte sie an den zahlreichen zu dieser Stunde geschlossenen Gasthäusern vorbei und verließ den Platz im Osten. Plötzlich blieb Seymour stehen, die Ohren aufgestellt, den Blick starr in die Gasse zu ihrer Linken gerichtet.

»Was ist los?«, fragte Ivy und setzte noch ein paar gälische Worte hinzu. In ihrer Stimme schwang Besorgnis.

»Er wird die anderen gewittert haben«, meinte Luciano. »Dann ist es ihnen also nicht gelungen, uns abzuhängen! Sehen wir zu, dass wir weiterkommen und den Kapitolhügel erreichen.«

Ivy schüttelte den Kopf. Ihre Hand schwebte über den gesträubten Nackenhaaren des Wolfes. »Nein, es sind nicht die anderen. So angespannt habe ich ihn schon lange nicht mehr erlebt. Irgendetwas ist da. Er weiß es selbst nicht genau …«

»Gefahr für uns?«, wollte Alisa leise wissen, die dicht an Ivy herangetreten war.

»Vielleicht.«

»Seine Witterung ist besser als unsere. Kann er uns führen?«, fragte Alisa.

Ivy wollte gerade etwas erwidern, als Seymour aufjaulte und dann davonschoss. »Nein«, rief sie. »Ich lasse dich nicht alleine!«

Die Vampire rannten dem Wolf hinterher, so schnell sie nur konnten. Er steuerte auf eine Kirche zu und blieb dann auf dem kleinen Platz davor so unvermittelt stehen, wie er losgelaufen war. Er war wie erstarrt. Nur seine Schwanzspitze zuckte.

»Was hat er nur?«, drängte Alisa.

Ivy hob ratlos die Schultern. »Ich weiß es nicht. So hat er sich noch nie aufgeführt.«

Alisa betrachtete die kleine, baufällige Kirche und die schäbigen Häuser rund um den Platz. Sie konnte sich beim besten Willen nicht vorstellen, was den Wolf so sehr beunruhigte. Plötzlich lief er wieder los, an der Kirche vorbei und zwischen dichten Büschen auf eine alte Steintreppe zu, die in die Tiefe führte. Zwei Katzen, die auf einem antiken Säulenstumpf geruht hatten, sprangen auf und flitzten fauchend davon.

*

»Onkel Carmelo, hast du das gehört?« Ein ungewohntes Geräusch hatte Latonas Träumerei von blauen Augen und einem schönen, blassen Gesicht durchbrochen. Sie wartete die Antwort nicht ab und trat an das Fenster, das zur Kirche und dem kleinen Platz hinausführte, und schob den Vorhang beiseite. Wieder erklang das klagende Heulen.

»Wenn es nicht unmöglich wäre, würde ich behaupten, das ist ein Wolf. Ein weißer Wolf!«, stieß sie mit einem Keuchen hervor.

Carmelo trat neben sie. »In dieser Stadt ist nichts unmöglich!« Dann schwiegen sie für einen Augenblick und beobachteten das weiße Tier und die drei schattenhaften Gestalten, die ihm folgten. Sie bewegten sich so schnell, dass die beiden Menschen nur verschwommene Schemen wahrnahmen, bis sie auf dem Platz vor der Kirche anhielten und der Lichtschein der Lampe am Portal sie erfasste.

Carmelo räusperte sich. »Ich kann nicht sagen, ob das wirklich ein weißer Wolf ist oder nur ein großer Hund, doch wenn ich mich nicht täusche, dann sind die drei dort unten Vampire!«

»Sieh nur, wie elegant sie sich bewegen!«, hauchte Latona. »Und sie sind so jung.«

Carmelo warf sich seinen dunklen Umhang über die Schultern. »Das muss ich mir näher ansehen!« Seine breitschultrige Gestalt verschwand um die Ecke.

»Warte, ich komme mit!«, rief Latona, doch der Onkel hastete bereits die Treppe hinunter. Sie fluchte leise, schlüpfte in ein weites Hauskleid und ihren Mantel und rannte ihm nach. Im Hauseingang stieß sie hart mit ihm zusammen.

»Schsch! Dort drüben sind sie. Wir müssen versuchen, näher an sie heranzukommen, ohne dass sie uns bemerken. Das wird nicht leicht. Sie haben scharfe Sinne, und der Wolf erst!«

Trotz seiner großen und leicht untersetzten Gestalt huschte Carmelo leise zum nächsten Haus und drückte sich dann in die Schatten des Eingangs.

Latona folgte ihm. »Ich glaube, sie haben uns noch nicht entdeckt.«

»Ja, merkwürdig«, brummte der Vampirjäger.

»Was hast du vor?«

»Ich frage mich eher, was sie vorhaben. Oh mein Gott! Sieh, wohin der Wolf sie führt!«

Latona schlug die Hand vor den Mund. Es war ihr, als müsse sie die drei ahnungslosen jungen Vampire mit einem lauten Schrei warnen, doch das hätte ihr Carmelo nie verziehen.

»Untersteh dich!«, zischte er ihr ins Ohr. Anscheinend fühlte er genau, was in ihr vorging. »Bleib hier, ich versuche, an die Kette heranzukommen, sobald sie unten sind.«

Latona nickte stumm.

*

Seymour verschwand in der Finsternis unter dem Platz. Sein Winseln klang dumpf zu ihnen herauf.

»Sollen wir ihm folgen?« Alisa sah Ivy an und entdeckte zu ihrer Überraschung Unsicherheit in ihrem Blick.

»Ich weiß nicht so recht. Er will, dass wir hier warten, aber ich habe ihn noch nie so außer Fassung erlebt. Ich sollte bei ihm bleiben!«

»Er ist ein Wolf!«, sagte Luciano. »Du steigerst dich in etwas hinein. Dennoch bin ich neugierig, wohin die Treppe führt. Sie scheint nicht zu der Kirche zu gehören. Ich denke, sie ist viel älter – und das, was dort unten ist, ebenfalls!«

Er stieg die Treppe hinunter. Die Mädchen folgten ihm. »Seht nur diese fein bearbeiteten Marmorblöcke und die Gravuren. Seymour hat wohl eine Tempelanlage aufgespürt – vermutlich noch viele hundert Jahre älter als die Domus Aurea –, über der dann viel später die Kirche gebaut wurde.«

»Ja, aber die Ersten sind wir hier nicht!«, sagte Ivy und berührte einen Steinblock. »Ich spüre euren Familienclan und Menschen! Einen Mann und eine Frau, die hier mehrmals entlanggegangen sein müssen.«

»Seltsam«, meinte Luciano, »sehr seltsam!«

Sie sahen Abzweigungen und Nischen mit antiken Altären, Statuen längst vergessener Gottheiten und reich verzierten Gefäßen.

»Sollen wir umkehren?« Alisas Frage drängte nicht nach Zustimmung.

Die drei jungen Vampire passierten einen mit einem Tonnengewölbe überspannten Gang, der immer wieder abbog oder sich verzweigte, aber Ivy folgte der noch frischen Spur Seymours ohne zu zögern.

»Da ist er!« Sie lief auf ihn zu und ließ sich neben ihm auf die Knie fallen. »Was ist nur mit dir los?« Auch die anderen merkten, dass er ein Bild des Jammers bot. Ivy schlang die Arme um seinen Hals, doch er entwand sich ihrem Griff, jaulte und kläffte und zerrte an ihrem Umhang.

»Ja, wir verschwinden ja gleich von hier. Aber zuerst will ich sehen, was dir hier solche Angst macht.« Sie beugte sich über den Gegenstand, auf dem Seymours Schnauze gerade noch gelegen hatte.

Nun ließ der Wolf Ivy los und zog an Alisas Kleidern. Alisa stellte gerade verwundert fest, dass das Fell um die Schnauze schwarz verschmiert war, als Ivy einen Schrei ausstieß. Er klang so alarmierend, dass Luciano und Alisa zu ihr stürzten und sich neben ihr auf den Boden sinken ließen. Seymour heulte auf und rannte in den Gang zurück.

»Was hast …?« Alisas Frage wurde von einem rasselnden Geräusch beendet. Obwohl die drei sofort aufsprangen und auf den Bogen zustürmten, der in den Gang zurückführte, kamen sie zu spät – und prallten gegen das Gitter, das aus der Decke herabgefallen war. Sie warfen sich dagegen und rüttelten an den Eisenstäben, doch es ließ sich nicht verschieben.

»Verflucht! Wir müssen das Fallgitter irgendwie ausgelöst haben, und ich sehe noch keine Möglichkeit, wie wir hier wieder hinauskommen!«, schimpfte Luciano und trat noch einmal gegen die Stäbe.

Alisa wandte sich zu Ivy um. »Was ist das dort an der Wand?«

»Das, was Seymour so verstört hat.« Tiefe Traurigkeit schwang in Ivys Stimme. Sie kniete sich wieder auf die Steinplatte.

Alisa folgte ihr. Ihr Blick tastete die Konturen ab. Was ihr zuerst wie die Reste zweier verkohlter Baumstämme vorgekommen war, bekam vertraute Formen. Nun konnte sie es auch riechen. Der Gestank von Verbranntem hatte es erst überlagert, darunter jedoch lag die vertraute Note aus Verwesung und Blut in der Luft. »Bei allen Dämonen der Unterwelt, es sind zwei von euch, Luciano!«

»Zwei Nosferas?« Luciano drängte sich zwischen sie. Mit jedem Augenblick, der verging, waren die Umrisse einer männlichen, etwas untersetzten und einer kleineren, schlankeren Gestalt deutlicher zu erkennen. Kein Zweifel, dies waren die Überreste zweier verbrannter Vampire.

»Aber wie konnte das geschehen?«, hauchte Alisa.

Luciano deutete nach oben. »Merkst du es nicht? Es wird stetig heller. Dort oben ist ein Gitter und bald wird die Sonne hier hereinscheinen.«

»Was?« Die beiden Mädchen sprangen auf. Luciano hatte recht. »Wie sind sie nur in diese Falle geraten?«, fragte Ivy.

»Darüber können wir uns später ausführlich Gedanken machen, jetzt sollten wir schleunigst nach einem Ausgang suchen!« Luciano rüttelte wieder an dem Gitter. »Das brechen wir nicht auf und an den Mechanismus kommt man ganz sicher nur von außen heran!«

Ivy nickte. »Aber ja. Sonst wären deine armen Verwandten hier nicht kläglich verbrannt.«

Alisa schwieg. Sie spürte, wie Furcht in ihr hochkroch und ihr die Brust umklammerte. Es musste doch eine Möglichkeit zur Flucht geben! Die Alten hatten sie nur nicht gefunden. Doch sie waren jung, kräftig und zu dritt! Moment! Die Alten? Sicher, die kräftigere Gestalt konnte einer der verschwundenen Altehrwürdigen sein, aber die kleinere? Sie ging noch etwas näher heran und versuchte, die Ascheschicht zu einem Gesicht zusammenzufügen. Dann stieß sie einen Schrei aus. »Es ist Raphaela!«

Ivy und Luciano beugten sich über die Körper. »Ja, es sind Raphaela und der altehrwürdige Marcello!«

Lucianos Mundwinkel bebten und er presste beide Handflächen gegen die Brust. »Warum sie? Ich kann und will es nicht glauben.«

Wäre er ein Mensch gewesen, hätte er Tränen um sie geweint. Luciano wandte sich ab, doch Alisa kniete sich neben die beiden Körper. Was war das, was die verbrannte Hand von Raphaela noch immer umklammert hielt? Alisa zog es vorsichtig heraus und betrachtete es. Sie musste nicht lange überlegen. Das Rot und der samtige Stoff waren ihr vertraut. Es war ein Fetzen von einer roten Maske. Einer Maske, wie Malcolm sie ihr gezeigt hatte. Hätte sie ihren Schwur brechen und dem Conte davon erzählen sollen? Wären Raphaela und der Altehrwürdige dann vor der Vernichtung bewahrt worden? Die Schuld brannte wie Gift in ihrem Leib. Jetzt war es für ihre Reue zu spät! Alisa schob den Stofffetzen in ihre Tasche und richtete sich wieder auf.

»Wir werden nicht so wie sie enden!« Alisa stellte sich in die Mitte und sah den Schacht hinauf. Die Wände waren glatt, die Fugen zwischen den Platten sorgsam mit Mörtel ausgefüllt. Keine Spalte, keine Pflanze, deren Wurzelwerk auch die kleinsten Risse weitete. Sie trat an die Wand und versuchte es trotzdem, kam aber nicht einmal einen Schritt vom Boden weg. »Was meint ihr? Wie hoch ist es? Wenn wir drei uns aufeinanderstellen? Glaubt ihr, wir kommen dann bis zum Gitter hinauf?«

Ivy trat neben sie. »Es sieht nicht so aus, aber wir sollten es auf alle Fälle versuchen. Luciano?«

Ihr Freund stellte sich hastig an die Wand und Alisa kletterte auf seine Schultern. Als die beiden sicher standen, stieg Ivy auf Alisas Schultern. Es ging so schnell, dass Alisa blinzeln musste. Obwohl Luciano unter ihr ächzte, kam es ihr vor, als würde sie Ivys Gewicht gar nicht spüren. »Kannst du das Gitter erreichen?«

»Nein, aber hier oben ist die Wand nicht mehr ganz so glatt. Ich versuche, höher zu klettern.«

Und schon waren die Füße von ihren Schultern verschwunden. Alisa legte ein wenig den Kopf zurück. Sie konnte nicht glauben, was sie sah! Ivys Hände und nackte Füße krümmten sich und schienen sich an jeder noch so kleinen Unebenheit festzusaugen. So schob sie sich langsam und gleichmäßig höher.

»Nicht!«, rief Luciano. »Hör auf! Wie soll ich dich denn so halten?«

Zu spät. Alisa merkte, wie sie das Gleichgewicht verlor. Sie sprang von Lucianos Schultern und landete sicher auf dem Boden.

»Aua! Was denkst du dir eigentlich, dich so zurückzulehnen?«, maulte er und rieb sich die Schlüsselbeine.

»Entschuldigung. Ich war wohl abgelenkt. Ist sie nicht unglaublich?« Mit offenen Mündern starrten die beiden zu Ivy hinauf, die das Gitter fast erreicht hatte.

»Das ist mehr als nur unglaublich!«, flüsterte Luciano. Sie schwiegen und bangten mit Ivy, die sich weiterschob.

»Alisa!«

»Was ist? Sei ruhig. Wir dürfen sie nicht ablenken!«

Luciano senkte die Stimme, doch der Tonfall klang alarmiert. »Riechst du das auch?«

»Was?« Alisa hatte den Mund noch nicht wieder geschlossen, als ihr neben dem Gestank des Verbrannten ein anderer Geruch in die Nase stieg. »Menschen!«, hauchte sie entsetzt. »Und sie sind ganz nah.«

Luciano nickte. Verstohlen ließen sie ihre Blicke schweifen. »Mann oder Frau?«, fragte er leise.

Alisa schloss die Augen. »Ich weiß nicht so genau. Ich glaube, beides. Und ich höre ihre Stimmen wie von fern.«

»Dann sind sie also zu zweit?« Sie sahen einander beunruhigt an.

In diesem Moment griffen Ivys Finger nach dem Eisengitter. Sie rüttelte zaghaft daran, um nicht den Halt zu verlieren. »Es hängt fest«, rief sie nach unten. »Aber keine Sorge, ich bekomme es schon irgendwie auf.«

Als sie den Blick wieder nach oben wandte, schoss ein Arm wie aus dem Nichts durch die Gitterstäbe. Starke Finger umklammerten ihr Handgelenk. Ivy stieß einen Schrei aus.

*

Seymour rannte durch den Gang bis zu den steinernen Stufen, die ihn zurück zum Kirchplatz brachten. Er hielt kurz inne, dann lief er weiter, verschwand in den Gässchen und durchquerte stille Höfe, bis er gefunden hatte, was er suchte. Er spitzte die Ohren, als er die ihm vertraute Stimme vernahm.

»Hör mit dem Gezänke auf!«

»Warum sollte ich? Du hast uns in die Irre geführt. Wir sind wie Blinde durch diese Gassen getorkelt, statt einfach den Weg zurück zu nehmen, den wir auf dem Hinweg benutzt haben. Nun haben wir wer weiß wie viel Zeit verloren und diesen Trotteln Gelegenheit gegeben, uns zu überholen.« Anna Christina warf die Arme in die Luft. »Ich kann kaum glauben, dass du wirklich so dämlich bist. Oder hast du das gar mit Absicht gemacht?«

»Hat dir schon mal jemand gesagt, dass dein ewiges Gekeife dich unerträglich macht?« Franz Leopold presste die Hände auf die Ohren. Dort oben auf der Engelsburg hatte er fast zu hoffen gewagt, aus ihr könnte eine hilfreiche Verbündete werden. Doch nun schwor er, sich nicht so bald wieder mit ihrer Gesellschaft zu strafen. »Wir gehen hier entlang. Wenn wir dieser Straße folgen, müssen wir nicht über den Hügel, sondern können direkt über das Ruinenfeld zur Domus Aurea gelangen.«

Er blieb stehen und wandte sich zu den anderen um. Anna Christina trug noch immer eine säuerliche Miene zur Schau, während Karl Philipp gleichmütig vor sich hin stapfte. Franz Leopold wollte seinen Weg gerade fortsetzen, als eine Bewegung von rechts seine Aufmerksamkeit auf sich zog. Auch die anderen starrten die Straße hinunter auf das weiße Tier, das mit heraushängender Zunge auf sie zugestürmt kam.

»Ist das nicht der grässliche Wolf dieser Ivy?«, fragte Anna Christina.

»Das ist Seymour, ja, aber was hat er hier zu suchen?«

»Vermutlich sind sie hinter uns und er soll uns aufhalten«, rief Karl Philipp, der wie aus einer Trance zu erwachen schien. Er schlug seinen Umhang zurück und zückte den schlanken Degen, den er an seiner Seite trug. Die scharfe Klinge glitzerte im Sternenlicht, als er sie dem Tier entgegenstreckte. Der Wolf heulte auf, bremste ab und wich dann zurück.

»Siehst du, ihr Plan geht nicht auf! Ich werde ihn aufspießen, wenn er sich näher an uns heranwagt. Los, nehmt die Knüppel und gebt ihm eins auf den Schädel!« Der Wolf jaulte kläglich und umrundete Karl Philipp in einem großen Bogen. Er sprang auf Franz Leopold zu und schnappte nach dessen Umhang.

»Verfluchtes Biest!«, kreischte Anna Christina und zog ihren Dolch, dessen Griff mit wertvollen Edelsteinen verziert war.

»Lasst dass!«, wehrte Franz Leopold ab. »Er will uns nicht angreifen. Er will uns etwas mitteilen!«

»Du bist ja so naiv! Oder willst du behaupten, nun auch die Gedanken von Bestien lesen zu können?«, spottete seine Cousine.

Franz Leopold wollte dies gerade verächtlich von sich weisen, als ganz deutlich ein Drängen seinen Geist streifte. Seymour hielt noch immer den Mantelzipfel gepackt und versuchte, den Vampir in die Straße zu ziehen, aus der er aufgetaucht war. Sein Blick huschte zwischen den beiden Klingen der anderen und Franz Leopold hin und her.

Wieder dieses Drängen. Es waren keine Worte, aber doch ein ganz klarer Hilferuf. Der Wolf wollte, dass er mit ihm kam, daran gab es keinen Zweifel. Und Franz Leopold argwöhnte auch nicht für einen Moment, es könne sich um eine List handeln, um ihren Sieg zu verhindern.

Anna Christina sprang vor, den Dolch in der erhobenen Hand, aber Franz Leopold stieß sie so hart zurück, dass sie taumelte und die Klinge fallen ließ. »Lass das! Er ist gekommen, uns zu holen. Die anderen sind in Gefahr!«

»In Gefahr? Du bist wahnsinnig!«, rief Anna Christina und bückte sich nach ihrem Dolch.

»Welche Gefahr sollte ihnen hier schon drohen?«, mischte sich Karl Philipp ein.

»Dir ist vermutlich entgangen, dass diverse Mitglieder des Hauses Nosferas verschwunden sind und vermutlich von einem Vampirjäger vernichtet wurden.«

Karl Philipp zuckte mit den Schultern. »Was kümmert es uns, wenn es von diesen dekadenten, verfressenen Nosferas ein paar weniger gibt? Willst du dir um Luciano die Augen ausweinen? Ich jedenfalls nicht. Und so schade ist es um die Vamalia und Lycana auch nicht. Außerdem glaube ich kein Wort von deinem Gefahrengefasel. Hereinlegen wollen sie uns und da haben sie bei dir ja offensichtlich das richtige Opfer gefunden.«

Anna Christina stellte sich neben ihren Cousin und deutete nach Osten, wo der Himmel bereits seine Färbung verlor. »Die einzige Gefahr, die uns allen im Moment droht, geht von der Sonne aus, die dort schon bald erscheinen wird, und daher sollten wir uns eilen, in unsere Särge zu kommen! Also kommst du jetzt endlich?«

»Nein!«, gab Franz Leopold störrisch zurück. »Gerade weil uns die Zeit davonläuft, werde ich nachsehen, was ihnen zugestoßen ist. Ich fürchte mich nicht! Wenn ihr beiden Angst habt, gut, dann kehrt in eure Särge zurück.« Er wandte sich ab. Seymour ließ seinen Mantel los und lief voran. Der junge Vampir blieb an seinen

Fersen. Für einen Moment hoffte er, die anderen würden ihm folgen, doch der Wind trug ihm nur Karl Philipps Abschiedsworte hinterher.

»Du verdammter Narr!«

RETTUNG

»Und? Hattest du Erfolg?«, drängte Latona, als Carmelo wieder neben ihr auftauchte. Sie zupfte nervös an einer schwarzen Haarsträhne, die sich aus ihrer Frisur gelöst hatte. Sie war sich nicht sicher, welche Antwort sie hören wollte.

»Ja, wir haben sie gefangen!«, frohlockte Carmelo.

»Sie haben sich mehr oder weniger selbst gefangen«, stellte Latona mit Bedauern in der Stimme fest. »Alles, was du noch tun musstest, war, das Gitter herunterzulassen! Welch ein Glücksfall für dich. Drei Vampire, und das alles ganz ohne die Machenschaften des Kardinals.«

»Für uns, meine Liebe, ein Glücksfall für uns! Willst du sie sehen?« Latona zögerte und nickte schließlich. »Dann komm!«

Eine kleine Öllampe in den Händen führte er sie die steinerne Treppe hinunter und dann durch einen Torbogen. Er wählte an der Abzweigung einen anderen Gang als den, den die jungen Vampire genommen hatten. Vor einer Tür blieb er stehen und blies die Lampe aus.

»Ganz still jetzt! Du kannst sie durch das Glas sehen. Es dämpft unsere Geräusche und unseren Geruch, doch unterschätze diese Wesen der Finsternis nicht!«

Carmelo zog die Tür auf und schob Latona hinein. Sie tasteten sich an der Wand entlang, bis sie den Mauerstein erreichten, den Carmelo durch eine Scheibe ersetzt hatte. Sie standen nun ein ganzes Stück über dem Grund der alten Zisterne, sodass ihre Gefangenen sie nicht zufällig entdecken konnten. Latona drückte die Nase gegen das Glas. »Ich sehe zwei. Einen dunkelhaarigen Jungen und ein rotblondes Mädchen.«

Carmelo schob sie beiseite. »Haben wir auch den Wolf gefasst? – Nein«, sagte er nach einer Weile enttäuscht.

»Was? Der Wolf läuft hier noch irgendwo herum?« Latona umklammerte den Griff des Dolchs, den sie nachts stets unter ihrem Umhang trug.

»Beruhige dich. Er wird das Weite gesucht haben. Aber ich kann die zweite Vampirin nicht entdecken. Sie kann sich doch nicht in Luft aufgelöst haben!« Carmelo ließ noch einmal den Blick wandern, doch in der Zisterne gab es nichts, das als Versteck getaugt hätte. Bis hinauf zum Gitter konnte er allerdings von dieser Position aus nicht sehen.

»Nein? In Luft nicht, aber vielleicht in Nebel? Ich habe von solchen Dingen schon gehört.«

»Ich auch«, sagte er langsam, »aber ich habe es nicht geglaubt.«

Ein Schrei hallte durch den Schacht.

*

Ivy schob sich wie eine Spinne die glatte Wand hinauf. Sie durfte das nicht und sie wollte es nicht, aber was zählten schon Versprechen, wenn es um das Weiterbestehen oder das Ende ihrer Existenz ging – und nicht nur ihrer! Auch Alisa und Luciano würden vernichtet werden, wenn sie es nicht schafften, diesem Kerkerschacht zu entfliehen, ehe die Sonne durch das Gitter fiel. Man erzählte sich, der Kampf sei grausam und ziehe sich über Stunden hin. Ivy fühlte die staunenden Blicke in ihrem Rücken, doch sie ließ sich nicht beirren. Auch sie konnte abstürzen, wenn sie sich zu hastig bewegte. Und dann würde sie wieder von ganz vorne beginnen müssen. Die Zeit lief ihnen davon!

Das Gitter über ihrem Gesicht rückte näher. Sie konnte den Himmel mit seinen letzten verblassenden Sternen sehen. Ivy sandte ihre Gedanken nach Seymour aus. Wo war er hingelaufen? Was hatte er vor? Und warum, verflucht noch mal, hatte er sie überhaupt in diese Falle tappen lassen? Seymour hatte nicht gewollt, dass sie ihm folgten, erinnerte sie sich. Er hatte es ihr sogar untersagt! Und so war Ivy mehr auf sich selbst als auf den Wolf zornig. Und doch, er hätte wissen müssen, dass sie ihn in diesem alten römischen Labyrinth nicht alleine lassen würde!

Sie streckte die Hand nach dem Gitter aus und rüttelte daran. Es klemmte fest. Während sie das Gitter untersuchte, tastete ein Teil ihres Geistes den Platz um die Kirche und die eng beieinanderstehenden Häuser ab. Seymour musste in der Nähe sein. Sie konnte ihn spüren. Und da war noch jemand anders. Ganz nah! Sie hatte den Gedanken noch nicht völlig zu Ende geführt, als ein Arm herabschoss und Finger sich um ihr Handgelenk schlossen. Ivy schrie auf. Von unten klangen Alisas und Lucianos Schreie wie ein Echo nach. Hätte die Hand sie nicht festgehalten, Ivy wäre in diesem Moment sicher abgestürzt.

»Du könntest mir zumindest ein wenig helfen und dich an der Mauer festhalten«, drang eine näselnde Stimme an ihr Ohr.

»Franz Leopold!« Sie war noch nie so froh gewesen, seine Stimme zu hören.

»Was erwartest du? Hast du Seymour nicht deshalb zu mir geschickt?«

»Er hat sich selbst geschickt. Kluger Wolf! Sind die anderen auch mitgekommen?«

»Nein«, sagte er abweisend. »Aber sag, wie konntet ihr euch in eine solch missliche Lage bringen?«

»Das frage ich mich auch.« Ivy seufzte. »Kannst du das Gitter anheben?«

Franz Leopold ruckte mit beiden Händen daran. »So nicht. Warte, ich will sehen, was ich finden kann.«

Er huschte davon. Ivy hatte plötzlich ein Gefühl von Leere in sich. Das war Unsinn! Sie hatte sich bisher in jeder Situation selbst helfen können. – Bis auf ein Mal. Doch daran wollte sie jetzt nicht denken. Zum Glück kehrte Franz Leopold in diesem Augenblick mit einer langen Eisenstange zurück. »Es geht los.«

Ivy nickte. Franz Leopold warf seinen Umhang zu Boden. Er

schob das eine Ende der Stange unter zwei Gitterstäbe, legte den langen Teil über einen Steinblock und drückte dann das andere Ende mit aller Kraft nach unten. Mit einem Kreischen löste sich das Gitter. Ehe es wieder zufallen konnte, hatte er die Stange bereits losgelassen und nach einem der Querstäbe gegriffen. Er drückte das Gitter vollends hoch.

»Du bist geschickt!« Ivy lächelte ihm zu.

»Und schnell«, fügte Franz Leopold hinzu, der bereits nach ihrem Arm gegriffen und sie aus dem Loch gezogen hatte.

Ivy blieb dicht vor ihm stehen und sah zu ihm hoch. »Und stark!«

Seine grimmige Miene erhellte sich und spiegelte ihr Lächeln wider. »Das auch, obwohl es nicht viel braucht, um dein Fliegengewicht herauszuziehen.« Er legte das Eisengitter zu Boden, als wäre es aus dünnen Holzsparren, trat aber nicht zurück. Sie konnte seinen kühlen Atem auf ihrer Wange spüren. Wie unter Zwang hob er langsam die Hand und näherte sie ihrem Gesicht. Ivys Finger umschlossen die seinen, ehe er ihre Wange berührte. Er hatte wundervolle, schlanke Hände, makellos und doch kräftig.

»Danke, Leo! Das war sehr mutig von dir.« Ivy ließ ihn los und fuhr mit den Fingerspitzen die Konturen seines schönen Gesichts entlang. Sie fühlte, wie er unter der Berührung erschauderte.

»Leo«, wiederholte er. »Das gefällt mir.« Und zum ersten Mal verschwand die kalte Arroganz vollständig aus seinem Blick und ein warmer Glanz ließ seine dunklen Augen schimmern.

»He, ihr da oben! Was ist?« Lucianos Stimme klang dumpf aus der Tiefe. »Wollt ihr uns vielleicht auch noch hier rausholen?«

»Nein, eigentlich nicht«, sagte Franz Leopold. Der Augenblick verwehte. »Du brauchst mir nicht zu widersprechen und auch nicht für deine Freunde zu betteln. Ich sehe ein, dass es Wirbel geben würde, sollten wir sie nicht wieder mitbringen. Warte hier!« Er eilte aus dem schmalen Hof, überquerte den Platz und verschwand in der Kirche.

»Ich hatte nicht vor, zu betteln«, sagte Ivy, doch er war schon fort. Seymour trat zu ihr, doch sie mied seinen Blick und verschränkte abweisend die Arme vor der Brust.

»Wie lange dauert das denn noch?«, ertönte Lucianos Stimme. Und Alisa fügte mit Besorgnis hinzu: »Es ist schon verdächtig hell hier unten. Wie viel Zeit bleibt uns noch?«

»Genug, wenn ihr euch beim Klettern nicht allzu dumm anstellt«, antwortete Franz Leopold. Ein dickes Seil in den Händen war er aus der Kirche zurückgekehrt.

»Das ist gut!«, lobte Ivy. »Wo hast du das gefunden?«

»Es ist das Glockenseil«, antwortete er knapp, verknotete das eine Ende an dem schweren Gitter und ließ das andere in den Schacht fallen. Wenige Augenblicke später stand Alisa neben ihnen im Hof. Bei Luciano dauerte es eine ganze Weile länger. Ivy erwog schon, ihm Hilfe anzubieten, als seine Hände auftauchten und er mit einem Stöhnen über die Kante robbte. Schwer atmend blieb er liegen.

»Dickerchen, du solltest dich jetzt erheben, wenn wir nicht alle geröstet werden sollen!«

Luciano stemmte sich hoch und sah seinen Rivalen freimütig an. »Ich danke dir. Es war mutig von dir, zurückzukommen. Ich hätte nicht gedacht, dass ich so etwas einmal ausgerechnet zu dir sagen müsste.«

»Dann spare es dir. Lasst uns lieber von hier verschwinden!«

*

»Schneller! Schneller!«, keuchte Carmelo und hastete den Gang entlang. »Sie dürfen uns nicht entkommen.«

»Was willst du tun? Gegen vier auf einmal kämpfen? Und vergiss den Wolf nicht!«

»Sie sind jung. Komm schon! Außerdem will ich sie im Moment ja gar nicht angreifen. Ich will wissen, wo sie ihren Unterschlupf haben. Die Zeit wird knapp! Sie müssen so schnell wie möglich in ihre Särge zurück. Und für alle Fälle habe ich ja immer noch das da!« Er zog im Laufen das silberne Schwert aus der Scheide.

Latona stolperte hinter ihm her. Es war stockdunkel, und sie konnte eher ahnen denn sehen, wohin sie lief. Sie ließ die Hand an der Mauer entlanggleiten und hoffte, dass der Boden so eben blieb. Dann tauchten die Umrisse der Treppe vor ihr auf, die sie hinter die Kirche führen würde. Sie raffte Rock und Mantel und hastete hinter Carmelo her, der die oberste Stufe bereits erreicht hatte.

»Nun trödle nicht! Wo ist dein Messer?« Er zügelte seine Schritte und folgte wachsam der Kirchenmauer zu den Ruinen hinüber, bis sie den Durchgang sehen konnten, der in den Hof führte, in dem der Zisternenschacht endete. »Sie kommen! Schnell, wir dürfen sie nicht verlieren! Bleib so lange wie möglich in Deckung.«

Vier Gestalten huschten aus dem Durchgang und liefen über den Kirchhof. Sie bogen in die nächste Gasse ein. Der Wolf hetzte ihnen voran. Carmelo und Latona rannten hinterher, doch der Abstand wuchs mit jedem Schritt.

*

Alisa griff nach Lucianos Hand. »Lauf! Wo müssen wir hin?«

Er hastete zwischen den aufragenden Wänden entlang auf den Kirchplatz hinaus. »Dort rüber und dann rechts.«

Ivy und Franz Leopold folgten ihnen. Seymour jaulte und jagte voran. Plötzlich hielt er inne und wandte sich um.

»Wir werden verfolgt«, sagte Franz Leopold zu Ivy.

»Ja, ich weiß, zwei Menschen. – Seymour, was hast du vor? Bleib hier!« Doch der Wolf hörte nicht auf sie. Er rannte die Gasse entlang auf ihre Verfolger zu.

»Komm zurück!« Ivy kam schlitternd zum Stehen und fuhr herum. »Seymour!«

»Lauft weiter! Wir holen euch wieder ein«, rief Franz Leopold den anderen zu. Alisa nickte und zerrte Luciano um die nächste Ecke. Franz Leopold griff nach Ivys Handgelenk. »Er wird schon zurückkommen. Ein Wolf kann auf sich selbst achtgeben. Komm weiter!«

»Nein! Sie haben Waffen. Silberne Waffen!« In ihrem Geist sah sie, wie der Mann sein Schwert hob. Seymour jagte auf sie zu. Seine Begleiterin stieß einen Schrei aus und wich zurück. Der Wolf sprang, die Reißzähne entblößt. Der Mann wich zur Seite aus und stieß mit der silbernen Klinge zu. Der Wolf jaulte auf und fiel zu Boden. Als der Vampirjäger das Schwert zurückzog, war die Schneide rot von Blut.

Franz Leopold verstärkte den Griff um Ivys Arm. Er wollte gerade erwidern, dass silberne Klingen für den Wolf nicht halb so schlimm waren wie für sie selbst, da biss Ivy ihm so fest in die Hand, dass er vor Schreck und Schmerz losließ. Blut rann aus vier tiefen Wunden und tropfte zu Boden. Hinter der nächsten Gasse heulte der Wolf kläglich auf.

»Sie haben ihn verletzt!« Ivy lief los. Franz Leopold zögerte nicht und rannte hinterher. Als er jedoch an der Stelle anlangte, an der der Kampf stattgefunden haben musste, fand er nur Ivy, die neben einer Lache frischen Blutes kniete. Es war das Blut des Wolfes, das roch er sofort. Die Menschen waren offensichtlich unverletzt davongekommen. Sie liefen um ihr Leben. Der Mann mit dem Schwert verschwand um die nächste Ecke, die Frau, nein, das Mädchen, das kaum älter als sie selbst sein konnte, sah sich panisch noch einmal um und folgte ihm dann nach.

»Etwas hat sie in die Flucht geschlagen.« Franz Leopold sah verwundert zu Ivy hinab, die sich wie in Trance erhob. »Hat Seymour sie verjagt?«

Ivy schüttelte langsam den Kopf. »Du hast recht, etwas hat sie in Todesangst versetzt, aber Seymour war es nicht«, sagte sie mit einer Stimme, die ihm fremd vorkam. »Er ist schwer verletzt. Hörst du ihn nicht winseln? Geh zu Seymour und bring ihn hierher. Leo, er ist da. Ganz in der Nähe.«

Sie drehte sich um und tappte mit unsicheren Schritten in einen düsteren Durchgang, der zwischen den beiden baufälligen Häusern in einen Hof oder zur hinteren Gasse führen musste. Franz Leopold sah ihr verwirrt nach. Von wem sprach sie? Von ihrem Wolf? Warum ging sie nicht selbst zu ihm?

»Verrückte Irin!«, schimpfte Franz Leopold vor sich hin. Er hatte gerade beschlossen, Ivy zu folgen, als er das klägliche Winseln des Wolfes vernahm. Wenn er nicht von sich aus zurückkam, musste er schwerer verletzt sein, als er angenommen hatte. Nun gut, dann würde er eben den Wolf retten. Missmutig ging Franz Leopold die Gasse hinunter. Er brauchte nicht nach dem Tier zu suchen. Die Blutspur führte ihn zu ihm.

»Da bist du ja!« Franz Leopold sah auf das mit Blut verschmierte Fell herab. Die Klinge hatte das Tier oben am rechten Hinterlauf getroffen und eine klaffende Wunde geschnitten, aus der noch immer Blut rann. Der Wolf musste große Schmerzen haben. Er leckte und biss in die Wunde, jaulte und drehte sich immer wieder im Kreis, wobei der Hinterlauf unter ihm wegknickte.

»Halt still! Ich werde dich wohl tragen müssen«, seufzte Franz Leopold. »Den Frack kann man danach wegwerfen! Das Blut bekommen die Schatten bestimmt nicht mehr raus.« Seymour knurrte und fletschte die Zähne, als er sich vor ihm auf ein Knie sinken ließ. Er schnappte nach seinen Händen. »He! Ich will dir doch nur helfen.« Der Wolf wich vor ihm zurück. »Blödes Vieh!«

Er erwog, Seymour seinem Schicksal zu überlassen und zur Domus Aurea zurückzukehren. Der Himmel färbte sich im Osten bereits rosa. Seymour biss wieder an seiner Wunde herum und jammerte kläglich. Franz Leopold beschloss, einen letzten Versuch zu wagen. Die Handflächen vorgestreckt, rutschte er ein Stück näher.

»Was glaubst du, was Ivy mit mir macht, wenn ich ohne dich zurückkomme? Also hör auf, nach mir zu schnappen. Wenn du dich weiterhin so anstellst, erwischt uns die Sonne. Das mag dir bei mir vielleicht egal sein, aber du glaubst doch nicht ernsthaft, dass deine teure Ivy dich hier zurücklassen würde? Nein, sie wäre vermutlich so irre, sich für dich verbrennen zu lassen!« Die Nackenhaare des Wolfs legten sich. Er winselte noch leise, drohte dem jungen Vampir jedoch nicht mehr, auch nicht, als er die

Arme um seinen Körper schlang und ihn sich über die Schultern legte.

»So, und nun wollen wir deine Herrin suchen und sie notfalls mit Gewalt zu ihrem Sarg zurückschleppen. Es ist höchste Zeit!«

*

Ivy tappte durch einen düsteren Torbogen in den dahinterliegenden Hof. Es war ihr, als würde sie in Stücke gerissen. Sie wollte zu Seymour. Sie musste zu ihm! Es stand schlimm um ihn, das konnte sie fühlen. Und doch musste sie der Stimme gehorchen, die sie zu sich rief. Warum konnte Franz Leopold sie nicht hören? Sie war so allumfassend, so übermächtig, dass sie das Gefühl hatte, ihr Kopf stecke in einer riesigen Glocke, gegen die mit dem Hammer geschlagen werde. Der Schmerz schien ihr den Schädel zu sprengen.

»Hör auf, dich gegen meinen Ruf zu wehren«, sagte die Stimme jetzt erstaunlich sanft. »Du kannst nicht dagegen ankommen und der Widerstand bereitet dir nur Schmerzen. Dein Begleiter wird sich um den Wolf kümmern. Lass den Gedanken einfach los und tritt näher.«

Sie folgte der Stimme bis zu dem Durchgang, der zur hinteren Gasse führte. Dort im Schatten stand er. Die Aura der Macht, die ihn umgab, war überwältigend. Wie groß er war! Sein Gesicht jedoch konnte sie nicht erkennen. Sie sah nur den langen, weiten Umhang mit der Kapuze, die er über den Kopf gezogen hatte. Seine Hände waren groß und knochig. Um seinen linken Ringfinger wand sich eine goldene Echse mit smaragdgrünen Augen. Ohne es zu wollen, kniete Ivy nieder, verschränkte die Hände vor dem Leib und senkte den Blick. Der grüne Armreif rutschte ihr unter dem Ärmel hervor bis zum Handgelenk. Sie hörte den Schatten fauchen. Seine Emotionen fegten wie eine Windböe an ihr vorbei.

»Dann habt Ihr die Vampirjäger also vertrieben, dass sie in Todesangst davonrannten.«

Er lachte leise. Ein kaltes, schnarrendes Geräusch. »Ja, das war ich. Ich habe sie bisher nur beobachtet, doch heute waren sie mir wie lästige Fliegen im Gesicht, die man vertreiben muss.«

»Dann hättet Ihr die Morde an den Nosferas also verhindern können? Warum habt Ihr es nicht getan?«

Er machte eine lässige Handbewegung, dass die Augen der Echse aufblitzten. »Man muss seinen Sinn und seine Kräfte auf das Wesentliche konzentrieren. Oh ja, ich kann deine Wut spüren, aber auch du wirst es im Lauf deiner ewigen Existenz lernen müssen, wenn du nicht untergehen willst.«

»Was wollt Ihr von mir?«

»Ah, wir kommen zu den wesentlichen Dingen! Zu dir und mir. So lernen wir uns also endlich kennen, Ivy-Máire. Ich fiebere unserem Treffen schon lange entgegen, doch – sagen wir – es war mir nicht vergönnt, dich zu finden.«

»Was wollt Ihr von mir?«

»Nicht so hastig. Das werde ich dir noch früh genug sagen. Fürs Erste musst du nur wissen ...« Er hielt inne.

»Ivy? Wo bist du?« Es war Franz Leopolds Stimme. »Lass diese Spielchen! Verflucht, komm jetzt, sonst lasse ich dich hier zurück!«

Nein, geh nicht!, dachte sie, so intensiv sie konnte, denn zu sprechen oder gar zu rufen schien ihr unmöglich.

»Vielleicht habe ich die Zeit ein wenig vergessen«, sagte der riesenhafte Schatten. »Für den Augenblick bist du entlassen. Du wirst mit niemandem über unsere Begegnung sprechen! Freue dich, Ivy-Máire, wir werden uns schon bald wiedersehen!«

Ivy blickte rasch auf, konnte aber keine Spur mehr von ihm entdecken. Kein Laut, kein Geruch. Selbst seine Aura der Macht war verschwunden. Sie erhob sich schwerfällig und trat zu der Stelle, an der er gestanden hatte. Da lag etwas. Ein Ring, ähnlich dem, den er getragen hatte, nur viel kleiner. Ivy hob ihn auf und steckte ihn an den Finger. Er passte, als wäre er für sie gemacht worden. Und vielleicht war er das ja auch.

»Ivy! Himmel und Hölle, verflucht noch einmal, was denkst du dir eigentlich?«

Sie fuhr herum. »Seymour! Was ist mit ihm?« Sie stürzte auf ihn zu. Der Wolf jaulte.

»Der Stich ist tief, aber so schlimm sollte es nicht sein. Komm, alles Weitere können wir klären, wenn wir zurück sind! Ich kann die Sonne schon riechen!« Ivy nickte nur und lief voran. Franz Leopold schloss trotz der Last auf seinen Schultern zu ihr auf.

Die Helligkeit des frühen Morgens blendete sie. Der Tag würde sengende Hitze bringen. Ihre Vorboten umhüllten ihre Körper und schwächten sie. Es war ein Gefühl, als müssten sie durch Wasser waten. Noch waren die beiden jungen Vampire schneller unterwegs als jeder Mensch, doch jeder Schritt forderte mehr Kraft.

»Wir sollten nicht über das offene Ruinenfeld gehen«, sagte Franz Leopold gepresst. Die Anstrengung trieb ihm Falten auf die Stirn. »In den engen Gassen sind wir länger von den Schatten geschützt.«

»Aber dort sind um diese Zeit schon Menschen unterwegs. Sieh, überall strömen sie aus ihren Häusern, um ihr Tagewerk zu beginnen.«

Sie duckten sich hinter eine zerbrochene Mauer und hasteten weiter, als die beiden Männer in grober Arbeitskleidung außer Sicht waren. Endlich ragten die Mauern des Kolosseums vor ihnen auf, und dahinter erhob sich in frischem Grün der Hügel, der die Domus Aurea verbarg. Zwei Gestalten stürzten auf sie zu. Die eine massig und dunkel, die andere drahtig mit blonden Locken, die ausnahmsweise wirr vom Kopf abstanden.

Hindrik erreichte sie als Erster. »Der Hölle sei Dank! Ist alles in Ordnung mit euch?«

»Seymour ist schwer verletzt!«

Matthias nahm seinem jungen Herrn den Wolf ab und lief mit dem Tier in den Armen voran. Hindrik hob Ivy auf und rannte hinterher, ohne sich um ihren Protest zu scheren. Als die Morgensonne die oberen Bögen des Kolosseums rot aufleuchten ließ, schlüpften die Vampire durch die verborgene Tür in den Schutz der Domus Aurea.

*

»Da seid ihr ja endlich!«, rief Alisa aus und umarmte Ivy so fest, als wollte sie ihr die Rippen brechen. Franz Leopold blieb neben ihr stehen. Alisa gähnte und taumelte zur Seite. »Was ist nur passiert? Erzählt! Habt ihr die Vampirjäger gesehen? Seid ihr wohlauf?«

Franz Leopold nickte. »Ja, ein Mann und ein Mädchen, kaum älter als wir selbst.«

Alisa lehnte sich gegen ihren Sarkophag. Die Müdigkeit griff nach ihr, und es war ihr, als drückten Gewichte auf ihre Augenlider. Hinter Ivy trat Hindrik ein, gefolgt von Matthias, der den mit Blut verschmierten Seymour in den Armen hielt. Der Anblick vertrieb für einen Moment die bleierne Schwere aus Alisa. »Bei allen Dämonen, was ist mit ihm? Ist er schwer verletzt?«

Ivy nickte und nahm den Wolf aus den Armen des Unreinen. »Ich weiß noch nicht, wie ich ihm helfen kann.« Sie strahlte Verzweiflung aus, die sie wie eine Wolke umgab.

Franz Leopold hob den Arm und streckte die Hand nach Ivy aus, aber sein Diener verstellte ihm den Weg. »Es ist höchste Zeit für Euch, Herr!« Sein Auftreten und sein Ton waren ungewöhnlich bestimmt. Er schob den Arm unter den Ellenbogen seines Schützlings und zog ihn aus der Kammer. Alisa sah, dass auch Franz Leopold mit schwindenden Kräften gegen den Schlaf ankämpfte. Sie zwang ihren Blick, zu Ivy und Seymour zurückzukehren, und wankte auf die beiden zu, um zu trösten und zu helfen, auch wenn der Nebel in ihrem Kopf immer dichter wurde und sie das Gefühl hatte, der Boden würde sich in sanften Wellen bewegen.

Hindrik legte den Arm um sie. »Es wird auch für dich Zeit!« Alisa versuchte zu protestieren, konnte jedoch nur gähnen und sich widerstandslos zu ihrem Lager tragen lassen.

Hindrik legte Alisa in den Sarg und rückte ihre Kissen zurecht. »Für heute ist es genug!« Mit einem energischen Stoß schob er den Deckel über ihr zu. Die vertraute Finsternis umfing sie, und es gelang ihr nicht, noch länger gegen den natürlichen Drang der Vampire anzukämpfen. Ihre Augen fielen zu, der Atem stockte, ihr Körper sank in eine Starre, die sich erst wieder lösen würde, wenn die letzten Sonnenstrahlen auf der anderen Seite des Tibers verloschen waren.

SEYMOUR

Sie wartete, bis alle Geräusche in der Domus Aurea verklungen waren, dann schob sie vorsichtig den Deckel ihres Sarkophags wieder auf. Sie konnte seinen schweren Atem hören, in dem der Schmerz klang, als würde er ihn in Worten klagend herausschreien. Ivy schwang sich über den Steinrand und kauerte sich neben Seymour auf den Boden. Sie umhüllte sein Gesicht mit ihren schmalen Händen.

»Es war eine Silberklinge, ich weiß. Ich habe es gesehen. Aber du wirst wieder gesund werden! Wir werden das zusammen schaffen, nun jedoch muss ich erst einen Platz suchen, an dem du genesen kannst. Bleib ganz ruhig liegen. Du darfst nicht noch mehr Blut verlieren. Ich bin bald zurück.«

Seymour gab nur ein Wimmern von sich. Ivy streichelte ihn noch einmal behutsam, dann huschte sie hinaus. Sie lauschte und sandte ihre Gedanken in alle Richtungen. Es war niemand mehr unterwegs. Aus den Unterkünften der Servienten empfing sie noch ein paar wirre Gedanken, doch auch die Diener und Begleiter schienen nun alle in ihren Särgen zu liegen und sich dem Schlaf zu überlassen. Ivy lief durch die Gänge und spähte in Kammern, bis sie ein kleines Steingelass fand, das ihr geeignet schien. Sie eilte in den achteckigen Saal, stemmte eines der schmalen Ruhebetten, auf denen die Altehrwürdigen oft lagen, über den Kopf und balancierte es zu der kleinen Kammer zurück. Einen steinernen Sarkophag würde sie alleine nicht hierher transportieren können, doch in einem Raum im Westflügel, wo die Unreinen ruhten, fand sie einen leeren Holzsarg. Er war alt und wurmstichig, die Stoffbespannung muffig feucht und bereits mürbe, aber das störte Ivy nicht. Sie holte noch die Kissen aus ihrem Sarkophag, dann half sie Seymour, sich aufzurichten, und schleppte ihn in die Kammer, deren Hauptvorteil in dem schweren Riegel bestand, mit dem man die Tür von außen und von innen zusperren konnte. Besorgt betrachtete sie den tiefen Schnitt. Er blutete noch immer. Sie drückte einen Stoffballen auf die Wunde und band ihn so fest, dass Seymour aufstöhnte.

»Ach, mein liebster Beschützer, das muss leider sein.« Das kehlige Gälisch klang holprig. Sie merkte selbst, wie schwach ihre Stimme war. Sie fühlte sich ausgelaugt und kraftlos und sehnte sich nach Ruhe. Seymour schob sie in Richtung des alten Sarges.

»Ja, ich gehorche! Ich kann die Augen kaum mehr offen halten. Ich kümmere mich um alles, wenn ich erwache.« Sie schob den Riegel vor, küsste Seymour zum Abschied auf die Stirn und legte sich dann in den Sarg. Der Deckel schwang zu.

*

Alisa schlug die Augen auf. War das alles wirklich geschehen? Was für eine Nacht! Ihr nächster Gedanke galt Seymour. Hoffentlich wurde der Wolf wieder gesund. Sie musste sehen, wie es um ihn stand. Alisa versuchte vergeblich, den schweren Deckel beiseitezuschieben. Wütend hämmerte sie gegen den Stein, bis er sich endlich bewegte und Hindriks Gesicht erschien. »Einen schönen guten Abend!«

»Warum dauert das denn so lange!«, herrschte sie ihn an und erhob sich. Ein rascher Blick durch den Raum zeigte ihr, dass Chiara und Joanne gerade aus ihren Särgen stiegen, von Ivy und Seymour aber war nichts zu sehen. Ihr Sarkophag war offen und leer. Ganz leer! Nicht einmal Ivys Kissen lagen noch darin. Hindrik wirkte genauso überrascht wie Alisa. Er hob die Schulten. »Mich musst du nicht fragen! Als ich euch verließ, war sie genau da, wo sie hingehört, und der Deckel ordentlich verschlossen.«

Allerdings waren die beiden nicht ganz spurlos verschwunden. Blutstropfen verliefen wie eine rote Perlenkette zur Tür und in den Gang hinaus. Alisa folgte ihnen.

»He, du musst dich umziehen. So kannst du nicht zum Unterricht!«, rief Hindrik, doch sie ignorierte ihn und eilte den Gang entlang, immer der feinen Blutspur nach, bis sie vor einer Tür mit massiven Eisenbändern stehen blieb.

Alisa pochte gegen das Holz. »Ivy? Seymour? Seid ihr hier drin?« Sie probierte die Klinke, aber die Tür schien von innen verriegelt zu sein.

»Alisa! Geh schon einmal vor. Ich komme gleich nach«, hörte sie Ivys Stimme.

Alisa klopfte noch einmal. »Wie geht es Seymour? Kann ich etwas für ihn tun? Warum hast du dich hier eingeschlossen?«

»Es geht ihm nicht gut. Er braucht Ruhe. Geh, ich komme nach!«

Die Hand noch erhoben, verharrte Alisa. Es kränkte sie, dass die Freundin sie in dieser Stunde des Schmerzes nicht bei sich haben wollte. Alisa erwog, noch einmal anzuklopfen und Einlass zu fordern, als sie spürte, dass sie nicht mehr allein in dem abgelegenen Korridor war. Sie fuhr herum.

»Ach, du bist es«, begrüßte sie Franz Leopold mit wenig Begeisterung. Trotz der frühen Abendstunde sah er schon wieder aus, als verließe er gerade einen Modesalon. Die blutverschmierten Sachen waren verschwunden, Hemd und Frack tadellos, die Haare gekämmt und mit einer Diamantnadel im Nacken zusammengefasst.

»Sie ist mit Seymour da drin, nicht wahr?« Er trat neben Alisa.

»Äußerst scharfsinnig bemerkt!«, gab sie spitz zurück.

»Ah, und du ärgerst dich, dass sie dich nicht einlassen will.« Franz Leopold zog die Augenbrauen hoch und setzte wieder diesen Gesichtsausdruck auf, dass sie ihm am liebsten eine Ohrfeige verpasst hätte.

»Nein, ich mache mir einfach Sorgen. Seymour scheint es böse erwischt zu haben.«

»Ich weiß! Er hat mir mein Seidenhemd mit seinem Blut ruiniert.«

Alisa funkelte ihn wütend an. »Wenn das deine größte Sorge ist! Ich frage mich sowieso, wie das passieren konnte. Kaum ist Ivy in deiner Gesellschaft, wird Seymour verletzt und sie beinahe vernichtet. Ich bin beeindruckt!«

Franz Leopold trat so dicht an sie heran, dass ihre Nasen sich beinahe berührten. »Wenn ich nicht umgekehrt wäre, dann wärt ihr drei Helden jetzt nur noch Häufchen von Asche, die der Wind verweht! Also wirf mir nicht vor, dass der Wolf verletzt wurde. Ich habe die beiden rechtzeitig vor Sonnenaufgang zurückgebracht. Wo wart ihr, als es kritisch wurde? Schon lange im sicheren Sarg? Das ist wahre Freundschaft!«

Gerade weil ihr sein Vorwurf berechtigt schien, loderte der Zorn in Alisa heiß auf. Sie fühlte sich schuldig, nicht an Ivys Seite geblieben, sondern mit Luciano vorausgelaufen zu sein. Wie hätte sie jedoch vorhersehen können, dass ihre Flucht plötzlich so eine dramatische Wendung nehmen würde? Ihr Stolz verbot ihr, den Fehler zuzugeben und ihre Gewissensbisse vor Franz Leopold einzugestehen. Da war es schon einfacher, ihn nur stumm anzufunkeln.

Der Riegel wurde zurückgeschoben, die Tür schwang einen Spalt auf, allerdings nur so weit, dass Ivy sich hindurchzwängen konnte. Alisa versuchte, einen Blick auf den Wolf zu erhaschen, doch Ivy zog die Tür rasch wieder zu und verschloss sie von außen.

»Wie geht es ihm? Können wir irgendetwas tun?« Ivy schüttelte den Kopf. Ihr Haar wirkte heute eher grau und ihr Gesicht war von Erschöpfung gezeichnet. Alisa fürchtete schon, sie sei auch verletzt worden, doch Ivy bestritt dies.

»Es ist nur die Sorge. Kommt, lasst uns in die Halle gehen. Dann muss ich Seymour etwas bringen, das ihn kräftigt.«

»Ja, wir müssen ihm Fleisch besorgen.« Warum war sie nicht früher darauf gekommen? Ivy sagte nichts, sondern eilte vor ihr den Gang entlang. Franz Leopold folgte ihnen in einigem Abstand.

In der Halle mit der goldenen Decke hatten sich schon fast alle

Schüler versammelt. Chiara stieß Luciano in die Seite, als die drei eintraten. Ihre Miene zeigte deutlich, dass sie vor Neugier fast platzte. Sie winkte und schob Tammo auf ihrer anderen Seite so energisch beiseite, dass er fast von der Bank gefallen wäre. Franz Leopold ging zu seinen Cousinen weiter.

»Setzt euch!«, befahl Chiara und schob ihnen zwei Becher hin. »Welch ungewöhnliche Gesellschaft! Habt ihr unseren Schönen von seiner Boshaftigkeit kuriert? Oder wie kann ich mir diese neue Freundschaft erklären?« Luciano neben ihr brummte unwillig.

»Von Freundschaft kann keine Rede sein!«, wehrte Alisa ab. »Es würde mich allerdings auch interessieren, was er vor Ivys Kammer wollte.« Sie sah die Freundin fragend an, doch die trank schweigend und verlangte nach mehr. Zita bediente sie. Keiner der drei wunderte sich, dass die Servientin heute Abend sehr ernst war. Sicher wusste sie inzwischen, dass Raphaela nicht wieder zurückkommen würde.

»Wo wart ihr? Worum ging es? Eine Wette, sagen einige. Luciano will mir nichts sagen. Er scheint seit gestern mit Stummheit geschlagen und kann anscheinend nur noch wütende Blicke verteilen!«

Einen solchen warf er seiner Cousine nun auch wieder zu. Sie reckte kämpferisch das Kinn, machte den Eindruck aber durch ihr Lächeln zunichte, das Grübchen in ihr hübsches, rundes Gesicht zauberte. Überhaupt sah sie mit ihrem geschnürten Mieder und dem tiefen Dekolleté, das mit schwarzer Spitze den Ansatz ihrer Brust umspielte, wieder ausgesprochen weiblich und verführerisch aus.

»Ich verlange, dass ihr mir in allen Einzelheiten von letzter Nacht berichtet. Ihr könnt euch nicht vorstellen, was das für eine Aufregung war, als es schon zu dämmern begann und ihr immer noch nicht zurückgekehrt wart. Die Gerüchteküche hatte Unglaubliches zu bieten! Außerdem sagt man, der alte Marcello und Raphaela wurden vernichtet! Ich konnte ihn noch nie leiden, aber um sie ist es wirklich schade.«

Alisa zögerte. Sie wollte nicht darüber reden, nicht nur weil sie in diese Falle geraten waren. »Später vielleicht«, wehrte sie ab, um Chiara zu bremsen.

»Du bist ja genauso schlimm wie Luciano!« Schmollend schürzte sie die Lippen. »Vielleicht sollte ich zu Franz Leopold gehen und ihn fragen!«

»Ja, das solltest du unbedingt tun«, riet Luciano sarkastisch. Vielleicht hoffte er, sie und ihren Redeschwall endlich loszuwerden, um sich nach Seymour erkundigen zu können. Doch so weit kam er nicht, denn in diesem Moment traten Professoressa Enrica, Professore Ruguccio und Conte Claudio ein. Die Lehrer machten dem Familienoberhaupt respektvoll Platz. Der Conte trat vor. Stille senkte sich über die Halle. Luciano zog den Kopf ein. Das konnte nichts Gutes bedeuten!

Falls die nächtlichen Wettkämpfer bis dahin gehofft hatten, ihr Ausflug zur Engelsburg würde keine Folgen für sie haben, so wurden sie nun eines Besseren belehrt. Alisa konnte sich nicht erinnern, den Conte jemals so gesehen zu haben. Sein Gesicht war zu einer Maske der Wut verzerrt, sein Körper strahlte die Angriffslust einer Raubkatze aus. Sie stieß Luciano mit dem Ellenbogen an und raunte ihm ein paar Worte zu.

Luciano schüttelte zaghaft den Kopf. »Nein, ich habe ihn bisher nur zweimal so erlebt und das war nicht angenehm. Für niemanden, der seinen Weg kreuzte!«

»Anna Christina, Alisa, Ivy-Máire, Franz Leopold, Karl Philipp und Luciano!«, rief der Conte mit donnernder Stimme. »Mitkommen!«

Nicht einmal die Dracas wagten es, zu widersprechen. Alisa fing einen mitleidigen Blick von Malcolm auf. Nun ja, das war immer noch besser als die Schadenfreude, die sich auf einigen anderen Gesichtern auszubreiten begann. Dennoch wollte sie nicht von ihm bemitleidet werden! Sie versuchte sich an einem selbstsicheren Lächeln und folgte den anderen hocherhobenen Hauptes hinaus.

Von ihren Professoren eskortiert, geleitete der Conte die sechs Schüler in ein üppig dekoriertes Gemach. Er selbst setzte sich in einen Scherenstuhl, die anderen blieben stehen. »Was habt ihr euch eigentlich dabei gedacht?«

Vermutlich erwartete er nicht wirklich eine Antwort, und so schwieg Alisa, wie die anderen auch, und senkte den Blick ein wenig. Der Conte sprang auf und ging mit verschränkten Armen hin und her. Dabei redete er sich in Fahrt. Als er zum Ende kam, schien der Raum selbst den Atem anzuhalten.

»Nun zu eurer Strafe. Wir werden heute Nacht mit allen jungen Vampiren das Theater Valle besuchen und ein Stück von Carlo Goldoni ansehen. Mit allen – außer mit euch! Ihr werdet unverzüglich in eure Särge zurückkehren und dort über euren Leichtsinn nachdenken. Heute und noch zwei weitere Nächte!«

Das war grausam! Drei Nächte bewegungslos eingesperrt – allein mit der quälenden Gier nach Blut. Ja, er wusste genau, was er tat! Dennoch lächelte der Conte eher bitter als hämisch.

»Versucht gar nicht erst, eure Särge zu verlassen, wenn wir fort sind. Ich habe den Unreinen Anweisung gegeben, eure Platten mit Steinen zu beschweren. Und nun geht.«

Alisa warf Ivy einen Blick zu. Was würde aus Seymour werden, wenn sie sich nicht um ihn kümmern konnte?

Beherzt trat Ivy vor. »Conte Claudio, ich kann Eure Strafe nicht annehmen. Nicht jetzt.«

»So, kannst du nicht? Du meinst, du hast sie nicht verdient?«

Ivy neigte den Kopf. »Ich nehme jede Strafe an – doch nicht jetzt. Zuerst muss ich Seymour gesund pflegen. Nein, sagt mir nicht, dass sich Eure Schatten um ihn kümmern werden. Ich allein kann zu ihm gehen. Daher bitte ich Euch, meine Strafe zu verschieben.« Sie hob den Kopf und ließ sich auf den Kampf der Blicke ein. Die erfahrenen braunen Augen des Conte gegen Ivys kühle türkisfarbene. Zu Alisas und vermutlich aller Überraschung wandte sich Conte Claudio als Erster ab und schritt zu seinem Scherenstuhl zurück.

»Gut, geh zu deinem Wolf. Du kannst Leandro um Rat fragen. Er soll nachsehen, ob in der Bibliothek etwas zu finden ist, das dir weiterhilft. Sprich auch mit dem altehrwürdigen Giuseppe. Es gibt nicht viel, was ihm in seiner Zeit als Führer der Familie nicht begegnet wäre. Und nun geh.«

Ivy versank in einen eleganten Knicks. »Conte Claudio, ich danke Euch für Eure Weitsicht.« Und mit diesen seltsamen Worten verließ sie das Gemach. Eine Weile sagte keiner ein Wort.

Conte Claudio straffte den Rücken. »Es wird Zeit. Wir müssen uns fürs Theater umkleiden. Geht! Professore Ruguccio wird euch zu euren Särgen begleiten.«

Luciano schlich mit hängendem Kopf aus dem Zimmer. Die drei Dracas jedoch hatten nichts von ihrer stolzen Haltung eingebüßt. Alisa versuchte, es ihnen gleichzutun. »Professore?«, wagte sie zu fragen. Ihre Stimme klang unnatürlich dünn und hoch.

»Ja?« Sie war über den schroffen Ton nicht überrascht.

»In dem Verlies lagen die verbrannten Überreste«, sie schluckte, »die Überreste von Raphaela und dem altehrwürdigen Marcello. Und ich habe ein Stück von einer rote Maske gefunden.« Sie zog den zerknüllten roten Samt hervor und legte ihn in die vorgestreckte Hand.

Der Professor nickte knapp. »Ja, das ist mir bereits bekannt. Der Conte wird sich darum kümmern.«

Alisa nickte stumm und schluckte die Fragen, die ihr auf der Zunge brannten, hinunter. Vielleicht sollte sie einen späteren Zeitpunkt abwarten, wenn die Wogen sich ein wenig geglättet hatten.

»Also dann, bis in drei Tagen«, sagte Luciano leise, als sie die Kammer von Alisa und Ivy erreichten. Der Professor gab Hindrik und Rajka, Anna Christinas Dienerin, noch ein paar Anweisungen, dann scheuchte er Luciano und die anderen zu ihren Schlafkammern.

»Leg dich hin«, sagte Hindrik barsch.

»Bist du mir böse?« So finster hatte sie ihn noch nie erlebt.

»Ja – nein. Ich verstehe, dass ihr jung seid und es euer Recht ist, unbedacht zu handeln, aber es erschreckt mich, wie knapp ihr der Vernichtung entgangen seid.«

»Das erschreckt mich auch. Wie konnte so etwas nur geschehen? Seit Monaten treiben diese Vampirjäger nun schon ihr Unwesen in Rom und haben mehr als ein halbes Dutzend Nosferas auf dem Gewissen, aber es gelingt dem Conte nicht, ihnen das Handwerk zu legen?« Alisa umfasste Hindriks Hand. Sie waren allein in der Schlafkammer.

»Was hat er in all der Zeit getan? Ich höre von Patrouillen seiner Diener, doch sind sie nicht nur vorgeschoben? War er bislang gar nicht böse darüber, dass der eine oder andere unbequeme Altehrwürdige verschwand? Und nun eine Unreine. Was macht das schon? Man kann sich ja leicht Ersatz für Raphaela erschaffen!« Ihre Stimme klang bitter.

Hindrik zuckte mit den Schultern. »Ähnliche Fragen habe ich mir auch schon gestellt. Ich denke, das Übel liegt in seiner trägen Natur. Doch die neuesten Ereignisse dürften ihn aufgerüttelt haben. Ich werde ihn jedenfalls im Auge behalten. Wenn von seiner Seite weiterhin nichts geschieht, werde ich Dame Elina benachrichtigen. Vielleicht müssen wir das Schuljahr früher als geplant beenden.«

»Was? Du würdest uns nach Hamburg zurückschleppen?«, empörte sich Alisa.

»Wenn ich hier um eure Sicherheit fürchten muss, ja!«

»Und die anderen Schüler? Die können ja ruhig unter dem silbernen Schwert des Vampirjägers fallen oder in seinem Brunnenverlies von der Sonne verbrannt werden!«

»Ah, die Akademie zeigt Wirkung!« Er lächelte. »Du sorgst dich um die jungen Mitglieder der andern Familien?«

»Zumindest um ein paar. Bei anderen würde mich ihr Fehlen nicht allzu sehr in Verzweiflung stürzen.« Sie zog eine Grimasse.

»Jedenfalls kann ich nur für meine Vamalia sprechen«, fuhr

Hindrik fort. »Was mit den anderen geschieht, ist Sache ihrer Familienoberhäupter.«

Professor Ruguccio kehrte zurück und setzte dem Gespräch ein Ende. Rasch schob Hindrik den Deckel zu und legte einen schweren Steinquader darauf, obwohl Alisa auch so nicht die Kraft besessen hätte, den Deckel anzuheben. So blieb sie alleine in ihrem steinernen Sarkophag zurück. Sie faltete wie jeden Morgen die Hände über der Brust. Nur war es eben nicht Morgen und sie fiel auch nicht in die gewohnte Starre. Bald warf Alisa sich unruhig von einer Seite auf die andere. Sie konnte nicht das Geringste hören. Waren denn alle ins Theater unterwegs? Oder schirmte der Deckel die Geräusche so vollkommen ab? Das war ihr bisher noch gar nicht aufgefallen.

Wie lange so eine Nacht sein konnte, wenn man nur seine Gedanken als Begleiter hatte – und den Hunger, der irgendwann kommen würde! Wie es den anderen wohl erging? Für Luciano war die Qual sicher unerträglich. Die Dracas waren vermutlich zu arrogant, um so etwas wie Schwäche zu kennen. Und Ivy? Sie bangte um Seymour, versorgte seine Wunde und brachte ihm zu Fressen. Wieder wunderte sich Alisa, dass der Conte ihrer Bitte nachgegeben hatte. Seymour war zwar ein treuer Begleiter und ein schönes Tier, aber eben nur ein Wolf, den ein Servient diese drei Nächte sicher genauso gut hätte versorgen können. Merkwürdig, sehr merkwürdig. So sehr Alisa Ivy mochte, es gab so viele Fragen über sie, die sie nicht beantworten konnte. So wie die Menschen von einer Aura der Wärme umgeben waren, hüllte Ivy eine Aura der Geheimnisse ein.

*

Seine Schritte waren völlig geräuschlos, als er sich der Tür näherte, die zu dem kleinen Gelass führte. Er konnte die Blutspur des Wolfes noch erahnen und darüber Ivys Duft. Franz Leopold presste die Fingerspitzen gegen das raue Holz und konzentrierte sich auf den Raum dahinter, bis er ihre Stimme hörte. Ivy schien erregt auf und ab zu gehen, sodass die Worte mal lauter und mal leiser klangen.

»Ich entschuldige mich für nichts! Ja, es war leichtsinnig, aber verlangst du ernsthaft von mir, dass ich meine Freunde im Stich lasse? Auch du hast nicht geahnt, welches Risiko wir damit eingehen! Dass wir nur um Haaresbreite entkommen sind, ist erschreckend, aber immerhin sind wir entkommen und alle wohlauf – außer dir, natürlich. Und dennoch werde ich dir keinen Schwur leisten, von dem ich nicht weiß, ob ich ihn halten kann – ob ich ihn halten will!« Ihre Stimme wurde weicher. Vermutlich war Ivy stehen geblieben. »Nur eines schwöre ich, dass ich nicht ruhen werde, bis du wieder ganz gesund bist, mein Beschützer.«

Plötzlich stieß sie einen Schrei aus. »Franz Leopold! Ich kann deine Gedanken spüren! Verschwinde, und zwar sofort, und wage es nie wieder, mich zu belauschen!«

Ihr Zorn traf ihn so heftig, dass er die Hände gegen seine Schläfen pressen musste. Unkontrolliert taumelte er zurück und stieß mit dem Hinterkopf gegen die Wand. Franz Leopold tastete sich über den Schädel. Nein, er blutete nicht. Was bildete sich dieses Weib eigentlich ein? Niemand durfte so mit ihm sprechen! Niemand! Er versuchte, seine Wut weiter zu schüren, doch er konnte nicht verhindern, dass sie in sich zusammenfiel. Er hob die Hand, auf der noch Spuren ihres tiefen Bisses zu sehen waren, und berührte seine Wange. »Leo«, flüsterte er und konnte nicht verhindern, dass er lächelte.

»Was tust du noch hier?« Die Stimme von Professor Ruguccio riss ihn unsanft aus seinen Träumen. »Ich hatte Matthias strikte Anweisungen gegeben. Wie kannst du es wagen, dich deiner gerechten Strafe zu entziehen?« Er ließ es nicht zu, dass Franz Leopold antwortete. »Wenn du dich nicht sofort in deinen Sarg begibst, werde ich deine Gefangenschaft höchstpersönlich um weitere drei Tage verlängern.«

Franz Leopold zog es vor, zu gehorchen. Es war nicht seine erste Niederlage in dieser Nacht.

VERDIENTE STRAFE

Es wurde noch schlimmer, als Alisa es sich vorgestellt hatte. Sie war noch nie drei Nächte lang eingesperrt gewesen! Bereits in der zweiten Nacht glaubte sie, die Blutgier nicht mehr ertragen zu können. Obwohl sie wusste, dass es sinnlos war, stemmte sie die Schulter gegen die Steinplatte. Dann trommelte sie mit Fäusten und Füßen dagegen, doch der Sargdeckel rührte sich nicht vom Fleck. Nie in ihrer dreizehnjährigen Existenz hatte sie sich so elend gefühlt! Zeitweise überwog ihr Stolz und sie biss die Zähne zusammen, dann wieder stöhnte sie und krümmte sich wie ein verletztes Tier zusammen. Ob es den anderen genauso erging? Wie gern hätte sie jetzt mit Ivy getauscht und sich stattdessen um Seymour gekümmert! Sie litt nicht nur unter Hunger, der den Leib zerriss, bis er die Sinne vernebelte, sondern auch unter der Einsamkeit. Ivy hatte ihren Wolf, dessen weiches Fell unter den Fingern nun sicher tröstlich gewesen wäre.

In der dritten Nacht konnte nicht einmal mehr ihr Stolz ihr helfen. Alisa wimmerte. Ihre Fingernägel schabten über die Innenseite des steinernen Deckels. In dieser Nacht wäre sie bereit gewesen, alles zu tun, wenn sie nur jemand aus ihrem Gefängnis entlassen und ihr ein wenig Blut gegeben hätte. Aber es gab niemand, den sie anflehen konnte. Der auch nur ein Wort des Trostes brachte.

Das ist nicht wahr, ich bin hier. Du bist nicht allein!

Alisa unterdrückte das Stöhnen und lauschte. Sie konnte noch immer nichts hören, aber sie spürte sie ganz deutlich. »Ivy?« Alisa drückte ihre Handflächen gegen den Sargdeckel. Ja, sie war da.

Teile deinen Schmerz und deine Einsamkeit mit mir. Gib mir deine Verzweiflung, damit ich sie lindern kann.

Ihre Gedanken durchströmten den Stein. Es war, als würde eine Wolke Alisa sanft einhüllen. Für einen Moment war Alisa versucht vorzugeben, es sei alles in Ordnung und die Freundin müsse sich nicht um sie sorgen, doch der Schmerz war zu stark.

Ja, lass ihn fließen. Halte ihn nicht zurück. Nur so kann ich ihn mit dir teilen und ihn dir erträglicher machen.

Wie sollte das möglich sein?, dachte Alisa, und dennoch fühlte sie sich bereits besser. Die Einsamkeit war verweht und selbst der Blutdurst schien nicht mehr so quälend. Sie fühlte, dass Ivys Hände genau über ihren ruhten. Die Steinplatte konnte den Fluss der Energie offensichtlich nicht aufhalten.

Versuche, dich zu entspannen. Ja, streck dich aus und leg dich wieder auf den Rücken. Der Morgen ist nicht mehr fern und wird dir Vergessen bringen. Und wenn du wieder erwachst, ist es überstanden.

Es war gar nicht so schwer, der Stimme zu gehorchen, die in ihrem Kopf erklang.

Ja, so ist es gut. Ich werde nun noch nach den anderen sehen.

Alisa spürte, wie Ivy sich von ihr löste und sich entfernte, das tröstliche Gefühl jedoch hielt an.

Ivy ging von Sarg zu Sarg. Mit jedem Mal wurde ihr Schritt schwerer, ihre Miene angespannter. Es war nicht leicht, von jedem einen Teil der Last zu tragen, doch sie war fest entschlossen, ihren Beitrag zu leisten und das Los der anderen, so weit es in ihren Kräften stand, zu erleichtern – auch das der Dracas!

Ivy trat an Franz Leopolds Sarkophag. Wie bei Alisa legte sie ihre Handflächen auf den Stein und rief ihn in ihren Gedanken. Franz Leopold antwortete ihr auf die gleiche Weise.

Was willst du?

Ivy wusste, dass es die Qual war, die ihn so schroff machte. *Ich möchte auch dir helfen. Öffne deinen Geist und teile den Schmerz mit mir, dann wird es leichter.*

Statt ihrer Aufforderung zu folgen, fühlte sie, wie er versuchte, sich vor ihr zu verschließen.

Es ist keine Frage von Schwäche, Leo. Habe nicht auch ich verdient, den Schmerz mit euch allen zu teilen? Bitte, lass mich mit dir fühlen und dir die Qual erleichtern.

Die Abwehr in seinem Geist blieb. *Nein! Ich brauche das nicht. Ich bin sehr gut in der Lage, auch noch diese Nacht auszuhalten. Kümmere dich um die anderen, wenn dir nach Schmerz und brennender Gier ist!*

Ich kann dich nicht zwingen, lenkte Ivy ein. *Wenn du nichts dagegen hast, dann bleibe ich dennoch ein wenig.*

Nein, dagegen ist nichts einzuwenden. Für einen Moment fühlte Ivy seine Erleichterung und Dankbarkeit wie einen warmen Strom in sich fließen, ehe er seine Gefühle wieder vor ihr verschloss.

*

In der vierten Nacht endete das Martyrium der Ausreißer und sie gingen wieder zum Unterricht. Alle außer Ivy, die sich nach wie vor mit Seymour in der Kammer einschloss und nur am Abend und am frühen Morgen herauskam, um einen Krug Blut, warmes Wasser und frische Tücher zu holen. Zuerst hatten sie zwei Stunden Italienisch bei Signora Valeria, dann kam Professor Ruguccio mit einem Arm voller Kruzifixe in den Klassenraum, mit denen sie ihre Kräfte in der Kirchenabwehr trainieren sollten. Karl Philipp und Anna Christina waren in dieser Nacht weniger überheblich als sonst, mieden aber üblich wie die Gesellschaft der anderen. Zu Alisas Freude forderte Malcolm sie zweimal auf, eine Partnerübung mit ihm durchzuführen.

»Franz Leopold hat sie gesehen«, flüsterte Alisa Malcolm zu, als der Professor ihnen den Rücken zudrehte.

»Wen?«

»Das Mädchen, dem die Maske gehört hat. Die Vampirjägerin!«

Malcolm starrte sie fassungslos an. »Was? Bist du sicher? Hat sie die Maske getragen?«

»Nein, aber wie viele Mädchen gibt es wohl in Rom, die mit

silbernen Klingen Vampire jagen und sie in Brunnenschächten verbrennen lassen?« Malcolm schwieg.

»Du hättest es dem Conte sagen sollen.«

»Ach ja? Und du meinst, das hätte irgendetwas verhindert?«

Alisa hob die Schultern. »Ich weiß es nicht. So aber fühle ich mich, als würde ich mit Schuld an Raphaelas Vernichtung tragen.«

Tiefe Traurigkeit trat in Malcolms blaue Augen. »Nein, nicht du, wenn überhaupt, dann habe ich diese Schuld auf mich geladen. Es tut mir leid! Ich habe nur an mich und die Akademie gedacht.«

»Jetzt weiß der Conte ja von dem Mann und dem Mädchen, die uns verfolgt haben«, sagte Alisa, die plötzlich das Bedürfnis hatte, ihn zu trösten.

Malcolm nickte. »Ja, und ich hoffe, dass er sie schnell zu fassen bekommt.« Doch seine Stimme klang eher bitter als hoffnungsvoll. »Komm, lass uns die Übung noch einmal machen.« Sein Blick war hart und zeigte deutlich, dass er nicht weiter über das Thema reden wollte. Widerstrebend nickte Alisa.

Gegen Morgen holte Signor Ruguccio eine Hostie hervor, an der sich einige Schüler Nägel und Fingerkuppen versengten. Ein beißender Gestank erfüllte das Klassenzimmer.

Nach dem Unterricht gingen Alisa und ein ziemlich missmutiger Luciano zurück in die Halle mit der goldenen Decke. Luciano hatte in dieser Nacht mehrfach mit Franz Leopold trainieren müssen und sich außerdem heftig die Finger an einem der Kreuze verbrannt. Seine Miene hellte sich erst auf, als er Ivy neben Signora Zita entdeckte. Sofort eilte er mit Alisa an ihre Seite. »Wie geht es Seymour?«

Ivy seufzte. »Unverändert schlecht. Ich weiß nicht, was ich noch tun soll. Der Bibliothekar konnte mir auch nicht weiterhelfen, obwohl er mir zwei Bücher über Heilkräuter und magische Krankheiten herausgesucht hat. Und wie war es bei euch? Habe ich etwas Wichtiges versäumt?«

»Verbrannte Nägel und schwarze Finger.«

Ivy lachte. »Ich bin untröstlich, dass ich das verpasst habe!« Sie wandte sich ab, aber Luciano griff nach ihrem Arm.

»Dürfen wir ihn sehen? Wir kommen mit dir und leisten dir Gesellschaft.«

»Wir werden ihn gewiss nicht stören«, ergänzte Alisa.

Ivy trat einen Schritt zurück. »Das ist sehr lieb von euch, aber ich möchte nichts riskieren. Bitte drängt mich nicht mehr. Ihr werdet keine andere Antwort erhalten. Und kommt mir nicht nach!«

»Ich verstehe das nicht«, murmelte Alisa.

»Ja, wie soll ein Wolf ohne Fleisch wieder zu Kräften kommen«, erwiderte Luciano, der Alisa falsch verstanden hatte. »Das sollte ich ihr sagen.«

Alisa hakte sich bei ihm unter. »Gib dir keine Mühe. Sie will uns nicht sehen.«

»Ja, das fürchte ich auch.« Lucianos Miene verdüsterte sich wieder. Sie schlenderten in den Gemeinschaftsraum und setzten sich etwas abseits von den anderen in zwei abgewetzte Sessel mit ehemals vergoldeten Füßen. Das Licht einer einzelnen Öllampe ließ die Schatten tanzen. Schweigend hingen die beiden ihren Gedanken nach.

»Weißt du, was mich wundert«, durchbrach Alisa plötzlich die Stille. »Dass der Conte gar nicht mit uns sprechen will.«

»Das ist mir nicht unrecht«, gab Luciano zurück. »Ich verzichte gern auf weitere Strafpredigten.«

»Das meine ich doch nicht!« Alisa wurde ungeduldig. »Er muss doch etwas gegen diese Vampirjäger unternehmen!«

»Tut er doch sicher.« Gelangweilt lutschte Luciano an seinen geschwärzten Fingerspitzen. »Er hat ein paar Unreine losgeschickt, die Sache zu untersuchen, und außerdem verboten, dass jemand alleine draußen unterwegs ist. Und allen Schülern ist es natürlich bei Folter und Hängen untersagt, auch nur die Nasenspitze aus der Domus Aurea zu strecken!« Er schnitt eine Grimasse.

Alisa winkte ab. »Ja, die üblichen Maßnahmen, die er schon

beim Verschwinden der anderen Altehrwürdigen und Servienten veranlasst hat. Nur eben ohne Erfolg, was mich nicht sonderlich verwundert!«

Luciano richtete sich kerzengerade in seinem Sessel auf. »Was willst du damit andeuten? Was unterstellst du Conte Claudio?«

»Nichts. Ich wundere mich nur, dass er es an Eifer fehlen lässt und uns nicht einmal nach der Lage des Schachtes fragt, in dem wir die Verkohlten gefunden haben. Das ist alles. Du musst mir nicht zur Ehrenverteidigung deines Familienoberhaupts eine blutige Nase schlagen!«

»Nein? Das wäre aber die Krönung der heutigen Nacht!« Die beiden fuhren herum. Wieder einmal war es Franz Leopold gelungen, sich unbemerkt anzuschleichen.

»Verschwinde, Leo, sonst bekommst du eine blutige Nase!«, zischte ihn Luciano böse an.

Franz Leopolds blasiertes Lächeln blieb unverändert. »Leo«, wiederholte er nachdenklich. »Nein, so wie du das sagst, gefällt es mir nicht. Sie sagt es so melodisch und sanft!« Die beiden Vampire erdolchten sich mit Blicken, bis Luciano gezwungen war nachzugeben.

»Übrigens, um eure schmerzliche Unwissenheit ein wenig zu lindern, der Conte hat euch nicht gefragt, weil er bereits mit mir gesprochen hat.«

Alisa klappte der Mund auf. »Er hat dich nach dem Verlies gefragt? Aber du warst doch gar nicht darin gefangen!«

»Ja, das ist korrekt. Ich war nicht so dumm, in diese Falle zu laufen. Dafür habe ich diejenigen befreit, die so dumm waren!« Seine Arroganz war unerträglich, doch leider konnte man darauf nichts erwidern. Alisa dachte, sie müsse an ihrer aufsteigenden Wut ersticken, und sie sah am Glitzern in seinen Augen, dass er diesen inneren Kampf amüsiert mitverfolgte. Sie atmete dreimal tief durch.

»Was wollte der Conte denn wissen? Und was hast du ihm erzählt?«, fragte sie schließlich ruhig. »Und nun setz dich endlich, und hör auf, uns mit dieser überheblichen Miene zu mustern, als seien wir Ungeziefer zu deinen Füßen!« Zu ihrem Erstaunen tat er genau das und verzichtete auch auf eine seiner üblichen spitzen Bemerkungen.

»Der Conte hat uns vorhin nach dem Unterricht gesucht, aber ihr wart ja so schnell verschwunden. Er nahm mich mit in seine Gemächer, wo der altehrwürdige Giuseppe und auch Leandro bereits warteten. Der Conte fragte, wo die Zisterne ist und wie ihr da hineingeraten seid. Außerdem wollte er alles über die Vampirjäger hören. Leider konnte ich ihm nur wenig sagen. Nur dass einer der beiden ein Mädchen war und sie sich mit silbernen Klingen bewaffnet hatten. Und dann wollte er noch wissen, wie es dazu kam, dass der Wolf verletzt worden ist.« Franz Leopold hob die Schultern.

»Das war es dann auch schon. Ich fragte, ob ich euch suchen und herbringen solle, doch er meinte, das sei nicht mehr nötig. Der altehrwürdige Giuseppe befahl Leandro, sich um die Sache zu kümmern, der Conte war einverstanden, und der Bibliothekar sagte, er werde mit ein paar Unreinen rausgehen, das Problem beseitigen und die Reste der Verbrannten zurückbringen.«

»Wie ist es euch gelungen, die Vampirjäger zu verjagen, nachdem sie Seymour verletzt haben? Ihr habt sie doch nicht etwa gebissen?«

»Nein, das haben wir nicht, Alisa.« Ein seltsamer Ausdruck trat in sein Gesicht. Überlegte er, wie viel der Wahrheit er ihnen anvertrauen wollte?

»Ich hätte es getan«, sagte er nach einer Weile leise, »doch so weit ist es nicht gekommen. Da war noch etwas in dieser Nacht unterwegs. Eine fremde Aura, mächtig, oh ja, sehr mächtig. Ivy hat es auch gespürt, doch sie wird nicht darüber sprechen. Nicht zu mir und auch nicht zu euch.«

Luciano protestierte, aber Alisa unterbrach ihn mit einer Handbewegung. »Was war es? Ein Mensch?« Franz Leopold schüttelte den Kopf. »Was dann? Ein fremder Vampir?«

Der Dracas erhob sich rasch und kehrte zu seiner gewohnten

Unnahbarkeit zurück. »Genug geplaudert«, sagte er lässig und schlenderte davon. Alisa sah ihm nach.

»Ich hole ihn zurück und prügle die Antwort aus ihm heraus«, rief Luciano.

Alisa ignorierte seine leere Drohung. »Meinst du, es war ein fremder Vampir?«

Luciano hob die Schultern. »Wenn er aus einem der sechs Clane stammt, hätte er ihn am Geruch erkannt.«

»Ein Vampir, der zu keinem Clan gehört?«, schlug Alisa vor. Sie dachte an die Nacht beim Kolosseum, als Ivy sie voller Unruhe zurückgedrängt hatte.

»Gibt es so etwas heute überhaupt noch?«, erwiderte Luciano skeptisch. »Ich jedenfalls habe noch nie von einem clanlosen Vampir gehört!«

»Ich auch nicht«, gab Alisa zu, nahm sich aber vor, in der Bibliothek nach einer Antwort zu suchen.

*

Ivy tauchte auch die ganze nächste Woche nicht mehr im Unterricht auf. Nicht nur Alisa vermisste sie schmerzlich. Lucianos Stimmung schwankte zwischen apathisch und aggressiv. Seine Streitlust richtete sich meist gegen Franz Leopold, und ein paar Mal musste er schmerzhafte Schläge einstecken, weil Karl Philipp sich zufällig gerade in der Nähe befand. Zweimal konnte Alisa ihn aus einer brenzligen Situation befreien, aber sie war nicht immer rechtzeitig zur Stelle. So glitten die Nächte dahin. Um Luciano nicht völlig aus dem Gleichgewicht zu bringen, trainierte sie im Unterricht mit ihm statt mit Malcolm, der sie immer wieder darum bat und schließlich eines Nachts zu Chiara ging, um sie als Partnerin für die Übungen zu gewinnen. Chiara nickte erfreut. Alisa wandte den Blick ab und unterdrückte einen Seufzer. Sie konnte Malcolm keinen Vorwurf machen.

»Fangen wir an«, sagte sie zu Luciano, barscher, als sie es beabsichtigt hatte.

Die Professoren wechselten einander ab, Signora Enrica und Signor Ruguccio, Signora Valeria und leider auch die Geschwister Letizia und Umberto, wobei sie sich für ihre Verhältnisse anständig verhielten. Vielleicht hatte der Conte sie zur Ordnung gerufen.

»Ich hoffe, er hat sie ihren eigenen Rohrstock spüren lassen«, bemerkte Luciano, als sie wieder einmal eine Nacht in der Gesellschaft der beiden halbwegs unbeschadet überstanden hatten.

»Das geschähe ihnen recht!«, gab Alisa zurück und packte ihre Unterlagen in die Tasche. Heute fühlte auch sie sich unausgeglichen und gereizt. Kein Wunder! Sie hatte schon über eine Woche keine frische Nachtluft mehr genossen. Mehr und mehr empfand sie die Domus Aurea als Gefängnis. Sie lauschte auf jeden Gesprächsfetzen, doch sie erfuhr nichts, was darauf schließen ließ, dass die beiden Vampirjäger ausgeschaltet worden waren. Allerdings verschwanden auch keine Familienmitglieder mehr, was immerhin ein schwacher Trost war.

»Und was machen wir jetzt?«, fragte Luciano lustlos.

»Ich werde noch einmal in die Bibliothek gehen.«

»Und was soll das bringen?«

»Vielleicht finde ich ja doch etwas über freie Vampire, die keinem Clan angehören. Leandro konnte mir leider nicht weiterhelfen.«

»Konnte er nicht oder wollte er nicht?«, gab Luciano zu bedenken.

Alisa kaute auf ihrer Unterlippe. »Du hast recht. Wie wäre es, wenn du ihn möglichst lange ablenkst und ich mich in den Regalen umsehe, von denen er mich bisher ferngehalten hat?«

Luciano stöhnte. »Hätte ich nur nichts gesagt!« Trotzdem folgte er Alisa, um sein Glück zu versuchen. Er machte seine Sache auch wirklich gut, dennoch konnte Alisa nichts finden, das ihr weiterhalf. Sie stellte gerade resigniert das letzte Buch ins Regal zurück, als Vincent, vor sich hin summend, um die Ecke bog.

»Ah Alisa, du scheinst auch eine Liebhaberin von Büchern zu sein«, sagte er mit seiner hellen Kinderstimme, die so gar nicht zu seiner gewählten Ausdrucksweise mit dem britischen Akzent passte. Auch seine Augen sprachen von der langen Zeit, die er schon unter den Untoten weilte. »Hier wirst du nichts Interessantes finden. Was suchst du überhaupt?«

Alisa zögerte. Warum nicht? Wenn einer sich mit Büchern über Vampire auskannte, dann Vincent. Sie schalt sich, dass ihr der Gedanke nicht schon früher gekommen war. Doch wie viel sollte sie ihm erzählen? »Ich suche etwas über Vampire. Außergewöhnliche Vampire!«, begann sie vorsichtig.

Vincent sah abschätzend die Buchreihen entlang. »Da wirst du hier kein Glück haben. Aber ich nenne ein paar faszinierende Werke mein Eigen. Sie sind in meinen Särgen. Wenn du möchtest, zeige ich sie dir. Es sind Geschichten über Erscheinungsformen unserer Spezies, die in ihrer opulenten Ausschmückung so sicher nicht der Wahrheit entsprechen, aber einen wahren Kern enthalten. Die Geschichten reichen bis ins fünfzehnte Jahrhundert zurück.«

Alisa winkte ab. »Nein, das meine ich nicht. Mich interessieren Berichte aus neuerer Zeit. Gibt es heutzutage Vampire, die nicht zu einer der Familien gehören oder nicht bei ihnen leben?«

Vincents Augen verengten sich. »Wie kommst du auf so einen Einfall? Ist das wieder ein Aufsatzthema?«

»Nein«, sagte sie und ärgerte sich sofort darüber, dass sie die Ausrede nicht aufgegriffen hatte. »Nein, wir haben nur so darüber gesprochen und nun bin ich neugierig geworden.«

»Wir?«

»Luciano, Ivy und ich.«

Vincent nickte langsam. »Ivy, das Mädchen mit dem Silberhaar und dem weißen Wolf. Hier wirst du jedenfalls nichts finden. Leandro hat die interessanten Bände schon vor Wochen weggeräumt und wer weiß wo versteckt.«

»Was? Bist du sicher?« Alisa sah ihn verblüfft an, doch ehe Vincent etwas erwidern konnte, kam die riesenhafte Gestalt des Bibliothekars um das Regal.

»Was sucht ihr hier? Ich habe doch gesagt, dass diese Bücher nicht für dich bestimmt sind.«

»Gut, dann war es das für heute«, lenkte Vincent ein und führte Alisa hinaus. Leandro verschloss die Tür hinter ihnen. Mit einem Knall schob er den Riegel vor.

»So wie sich das anhört, sollten wir uns hier eine Weile nicht blicken lassen«, sagte Luciano, der draußen auf sie gewartet hatte. Zusammen schlenderten sie zum großen Hof zurück, wo gerade die letzten Nachtschwärmer in ihren Sänften zurückkehrten. Ein paar Altehrwürdige humpelten zu ihren Gemächern. Es wurde Zeit, die Särge aufzusuchen.

Als die drei sich der achteckigen Halle näherten, blieb Vincent unvermittelt stehen. »Eine Menschenfrau!«, stieß er hervor.

»Du hast den Verstand verloren!«, rief Luciano und lachte. »Wie sollte eine Menschenfrau in die Domus Aurea gelangen?«

»Ich kann sie aber spüren.«

Alisa schloss die Augen und konzentrierte sich auf die verschiedenen Fährten. Da war etwas, das nicht zu den vielen Vampirgerüchen passte. Etwas Wärmeres, Süßlicheres. »Ich glaube, er hat recht«, stotterte sie und stolperte hinter ihm in die Halle, wo der Duft immer stärker wurde. Und dann sahen sie sie: eine kleine alte Frau, zu deren Füßen zwei graue Wölfe kauerten.

»Tara, die Druidin«, hauchte Vincent beeindruckt.

In diesem Moment stürzte Ivy von der anderen Seite in die Halle und warf sich der alten Menschenfrau um den Hals. »Tara! Mein Gefühl sagte es mir, doch ich konnte es nicht glauben.«

Die Frau erwiderte die Umarmung. »Wie schlimm steht es um ihn?«

»Komm schnell! Ich bringe dich zu ihm.« Sie packte ihre Hand und zog die Alte hinter sich her. »Jetzt wird alles gut werden«, hörten sie Ivy noch sagen. Alisa und Luciano schauten einander verdutzt an.

*

Latona sah von dem Brief auf, an dem sie gerade schrieb. Sie brauchte nur einen Augenblick, um Carmelos Gesichtsausdruck zu deuten. »Wieder keine Nachricht!«

Er nickte, warf sich in einen Sessel und streckte die schlammigen Stiefel von sich. »Nein, das ist schon das zweite Treffen, das geplatzt ist.«

»Sie werden noch eine Weile vorsichtig sein, doch dann ist bald alles wieder beim Alten«, versuchte Latona ihren Onkel zu trösten.

»Wie bald ist bald? Meinst du nicht, dass Vampire ein anderes Zeitverständnis haben als wir? Sie haben unendlich viel Zeit, aber wir nicht! Uns zerrinnt sie unter den Fingern. Der Kardinal ist außer sich. Er fürchtet, seine Pläne könnten scheitern.«

»Was kümmern mich die Pläne des Kardinals«, wehrte Latona schroff ab.

Carmelo stürzte auf sie zu und packte sie hart an den Armen. »Es kümmert dich nicht? Es sollte dich aber kümmern, denn wenn der Kardinal die Beherrschung verliert, könnte es sein, dass er etwas sehr Dummes tut, und dann verlieren wir vielleicht mehr als nur ein paar Beutel mit Geldstücken!«

Latona wand sich aus seinem Griff. »Und was könnte das sein?«

Carmelo machte eine verschlossene Miene und zuckte mit den Schultern. »Wer weiß.« Doch sie hatte den Verdacht, dass er sehr wohl eine Vorstellung davon hatte.

»Vielleicht sollten wir uns mit dem bescheiden, was wir jetzt haben, und unsere Zelte hier abbrechen«, schlug sie vor. »Wer sagt denn, dass wir nicht irgendwo anders weitermachen und von unseren Erfahrungen profitieren können?«

»Und, woran hast du gedacht?«, fragte Carmelo, trat ans Fenster und drehte ihr den Rücken zu.

»Paris oder London? Ich würde gerne nach London zurückkehren oder Paris kennenlernen, und ich gehe jede Wette ein, dass man dort Verwendung für uns hätte.«

Er schwieg lange, zündete sich eine Pfeife an und paffte den Rauch in kleinen Wölkchen ins Zimmer. »Vielleicht hast du recht. Lass mich das nächste Treffen dieser Maskenmänner abwarten. Wenn der Kardinal wieder keinen Auftrag für uns hat, dann werden wir Rom gleich am nächsten Morgen verlassen.«

»Und wenn doch?«

»Dann werden wir den Auftrag ausführen, dem Kardinal seinen ersehnten Rubin liefern, unsere Kasse ein letztes Mal mit seinem Geld füllen und danach abreisen.«

MISSVERSTÄNDNISSE

Pius IX. schlug die dicke Daunendecke zurück und schwang die Beine über den Bettrand. Ohne seine Pantoffeln tappte er auf nackten Füßen zum Fenster und schob die schweren Vorhänge beiseite. Wieder einmal fand er keinen Schlaf. Er konnte die Nächte nicht mehr zählen, in denen er wach gelegen hatte. Doch statt müde und ausgelaugt fühlte sich der Papst kräftiger denn je und gerade das bereitete ihm Sorgen. Konnte das normal sein? Er war ein alter Mann! Vielleicht war dies die besondere Gnade Gottes, der mit ihm als seinem Stellvertreter auf Erden noch etwas vorhatte, zu dem Pius all seine irdischen Kräfte brauchen würde?

Der Mond trat hinter den Wolken hervor und ließ die roten Edelsteine um seinen Hals aufblitzen. Pius IX. strich mit den Fingerspitzen über die perfekt geschliffenen Steine und wieder einmal spürte er Übelkeit in sich aufsteigen. Mit einer hastigen Bewegung zog er die Kette über den Kopf und ließ sie auf das Tischchen unter dem Fenster fallen. Er strich sich über die Haut im Nacken und an der Brust. Es fühlte sich an, als habe er sich von einer unerträglichen Last befreit.

Der Papst sah in den nächtlichen Garten hinaus. Er dachte an den König und seine Pläne, Rom ein ganz neues Gesicht zu geben, modern wie die Zeiten. Pius war nicht gegen die Moderne und auch nicht gegen den Fortschritt. Hatte nicht er gefordert, dass Rom an das Eisenbahnnetz angeschlossen werden musste und einen Bahnhof brauchte? Pius IX. besaß sogar einen eigenen Zug mit weiß und goldfarben lackierten Waggons! Und war er nicht höchstselbst zur Einweihung der neuen stählernen Zugbrücke über den Tiber gegangen, um mit dem britischen Industrieminister über neue Techniken zu plaudern? Aber das, was der König plante, war Blasphemie! Eine Sünde am alten Rom! Nicht nur dass er mit seinen neuen, breiten Straßen rücksichtslos wie ein Sturm Schneisen durch die alten Viertel aus Häusern und Ruinen schlagen wollte, er plante, sich selbst zu Ehren ein Monument zu bauen, das alle Vorstellungen übertreffen sollte. Der Papst hatte nichts gegen ein Denkmal und ein wenig Selbstverherrlichung einzuwenden, doch dieses Monument zu Ehren Vittorio Emanueles sollte vor dem Kapitolhügel in die Höhe wachsen. So wie das alte Zentrum Roms den Blicken entschwinden würde, sollte es aus dem Gedächtnis der Römer getilgt werden, um nur noch dem neuen König und seiner Macht zu huldigen! Trotz seines Zorns spürte der Papst Müdigkeit in sich aufsteigen. Pius IX. gähnte und ging zum Bett zurück. Kaum hatte er sich in seine Kissen zurückgelehnt, als er auch schon einschlief und sich nicht mehr rührte, bis sein Kammerdiener am Morgen die Vorhänge zurückschob und Sonnenlicht in das Gemach des Heiligen Vaters flutete.

»Habt Ihr gut geschlafen?«, erkundigte er sich höflich.

»Ja, ganz prächtig«, erwiderte der Papst. »Und ich hatte einen schönen Traum. Von einer Ausgrabung und großen Entdeckungen!«

»Wie schön«, sagte der Kammerdiener und reichte ihm seinen Morgenmantel.

»Ja, es war schön!«, murmelte Pius. Vielleicht sollte er doch noch einmal mit de Rossi sprechen? Was konnte es schaden, ein wenig zu graben? Sollte das alte Rom wenigstens an anderer Stelle wieder ins helle Tageslicht rücken! Die Argumente des Kardinals erschienen ihm heute bei strahlendem Sonnenlicht absurd. Finstere Mächte des Bösen? Das konnte nur ein Überbleibsel mittelalterlichen Aberglaubens sein!

*

Drei Nächte lang sorgte die Anwesenheit der Druidin in der Domus Aurea für Aufregung. Nicht nur die jungen Vampire waren in diesen Nächten außergewöhnlich ruhelos und aggressiv, auch die älteren Nosferas wirkten fahrig und unbeherrscht. Kein Wunder! Luciano konnte sich nicht erinnern, dass zuvor schon einmal ein Mensch zu Gast in der Domus Aurea gewesen wäre. Zu Gesicht bekamen die Freunde die alte Druidin aus Irland allerdings kaum, obwohl sie sich so oft wie möglich in der Nähe des Raumes aufhielten, in den sich Ivy mit Seymour zurückgezogen hatte. Unverständliches Gemurmel und der Duft von Kräutern drangen aus der Kammer auf den Gang hinaus. Alisa hätte zu gern gewusst, was dort drinnen vor sich ging, doch weder die Druidin noch Ivy gaben darüber Auskunft. Allerdings schien Ivy nicht mehr so bedrückt und ihre Miene war bald wieder so heiter wie sonst.

»Wir haben es geschafft!«, sagte sie und strahlte. »Sie hat es geschafft!«

»Eure Druiden verstehen sich wirklich darauf, mit Tieren umzugehen und sie zu heilen«, sagte Luciano.

»Tiere und andere magische Wesen«, murmelte Alisa und warf Ivy einen Blick zu, doch sie ging nicht darauf ein.

Nicht nur Conte Claudio war erleichtert, als sich die Druidin am vierten Abend verabschiedete, um nach Irland zurückzureisen. Endlich kehrte Ivy zum Unterricht zurück. Signora Valeria hatte gerade mit einer neuen Italienischlektion begonnen, als sich die Tür noch einmal öffnete und Seymour hechelnd in den Klassenraum sprang. Hinter ihm trat Ivy ein und schloss die Tür. »Verzeiht, Professoressa, ich hatte noch eine Unterredung mit Conte Claudio.«

Signora Valeria nahm dies mit einem Kopfnicken zur Kenntnis. »Setz dich, damit wir fortfahren können.«

Es war ein Glück, dass sie die erste Stunde heute nicht bei den Folterknechten hatten, dachte Alisa und strahlte die Freundin an, die warm zurücklächelte und sich neben Franz Leopold auf ihren Platz setzte.

In dieser Nacht ging der Unterricht nicht einmal bis Mitternacht, denn heute wurde in Rom ein außergewöhnliches Fest gefeiert. Fürst Camillo Borghese lud zu Tanz und Erfrischungen in das Lustschloss der Familie mit den üppigen Parkanlagen, die Kardinal Scipione Caffarelli-Borghese im siebzehnten Jahrhundert hatte anlegen lassen. Neben den Gaumenfreuden würde den Gästen noch ein anderer Genuss geboten: Der Fürst wollte eine Auswahl an Kunstgegenständen aus seiner exquisiten Sammlung präsentieren. Ein Ereignis, das die meisten Familienmitglieder und Servienten nicht versäumen wollten. Die Professoren bildeten da keine Ausnahme und selbst viele der Altehrwürdigen ließen sich durch die Stadt zu dem Schlösschen in der weiten Parklandschaft hinauftragen. Trotz der kühlen Jahreszeit würden die zahllosen Pavillons und nachgebauten Tempelruinen geschmückt und erleuchtet sein und so manchen erhitzten Tänzer zu einem erfrischenden Spaziergang verführen. Abseits vom Gedränge eines Ballsaals oder Theaterfoyers konnte man in solchen Nächten allerorts im Park seinen ganz eigenen Vorlieben nachgehen. Das wollte sich keiner der Nosferas entgehen lassen! Also erließ der Conte den Schülern den Rest des Unterrichts und bereitete sich mit seinem Gefolge auf eine festliche Nacht vor.

»Und was machen wir zur Feier der Nacht?«, fragte Luciano, als sie mit Seymour durch die Gänge schlenderten.

»Feier? Was gibt es denn zu feiern?«, fragte Ivy.

»Na was wohl? Deine Rückkehr und Seymours Genesung! Und ich hätte große Lust, dieses Ereignis unter einem kühlen Sternenhimmel zu zelebrieren!«

Alisa nickte. »Oh ja, das wäre wunderbar. Ich habe das Gefühl, ich ersticke, wenn ich noch länger in diesen Gängen gefangen gehalten werde.«

Ivy sah ungläubig von einem zum anderen »Ist das euer Ernst? Dann waren die Stunden des Hungers und der Einsamkeit noch nicht drastisch genug?«

Alisa und Luciano fielen gleichzeitig über sie her und beklagten sich bitterlich über diese ungerechten Worte.

Ivy lachte und hob abwehrend die Hände. »Ja, ich habe es verstanden. Hört auf, ihr beiden.«

»Sehnst du dich nicht auch nach der Nacht dort draußen? Nach dem frischen Tau unter dem Sternenhimmel?«, wollte Alisa wissen.

Ivy seufzte schwer. »Doch! Mehr als ihr euch vorstellen könnt.«

»Also, dann lasst uns hinausgehen.« Luciano grinste »Es muss ja kein Spaziergang zur Engelsburg sein. Was ist schon dabei, wenn wir in den Ruinen bleiben?«

Ivy zögerte und sah zu Seymour hinunter, der die Ohren angelegt hatte. »Nun gut, ich denke, dort kann uns wirklich nichts geschehen.«

Im Hof trafen sie auf den altehrwürdigen Giuseppe und den Bibliothekar Leandro. Die jungen Vampire grüßten die beiden ehrerbietig. Der Alte lächelte sie der Reihe nach an und tätschelte Alisa die Wange. »Bring mir meinen Stock!«, wies er Leandro an.

»Ihr geht aus?«, fragte Alisa. »Alle sprechen heute nur von dem wundervollen Fest, das in der Villa Borghese stattfindet, und die Nacht ist herrlich klar!« Sie legte den Kopf in den Nacken und sah in den Sternenhimmel. »Sollen wir Euch eine Sänfte holen?«

»Nein, nicht nötig, mein Kind. Leandro wird mir seinen starken Arm leihen – und ich habe ja den!« Der altehrwürdige Giuseppe nahm den silbernen Stock mit dem geschnitzten Elfenbeinknauf entgegen und humpelte am Arm des Bibliothekars auf das Haupttor zu.

Alisa schüttelte den Kopf. »Ich dachte, ich hätte gehört, die Villa sei am anderen Ende der Stadt auf einem Hügel im Norden.«

»Ist sie auch«, bestätigte Luciano.

»Ein ganz schön weiter Weg für den Altehrwürdigen, findet ihr nicht?«

Luciano zuckte nur mit den Schultern. »Vielleicht sind alle Sänften bereits unterwegs? Dann wird Conte Claudio von seinem Großvater aber heute Nacht noch einiges zu hören bekommen! Das ehemalige Clanoberhaupt hier zu vergessen, ist nicht sehr rücksichtsvoll!«

Sie spazierten durch die Gänge und näherten sich unauffällig der verborgenen Pforte.

»Hast du den Conte gefragt, wie er bei seiner Jagd vorankommt?«, wollte Alisa wissen. Immerhin hatte Luciano groß angekündigt, er werde die Sache nicht auf sich beruhen lassen.

»Gefragt habe ich, aber keine rechte Antwort erhalten. Der Conte hat große Worte benutzt, aber die Wahrheit ist, er hat die Vampirjäger immer noch nicht erwischt.«

»Vielleicht weil er sie nicht erwischen will?«, erklang eine Stimme hinter ihnen. Die drei drehten sich zu Franz Leopold um, der aus einem Nebengang trat.

»Was willst du hier?«, fragte Luciano. Franz Leopold ignorierte ihn.

»Warum sollte er sie nicht erwischen wollen?«, fragte Ivy. »Es kann nicht in Conte Claudios Interesse liegen, wenn zwei Vampirjäger hier in Rom ihr Unwesen treiben.«

»Sollte man meinen«, stimmte ihr Franz Leopold zu. »Aber vielleicht ist er ja auch einfach nur zu dumm und zu faul, die Sache richtig anzupacken.« Er sah über Lucianos wütendes Fauchen hinweg. »Und da der Conte sich um seine Pflichten drückt, müssen wir die Sache eben übernehmen!« Seine dunklen Augen funkelten vor Abenteuerlust.

Ivy lachte. Alisa sagte verächtlich: »Du bist verrückt!«

Ungefragt folgte Franz Leopold den dreien durch die Pforte in die kühle Nacht hinaus. »Ach ja? Verrückt? Warum? Wir kennen den Ort. Wir wissen, wo sie sich herumtreiben und auf ihre Opfer lauern, und wir können ihnen eine Falle stellen!«

»In die sie natürlich blindlings tappen würden, weil sie dumm und einfältig sind«, ergänzte Alisa in sarkastischem Ton.

»Sie sind Menschen!«, erwiderte Franz Leopold, als ob damit alles gesagt sei.

»Außerdem habe ich gehört, die Zisterne sei zerstört worden«, fügte Alisa hinzu.

»Sie haben es immerhin geschafft, Seymour mit ihrem Schwert

zu verletzen«, erinnerte Ivy, während sie zusammen zum Kolosseum hinunterschlenderten.

»Er ist nur ein Wolf«, sagte Franz Leopold abfällig. Seymour jaulte und schnappte nach seiner Hand, sodass er einen Satz zur Seite machte und gegen Ivy stieß. »Verzeih!« Er hielt ihre Oberarme umfasst, bis sie das Gleichgewicht wiedergefunden hatte.

»Du kannst sie wieder loslassen«, schimpfte Luciano und zog eine finstere Miene.

Alisa setzte dem Streit ein Ende. »Hier riecht es schon wieder so seltsam, ist euch das auch aufgefallen?«

Ivy nickte. »Es waren heute bei Tag Menschen in der Nähe. Sie sind über den Hügel gelaufen und um das Kolosseum. Es waren mehrere Männer.«

Luciano winkte ab. »Vielleicht ein paar Reisende, die neugierig auf die alten Ruinen Roms waren. Das kommt immer wieder vor. Das ist kein Grund zur Beunruhigung. Am Abend verschwinden sie stets wieder.«

»Und wie war das mit den Arbeitern, die vor einiger Zeit am Kolosseum herumgegraben haben?«, wollte Alisa wissen. »Sie waren auch hier oben am Hügel, der die Domus Aurea umgibt.«

»Ja, das waren wohl Archäologen. Doch wie alle anderen vor ihnen haben sie bereits nach wenigen Tagen aufgegeben und sind mit Sack und Pack wieder abgezogen. Ich vermute, dass die Diener des Conte nicht ganz unschuldig daran waren. Und so lassen sie uns wieder viele Jahre lang in Ruhe. Ich mache mir da keine großen Gedanken.«

»Vielleicht sollten wir das aber. Oder steht der Wagen da drüben schon länger hier?« Sie näherten sich einem Karren, der mit hölzernen Planken, Schaufeln und Hacken beladen war.

»Vielleicht waren das heute doch keine neugierigen Spaziergänger«, vermutete Ivy, als Alisa sie plötzlich am Arm packte.

»Still! Da kommt jemand. Schnell, in Deckung!« Alisa hechtete hinter den Karren. Die anderen folgten ihr und duckten sich zwischen Wagen und ein paar Mauerbrocken.

»Es ist Leandro!«, wisperte sie, als sie die massige Gestalt des Bibliothekars erkannte. »Er geht zur Domus Aurea zurück.«

»Aber wo ist der Altehrwürdige?«, fragte Ivy. »Ich kann ihn nirgends entdecken.«

»Zur Villa Borghese hat er ihn in dieser kurzen Zeit jedenfalls nicht gebracht!«, meinte Luciano.

Sie blieben in ihrem Versteck, bis der Bibliothekar außer Sicht war, dann setzten sie ihren Weg in Richtung des Palatinhügels fort. Seymour wurde zunehmend unruhiger. Er lief ein Stück voraus und ließ sich wieder zurückfallen, blieb stehen und winselte leise.

»Es gefällt ihm nicht, dass wir uns von der Domus Aurea entfernen«, vermutete Alisa und streichelte ihm über das Fell.

Ivy schüttelte den Kopf. »Nein, das ist es nicht. Er riecht etwas. Nehmt ihr es nicht auch wahr?« Die vier blieben stehen und nahmen die Witterung auf.

»Ich glaube, der altehrwürdige Giuseppe ist hier entlanggegangen«, meinte Luciano.

»Und eine junge Frau«, sagte Ivy.

»Die, die sich hier schon viel zu oft herumgetrieben hat!«, ergänzte Franz Leopold.

Alisa kniete nieder und strich mit der Hand über den Boden. »Du hast recht. Es ist die Nonne. Und nun hat sie den altehrwürdigen Giuseppe in ihren Klauen. Erinnert ihr euch noch, wie wir sie mit dem anderen Alten gesehen und sie noch bemitleidet haben?«

»Ich habe sie nicht bemitleidet«, murmelte Luciano. Alisa warf ihm einen strengen Blick zu.

Ivy nickte. »Und dann ist er für immer verschwunden!«

»Dann arbeitet sie mit den beiden Vampirjägern zusammen!«, vermutete Franz Leopold. »Ja, das könnte passen. Sie ist der Lockvogel, der sie in ihre Falle führt.« Die vier sahen einander mit weit aufgerissenen Augen an.

»Warum nur hat Leandro ihn zurückgelassen? Der Conte hat bestimmt, dass niemand mehr allein unterwegs sein darf!« Luciano schüttelte fassungslos den Kopf. »Wie kann er nur so verantwortungslos handeln?«

»Vielleicht war es Absicht?« Franz Leopold sah in die Runde.

»Wir müssen etwas unternehmen«, stieß Alisa hervor. »Wir können doch nicht zulassen, dass der altehrwürdige Giuseppe so ahnungslos seiner Vernichtung entgegengeführt wird!«

Ein Streit entbrannte, ob sie dem Altehrwürdigen folgen oder zur Domus Aurea zurücklaufen und Alarm schlagen sollten. Noch ehe der Zwist entschieden war, stürzte plötzlich eine kleine Gestalt auf sie zu. Sie kam auf den Gesteinstrümmern ins Rutschen, schlug hart gegen Alisa und setzte sich dann unsanft ins Unkraut.

»Habe ich es doch geahnt, dass ihr euch wieder heimlich davonschleichen wollt, ohne mich mitzunehmen!«

»Tammo!«, rief Alisa ungehalten. »Was hast du hier zu suchen? Verschwinde! Wir haben keine Zeit, die Gouvernante für dich zu spielen. Geh zurück!«

Tammo rappelte sich auf und verschränkte beleidigt die Arme vor der Brust. »Das könnte euch so passen! Wenn ihr mich dieses Mal nicht mitnehmt, dann sage ich den Wachen am Tor Bescheid.« Hinter ihm tauchte Joanne auf und stellte sich an seine Seite.

»Eine wunderbare Idee!«, rief Alisa aus.

»Was? Willst du mich auf den Arm nehmen?«

»Nein! Das meine ich ganz ernst! Rennt zurück zum Tor, so schnell ihr könnt, und sagt den Wachen Bescheid. Sie sollen den Conte zurückholen und alle schicken, die noch in der Domus Aurea sind. Ihr müsst sie überzeugen, dass es um Leben oder Vernichtung geht. Der altehrwürdige Giuseppe ist in großer Gefahr!«

Tammo musterte seine Schwester misstrauisch und sah dann zu den anderen hinüber. »Wenn das so wichtig ist, warum lauft ihr dann nicht selbst zurück?«

»Weil wir den beiden folgen müssen, ehe die Spuren verwehen«, erwiderte Franz Leopold ungeduldig. »Und nun macht, dass ihr fortkommt!«

»Du hast mir gar nichts zu sagen!«, fuhr der um einen Kopf kleinere Vampir den Dracas an. Franz Leopold hob die Hand, um Tammo eine Ohrfeige zu verpassen, doch Alisa war schneller und sprang zwischen die beiden.

»Es steht dir nicht zu, meinen Bruder zu schlagen.« Tammo grinste, allerdings nicht lange, denn nun gab Alisa ihm eine hinter die Ohren. Und sie hatte einen harten Schlag! »Das steht nur mir zu«, ergänzte sie und funkelte ihn an. »Das ist kein Spiel. Aber wenn du nur ein verzogener Bengel bist, der noch zu klein ist, zu begreifen, wann es um etwas Wichtiges geht, dann schaffen wir das auch allein. Geh und spiel mit deiner Lumpenpuppe!«

»Ich habe nie mit Lumpenpuppen gespielt«, rief Tammo empört. »Und ich bin auch kein Bengel!«

Ivy legte ihm die Hand auf die Schulter. »Das wissen wir, und deshalb werdet ihr beiden nun zur Domus Aurea eilen und euch zum obersten Familienmitglied bringen lassen, dass dort im Moment weilt. Sagt, dass wir in der Zwischenzeit die Spur verfolgen, um herauszufinden, wohin diese Vampirjäger ihre Opfer nun bringen, nachdem der Zisternenschacht zerstört wurde.«

Ivys kühle Stimme und die ernsthaften Worte ließen Tammos Augen aufblitzen. »Ihr könnt euch auf uns verlassen. Wir schicken euch Hilfe, so schnell es geht. Komm Joanne, wir müssen uns sputen!« Die beiden hasteten davon.

»Und wir sollten uns auch beeilen«, sagte Franz Leopold und nahm die Fährte wieder auf. Seymour half ihm, und so hatten sie keine Schwierigkeiten, den alten Vampir und seine menschliche Begleiterin aufzuspüren. Bald schon sahen sie die beiden von schwachem Sternenlicht beschienenen Gestalten vor sich. Sie folgten ihnen in so großem Abstand, dass auch der Altehrwürdige sie nicht wittern konnte.

»Wie du Tammo so schnell dazu gebracht hast, dir zu gehorchen, kann man nur bewundern«, sagte Alisa leise zu Ivy. »Diese Ruhe, die dich nie verlässt. Mich bringt er immer zur Weißglut!«

Ivy lächelte. »Das ist bei jüngeren Geschwistern normal. Wäre er mein Bruder, hättest du die Sache geregelt, denn ich hätte vermutlich rotgesehen und ihm die Haare zerzaust!«

»Du sagst das, als wüsstest du genau, wie das ist. Du hast nicht zufällig einen jüngeren Bruder in Irland zurückgelassen?«

»Nein!«, sagte Ivy fast ein wenig abweisend.

»Nein, natürlich nicht. Dame Elina hat uns ja erzählt, dass Tammo der jüngst Geborene aller sechs Clans ist.«

Die beiden schwiegen und richteten ihre Aufmerksamkeit wieder auf die Gestalten vor sich. Sie hatten den Weg unterhalb des Palatins gewählt und verschwanden gerade für einige Augenblicke unter den Resten der Aquäduktbögen. Die vier jungen Vampire gingen ihnen nach. Zu ihrer Rechten ragten die Ruinen der Thermen auf.

»Was wohl ihr Ziel ist?«, rätselte Luciano. »Ich habe keine Idee.«

»Wenn du es nicht weißt, woher sollen wir es dann wissen?«, sagte Franz Leopold ohne die übliche Arroganz, die Luciano so verabscheute.

»Sie folgen der Bahn des Circus Maximus«, stellte er fest, als die beiden vor ihnen nach rechts in das lang gestreckte, grasige Oval einbogen. »Hier gibt es nichts! Einfach nichts, was sich für eine Falle wie die Zisterne eignen würde.«

»Aber für einen offenen Kampf ohne Zeugen!«, gab Franz Leopold zu bedenken. »Der Vampirjäger hat ein silbernes Schwert. Was sollte ihn daran hindern, dem Altehrwürdigen hier im Circus entgegenzutreten. Um diese Nachtstunde müsste er keine Zeugen fürchten.«

»Warum sollte er das tun?«, fragte Alisa.

»Die Freude der Jagd!«, sagte Franz Leopold. »Das erregende Zittern, wenn man auf seine Beute wartet, die Waffe in der Hand. Dann der Moment, sich ihr in den Weg zu stellen, die Klinge zu erheben und das Opfer zum letzten, tödlichen Kampf zu fordern. Nur der Jäger und seine Beute, der der Todeskampf ungeahnte

Kräfte verleiht. Doch auch in den Adern des Jägers pocht neue Energie und lässt ihn jeden Augenblick wie ein Zeitalter spüren. Alle Sinne sind geschärft. Der Kampf beginnt. Mit einem Gefühl der Ekstase stößt er das Schwert in das Herz, das schon so lange ohne Leben ist. Mit einem letzten brachialen Schlag, der den Kopf von den Schultern trennt, beendet er die für ihn unheilige Existenz des Vampirs.« Franz Leopold verstummte. Alisa und Luciano starrten ihn fassungslos an.

»Du hast eine seltsame Fantasie«, würgte Alisa hervor und warf ihm einen misstrauischen Blick zu.

Ivy jedoch nickte ernst. »Ja, das könnte der Grund sein. Wir müssen sehr vorsichtig vorgehen. Auch die Menschenfrau trug eine Waffe aus dem für uns und andere untote Wesen Verderben bringenden Silber.«

Sie folgten den beiden entlang der alten römischen Wagenrennbahn. Die vier waren gezwungen, ihren Abstand immer weiter zu vergrößern und am Fuß des Palatinhügels in den Ruinen Deckung zu suchen, da ihnen die offene Ebene keinen Schutz bot. Die Frau hätte sie in der trüben Nacht sicher nicht entdeckt, aber sie wollten nicht, dass der Altehrwürdige sie unbedacht an die irgendwo im Verborgenen wartenden Jäger verriet, sollte er ihre Anwesenheit bemerken. Endlich erreichten die Nonne und ihr Opfer das Ende der Bahn und stiegen den Hang hinauf. Über ihnen ragte der Kirchturm von Santa Maria in Cosmedin auf.

»Wir haben uns geirrt. Zum Glück«, sagte Ivy und atmete erleichtert aus. »Wir waren stets so weit weg, dass wir das Schlimmste nicht hätten verhindern können.«

»Dann lasst uns zusehen, dass wir wieder näher an sie herankommen«, drängte Alisa und beschleunigte ihren Schritt. Plötzlich verschwanden die Umrisse der beiden Figuren im Durchgang einer baufälligen Häuserreihe. Alisa wollte auf das offene Tor zulaufen, doch Seymour gab einen warnenden Laut von sich und packte ihren Ärmel mit den Zähnen, sodass er beinahe zerriss. »Langsam!«, mahnte Ivy. »Wir müssen in Deckung bleiben.«

Behutsam schlichen die jungen Vampire näher heran, bis sie die beiden wieder sehen konnten. Die Nonne und der Altehrwürdige kauerten hinter einer zerfallenen Mauer und beobachteten offensichtlich eine geschlossene Tür, die im Hof halb hinter einer Säule verborgen war. Nichts regte sich, doch die Vampire konnten die Anspannung der Menschenfrau spüren.

*

Tammo und Joanne rannten, so schnell sie konnten, um das Kolosseum zurück zur Domus Aurea. Sie machten sich nicht die Mühe, zur Seitentür zu laufen, sondern eilten direkt auf das Haupttor zu, das für einen zufälligen Spaziergänger allerdings nicht zu entdecken war. Tammo erreichte den Eingang als Erster und schlug mit der Faust gegen das Portal.

»Aufmachen! Sofort aufmachen!«

Die Tür schwang nicht gleich zurück, obwohl die Wächter – wenn sie auf ihrem Posten waren – sie natürlich bemerkt haben mussten. Joanne deutete auf einen schmalen Spalt, der sich rechts von ihnen öffnete und ein rötliches Auge enthüllte.

»Lasst uns herein! Wir haben eine wichtige Nachricht für Conte Claudio!«

Die Tür wurde ein Stück aufgezogen, doch noch ehe Tammo Luft geholt und seine sorgfältig zurechtgelegte Rede begonnen hatte, wurden die beiden jungen Vampire gepackt und in die Halle gezogen. Die Tore fielen wieder ins Schloss.

»He! Lasst mich los!«, heulte Tammo und strampelte hilflos in der Luft. Der hünenhafte Servient hielt ihn an seiner Jacke wie ein junges Kaninchen am Nackenfell. »Das ist kein Spaß!«

»Nein, das ist es allerdings nicht!«, sagte der Unreine in drohendem Ton und schüttelte Tammo. »Was habt ihr dort draußen zu suchen? Hat der Conte sich nicht deutlich genug ausgedrückt? Aber nein, für euch Vamalia und Pyras scheint das ja nicht zu gelten. Euch ist es egal, dass ihr mit eurem Verhalten uns und die Domus Aurea in Gefahr bringt!«

Noch einmal schüttelte er den Jungen wie eine nasse Ratte, dass seine Zähne aufeinanderschlugen und er kein verständliches Wort hervorbrachte.

Joanne gelang es, ihren Häscher in die Hand zu beißen. Mit einem Aufschrei ließ er sie los, sodass sie auf den Steinboden klatschte. Ungerührt rappelte sie sich auf.

»Lass Tammo los«, forderte sie und zeigte ihre Zähne. »Wir haben was Wichtiges zu berichten!«

»Und was sollte das sein?«, wollte der Wächter wissen, ohne ihrer Forderung nachzukommen.

»Ja, das würde mich auch interessieren«, mischte sich eine andere Stimme ein. Der Bibliothekar trat aus den Schatten und gesellte sich zu den beiden Wachen.

»Lass den Jungen runter.« Der Wächter gehorchte. »Also sprich! Was gibt es so Wichtiges, das rechtfertigen sollte, dass ihr Kinder euch in der Nacht draußen herumtreibt und dann für einen solchen Aufruhr sorgt?«

»Jemand ist in großer Gefahr, und das sollen wir Conte Claudio sagen oder dem wichtigsten Familienmitglied, das heute Nacht hier ist.«

»Aha, und wer hat euch den Auftrag erteilt?« Leandro sah die beiden scharf an.

»Ivy und Alisa. Sie bleiben mit Luciano und Franz Leopold an den beiden dran, damit dem Altehrwürdigen nichts passiert.«

Die Augen des Bibliothekars weiteten sich. »Das hört sich nach einer wilden Geschichte an, und ich bin begierig darauf, sie zu erfahren. Ich übernehme die beiden. Ihr braucht euch um den Vorfall nicht mehr zu kümmern. Nicht nötig, ihn später dem Conte oder einem anderen Clanmitglied gegenüber zu erwähnen.«

Die beiden Wächter waren sichtlich erleichtert. Wer konnte schon sagen, wie der Conte reagierte? Ob er gar ihnen die Schuld dafür geben würde, dass die Kinder wieder einmal entwischt waren?

Leandro packte die beiden an den Oberarmen und zog sie hinter sich her. Sein Griff war wie ein eiserner Schraubstock, aus dem es kein Entrinnen gab.

»Erzählt! Alles, was euch einfällt!«

Tammo wusste nicht, wohin der Bibliothekar sie brachte, aber er sprudelte los. Sein Bericht ging zwar ein wenig drunter und drüber und war gespickt mit Klagen über seine gemeine Schwester und den noch viel unerträglicheren Franz Leopold und überhaupt über die älteren Schüler, die ihnen jeden Spaß und jedes Abenteuer verwehrten, doch Leandro bekam alle Informationen, die er brauchte. Als Tammo geendet hatte, stieß Leandro die Tür zur Bibliothek auf und schob die beiden hinein.

Was sollten sie hier? Tammo wollte sich gerade erkundigen, als Leandro die Frage beantwortete. Er öffnete einen riesigen Sarkophag, der an der Wand stand, und zerrte sie zu dem steinernen Koloss.

»Ihr habt mir alles gesagt, was ich wissen muss. Ich danke euch!« Seine Stimme troff vor Spott. »Überlasst das Weitere getrost mir. Ich weiß, was ich zu tun habe. Und das Erste ist, euch von weiteren Abenteuern abzuhalten, die euch Kopf und Kragen kosten könnten. Seht es gelassen. Es ist nur zu eurem eigenen Schutz.«

Und mit diesen Worten warf er sie in den Sarkophag, drückte sie mit seinen riesigen Händen nieder und ließ dann den Deckel zufallen. Der Knall dröhnte in ihren Ohren und hallte von den Wänden wider. Dann war es still. Die beiden Gefangenen sortierten ihre Gliedmaßen, soweit es der Sarg zuließ, und kauerten dann, dicht aneinandergepresst, im Finstern.

»Ich glaube, das war nicht der richtige Empfänger für diese Nachricht«, sagte Joanne schließlich.

»Auf diesen Gedanken wäre ich nicht gekommen«, sagte Tammo ironisch. »Und was machen wir jetzt?«

Er spürte, wie Joanne ratlos mit den Schultern zuckte.

DAS MITHRÄUM DES CIRCUS MAXIMUS

»Guten Abend, Heiliger Vater. Es gibt Neuigkeiten von der Regierung und aus dem Palast des Königs!«

Der Kardinal stürmte mit langen Schritten herein. Er war in einer fast fiebrigen Aufbruchsstimmung, wie Pius IX. ihn selten erlebt hatte.

»Nehmt Platz und erzählt mir, was geschehen ist«, sagte der Papst und deutete mit zitternder Hand auf den Stuhl vor seinem Sekretär.

Der Kardinal beugte sich vor. »Habt Ihr schlecht geschlafen?«

Pius IX. schüttelte den Kopf. »Im Gegenteil. Die vergangenen Nächte bin ich nicht einmal aufgewacht.«

»Ihr seht aber schlecht aus, wenn Ihr mir diese Bemerkung gestattet.«

»Ich bin alt und ich fühle mich auch so! Gott der Herr hat diese Welt so errichtet und es ist gut.«

Der Kardinal sprang auf. Ein Ausdruck des Erschreckens stand in seinem Gesicht. »Heiliger Vater«, sagte er eindringlich. »Habt Ihr die Kette mit den Rubinen abgelegt, die ich Euch gab?«

Der Papst nickte. »Ja, schon vor einigen Tagen. Vielleicht wird man auf seine alten Tagen kindisch, doch sie war mir zuwider!«

Der Kardinal ließ sich wieder auf den Stuhl fallen. »Wie konntet Ihr nur? Ich bat Euch inständig, sie niemals abzulegen. Kein Wunder, dass ihr vom Zerfall des Alters gezeichnet seid.«

»Ach Angelo, was redet Ihr da? Gott allein ist es, der uns unser Leben gibt und es wieder nimmt, wenn es ihm gefällt. Ihr glaubt doch nicht ernsthaft an magische Amulette und Steine? Es ist schlimm genug, dass diese Ammenmärchen beim einfachen Volk nicht auszumerzen sind.«

»Das ist kein ketzerischer Irrglaube, Heiliger Vater. Hier sind alte Kräfte am Werk, die finster und böse waren, die wir aber auch für unsere Ziele nutzen können!«

Die Miene des Papstes verlor die heitere Gelassenheit. »Sprecht Ihr von den dämonischen Wesen, die, wie Ihr sagt, einst bei den Grabungen am Kolosseum geweckt worden sind?«

»Ja!«, rief der Kardinal. »Ich habe einen Weg gefunden, das Böse mit dem Bösen zu bekämpfen! Habt Ihr etwa geglaubt, all die Todesfälle im Umfeld des Königs und in der Regierung seien Zufall? Es sei Gottes Hand, die Eure Gegner Stück für Stück vernichtet habe? Oh nein! Wir lassen die bösen Dämonen der Finsternis für uns arbeiten, bis wir unser heiliges Ziel erreicht haben. Und dann werden wir sie zu Gottes Gefallen auslöschen.«

Er hatte sich in glühende Begeisterung geredet, während die Wangen des Papstes leichenblass geworden waren. Er bekreuzigte sich. »Möge der Herr sich Eurer armen Seele erbarmen und Euch auf den rechten Weg zurückführen!«

»Wir sind auf dem rechten Weg!«, schrie der Kardinal. Er packte den Heiligen Vater an der Schulter. »Wir sind dabei, das Reich Gottes in Italien zu errichten. Er wird es mit Wohlgefallen sehen!«

»Oh ihr verblendeten Seelen«, sagte der Papst voll Traurigkeit. »Kehre um, und tue Buße, ehe es zu spät ist.«

Der Blick des Kardinals huschte zu der Standuhr in der Ecke. »Ja, es ist spät, ich muss gehen und meine Anweisungen geben. Legt die Kette wieder an, ich beschwöre Euch! Wir werden morgen weiter darüber reden. Ich werde es Euch erklären, bis Ihr klarseht!« Mit wehendem Umhang eilte der Kardinal hinaus.

»Ich sehe klar! Endlich sehe ich völlig klar«, flüsterte der Papst. »Mehr, als es mir lieb sein kann!«

*

»Bring mir meinen Mantel! Ich bin spät dran.«

Latona zog eine Grimasse, folgte aber der Aufforderung und legte Carmelo den weiten Mantel mit den beiden Capes um die

Schultern. Er war altmodisch, hatte aber den Vorteil, den Träger bis zu den Füßen zu verhüllen und auch ein Schwert verbergen zu können, mit dem man heutzutage in den nächtlichen Gassen Roms vermutlich von einer *pattuglia di polizìa* angehalten worden wäre. Neugierige Polizistenfragen beantworten zu müssen, war das Letzte, was Carmelo heute Nacht gebrauchen konnte!

»Wo ist diese verfluchte Maske schon wieder?«, schimpfte er.

»Hier, Onkel Carmelo«, sagte Latona und reichte ihm die blutrote Samtmaske. »Reisen wir dann gleich weiter zum Karneval nach Venedig?«

Er antwortete nicht und stopfte die Maske nur hastig in die Tasche. Die Kirchturmglocke draußen schlug. Carmelo warf den Mantel locker über die Schwertscheide und eilte zur Tür. »Ich weiß nicht, wie spät es wird. Warte nicht auf mich.«

»Ich soll nicht warten?«, rief Latona empört. »Was soll ich sonst tun? Etwa schlafen? Daran kann ich nicht einmal denken, bis du diese Tür wieder durchschreitest und mir sagst, was geschehen ist!«

Er hielt inne, wandte sich um und trat wieder zwei Schritte auf sie zu. Ein weicher Zug lag auf seinem Gesicht. »Sorge dich nicht.« Er beugte sich vor und hauchte ihr einen Kuss auf die Wange.

»Ich würde mich weniger sorgen, wenn ich dich begleiten dürfte.«

Seine Miene wurde hart. »Das kommt nicht infrage! Du wirst dieses Zimmer nicht verlassen, bis ich zurück bin. Ich traue diesen verhüllten Maskenmännern nicht, und dem Kardinal am allerwenigsten! Sie machen keinen Hehl daraus, was sie von der Einmischung einer Frau halten, also komm ja nicht auf die Idee, etwas Dummes zu tun!«

»Etwas Dummes?«, fragte sie unschuldig. »Aber nein! So etwas würde ich doch nie tun!«

Carmelo warf ihr einen misstrauischen Blick zu, doch die Zeit lief ihm davon, und er musste sich eilen, nicht zu spät am geheimen Treffpunkt des Zirkels zu erscheinen. Daher drehte er sich nur um und lief die Treppe hinunter.

Latona rührte sich nicht, bis die Tür unten ins Schloss fiel. Dann jedoch bewegte sie sich mit fieberhafter Hektik. Sie riss ihren Mantel vom Haken, steckte ihr silbernes Messer in die Tasche und rannte Carmelo nach.

»Es kommt ganz darauf an, was man unter etwas Dummem versteht«, sagte sie zu sich selbst. »Ich halte es für durchaus ratsam, ein Auge auf dich und diese Versammlung zu haben.«

*

»Da kommt jemand!«, zischte Franz Leopold und duckte sich noch tiefer hinter die bröckelnde Mauer. Die anderen folgten seinem Beispiel.

»Menschen, so laut, wie sie sich bewegen«, meinte Luciano.

Ivy hob den Kopf. »Sie waren schon öfter hier. Ich erkenne den Geruch wieder, den die Steine aufgenommen haben.«

Sie spähten um die Ecke und erhaschten einen Blick auf zwei Männer, die den Durchgang passierten. Sie trugen lange, weite Mäntel und rote Masken vor dem Gesicht. Ein leises Quietschen klang zu ihnen herüber, dann waren sie durch die Tür hinter der Säule verschwunden. Kurz darauf kam noch ein Mann in der gleichen Aufmachung und ging ebenfalls in das Haus. Da die leeren Fensterhöhlen dunkel blieben, mussten sie sich in einen Keller oder einen unterirdischen Gang begeben haben.

»Schon wieder Verliese und Schächte«, murmelte Alisa.

»Ich hoffe, keine Zisternen mit Fallgitter«, ergänzte Ivy.

»Meint ihr, das sind alles Vampirjäger?«, raunte Luciano, als zwei weitere maskierte Männer in den Hof schlichen.

»Bekommst du es mit der Angst zu tun?«

Ivy sah Franz Leopold streng an, sodass er verstummte und den Blick senkte. »Wenn sich diese Männer alle auf Vampirjagd machen, dann könnte es für uns sehr unangenehm werden!«

»Ja, es waren alles Männer«, sagte Alisa nachdenklich. »Das

Mädchen war nicht unter ihnen. Was mich allerdings irritiert, ist, dass sich der Altehrwürdige und die Nonne dort hinter der Mauer verbergen. Auch sie scheinen die Ankunft der Männer heimlich zu beobachten. Warum nur?«

Noch ein Mann kam, schnaufend und mit wehendem Umhang, angelaufen. Er machte sich nicht die Mühe, sich umzusehen, ob ihn jemand beobachtete. Er lief direkt unter dem Bogen durch und dann auf die Tür zu, riss sie auf und ließ sie hinter sich zufallen.

»Habt ihr ihn erkannt?«, stieß Franz Leopold hervor.

»Es war der Vampirjäger jener Nacht«, hauchte Alisa.

»Nun sind alle versammelt«, wehte die Stimme der Nonne zu ihnen. Sie erhob sich und trat hinter der Mauer hervor. Der altehrwürdige Giuseppe folgte ihr. Er schritt auf die Tür zu, hielt aber inne, als er bemerkte, dass die Frau ihm nicht folgte.

»Schwester Nicola, kommt Ihr nicht mit?«

Sie schüttelte den Kopf. »Nein, ich bin dort unten nicht geduldet. Ich gehöre nicht zum Zirkel.« Sie lachte kurz auf. »Ich bin eine Frau. Ist Euch das nicht aufgefallen? Daher verabschiede ich mich hier von Euch.« Sie legte die Hände vor der Brust zusammen und neigte den Kopf.

Die jungen Vampire sahen einander entgeistert an. Was um alles in der Welt hatte sie ihm erzählt, dass er nun freiwillig wie das Opferlamm in dieses Verlies stieg, zu einer Versammlung, die den Vampiren ganz offensichtlich den Krieg erklärt hatte!

Der Altehrwürdige blickte der jungen Frau nach, bis sie in der Nacht verschwunden war. Dann öffnete er die Tür.

»Wir müssen ihn warnen! Wir können ihn nicht so ahnungslos in sein Verderben laufen lassen!« Luciano wollte ihm hinterher, doch Franz Leopold packte ihn an der Jacke und hielt ihn zurück.

»Wir wissen nicht, ob er so ahnungslos ist, wie wir geglaubt haben!«, sagte er scharf.

»Er hat immerhin gesehen, dass die Männer dort hinuntergegangen sind«, ergänzte Alisa.

»Wir sollten hier warten, bis die Wachen der Domus Aurea

kommen«, schlug Ivy vor. »Tammo hat ihnen den Vorfall ja sicher berichtet. Es kann also nicht mehr lange dauern.«

»Was? Du willst hier warten, während dort unten wer weiß was geschehen kann?« Ihre drei Begleiter waren gleichermaßen entsetzt.

Ivy hob beschwichtigend die Hände. »Ich sage nur, was wir tun sollten. Was das Vernünftigste wäre. Ich habe nicht gesagt, dass ich nicht vor Neugier brenne, zu erfahren, was für ein Spiel dort unten gespielt wird!« Sie erhob sich. »Dann lasst uns ein wenig lauschen!«

Ohne sich um Seymour zu kümmern, der offensichtlich nicht einverstanden war und sie am liebsten alle vier weggezerrt hätte, trat sie forsch durch den Torbogen und den Innenhof auf die Tür zu.

»Leo, schick deine Gedanken voraus. Versuche zu erahnen, welche Stimmung herrscht«, wisperte Ivy, ehe sie die Tür geräuschlos öffnete. Die Vampire huschten, gefolgt von dem weißen Wolf, eine Treppe hinunter.

»Das ist nicht irgendein Keller«, flüsterte Luciano. »Das ist ein antiker Mithrastempel!«

»Ein passender Versammlungsort!«, sagte Ivy ebenso leise.

Furcht, entdeckt zu werden, mussten sie nicht haben. Die übermenschlich scharfen Sinne des Altehrwürdigen waren gerade anderweitig beschäftigt, wie sie erkannten, als sie die erste Windung der Treppe hinter sich gelassen hatten. Seine Stimme klang klar und deutlich bis zu ihnen herauf. Die vier hielten inne, um keines seiner Worte zu verpassen.

»Ich habe Euch mehr als einmal gewarnt, Kardinal!« Seine Stimme war fordernd, ohne das Zittern des Alters und der Schwäche, die man bei manchen der Altehrwürdigen heraushören konnte.

»Gestern waren wieder Männer auf dem Oppius und am Kolosseum. Nein, sagt nicht, es seien nur harmlose Spaziergänger gewesen, von denen keine Gefahr ausgehe und auf die ihr keinen Einfluss hättet. Ich dulde es nicht, dass Ihr Euch nicht an Eure

Abmachungen haltet. Ist es nicht erst wenige Wochen her, dass diese Grabungsmannschaft von de Rossi mit Wagen und Kisten voller Geräte bei uns erschienen ist?«

»Das ist wahr«, erklang eine tiefe Stimme. »Der Papst hat dem Archäologen ohne mein Wissen Unterstützung versprochen und ihn mit dieser Idee sogar zum König geschickt. Doch wir haben den Spuk beendet, sobald wir davon erfahren haben. Und auch dieses Mal gibt es für Euch nichts zu befürchten. Ich werde mich darum kümmern.« Ein lauernder Klang trat in seine Stimme. »Sagt uns doch, wo sich die Eingänge zum Domizil Eures Clans befinden, dann werden wir sie besonders schützen.«

Die Vampire tauschten besorgte Blicke. Was spielte sich dort unten ab? Was hatte der ehemalige Clanführer mit diesen Menschen zu tun?

Der altehrwürdige Giuseppe lachte hart auf. »Das ist Euer größter Fehler, Kardinal. Ihr haltet mich für dumm und einfältig. Hütet Euch, dass diese falsche Einschätzung nicht Eure hochtrabenden Pläne zum Scheitern bringt! Also, was sind das nun schon wieder für Männer und wann werden sie verschwunden sein? Könnt Ihr mir nun endlich garantieren, dass die Ruinen zwischen Kapitol, Palatin und Oppius uns allein gehören?«

»Ich werde dafür sorgen, dass sie wieder abziehen. So wie ich es immer getan habe.« Der Kardinal klang gereizt.

»Ihr? Haben wir nicht bei der Grabung am Kolosseum selbst dafür sorgen müssen, dass keiner mehr an diesen Platz zurückkommen wollte? Nein, sagt nicht, wir könnten es ja wieder tun. Natürlich macht es uns nichts aus, ein paar späte Arbeiter zu überraschen, ihr Blut zu nehmen und ihre Leichen in theatralischer Pose zurückzulassen, um die Menschen zu verschrecken, doch was ist der Preis? Er ist hoch! Verflucht hoch! Ich weiß, wovon ich spreche, denn ich wandle schon lange genug auf dieser Welt, um es zweimal miterlebt zu haben.«

Ivy schob sich sacht weiter die Treppe hinunter. Die anderen folgten ihr. Sie bewegten sich völlig geräuschlos, und obwohl an ihrer Seite eine Fackel in ihrem eisernen Halter brannte, brauchten sie nicht zu befürchten, dass ihnen Schatten vorauseilten und sie verrieten. Ivy ließ sich auf die Knie nieder und lugte um die Ecke. Sie winkte die anderen weiter und kroch dann in den Vorraum, von dem aus sie in die steinerne Kammer sehen konnten, in der die Maskierten ihre Versammlung abhielten. Hinter behauenen Marmorblöcken verborgen, konnten sie den Altehrwürdigen nun auch sehen, als er fortfuhr.

»Es fängt mit der Furcht an, die sich in die Augen der Menschen stiehlt. Dann kommt die nackte Angst und zum Schluss die Hysterie. Zuerst laufen sie in die Kirchen und beten, denn sie spüren, dass etwas Unnatürliches vor sich geht. Sie schicken Teufelsaustreiber. Früher haben sie die eine oder andere Hexe verbrannt und heute kommen die Vampirjäger. Schlächter und Aasgeier, so wie der hier!« Er fuhr herum. Sein Arm schnellte nach vorn. Der Zeigefinger berührte fast die Brust des Mannes, der vor Schreck ein wenig zurückwich. Es war der Mann, der als Letzter zu der Runde gestoßen war. Der Mann, der Seymour mit seinem Schwert fast getötet hätte. Alisa sah, wie sich der Griff der Waffe unter seinem Umhang abzeichnete. Der Mann öffnete den Mund, doch der Altehrwürdige hatte sich bereits wieder abgewandt und sprach weiter.

»Es zieht die Vampirjäger aller Länder wie Glücksritter und Goldsucher in Scharen an, wenn sich das Gerücht erst einmal verbreitet hat.« Der alte Giuseppe hielt sich sehr gerade und ging an der Tischreihe der verhüllten Männer auf und ab, bis er wieder vor dem Kardinal stand, der ein leuchtend rotes Gewand trug. So rot wie die Masken, die sie alle trugen. Der alte Vampir beugte sich zu ihm vor.

»Ihre Motive mögen sich unterscheiden, ihr Wirken zusammen ist verheerend! Ich kann und ich will nicht zulassen, dass unserer Familie so etwas noch einmal widerfährt. Nur deshalb habe ich den Pakt mit dem Teufel geschlossen – oh verzeiht, Herr Kardinal, das ist mir so rausgerutscht. Es muss heißen: den Pakt mit der heiligen Kirche, nicht wahr? Ich habe mich stets an die Abmachung gehalten. Nun ist es an Euch, endlich dafür zu sorgen, dass wir dauerhaft in Ruhe gelassen werden!«

Nun sprang der Kardinal auf und reckte sich, doch er erreichte dennoch die Größe des alten Vampirs nicht. »Ach ja? Wie lange ist es her, dass ihr uns den letzten Eurer Art ausgeliefert habt? Wir warten! Ihr schuldet uns noch einige, bis das Dutzend Rubine voll ist! Ihr habt drei Treffen platzen lassen.«

Entsetzen stieg in Alisa hoch. Als sie sich zu den anderen umwandte, konnte sie das Gefühl in ihren Augen gespiegelt sehen.

»Ich habe Euch genug Opfer für Eure Klingen gegeben! Die Kraft der Rubine reicht aus, um einen Menschen eine Ewigkeit am Leben zu erhalten. Was wollt ihr noch?«

»Dass Ihr nicht so gramgebeugt tut! Es war ein Geschäft, weiter nichts. Was für ein Theater führt Ihr nun auf! Ihr wart doch froh, diejenigen unter Euch loszuwerden, die nicht nach Eurer Pfeife tanzten, oder wollt Ihr das leugnen?«

»Also doch«, wisperte Franz Leopold. Ivy warf ihm einen warnenden Blick zu.

Der alte Vampir brauste auf. »Natürlich habe ich Euch die geliefert, die entbehrlich waren, die der Familie nichts mehr nützten oder die gegen unseren Clanführer intrigierten. Das waren notwendige Opfer, um den Rest des Clans zu schützen. Was denkt Ihr denn?«

»Dann jammert nicht herum!«

»Das war aber nicht alles! Darf ich Eurem anscheinend sehr kurzen Gedächtnis auf die Sprünge helfen. Wir haben Euch die Mitglieder des Königshauses und der Regierung vom Leib geschafft, an die Ihr Euch nicht herangewagt habt. Schnell, sauber und unauffällig. Uns ist es gleichgültig, ob Italien von einem Papst oder König regiert wird, aber haltet Euch an unseren Vertrag, und sorgt dafür, dass wir nicht noch einmal gestört werden, denn sonst könnte es geschehen, dass man Eure blutleere Leiche aus dem Tiber zieht. Dann wäre es ganz schnell vorbei mit Euren Träumen der Macht.«

»Ihr wollt mir drohen?«, zischte der Kardinal. »Seid vorsichtig mit so etwas! Vielleicht möchte der Papst ja bald ein Zeichen setzen und alles Unnatürliche und Unheilige in seinem Reich endgültig auslöschen. Ein großer Kreuzzug gegen das Böse!«

Sie sahen, wie der Altehrwürdige ein Stück zurücktaumelte.

»Das ist ihm nicht eben erst eingefallen. Das hat der Kardinal von Anfang an so geplant«, wisperte Ivy mit erstickter Stimme.

Luciano schüttelte nur immer wieder den Kopf. »Wie konnte er nur so etwas tun? Warum hat er ihm geglaubt und sich auf den schmutzigen Handel eingelassen?«

»Anscheinend dachte er, nur so könne er die Herrschaft seines Enkels festigen und die Familie schützen – den Rest der Familie«, fügte Alisa hinzu, vor deren innerem Auge das Bild der verkohlten Körper aufstieg.

Was sollten sie jetzt tun? Zur Domus Aurea zurücklaufen und Conte Claudio den Verrat seines Großvaters offenlegen?

Franz Leopold schnaubte verächtlich. »Meinst du, er würde uns das glauben?«

»Sollen wir einfach tatenlos zusehen, wie der Kardinal seinen großen Feldzug beginnt?«, gab Alisa zurück.

»Psst!«, zischte Ivy, doch es war zu spät. Stille senkte sich über den geheimen Versammlungsraum unter dem Circus Maximus und alle Augen richteten sich auf den Durchgang zum Vorraum. Der alte Giuseppe stöhnte auf und verzog gequält das Gesicht.

Die vier hatten sich noch nicht entschieden, ob sie besser den Rückzug antreten sollten, als Seymour plötzlich winselte und alarmiert die Ohren aufstellte. Oben klickte die Tür. Leichte Schritte kamen die Treppe herunter. Sie saßen in der Falle. Franz Leopold und der Wolf reagierten als Erste und stürzten auf die Treppe zu.

Das Mädchen war für einen Augenblick wie erstarrt und sah blinzelnd auf den Wolf und den jungen Vampir hinab, dann zog es seinen silbernen Dolch.

Ivy schrie auf. »Nein! Seymour, zurück!«

Einer der Männer im Versammlungsraum brüllte: »Es sind Vampire! Vernichtet sie, es sind Vampire!«

Der Altehrwürdige heulte auf. »Nicht, es sind die Erben! Das ist gegen den Vertrag!«

Der Jäger zückte sein silbernes Schwert und plötzlich hielten auch zwei andere Männer Klingen in den Händen. Der Vampirjäger war der Schnellste. Er hechtete auf Ivy zu, deren Aufmerksamkeit auf Seymour gerichtet war. Während Luciano ihr nur eine Warnung zurief, zögerte Alisa nicht einen Wimpernschlag. Mit einem riesigen Satz sprang sie ihm von der Seite in den Weg, der unweigerlich zu Ivys Rücken geführt hätte. Mit ihrem Körperschwung riss Alisa die Schwertklinge zur Seite. Der Mann konnte nicht mehr bremsen. Er rammte die Spitze der Klinge gegen einen Marmorblock, wo sie mit einem lauten Klirren zersprang. Der Vampirjäger heulte vor Schmerz auf, als der Stoß ihm das Handgelenk brach. Die Schwertteile fielen zu Boden. Doch der Mann war ein Kämpfer. Mit der Linken hob er das abgebrochene Schwert auf. Er war noch nicht geschlagen!

Vom Schwung ihres Sprungs getragen, schlug Alisa hart gegen die Wand. Ihr erster Blick galt Ivy, die offensichtlich unversehrt war. Erst das Entsetzen in den türkisfarbenen Augen brachte Alisa dazu, an sich hinunterzusehen. Ihre Jacke und das weiße Hemd waren von der linken Hüfte bis hoch zur rechten Schulter aufgeschnitten. Dunkles Blut rann über Brust und Bauch hinab. Alisa schnappte nach Luft. Dann kam der Schmerz und sie klappte zusammen. Ivy fing sie auf, bevor ihre Knie auf dem Boden aufschlugen. Sie zerrte an ihrem Arm.

»Wir müssen hier raus! Komm, sonst sind wir verloren!« Ein Blick zurück zeigte, dass Seymour und Franz Leopold das Mädchen überwältigt hatten. Luciano trat dem Jäger gegen den Arm, dass er seine Waffe noch einmal fallen ließ. Dann half er Ivy, Alisa in Richtung Treppe zu schleppen.

»Lasst diese Blutsauger nicht entkommen. Ergreift sie! Stecht sie nieder!«, schrie der Kardinal. Der Jäger bückte sich erneut nach seinem Schwert, die anderen Männer zögerten noch immer.

»Aus dem Weg!«, herrschte der Kardinal den Altehrwürdigen an und gab ihm einen Stoß. »Sie gehören uns!«

»Nein! Ihr werdet Euch nicht an unseren Kindern vergreifen! Sie sind die einzige Hoffnung, die uns geblieben ist.« Er sah plötzlich gar nicht mehr alt aus. Seine Zähne brachen weiß und spitz zwischen den Lippen hervor. Er brüllte wie ein verwundetes Raubtier. Dann griff er nach dem ersten Mann. Seine langen Finger krallten sich in Brust und Hals. Der Dolch fiel zu Boden.

Unterdessen hatten die jungen Vampire den Fuß der Treppe erreicht. »Los, bringt sie rauf!«, rief Franz Leopold. »Wir halten diese Schlächter auf!«

Es war nicht der rechte Zeitpunkt, zu streiten. Ivy und Luciano sprangen auf die erste Stufe, die schwankende Alisa mit sich ziehend – und prallten gegen einen Körper, der die Treppe heruntergeschossen kam. Sie wurden gegen die Wand geschleudert. Alisa blinzelte. Ihr war schwindelig. Alles war plötzlich so fern und unwirklich. Der Körper war groß und breit und kalt. Sie kannte diesen Vampir. Alisa kniff die Augen zusammen und versuchte, zwischen den wallenden Nebeln die Züge auszumachen.

Da hörte sie den alten Giuseppe rufen: »Leandro, schnell, bring die Kinder in Sicherheit. Sie müssen hier raus!« War das nur ihr dröhnender Schädel, der ihr vorgaukelte, dass der massige Bibliothekar trotzig den Kopf schüttelte?

»Leandro!«

»Nein! Keiner hat gesagt, dass sie sich einmischen sollen. Wer sich in Gefahr begibt, kann vernichtet werden. So einfach ist das.«

»Rette sie! Sie sind unsere Erben!«

»Luciano ist unser Erbe! Die anderen gehen mich nichts an«, widersprach der Bibliothekar. Alisa spürte, wie Luciano von ihrer Seite gerissen wurde. Sie knickte ein und taumelte zusammen mit Ivy in den Vorraum zurück. Luciano protestierte, trat um sich und schlug Leandro die Zähne in die Schulter, doch es half nichts. Schneller als die drei Freunde sehen konnten, verschwand der Bibliothekar mit Luciano um die Treppenbiegung. Die Tür oben schlug mit einem Knall zu.

»Raus hier! Lauft!«, befahl der Altehrwürdige und biss den zweiten Mann nieder. Franz Leopold überließ das niedergestreckte Mädchen dem Wolf und stürzte auf Alisa zu. »Lass los«, rief er Ivy zu. »Ich nehme sie.«

Alisa konnte nichts dagegen tun. Ihr Körper sackte einfach in sich zusammen und schien sich Franz Leopolds kräftigem, aber doch erstaunlich sanftem Griff gerne zu überlassen. Auf dem oberen Treppenabsatz blieben sie stehen, unfähig, sich von dem schrecklichen Schauspiel unter ihnen zu lösen.

»Ich kriege euch!«, brüllte der Vampirjäger. Den Schwertstumpf wie ein Rammbock vor der Brust rannte er auf die drei zu. Der alte Giuseppe folgte ihm. Seymour jaulte, sprang von der Brust des Mädchens und griff an. Er wich der tödlichen Klinge aus und verbiss sich in der Wade. Der Mann schrie und versuchte, nach dem Wolf zu stechen, aber der Altehrwürdige riss seinen Arm zurück. Seymours Kiefer schnappten noch einmal zu und entwanden ihm die Waffe. Aber der Jäger gab sich noch immer nicht geschlagen. Er zog einen verborgenen Dolch und stieß nach dem Vampir. Geschickt glitt der Alte zur Seite, sprang wieder vor und versenkte die Zähne im Hals des Jägers. Ein gurgelnder Schrei stieg zum Gewölbe auf. Der Kardinal und die drei Männer des Zirkels, die noch lebten, standen wie erstarrt und verfolgten stumm den Kampf. Keiner von ihnen war anscheinend geübt, mit Waffen umzugehen, und so kamen sie nicht auf die Idee, die Klingen der Gefallenen an sich zu nehmen und in den Kampf einzugreifen. Nur das Mädchen, das sich wieder aufgerichtet hatte, schien nicht bereit, tatenlos zuzusehen, wie der Wolf und der alte Vampir den Jäger töteten. Sie griff nach ihrem silbernen Dolch, der ein Stück weiter in eine Ecke geschlittert war, und warf sich auf den Rücken des Altehrwürdigen. Die silberne Klinge drang ihm bis ins

Herz. Mit einem Aufschrei, von dem das Gewölbe erbebte, ließ er sein Opfer los.

»Geh zu den Erben, und sieh zu, dass sie sicher heimkehren«, flüsterte Giuseppe dem Wolf zu. »Es war ein Fehler«, sagte er noch, ehe der Glanz in seinen Augen verlosch.

Seymour sprang über die beiden Vampirjäger hinweg und lief die Treppe hinauf. Der Wolf sah nicht zurück. Er konnte den Körper des alten Vampirs nicht zur Domus Aurea bringen, wo er vielleicht wieder erwacht wäre. Die Geschichte des altehrwürdigen Giuseppe endete an diesem Ort und in dieser Stunde.

Seymour nahm zwei Stufen auf einmal und erreichte Ivy, die oben auf ihn wartete, unbeschadet. Sie schlang die Arme um seinen Hals. Er sah ihr in die Augen. Dann drehten sie sich zu den beiden anderen um.

Alisa lehnte schwer atmend an der Wand. Franz Leopold hatte noch immer den Arm um ihre Mitte gelegt, um sie zu stützen. Inzwischen hatte die Übelkeit ein wenig nachgelassen und der Nebel in ihrem Kopf sich so weit gelegt, dass sie ihre Umgebung wieder wahrnehmen konnte. Sie hätte gern gesagt, sie sei durchaus in der Lage, sich ohne seine Hilfe aufrecht zu halten, doch sie wusste nicht, ob es stimmte. Und die Blöße, vor ihm in den Schmutz zu fallen, wollte sie sich erst recht nicht geben. Also tat sie so, als bemerke sie den Arm um ihre Taille nicht, als er ihr jetzt nach draußen half. Ivy verkeilte ein Brett, das in der Nähe lag, im Türrahmen. »Lasst uns gehen«, sagte sie ernst. »Hier können wir nichts mehr tun.«

DAS ENDE DES ZIRKELS

»Braucht Ihr sonst noch etwas, Heiliger Vater?«

Pius IX. schüttelte stumm den Kopf.

»Verzeiht, wenn ich das sage, aber Ihr seht nicht gut aus. Ihr solltet Euch hinlegen. Was es auch ist, das Ihr hier noch schreiben wolltet, es hat Zeit bis morgen!«

Pius IX. schenkte seinem Camerlengo ein müdes Lächeln. Es würde kein Morgen mehr für ihn geben – zumindest nicht auf dieser Welt. Wie würde die Welt auf der anderen Seite für ihn aussehen? Würde der Herr ihm seine Blindheit verzeihen? Er hatte geahnt, dass etwas Unheiliges vor sich ging, doch er hatte die Augen verschlossen und nichts davon wissen wollen. Der Wunsch, der heiligen Kirche im Leben der Menschen wieder zu der Bedeutung zu verhelfen, die ihr zustand, hatte seinen Verstand und seinen Blick getrübt. Nun konnte er sich nur noch seinem allerhöchsten Richter anvertrauen und auf seine Gnade hoffen.

»Ich schreibe diesen Brief noch zu Ende, dann werde ich zu Bett gehen. Sie können sich zurückziehen. Ich brauche Sie nicht mehr.«

Der Sekretär verbeugte sich und schloss die Tür hinter sich. Als die Schritte draußen verklungen waren, tauchte Pius IX. die Stahlfeder wieder in das Tintenfass und schrieb weiter.

Ich, Papst Pius IX. von Gottes Gnaden, verfüge in meinem letzten, ausdrücklichen Wunsch, dass mein Leib nicht in St. Peter neben meinen Vorgängern im Amte Petri beigesetzt wird. Setzt mein Abbild nicht als marmornes Denkmal wie einen Herrscher auf einen Thron! Begrabt meinen Leib in aller Bescheidenheit in San Lorenzo fuori le mura, denn auch ich bin nur ein armer Sünder unter der Gnade Gottes, und mein Platz ist bei meinem Volk am Friedhof Campo Verano.

Er setzte seine Unterschrift darunter und drückte den Siegelring in das weiche Wachs. Dann erhob sich der Papst und ging mit unsicheren Schritten in sein Schlafgemach. In seiner Amtsrobe legte er sich auf die Bettdecke und faltete die Hände auf der Brust. Noch bevor die Glocken von St. Peter Mitternacht schlugen, starb Papst Pius IX.

*

Der Bibliothekar hielt Luciano wie mit Eisenketten umklammert und lief mit ihm schnell und gleichmäßig durch die Nacht. Jeder Protest Lucianos war zwecklos. Seine Gedanken rasten. Was hatte Leandro mit ihm vor? Er drehte den Kopf und sah zerfallene Mauern und Säulen, die ihm bekannt vorkamen. Brachte Leandro ihn wirklich nach Hause? Sie überquerten den Palatin. Schon senkte sich der Grund zum Kolosseum hin ab. Schneller, als es Luciano für möglich gehalten hatte, erreichten sie den Hügel, der die Domus Aurea verbarg. Zu seinem Erstaunen schleppte Leandro ihn nicht zum Tor, sondern zu einem gemauerten Schacht hinter einem Busch, der schräg hinab in die Tiefe führte. Der Vampir zerrte Luciano an die Öffnung und sprang dann drei oder vier Meter in den darunterliegenden Raum. Endlich lockerte er seinen Griff und ließ Luciano fallen. Er überschlug sich einmal und hockte dann breitbeinig auf dem Steinboden.

»Verflucht noch mal, was soll das eigentlich?«

Noch immer hatte Leandro kein einziges Wort gesprochen, und es sah auch nicht so aus, als wollte er Luciano nun eine Erklärung geben. Zielstrebig ging er auf eine Tür zu, ohne sich um ihn zu kümmern. Wollte er ihn hier einschließen? Luciano sprang hastig auf die Füße und rannte dem Bibliothekar nach. »He! Ich rede mit dir! Was soll das Ganze? Was hast du mit mir vor?«

Er drängte sich hinter Leandro durch die Tür und stellte erstaunt fest, dass sie in die Bibliothek führte. Sicher war dieser Eingang ein wohlgehütetes Geheimnis des Bibliothekars! Luciano krallte sich an seinem Rock fest und nun endlich sah ihn Leandro an – oder besser gesagt, sah auf ihn hinunter, wie man vielleicht eine Wanze zu seinen Füßen betrachtet.

»Hör mit dem Geschrei auf!«, sagte er in einem, wie Luciano fand, sehr bedrohlichen Tonfall. »Ich habe dich da rausgeholt, weil du ein Nosferas bist und weil der Alte es so wollte, auch wenn du mehr als nur eine Tracht Prügel dafür verdienst, dass du deine Nase in Dinge gesteckt hast, die dich nichts angehen!«

»Nichts angehen? Dass ihr Familienmitglieder an diese Vampirjäger verkauft? Sie ahnungslos zur Schlachtbank treibt?«, schrie Luciano.

»Es waren keine wichtigen Mitglieder! Nur Störenfriede und Quälgeister und Alte, deren Zeit schon längst abgelaufen war. Kein Verlust für die Familie, die stark und einig sein sollte.«

»Ach, und du entscheidest, wer für die Familie von Nutzen ist und wer geopfert werden kann?«

»Das war Sache des alten Giuseppe. Ich hätte noch so manch anderen ausgewählt, doch ich habe nur seine Anweisungen befolgt.«

»Giuseppe wollte, dass du auch die anderen rettest!«

Die Verachtung in Leandros Miene ließ Luciano ein Stück zurückweichen. »Die anderen? Was sind die schon? Wertlose Nachkommen der Familien, die wir zu Recht über Hunderte von Jahren bekämpft haben! Warum sollte ich sie retten, wenn sie sich in ihrer Dummheit selbst in Gefahr gebracht haben? Ich war weder dafür, dieses Ungeziefer in die Domus Aurea zu lassen, noch war es mein Einfall, dass sie sich in dieser Nacht selbst vernichten. Aber wenn es denn so sein soll … gut! Ich habe nie verstanden, warum der Alte nicht zuallererst die Fremden ausgewählt hat. Aber nein, davon wollte er nichts wissen!«

»Ja, weil er im Gegensatz zu dir verstanden hat, dass wir gemeinsam die Zukunft sind und die einzige Chance für die Vampire, zu überleben und gegen die Menschen zu bestehen!«

Leandro zuckte gelangweilt mit den Schultern »Ich kenne die Reden des Conte. Auch darin waren wir uns nicht einig. Der Alte wollte seinen Enkel mit all seinen Kräften unterstützen und seine Gegner beseitigen. Ich hätte nichts gegen einen Wechsel an der Spitze der Familie gehabt.«

»Aber du bist nur ein Unreiner und hast nichts zu sagen«, zischte Luciano gehässig und wich zurück, als Leandros Faust in die Höhe schoss. Dem ersten Schlag entging er knapp, der zweite jedoch ließ ihn zwei Schritte durch die Luft fliegen und mit dem Rücken gegen ein Bücherregal krachen. Als Luciano sich wieder aufrappelte, war Leandro verschwunden, die Tür hinter ihm verschlossen. Verärgert klopfte sich Luciano den Staub von den Ärmeln. Der Bibliothekar würde nicht ungeschoren davonkommen, dafür würde er sorgen! Und wenn es das Einzige war, das er jetzt noch tun konnte. Seine Gedanken wanderten zu seinen Freunden zurück. Ein überwältigendes Gefühl von Beklemmung drückte stärker auf seine Brust, als der eisenharte Griff des Bibliothekars es je hätte tun können.

*

Alisa, Ivy und Franz Leopold machten sich auf den Weg. Sie schleppten sich eher dahin, als dass sie liefen. Ivy blickte immer wieder über die Schulter zurück. Bislang hielt der Balken. Sie näherten sich dem offenen Oval des Circus, als ihnen ein Dutzend Gestalten am Fuß des Palatins entlang entgegengelaufen kamen. Sie bewegten sich schneller als Menschen und es fehlte ihnen die warme Aura. Einen Augenblick später erkannten sie Conte Claudio, der trotz seiner Körperfülle den anderen voranlief. Er schien außer Atem und sehr erregt, als er Ivy am Arm packte und schüttelte. »Was ist hier eigentlich los? Lernt ihr denn gar nichts aus euren Fehlern?«

Ivy machte sich mit einer energischen Bewegung los und trat einen Schritt zurück. »Was wisst Ihr bereits, Conte?«

»Wir waren auf dem Fest der Borghese, als der Unreine Hindrik uns einholte und zurückrief. Er berichtete, seinen Schützling Tammo und die Pyras Joanne in einem Sarkophag in der Bibliothek eingesperrt gefunden zu haben. Aus den Kindern war kaum ein vernünftiges Wort herauszubringen, nur dass ihr sie geschickt habt, uns zu alarmieren. Es gehe um Leben oder Vernichtung und wir sollten den Spuren folgen. Wenn sie übertrieben haben, werde ich ihnen eigenhändig den Hintern versohlen!« Er reckte hektisch den Hals. Vermutlich war es der Geruch des Blutes. Auch seine Begleiter wurden unruhig.

»Sie haben nicht übertrieben, leider!«, sagte Ivy. »Der altehrwürdige Giuseppe liegt vermutlich inzwischen seines Kopfes und Herzens beraubt in einer Mithraskultstätte unter einem alten Haus.«

»Es war eine Verschwörung von Menschen mit roten Masken«, mischte sich Franz Leopold ein, der Alisa heranführte. »Die Vampirjäger waren auch dort!«

Nun erst sahen die Vampire ihre zerschnittenen Kleider und das Blut, das an ihr hinabrann. Ein Raunen ging durch die Reihen der Familienmitglieder und Servienten, die den Conte begleitet hatten. Alisa entdeckte Malcolm unter ihnen, der sich jedoch sichtlich bemühte, nicht die Aufmerksamkeit des römischen Familienoberhaupts zu erregen. Sicher hatte der Conte ihn nicht aufgefordert, an dieser Mission teilzunehmen. Sie tauschten einen kurzen Blick.

Hindrik stieß einen Ruf des Entsetzens aus und drängte sich vor. Er ging vor Alisa in die Knie und schob mit spitzen Fingern die blutigen Stoffränder auseinander.

»Es sieht, glaube ich, schlimmer aus, als es ist«, sagte sie mit einem Keuchen und versuchte zu lächeln. »Sehr tief ist das Schwert nicht eingedrungen.«

»Nein«, bestätigte Hindrik, »aber es war keine gewöhnliche Klinge, so wie das Blut noch immer fließt.«

»Ein silbernes Schwert«, bestätigte Franz Leopold. »Die gleiche Klinge, die Seymour verletzt hat.«

Hindrik nickte. »Du kannst sie jetzt loslassen. Ich werde sie zurückbringen.«

Franz Leopold zögerte einen Augenblick, doch dann trat er mit einem Schulterzucken beiseite. Hindrik ignorierte Alisas Protest und hob sie in seine Arme.

Der Conte ließ den Blick über die jungen Vampire schweifen. »War nicht auch Luciano bei euch? Wo ist er?«

Franz Leopold spuckte verächtlich auf den Boden. »Euer Bibliothekar Leandro hat ihn in Sicherheit gebracht. Luciano war für ihn der Einzige, den es lohnte zu retten!«

»Sei nicht so hart. Wie kommst du dazu, ihm so etwas zu unterstellen?«, brauste Conte Claudio auf.

»Weil er es gesagt hat, ehe er Luciano davontrug und uns im Stich ließ«, erklärte Ivy. Ihr Tonfall ließ keinen Raum für Zweifel und so widersprach der Conte nicht.

»Wie geht es denn jetzt weiter?«, rief Franz Leopold. »Wir können sie doch nicht einfach entkommen und weiter in Rom ihr Unwesen treiben lassen, bis immer mehr von uns vernichtet werden!«

»Nein, das werden wir nicht zulassen«, sagte der Conte. Trotz seiner dicken Wangen und des Doppelkinns wirkte seine Miene hart und kalt.

»Gut. Ich werde Euch führen. Ivy, du solltest mit Alisa gehen.«

Der Conte nickte knapp. »Dann los.«

Während Hindrik Alisa rasch zur Domus Aurea zurücktrug, brachte Franz Leopold die Vampire zu der Tür, die in das alte Heiligtum hinabführte. Ivys Riegel hatte nicht gehalten. Das war das Erste, was sie sahen, als sie den Eingang zu der antiken Kultstätte des Mithras erreichten.

»Die Vögel sind ausgeflogen«, knurrte der Conte und lief als Erster die Treppe hinunter. Die anderen folgten ihm. Wie erwartet hatten sich die Verschwörer davongemacht. Auch der Vampirjäger und seine Begleiterin waren verschwunden. Die beiden toten Zirkelmitglieder hatten sie mitgenommen. Nur der zerstörte Körper des altehrwürdigen Giuseppe lag noch in der Vorhalle.

Erschüttert kniete sich Conte Claudio neben seinen Großvater, der die Familie der Nosferas so viele Jahre durch die sich wandelnde Zeit geführt hatte. Er legte seine Fingerspitzen auf die kalte Brust.

Seine Begleiter hielten sich respektvoll zurück, doch Franz Leopold trat rasch zu ihm und berührte den Conte an der Schulter. »Jetzt nicht!«

Franz Leopold schwieg, hielt seinen Blick aber starr auf den Durchgang zum Versammlungsraum des Zirkels gerichtet.

»Ihr habt mich viel gelehrt, und nun habt Ihr Euch für das Einzige geopfert, was wichtig ist: unsere Zukunft, die in unseren Kindern wohnt. Ich danke Euch.«

Franz Leopold versuchte wieder, zu sprechen, doch nun hatten auch die anderen die Aura des Mannes wahrgenommen.

»Er ist ihr Anführer. Sie nennen ihn den Kardinal«, raunte Franz Leopold dem Conte zu, als der Mann in der roten Robe unter den Bogen trat. Die Maske hatte er abgenommen. Das Antlitz darunter war alt und verhärmt.

Conte Claudio erhob sich und reckte das Rückgrat, doch der Mann überragte ihn um eine halbe Haupteslänge.

»Ihr habt keinen Grund, ihn so zu loben«, sagte der Kardinal mit barscher Stimme. »Er hat euch verraten und verkauft. Aber vielleicht wusstet Ihr ja längst davon?«

Conte Claudio starrte den Kardinal mit unbeweglicher Miene an. »Nein, nicht dass er es war. Ich ahnte nur, dass die Opfer nicht zufällig auf ihre Häscher trafen.«

»Er hat einen Vertrag mit diesen Leuten ausgehandelt. Er brachte ihnen die Vampire und ihre Rubine und im Gegenzug dafür sollte es keine Ausgrabungen mehr geben«, sagte Franz Leopold rasch.

Conte Claudio nickte. »Ja, es standen gute Absichten dahinter und dennoch war es falsch. Kein Mitglied unserer Gemeinschaft darf auf diese Weise geopfert werden. Wir haben den Menschen bisher erfolgreich die Stirn geboten, und wir werden es weiterhin schaffen, ohne uns auf solch ehrlose Vereinbarungen einlassen zu müssen.« Seine Hand legte sich schwer auf Franz Leopolds Schulter. »Die alte Druidin hat recht. Ihr Jungen seid die Macht unserer Zukunft, und wir werden euch stärken, damit ihr euch alle Zeit gegen die Menschen mit ihrer Technik und ihren Erfindungen behaupten könnt.«

Der Kardinal verzog die bleichen Lippen zu einem höhnischen Lächeln. »Welch rührseliger Schwachsinn! Ihr werdet keine Gelegenheit bekommen, eure Teufelsbrut zu hätscheln. Ich weiß, dass euer Versteck irgendwo dort draußen ist. Bald schon werden wir es aufspüren und euch alle vernichten. Rom ist eine heilige Stadt! Dem Himmelreich nahe! Hier gibt es keinen Platz für dämonische Wesen der Nacht.« Hocherhobenen Hauptes ging er an ihnen vorbei auf die Treppe zu.

»Ihr werdet ihn doch nicht einfach gehen lassen?«, stieß Franz Leopold hervor. »Wenn Ihr ihn nicht tötet, dann tue ich es!«

Der Conte hielt ihn mit eisernem Griff zurück. »Nein, wir werden ihn nicht töten. Ich habe Regeln erlassen, um den Clan zu schützen, und an diese muss auch ich mich halten. Selbst wenn er es tausendmal verdient hat, bis zum letzten Tropfen ausgesaugt zu werden.«

»Dann lasst Ihr ihn einfach gehen?«, rief der junge Vampir entsetzt. Der Kardinal drängte sich zwischen den Begleitern des Conte durch und begann, die Treppe zu erklimmen.

Der Conte schüttelte den Kopf und sprach dann mit erhobener Stimme weiter, sodass der Mann auf der Treppe ihn ebenfalls hören musste. »Nein, wir lassen ihn nicht gehen. Ich frage mich, ob wir nicht noch einen Unreinen gebrauchen könnten. Der Kardinal ist ohne Zweifel ein gebildeter Mann, der in der Bibliothek gute Dienste leisten könnte. Ist er erst einmal zum Vampir gewandelt, wird sich sein Charakter leicht formen lassen!«

Franz Leopold hörte, wie der Kardinal zu laufen begann. Die Tür schlug auf und er hastete ins Freie.

Der Conte ließ ihm noch ein wenig Vorsprung, dann wies er

zwei seiner Servienten an, dem Kardinal zu folgen. Ein anderer sollte die Überreste des Altehrwürdigen nach Hause bringen.

»Und was machen wir jetzt?«, wollte Franz Leopold wissen.

»Wir werden den Vampirjägern einen Besuch abstatten!«

*

Carmelo hing schwer in Latonas Armen. Sein Hals blutete kaum mehr, doch der Schock und vielleicht auch der Blutverlust machten ihn orientierungslos und hilflos wie ein Kind. Seltsamerweise fühlte Latona nur kalte Entschlossenheit. Für Angst und Tränen war jetzt nicht die rechte Zeit. Sie musste handeln, und zwar schnell, wenn sie lebend aus dieser Sache herauskommen wollten. Sie hatte den ganzen Abend schon so ein schlechtes Gefühl gehabt, aber Carmelo vergeblich gedrängt, endlich aus Rom abzureisen.

»Nur noch ein Auftrag«, lautete die immer gleiche Antwort. »Nur noch ein Beutel Geld.«

Nun hatte ihn der Aufschub fast das Leben und – vielleicht noch schlimmer – seine Seele gekostet und auch Latona hätte von der weißen Bestie leicht in Stücke gerissen werden können. Es war ihr, als spüre sie noch immer seine Reißzähne an ihrer Kehle und seinen heißen Atem in ihrem Gesicht. Sein Speichel klebte an ihrem Hals und in den Rüschen ihres Kleides. Latona spürte das unbändige Drängen, sich mit heißem Wasser und Lauge zu schrubben, doch solche Nebensächlichkeiten mussten bis später warten. Bis sie in Sicherheit waren.

»Onkel Carmelo, mach dich bitte nicht so schwer! Ich kann dich nicht länger halten, also reiß dich zusammen!«, herrschte sie ihn an.

Er blieb stumm und starrte nur aus weit aufgerissenen Augen vor sich hin. Sah er sie überhaupt? Sein Schweigen vertiefte ihre Sorge. Das war nicht seine Art. Er hätte schimpfen und fluchen müssen, Rache schwören oder zumindest über Schmerzen klagen. Doch immerhin richtete er sich ein wenig auf und ging nun schneller. Latona dirigierte ihn am Teatro des Marcello vorbei und dann durch die verwinkelten Gassen zu ihrer Unterkunft hinter der Kirche San Nicola de Calcario. Als sie in die Halle traten, hatte sich Carmelo so weit erholt, dass er allein die Treppen erklimmen konnte.

»Setz dich einfach hier aufs Bett«, sagte sie, als es ihr endlich gelungen war, das verrostete Türschloss zu öffnen. »Ich werde die wichtigsten Sachen zusammenpacken.« Mit leisem Bedauern ließ sie ihre Kleider, Hüte und Handschuhe an ihrem Platz und stopfte stattdessen nur die Lederbeutel mit dem Geld und ein paar Wäschestücke in die kleinste ihrer Reisetaschen. Sie zog gerade ein frisches Hemd aus der Truhe, um es Carmelo zu geben, als sie mitten in der Bewegung innehielt. Das weiße Seidenhemd flatterte zu Boden. Latona hatte kein Geräusch von der Treppe her vernommen, und dennoch wusste sie mit allen ihren Sinnen, dass sie dort draußen waren. Das junge Mädchen wich zurück, bis seine Beine gegen die Kante eines Sessels stießen. In stummem Entsetzen starrte Latona auf die Türklinke, die sich langsam senkte.

*

Wie Alisa gesagt hatte, war der Schnitt über ihrer Brust zwar lang, aber nicht sehr tief. Das Silber hielt die Wunde allerdings offen und führte dazu, dass sie eine Menge Blut verlor, bis sie die Domus Aurea erreichten. Hindrik trug sie sofort zu ihrem Sarkophag und schickte Ivy, um Blut zu holen. Signora Zita kam gleich mit einem schwer beladenen Tablett und blieb so lange neben Alisas Sarg stehen, bis sie alles leer getrunken hatte. Sie beugte sich vor und tätschelte ihr mütterlich das Haar.

»Nun schlaf schön, meine Liebe, dann wird es bald heilen.«

Sie eilte davon und scheuchte auch Ivy und den Wolf aus dem Zimmer, damit Alisa ein wenig schlafen könne. Als ob sie sich jetzt einfach zur Ruhe hätte legen können! Der Morgen war noch fern, und sie war so aufgewühlt, dass sie im Zimmer auf und ab gegangen wäre, hätte die Wunde nicht noch immer geblutet und höllisch geschmerzt. So war sie gezwungen, still dazuliegen und über die Ereignisse der Nacht nachzugrübeln.

Ein leises Rascheln von der Tür her ließ sie über den Rand des offenen Sarkophags spähen. Lucianos pausbäckiges Gesicht lugte durch den Türspalt. Als er sich von Alisa entdeckt sah, fuhr er zurück.

»Komm herein!«, rief sie, froh, endlich mit jemand reden zu können, und erleichtert, dass ihm offensichtlich nichts zugestoßen war. Zaghaft schob Luciano die Tür auf und trat ein, blieb aber dicht an der Wand stehen und senkte den Blick.

»Was ist?«, drängte Alisa. »Bist du verletzt worden?«

»Nein«, sagte er kaum hörbar.

»Komm näher, es tut weh, wenn ich mich so verrenken muss, um dich zu sehen.«

Er folgte der Aufforderung, ließ aber noch immer den Kopf hängen und wagte nicht, ihr in die Augen zu sehen. »Ist es sehr schlimm?«, fragte er schließlich.

Alisa wollte mit den Schultern zucken, ließ es aber lieber sein, da der Schmerz in heißen Wellen durch ihren Körper fuhr. »Nein. Es ist nicht tief, wird aber eine Weile dauern, bis es heilt. Was hat Leandro mit dir gemacht?«

»Er hat mich gerettet!«, stieß Luciano bitter hervor. »Euch hat er eurem Schicksal überlassen und mich hat er hierher geschleppt, aber das wird er noch büßen, das schwöre ich dir! Ich werde dem Conte berichten, was für einem Verräter er seine Bibliothek anvertraut hat!«

»Es gibt Schlimmeres, als gerettet zu werden«, sagte Alisa mit einem kurzen Lachen. »Und er ist sicher nicht der Einzige, der nur seine Familie für wertvoll genug erachtet, auf dieser Erde zu weilen.« Sie dachte an Franz Leopold und seine Sippschaft.

»Was soll es Schlimmeres geben, als seine Freunde in höchster Gefahr im Stich zu lassen?«, rief Luciano.

Alisa stemmte sich in ihrem Sarg hoch und griff nach seiner

Hand. Er zuckte zurück, doch sie hielt ihn fest. »Sieh mich an!« Zögernd gehorchte er.

»Du hast uns nicht im Stich gelassen! Es war keine freie Entscheidung oder gar feige Flucht. Du wurdest gegen deinen Willen entführt. Nur das zählt! Und dass wir alle mit – nun ja fast – heiler Haut davongekommen sind! Ist das klar? Wir sind Freunde, die sich immer aufeinander verlassen können! So habe ich dich vorher gesehen und so sehe ich dich noch immer.«

Ein zaghaftes Lächeln schlich sich in seine Züge. »Danke, dass du das sagst, aber die Wahrheit ist, ich hatte schreckliche Angst und wäre am liebsten selbst weggelaufen.«

»Na und? Glaubst du etwa, ich hatte keine Angst? Tatsache ist doch, dass du diesem Drängen nicht gefolgt bist – und auch bis zum Schluss bei uns geblieben wärst, wenn Leandro nicht eingegriffen hätte.«

Luciano drückte ihr nur stumm die Hand und ließ sie dann schnell wieder los, als er spürte, dass sich jemand näherte. Fast panisch taumelte er zurück, bis er mit dem Rücken gegen den nächsten Sarg stieß, doch es war nur Ivy, die mit Seymour zurückkehrte.

»Es war nicht einfach, mich Signora Zitas Fürsorge und ihrer noch größeren Neugier zu entziehen.« Ivy ließ sich im Schneidersitz auf dem Deckel ihres reich verzierten Sarkophags nieder. »Nun bleibt uns leider nichts anderes übrig, als auf Franz Leopold zu warten, um das Ende der Geschichte zu erfahren. Soll ich euch derweil etwas vorlesen, um die Zeit zu vertreiben?«

Alisa nickte, obwohl sie sich nicht vorstellen konnte, wie eine Geschichte sie von den Ereignissen dieser Nacht ablenken sollte. Bald jedoch schweifte ihr Geist nicht nur in fremde Welten und Abenteuer, er machte sich gleich weiter auf, in das Reich der Träume zu gleiten. Alisa merkte nicht einmal mehr, wie Luciano und Ivy den Deckel zuschoben.

ABSCHIED

Die Vampire liefen schweigend durch die Nacht. Obwohl die Menschen einen guten Vorsprung hatten, war es leicht, ihrer Spur zu folgen, und der immer deutlicher werdende Geruch von Blut und Schweiß zeigte ihnen, dass sie schnell aufholten.

»Ich weiß, wohin sie gehen. Sie wohnen in der Nähe der Zisterne, in der wir die Verbrannten gefunden haben.« Franz Leopold schloss zu dem Clanführer der Nosferas auf.

Der Conte nickte. »Dort wird keiner mehr von uns vernichtet werden. Dafür ist gesorgt.« Er beschleunigte seinen Schritt, doch Franz Leopold bereitete es keine Mühe, an seiner Seite zu bleiben. Wie Luciano war auch der Anführer der Familie kein guter Läufer. Sie erreichten die Haustür und drangen in die Halle ein. Eine Treppe führte zu den beiden Zimmern hinauf, die die Vampirjäger bewohnten. Respektvoll ließen die Begleiter ihrem Oberhaupt den Vortritt. Er öffnete die Tür und trat ein.

»Sie wollen verreisen?«, fragte er das Mädchen höflich, das ihn mit offenem Mund anstarrte. Angst umhüllte sie wie eine Wolke scharfen Parfüms. Dann trat ein trotziger Zug in ihr Gesicht.

»Ja, wir verlassen Rom. Das hätten wir schon viel früher tun sollen!«

Der Blick des Conte wanderte zu dem Mann auf dem Bett, der im Moment nicht wie der gefährliche Jäger aussah, der mehr als ein halbes Dutzend seiner Clanmitglieder auf dem Gewissen hatte. »Ja, das wäre für alle besser gewesen, auch für Sie beide. Und seiner Gesundheit sehr viel zuträglicher!«

Latona sah von dem kleinen, dicken Vampir, der offensichtlich so etwas wie ein Anführer für sie war, zu seinen Begleitern, von denen einige mit ins Zimmer getreten waren. Sie erkannte den überirdisch schönen, dunkelhaarigen Jungen, der sie zusammen mit dem Wolf angegriffen hatte. Die anderen Männer hatte sie noch nie gesehen. Lauter ernste, fremde Gesichter. Manche bedrohlich, andere eher gelangweilt. Doch plötzlich war da ein Paar blauer Augen. Ihr Herz machte einen Sprung. Malcolm! Er stand noch auf dem Treppenabsatz und schien sich hinter einem vierschrötigen Vampir zu verbergen, doch sein Blick war auf Latona gerichtet. Für die Ewigkeit eines Wimpernschlags schauten sie einander an. Die wahnwitzige Hoffnung, er könne in das Zimmer stürzen, sie an sich reißen und mit ihr die Flucht ergreifen, flutete durch Latonas Sinn, doch da trat der Anführer der Vampire auf sie zu und versperrte ihr die Sicht auf Malcolm. Eine Woge von Verwesungsgeruch drang aus seinem Mund, als er sich zu ihr vorbeugte und tief einzuatmen schien. Dann riss er mit einer schnellen Bewegung einen Teil ihres Ärmels ab. Latona schrie vor Schreck auf. Auch ihre Hoffnung, der Onkel würde ihr zur Hilfe eilen, wurde enttäuscht. Carmelo starrte aus glasigen Augen zu den Vampiren hoch. Begriff er überhaupt, was hier vor sich ging?

Auf einmal wurde sein Blick klar. Er stemmte sich vom Bett hoch und richtete sich auf. »Ihr seid also gekommen, um Rache zu üben. Nun denn, mein Schwert ist zerbrochen, meine Fallen verschüttet. Ich habe euch nichts mehr entgegenzusetzen. Ich habe mein Glück einmal zu viel versucht.«

Der Vampir trat zu ihm. Er zog die Lippe hoch und zeigte seine Reißzähne. Latona sank auf dem Sessel zusammen. Er packte Carmelo am Arm und zog ihn mit einem Ruck an seine Brust. »Ja, ihr beiden habt den Tod verdient oder ein Leben in ewiger Verdammnis, doch es hat hier schon zu viele verdächtige Leichen gegeben. Jeder Tote mehr könnte unseren eigenen Untergang bedeuten. Doch freut euch nicht zu früh!« Mit einem Ruck zerriss er Carmelos Ärmel und hielt sich die beiden Stoffstreifen unter die Nase. »Wir haben eure Witterung aufgenommen und werden sie nicht wieder vergessen. Wagt es ja nicht, diese Stadt noch einmal zu betreten! Denn dann werden wir euch aufspüren und für alle Ewigkeit zu unseren Sklaven machen. Schafft sie weg!«

Starke Hände packten sie und schleppten sie aus dem Haus. Für einen Moment fühlte Latona Malcolm an ihrer Seite. Seine Hand legte sich auf die ihre. »Wehre dich nicht«, hauchte er in ihr Ohr. In seinem Blick lag Bedauern. Er würde ihr nicht helfen. Er konnte ihr nicht helfen!

»Wo bringt ihr uns hin?«, wagte Latona zu fragen. Geistesgegenwärtig griff sie nach ihrer Tasche und presste sie an die Brust.

»Zum Anfang eurer langen Reise«, sagte der Anführer der Vampire und gab seinen Begleitern einen Wink. »Freut euch, ihr werdet mit der Eisenbahn fahren. So weit weg, wie das Schienennetz reicht!« Und an seine Männer gewandt, fügte er hinzu: »Sorgt dafür, dass sie nicht aussteigen können, ehe sie ihr Ziel erreicht haben!«

Latona wandte den Kopf, um Malcolm ein letztes Mal anzusehen. Er führte die Finger an seine Lippen und neigte zum Abschied den Kopf. Dann wurden Latona und ihr Onkel fortgezogen und der junge Vampir entschwand ihrer Sicht.

Die Vampire machten sich auf den Heimweg. Vor dem Eingang zur Domus Aurea trafen sie wieder mit den beiden Getreuen zusammen, die der Conte dem Kardinal hinterhergeschickt hatte, doch von dem alten Mann in seiner roten Robe konnte Franz Leopold keine Spur entdecken. Hatten sie ihn ausgesaugt und zum Vampir gemacht, sobald er in ihrer Gewalt war? Die Möglichkeit, dass sie ihn nicht hatten einholen können, war nicht einmal eines Gedanken wert. Doch warum brachten sie ihn nicht mit hierher? Er musste in einen Sarg gelegt werden, bis die schmerzhafte Wandlung vollzogen war. Das konnte einige Nächte dauern, und es war nicht gut, wenn man das junge Wesen der Nacht in dieser Zeit alleine ließ – auch wenn es nur zu einem Servienten wurde. Franz Leopold sah fragend zu Conte Claudio hinüber. Er wirkte alles andere als überrascht, den Kardinal nicht zu sehen.

»Nun, was habt ihr mir zu berichten?«, fragte er, als sie die Pforte durchschritten hatten und in den großen Hof traten. Einer der Servienten verbeugte sich, ehe er dem Familienoberhaupt antwortete.

»Wir hatten ihn schnell eingeholt und folgten ihm dann so auffällig, dass er uns gar nicht übersehen konnte. Er lief zum Tiber hinunter und dann am Ufer entlang. Wir schlossen mal näher auf, dann ließen wir uns wieder ein wenig zurückfallen, doch nur so weit, dass er sich weiter gehetzt fühlte.«

»Er war nicht sehr schnell unterwegs!«, sagte der andere. »Selbst für einen Mann in diesem Alter!«

Der Erste fuhr fort. »Auf der Höhe von Sant Angelo wollte er den Tiber überqueren. Wir bedrängten ihn ein wenig, bis er auf die Brücke gelaufen war, und blieben dann zwischen den ersten beiden Statuen stehen. Er hielt inne und sah sich zu uns um. Dann erklomm er erstaunlich behände die Brüstung.«

»Ja, er war recht schnell, doch dann verfing er sich mit dem Fuß in seinem langen roten Gewand.«

»Wir mussten nicht einmal näher treten, um ihm in die Augen zu blicken. Er bedurfte keiner Überzeugung mehr!«

»Dann fiel er mehr, als dass er sprang?«, fragte der Conte.

Die beiden Servienten zuckten mit den Schultern. »Ist das von Belang? Er hatte seine Wahl getroffen, als er auf die Steinbrüstung kletterte. Jedenfalls haben die Fluten des Tevere ihn mit sich genommen. Das Wasser ist hoch und reißend. Sein Körper wird erst wieder auftauchen, wenn seine Seele längst von ihm gegangen ist!«

Conte Claudio entließ Franz Leopold und die anderen mit einem Kopfnicken. Hoch aufgerichtet stand er mitten im Hof und wartete, bis alle in den Gängen und Gemächern der Domus Aurea verschwunden waren. Dann sackten seine Schultern nach vorn.

»So ist es gut!«, sagte er so leise, dass Franz Leopold, der hinter einer Säule stehen geblieben war, ihn kaum verstehen konnte. »Wie hätte ich jede Nacht in dieses Gesicht blicken können, ohne dass mich der Zorn übermannt? – Franz Leopold! Auch du solltest in deinen Sarg zurückkehren. Ich glaube, für heute Nacht hatten wir alle genug Aufregung!« Der Conte blickte nicht einmal in seine Richtung, sondern verließ den Hof auf der anderen Seite.

*

Conte Claudio ging zum Gemach des altehrwürdigen Giuseppe und schloss die Tür hinter sich. Sein Diener hatte die Überreste in den Sarkophag gelegt und den Deckel des reich verzierten Marmorsargs geschlossen. Conte Claudio hob die schwere Platte an und lehnte sie gegen die Wand. Die Hände auf den Rand gestützt, stand er stumm da und sah auf die Samtkissen hinab, zwischen denen der ehemalige Clanführer, sein Großvater und Mentor, nun lag. Der Diener hatte sich alle Mühe gegeben, die Spuren der Zerstörung zu verbergen. Er hatte dem altehrwürdigen Giuseppe ein frisches Hemd mit Rüschen auf der Brust und hohem Kragen angezogen, das die Wunden verbarg und es so aussehen ließ, als säße der Kopf noch auf den Schultern. Dennoch hatte der Zerfall schon eingesetzt und war nicht einmal mehr in diesem trüben Licht zu leugnen. Die Haut löste sich auf und wurde zu Staub. Der Conte wusste, dass der gleiche Prozess auch von innen her im Gange war. Bis zum anderen Morgen würden nur noch die Kleidungsstücke und ein Häufchen Staub daran erinnern, dass es den Vampir reinen Blutes Giuseppe di Nosferas einst gegeben hatte.

Conte Claudio seufzte. Er war allein. Er musste in diesem Augenblick für keinen die Haltung bewahren, nicht der selbstsichere Führer der Familie sein. Er konnte seiner Trauer und Verzweiflung für ein paar Momente freien Lauf lassen.

»Warum? Warum hast du das getan?« Die Worte verhallten in dem steinernen Gelass, das eines der größten Gemächer der Domus Aurea war. Wer würde nach Giuseppe hier einziehen? Seltsam, welche Gedanken einem durch den Kopf gingen, wenn man versuchte, den Schmerz zu verdrängen.

»Es gibt keine Entschuldigung!«, rief er und starrte auf den gemarterten Körper hinab. Ein wenig Staub rieselte in die roten Kissen. »Warum hast du nicht mit mir darüber gesprochen? Weil du wusstest, dass ich so einem Plan niemals zugestimmt hätte! Es gibt nichts, gar nichts auf dieser Welt, das deinen Verrat rechtfertigen könnte! Wie lange hast du es geschafft, dir vorzulügen, es wäre zum Besten der Familie? Das Blut der Nosferas klebt an deinen Händen! Nicht der Kardinal und auch nicht der Jäger, du warst es! Und dafür musstest du nun bezahlen. Hast du ihnen wirklich getraut? Geglaubt, es könne einen Vertrag zwischen unsereins und der Kirche geben? Narr! Vielleicht warst du wirklich nur noch ein seniler Narr, dessen Zeit vorüber war.«

Conte Claudio erhob sich und legte den Deckel wieder auf den Sarg. Der Klang breitete sich wie das Dröhnen einer Glocke aus und verhallte nur zögerlich. »Und ich war ein bequemer Narr, der nicht wissen wollte, was in seinem eigenen Haus vor sich geht.«

Er verließ das Gemach, ohne sich noch einmal umzusehen. Hinter ihm fiel die Tür donnernd ins Schloss.

*

Als Alisa am Abend wieder erwachte, musste sie sich eingestehen, dass sie sich kaum besser fühlte. Eine normale Wunde hätte sich vermutlich bereits vollständig geschlossen. So aber würde es Tage, wenn nicht sogar Wochen dauern! Der Conte ließ ihr drei Rubine in den Sarg legen, um ihre Kräfte besser zu bündeln und auf die Heilung zu konzentrieren, und Signora Zita sorgte dafür, dass sie so viel trank, bis sie protestierte und energisch den Kopf wegdrehte.

Als eine sehr verwunderte Zita den Raum verlassen hatte, lächelte Ivy sie mitfühlend an. »Noch nicht besser? Sag es ganz ehrlich!«

Alisa erwog zu lügen, schüttelte dann aber den Kopf. »Nein, leider nicht.« Luciano, der ebenfalls gekommen war, um Alisa Gesellschaft zu leisten, machte ein betretenes Gesicht. Er wurde immer noch von Schuldgefühlen gequält. Doch wenigstens brannten diese nicht, als würde ein Feuer seinen Leib verzehren!

»Vielleicht kann ich dir helfen«, sagte Ivy. »Ich habe noch von der Tinktur, die das Gift des Silbers aus Seymours Körper gesogen hat. Tara ist eine große Druidin und eine Meisterin der Magie. Ich könnte mir denken, dass ihre Kunst auch dir helfen kann.«

Alisa nickte. »Dann versuchen wir es.«

Luciano drehte sich verschämt um, während Ivy die Leinenstreifen löste, die Tinktur auftrug und Alisa dann wieder verband. »Du kannst dich wieder umdrehen«, forderte sie Luciano auf. In ihrer Stimme schwang Belustigung. »Wenn ich mich nicht täusche, müsste der Heilungsprozess in ein paar Nächten abgeschlossen sein!«

»Hoffen wir es«, murmelte Alisa.

Am vierten Abend nach ihrer Verletzung, als Ivy mit Seymour bereits zur Halle mit der goldenen Decke gegangen war und auch die anderen sie allein gelassen hatten, trat Franz Leopold in ihre Kammer. Er trug wieder die Miene zur Schau, die Alisa jedes Mal zur Weißglut brachte. Sie saß im langen weißen Unterkleid in ihrem Sarkophag, den Rücken gegen einige Kissen gelehnt, und hatte die Zeitung aufgeschlagen, die Hindrik ihr gebracht hatte. Inzwischen konnte sie so viel Italienisch, dass sie zumindest begriff, worum es in den Artikeln ging.

»Was willst du?«, fragte sie schroff. Es war ihr peinlich, dass er sie schon wieder aus einer gefährlichen Situation hatte bringen müssen – ja, sie wieder einmal in seinen Armen gehalten und getragen hatte!

»Ich muss doch wissen, ob es sich gelohnt hat, dich schon wieder zu retten«, sagte er und schlenderte näher.

»Danke«, presste Alisa unwillig hervor. »Es wird nicht noch einmal vorkommen, dass du dich um mich bemühen musst.«

Er winkte lässig ab. »Sag das nicht. Wer weiß, was in den nächsten Jahren noch auf uns zukommt. Da findest du sicher die eine oder andere Gelegenheit, dich in Schwierigkeiten zu bringen.«

Er beugte sich ein wenig vor und spähte in den mächtigen Steinsarkophag. Verlegen zog sich Alisa das Laken bis unter den Hals. »Was ist? Was starrst du mich so an?«

»Ich kann mir nicht vorstellen, dass deine Verletzung es noch rechtfertigt, dem Unterricht fernzubleiben. Aber ich verstehe das schon«, fügte er gönnerhaft hinzu. »Es ist eine passable Ausrede, sich vor unseren beiden Lieblingsprofessoren zu drücken.«

»Ich drücke mich nicht vor den Foltergeschwistern!«, brauste Alisa auf, obwohl Hindrik sie genau mit diesem Argument dazu überredet hatte, diese Nacht noch im Sarg zu bleiben. Doch das wusste Franz Leopold ja nicht, genauso wenig wie er wusste, dass die Tinktur der Druidin wahre Wunder bewirkt hatte! Franz Leopold grinste sie wissend an.

Wenn ich doch nur in seinen Gedanken lesen könnte, dachte Alisa zornig. Sie fühlte sich immer so hilflos und unterlegen, wenn er sie so ansah und ihr dabei das Gefühl gab, gläsern zu sein.

»Ja, das glaube ich dir, dass du das gern könntest. Aber ich fürchte, das wird dir nicht einmal mit viel Übung gelingen. Ihr Vamalia habt euch zu sehr mit den Menschen und ihren sinnlosen Erfindungen beschäftigt und es versäumt, die wahrhaft wichtigen Fähigkeiten der Vampire zu vervollkommnen – ja, sie überhaupt nur im Ansatz zu erhalten! Es fällt mir nicht leicht, dies zu sagen, aber ohne uns wäre deine Familie in Kürze zum Aussterben verdammt.«

Alisa fuhr hoch. Ihr Arm schoss nach vorn. Der Finger zeigte zur Tür. »Raus! Verschwinde! Und wage es nicht, diesen Schlafraum noch einmal zu betreten. Allein dein Anblick macht mich krank. Ja, lies nur meine zornigen Gedanken, denn alles, was ich in deiner Gegenwart fühlen und denken kann, ist tiefe Verachtung!«

Das überhebliche Lächeln war aus seinem Gesicht gewichen, als er eine Verbeugung andeutete. »Gut, dass wir das geklärt haben. Lebe wohl! Ich werde nun das tun, womit wir hier eigentlich unsere Zeit zubringen sollten: zum Unterricht gehen, um meine Kräfte zu stärken!«

Er ging. Alisa sah ihm nach. Sie konnte sich nicht mehr auf ihre Zeitung konzentrieren. Sie fühlte sich ausgelaugt und leer und unheimlich traurig.

*

Die letzten beiden Wochen vergingen wie im Flug. Alisa nahm wieder am Unterricht teil, übte mit den anderen den Umgang mit Kruzifixen, Weihwasser und Hostien, lernte eine letzte Lektion Italienisch und steckte bei den Geschwistern Umberto und Letizia noch einmal Schläge mit dem Rohrstock ein. Nach dieser Stunde waren Tammo, Sören und die Pyras so aufgedreht, dass sie sich im Gemeinschaftsraum eine saftige Prügelei lieferten.

Alisa und Ivy sahen einander kopfschüttelnd an. »Man sollte doch meinen, sie seien froh, dem Stock für die nächsten Monate entkommen zu sein, stattdessen scheinen sie jetzt schon geradezu Sehnsucht nach Prügel zu entwickeln!«

Dann kam der Abend, an dem sie wieder nach Hause reisen sollten. Die Reisekisten und Särge wurden gepackt und in den großen Hof getragen, wo Servienten sie auf Sänften oder Karren luden. Die ersten Wagen rollten durch das Tor.

Alisa und Ivy umarmten einander herzlich. »Ich freue mich so, dich schon bald in deiner Heimat wiedersehen zu können! Wenn es nach mir ginge, könnten wir sofort alle gemeinsam nach Irland reisen!«

Luciano nickte zustimmend. Er verbeugte sich feierlich vor ihnen und umarmte sie dann ganz kurz. Ein wenig verlegen trat er zurück und senkte den Blick. »Ich werde euch beide vermissen. – Euch drei!«, berichtigte er mit einem Lächeln in Seymours Richtung.

»Ja, dich werde ich auch vermissen.« Alisa ließ sich auf ein Knie sinken und legte die Arme um den pelzigen Nacken des Wolfes. »Gib gut auf unsere Ivy-Máire acht. Sie ist uns lieb und teuer!«

Er sah sie ernst aus seinen klugen gelben Augen an. Alisa fühlte sich wie gelähmt. Es war, als hätte er einen Bann über sie geworfen, den sie nicht durchbrechen konnte. Ein Schauder lief ihr über den Rücken. Endlich wandte der Wolf den Blick ab und Alisa erhob sich taumelnd. »Er ist ein guter Freund und Beschützer«, sagte sie etwas außer Atem.

»Ivy-Máire! Komm endlich in deinen Sarg. Wir müssen aufbrechen. Die Flut wird nicht auf uns warten!« Mervyn winkte sie ungeduldig zu sich.

»Ja, ich komme! Dann also bis September – und immer schön mit Kreuzen und Weihwasser üben!« Sie sah ihre Freunde noch einmal an, dann wirbelte sie herum, dass sich ihr silbernes Gewand blähte und ihre Locken flogen, und eilte Mervyn nach, dicht gefolgt von Seymour. Ivy legte sich zusammen mit dem Wolf in ihre Reisekiste. Der Deckel wurde geschlossen und vernagelt. Dann hoben zwei Servienten die Kiste auf den Wagen, der sie zum Hafen am Tiber bringen sollte. An der Küste würden die Särge auf einen Schoner geladen, einen schnellen Segler, der als Post- und Kurierschiff zu den Britischen Inseln unterwegs war.

Die Pferde zogen an, der Karren begann zu schwanken und rumpelte über das unebene Pflaster. Ivy lag auf dem Rücken, eine Hand in Seymours Fell vergraben. Sie spürte, wie seine Ohren spielten.

»Hast du ihn gehört?«, flüsterte sie. »Ich kann ihn wittern. Er ist auf dem Karren, auch wenn ich mir nicht denken kann, was um alles in der Welt er vorhat!«

Ivy lauschte und war nicht überrascht, als die ersten Nägel aus dem Sargdeckel gezogen wurden. Dann klappte der Deckel auf und sie sah in Matthias' unbewegliches Gesicht. Das allerdings erstaunte sie ein wenig. In seiner stoischen Art legte er stumm die Hand an die Brust und verbeugte sich, dann zog er sich zurück und ließ seinen Herrn vortreten.

»Ich brauche dich nicht mehr«, sagte Franz Leopold. »Du kannst zur Domus Aurea zurückkehren und zusehen, dass alles vorbereitet ist.« Der Diener sprang vom fahrenden Wagen.

Ernst blickte Franz Leopold auf sie herab. Ivy setzte sich auf und zog ihr Kleid bis über die Knöchel hinunter, dass nur noch die nackten Füße zu sehen waren. »Was gibt es?«, fragte sie, als sei es ganz normal, dass er auf diesem Karren war, der dem Tiberhafen zuschwankte, um seine Ladung nach Irland einzuschiffen. »Dies ist nicht der Zug nach Wien, falls dir das entgangen sein sollte.«

»Danke für den Hinweis, doch das ist mir durchaus nicht entgangen. Unser Zug fährt erst in ein paar Stunden ab.« Ein Hauch von einem Lächeln huschte über seine Lippen, breitete sich über sein ganzes Gesicht aus und gab den braunen Augen einen goldenen Schimmer. »Manches Mal wüsste ich gern, was du denkst.«

»Das glaube ich dir, aber ich werde das zu verhindern wissen!«, erwiderte sie fast ein wenig hart. »Warum bist du gekommen?« Ivy schlang ihre Arme um die Knie. Sie sah den jungen Dracas aufmerksam an, doch der senkte den Blick auf seine glänzend polierten Lackschuhe.

»Ich dachte, es gehört sich, dass ich mich von dir verabschiede, wenn wir uns für ein paar Monate nicht sehen. Niemand kann behaupten, wir hätten in Wien nicht eine ausgezeichnete Kinderstube genossen!«

Ivy lachte hell auf. »Ja, das ist wahr. Ich bin froh, dass du dich nicht einfach über die gesellschaftlichen Höflichkeitsformen hinwegsetzt.«

Er warf ihr einen misstrauischen Blick zu. »Machst du dich über mich lustig?«

Sie schüttelte den Kopf. »Nein, ich frage mich nur, ob dir nicht in den Sinn gekommen ist, mir im Hof der Domus Aurea Lebewohl zu sagen.«

»In den Sinn gekommen, ja, doch der Ort schien mir nicht geeignet zu sein.«

Ivy verstand. »Weil ich dort nicht allein war?«

»Ich kann in einem solchen Augenblick durchaus auf Lucianos Hass und Alisas Verachtung verzichten!«, sagte er vermutlich heftiger als beabsichtigt.

Ivy seufzte. »Ich sehe, wir werden in Irland viele Missverständnisse auszuräumen haben!« Sie schenkte ihm ein warmes Lächeln. »Aber ich bin zuversichtlich, dass wir das schaffen. Wir haben viele Monate Zeit. – Jetzt allerdings läuft uns die Zeit davon. Ich kann schon die Rufe der Schauerleute hören.« Sie streckte ihm die Hände entgegen. »Wir sehen uns bald wieder. Ich wünsche dir eine gute Rückkehr nach Wien und im Herbst eine sichere Reise nach Irland.«

Franz Leopold umschloss ihre zarten Finger, als seien sie äußerst zerbrechlich. Er zitterte ein wenig. »Ich freue mich darauf, deine Heimat kennenzulernen.«

»Ach ja? Hast du deine Meinung über uns steinzeitliches Bauernvolk geändert, das nur dazu taugt, Schafe zu hüten?« Der Schalk schimmerte in ihren türkisblauen Augen.

Franz Leopold lächelte zurück. »Aber nein, dennoch kann es nicht schaden, auch einmal Völker zu betrachten, die die Schwelle zur Zivilisation noch nicht überschritten haben. Nenne es ein interessantes Studienobjekt.« Seine Worte klangen wie eh und je, sein Tonfall aber kam einer Liebeserklärung gleich.

Ivy knuffte ihn in den Arm. »Leo, du bist und bleibst ein überhebliches Scheusal!«

Der junge Vampir deutete eine Verbeugung an. »Zuweilen habe ich mich ein wenig gehen lassen, doch ich werde den Sommer über an meiner aufrechten Haltung und meinem Stolz arbeiten. Ich will den anderen doch nicht ihr Objekt der Abneigung nehmen!«

Der Wagen hielt mit einem Ruck an. Franz Leopold beugte sich vor und berührte ihre Fingerspitzen mit seinen kalten Lippen. Ivy zuckte zusammen und zog die Hände zurück. »Wie es scheint, ist unsere Zeit zerronnen. Pass gut auf dein Herz und deinen Hals auf, Ivy-Máire, bis wir uns wiedersehen – und auf deinen Wolf. Er ist wirklich ein außergewöhnliches – jetzt hätte ich beinahe Tier gesagt, aber *Wesen* ist wohl passender!« Ivy sah ihn nur stumm an.

Franz Leopold klappte den Deckel zu und schlug die Nägel wieder ein. Er konnte gerade noch unter der Plane durchschlüpfen, als die Schauerleute von der anderen Seite herantraten, um die Särge abzuladen. Er zog sich zu einem Stapel Weinfässer zurück und sah ihnen zu.

»Wir sollten zurückkehren, wenn Ihr den Zug nach Wien nicht verpassen wollt.« Franz Leopold unterdrückte die Rüge, die ihm auf der Zunge lag. Hatte er seinem Diener nicht befohlen vorauszugehen?

»Ich muss Euch gehorchen und ich muss Euch beschützen. Manches Mal kann man nicht beides«, sagte Matthias.

Rasch verschloss Franz Leopold seinen Geist, denn was er gerade in seinen Gedanken bewegte, sollte nicht einmal Matthias erfahren. »Dann lass uns gehen!«, erwiderte er schroff.

Lautlos und schnell wie Blätter im Sturmwind liefen sie dahin, zurück zur Domus Aurea, wo ihre Kutsche zum Bahnhof bereits auf sie wartete.

*

Der Zug ratterte durch die Nacht. Alisa lag in ihrer Kiste und fühlte, wie der Rhythmus der Schwellen wie Wellen durch ihren Körper glitt. Den ganzen Tag über waren sie durch das Königreich Italien nordwärts gereist und hatten den großen Strom überquert, der sich träge durch die Poebene schlängelte. Seit die Nacht angebrochen war, fuhr der Zug immer langsamer und quälte sich zwischen den aufragenden Gipfeln zum Pass hinauf. Alisa summte im Taktschlag der Räder, vielleicht weil sie sich so allein und bedrückt fühlte. Sie hätte sich freuen sollen, heimzukommen zu ihrer Familie!

Plötzlich hielt sie inne. Ein Geräusch schwang sich über den Lärm des Zuges und dann konnte sie jemanden spüren. Ein Vampir, ja, eindeutig ein Vamalia.

Hindrik? Sie blinzelte erstaunt, als der Deckel plötzlich abgehoben wurde und der Servient auf sie herabgrinste.

»Was? Du liegst noch immer in deiner Transportkiste, obwohl

die Sonne bestimmt schon vor zwei Stunden untergegangen ist?«

»Wo sollte ich denn sonst sein?«, verlangte Alisa zu wissen, ohne sich zu rühren. »Ich dachte, wir hätten von Dame Elina persönlich die Anweisung erhalten, uns während der Reise nicht vom Fleck zu rühren!«

Hindriks Augen wurden weit. »Seit wann interessierst du dich für Anweisungen, die deinem Verlangen zuwiderlaufen? Hat euer kleines Abenteuer dich so verschreckt?«

Alisa richtete sich in ihrer Kiste auf und lächelte ihn an. »Und seit wann verführst du uns zum Ungehorsam? Ich dachte immer, deine Aufgabe wäre es, uns im Zaum zu halten!«

»Ja, vielleicht morgen wieder, daheim in Hamburg unter dem strengen Blick von Dame Elina und ihren Vertrauten. Aber heute Nacht sind wir frei – nicht mehr im Land der Nosferas und auch noch nicht im Reich von Dame Elina. Wir sind frei, irgendwo zwischen Himmel und Erde.«

»Zwischen Schluchten und weiß verschneiten Bergen«, sprach Alisa weiter und sprang aus ihrer Kiste. »Wollen wir auf das Dach klettern?«

Hindrik versuchte sich an einer würdevollen Miene, die kläglich misslang. »Aber ja! Das wollte ich eben vorschlagen. Aber leise!«, mahnte er und deutete auf die beiden Kisten, in denen Tammo und Sören reisten.

Alisa schlug die Hand vor den Mund und unterdrückte ein Kichern. Dann schlüpfte sie durch die nur angelehnte Tür auf die Plattform zwischen den Waggons hinaus und hangelte sich geschickt auf das Wagendach. Hindrik folgte ihr.

»Was für eine wundervolle Nacht!«, seufzte Alisa. Sie legte den Kopf in den Nacken und drehte sich auf der Stelle. Die Sterne über ihr verschwammen zu Lichtkreisen. Der betörende Duft der Frühlingsblumen hüllte sie ein. Ein Tier brach durch den Wald und jagte über einen steinigen Hang davon. Eine ganze Herde folgte ihm. Alisa hielt inne. »Sind das Gämsen?«

Hindrik nickte und ließ sich im Schneidersitz auf dem Dach nieder. Der Fahrtwind wehte ihm das lange Haar ins Gesicht, doch das schien ihn nicht zu stören. Er beobachtete Alisa, die noch immer von einer Seite auf die andere wechselte, um einen Blick in jede Schlucht und jeden Abgrund werfen zu können. Als sie sich ihm das nächste Mal zuwandte, erstarrte sie kurz, dann teilte ein breites Lächeln ihr Gesicht.

»Hindrik, runter!« Sie hechtete sich neben ihn und drückte ihn mit ihrem Arm flach auf das Waggondach. Der Pfiff der Lokomotive schrillte durch die Nacht, als sie in den Tunnel fuhren. Hand in Hand blieben sie liegen, bis sie den letzten Höhenzug hinter sich gelassen hatten und die Schienen sich nach Norden ins Tal neigten. Dann erst setzten sie sich wieder auf. Fast gleichzeitig zogen sie ihr Taschentuch hervor, um es dem anderen zu reichen. Sie fuhren sich über die Gesichter und starrten dann auf den vom Ruß verschmierten Stoff hinab. Alisa begann zu lachen.

Hindrik fiel in ihr Lachen ein. »Ich fürchte, ich sehe genauso schlimm aus wie du. Was werden wir Heimkehrer aus dem fernen Rom für ein Bild abgeben, wenn wir in Hamburg vor dem großen Empfangskomitee aus unseren Kisten steigen?«

»Ein würdevolles«, sagte Alisa trocken, »ganz in Schwarz!«

EPILOG:
NEUE PLÄNE

Er war schon da. Wie bei ihren vorherigen Treffen auch hatte er die Hutkrempe so tief ins Gesicht gezogen, dass sie seine Züge nicht erkennen konnte. Der altmodische Umhang mit den vielen Schultercapes verhüllte seine Gestalt, die jedoch außergewöhnlich groß sein musste.

»Ich hoffe, Ihr bringt mir gute Nachrichten?« Seine Stimme rollte wie Donner durch ihren Leib und hallte in ihrem Geist wider. Die von Spitzenhandschuhen verhüllten Finger krampften sich um ihren zarten Fächer aus Schwanenhaut. Sie musste es nicht aussprechen. Er wusste es bereits, als der Gedanke sich in ihrem Kopf formte.

»Nein, Ihr seid nicht gekommen, um mir das zu sagen, was ich hören will.«

»Ich habe alles versucht«, verteidigte sie sich. Ihre Stimme klang selbst in ihren eigenen Ohren unnatürlich schrill. Sie räusperte sich und versuchten, den überlegenen, gezierten Tonfall zu finden, den sie sich zu eigen gemacht hatte, doch seine Gegenwart ließ alle Überheblichkeit wie ausgebrannte Scheite in sich zusammenstürzen. Es verlangte sie danach, ihm ins Gesicht zu sehen, doch ihr Blick hing wie hypnotisiert an der goldenen Echse, die sich um seinen langen, schmalen Ringfinger wand. Sie schien sie aus ihren Smaragdaugen anzustarren.

»Wie wird es jetzt weitergehen?«, sagte er trügerisch sanft.

Sie straffte den Rücken und schüttelte ihre weit ausladenden Röcke zurecht. Die Seide raschelte und legte sich weich und kühl um ihre Beine. »Die Kinder der Clans kehren in dieser Stunde zu ihren Häusern zurück. Im September soll dann dieses unsinnige Experiment fortgeführt werden.«

»Es ist ganz und gar nicht unsinnig, das solltet inzwischen sogar Ihr begriffen haben!«, widersprach das Wesen im Schatten. »Wo werden sie sich treffen? Ihr habt meine Anweisungen doch sicher verstanden?«

Sie fiel in sich zusammen. Die stolze Haltung löste sich auf. Selbst ihre Haut wirkte plötzlich welk und verbraucht. »Ich habe alles versucht, glaubt mir, aber ich konnte es nicht verhindern: Sie gehen nach Irland!« Es war gesagt! Der Augenblick, vor dem sie sich so gefürchtet hatte, war gekommen. Sie machte sich keine Illusionen darüber, wie er diese Nachricht aufnehmen würde. Sein Zorn war so mächtig, dass die Luft zwischen ihnen zu vibrieren schien, doch er blieb ruhig sitzen und erhob nicht einmal die Stimme.

»Ihr habt also versagt, obwohl Ihr wusstet, wie wichtig diese Sache für mich ist?«

Sie wurde noch kleiner, verschränkte die Hände vor den üppigen rotseidenen Rüschen und senkte den Blick. »Ja, ich habe versagt. Doch ich hoffe, Ihr werdet mir dennoch die Möglichkeit geben, weiterhin für Euch von Nutzen zu sein.«

»Seid Ihr das denn? Mir von Nutzen?«

Der Schreck fuhr ihr durch die Eingeweide. »Aber ja! Ihr findet keine, die Euch tiefer ergeben ist. Ich verehre Euch!«

Er winkte ab. »Ja, ja, spart Euch Eure Treueschwüre. Sie sind nur von Wert, wenn Ihr auch wirklich bereit seid, mir zu dienen.«

»Ich kann nach Irland reisen und sie im Auge behalten.«

Er lachte verächtlich. »Wozu? Damit ihr in Irland nichts zustößt? Das wird nicht nötig sein!«

»Aber das Jahr wird schnell vergehen und dann reisen sie nach Hamburg oder Paris oder nach Wien! Dann kann ich Euch helfen.« Sie hasste das Flehen in ihrer Stimme, das Betteln, das bei anderen stets Verachtung in ihr auslöste.

»Wir werden sehen. Kehrt nun zurück und haltet Euch für den Tag bereit, an dem ich Euch rufe. Für den Augenblick habe ich keine Verwendung mehr für Euch.«

Sie fühlte, wie es hinter ihren Augen brannte. Sie wollte zu ihm eilen, sich ihm zu Füßen werfen und ihn anflehen, sie mitzunehmen, doch sie sammelte den letzten Rest an Beherrschung, den sie noch aufbringen konnte, und versank in einen tiefen Knicks. »Dann erwarte ich freudig Eure Befehle«, hauchte sie und eilte hinaus. Sein Blick glühte wie Sonnenlicht in ihrem Rücken.

ANHANG

Glossar

Akrostichon: Dies ist eine Versform, bei der die Anfangsbuchstaben hintereinander gelesen ein Wort oder einen Satz ergeben.

Baron/Baronesse: Adelstitel, der im deutschen Sprachraum dem Freiherrn entspricht. Die meisten Titel stammen aus dem Baltikum im Zarenreich.

Conte: Italienischer Adelstitel. Entspricht dem deutschen Grafen.

Devotionalien: Religiöse Gegenstände wie Kreuze, Rosenkränze, Heiligenfiguren und Bilder zur Andacht. Meist werden sie billig hergestellt und zu großer Zahl an Wallfahrtsorten verkauft.

Gängeviertel: Arme Wohnquartiere in der Altstadt von Hamburg. Die Häuser waren sehr dicht aneinandergebaut mit vielen Hinterhöfen. Die Gassen waren zu eng für Fuhrwerke, die Wohnungen klein, dunkel und die hygienischen Bedingungen sehr schlecht. Das Gängeviertel auf dem Wandrahm und Kehrwieder wurde zum Bau der Speicherstadt abgerissen. Vierundzwanzigtausend Menschen verloren ihre Wohnung und wurden in Vororte umgesiedelt.

Habit: Kleidung der Mitglieder katholischer Orden. Sie haben verschiedene Farben und bestehen aus unterschiedlichen Einzelteilen wie zum Beispiel einer Tunika, Skapulier (Schulterkleid) und Kukulle mit Kapuze bei den Benediktinern. Das Habit der

Franziskaner ist braun, das der Minoriten schwarz. Das Habit der Dominikaner ist weiß, darüber kommt ein schwarzer Radmantel. Die Ordensfrauen tragen Schleier, dazu ebenfalls eine Tunika mit Gürtel. Manche weibliche Ordensgemeinschaften tragen ebenfalls ein Skapulier über der langärmeligen, weiten Tunika.

Hypogäum: Unterirdischer Tempel aus der vorchristlichen Zeit.

Krinoline: Ab 1830 wurde der Reifrock ein zweites Mal modern und wurde nun Krinoline genannt. Es gab Konstruktionen aus Stoff und Rosshaar und solche mit Fischbein und aufblasbaren Gummischläuchen. Ab 1856 setzte sich die englische Konstruktion mit Stahlbändern durch. Um 1868 hatten Krinolinen eine Saumweite von sechs bis acht Metern!

Lord: Allgemeiner Titel des englischen hohen Adels. Wird für die Anrede von Peers und Baronen gebraucht.

Nymphäum: Nymphenheiligtum, das über einem Brunnen oder einer Quelle errichtet wurde.

Reepschläger: Handwerker, der Seile und Taue (Reepe) auf der Reeperbahn herstellte. Da die Schiffstaue lang und stabil sein mussten, war die Reeperbahn am Hamburger Berg bis zu vierhundert Meter lang. Erst im zwanzigsten Jahrhundert, als sich das Vergnügungsviertel am Spielbudenplatz immer mehr ausdehnte und auf den stillgelegten Reeperbahnen Kneipen und Bordelle entstanden, wurde »die Reeperbahn« zum Inbegriff der »sündigen Meile« Hamburgs.

Ridikül: Kleine Damenhandtasche des späten neunzehnten Jahrhunderts mit langen Trägern, die über der Schulter oder am Handgelenk getragen wurde.

Risorgimento: Politische Bewegung zur Vereinigung der Länder Italiens zu einem Königreich.

Seigneur: Anrede »Herr« für den niederen französischen Adel im Gegensatz zu den Fürsten und Grafen.

Sirene: Weibliches Fabelwesen aus der griechischen Mythologie, das durch seinen betörenden Gesang die vorbeifahrenden Schiffer anlockt, um sie zu töten.

Tirana: Irischer Titel für »Landlord oder Laird«, was Lord und gleichzeitig Land- oder Gutsbesitzer bedeutet. Der Titel »Lord« in England ist nicht an den Landbesitz gebunden.

Tornüre: Ab 1870 wurde der Reifrock von der Tornüre abgelöst. Sie schließt nicht mehr den ganzen Unterleib ein, sondern ist ein Halbgestell aus Stahl, Fischbein beziehungsweise Rosshaar, das den Rock hinten aufbauscht.

Tran: Öl, das durch Erhitzen und Auspressen des Fettgewebes von Walen oder Robben gewonnen wird. Es hat einen unangenehmen Geruch und Geschmack und wurde als Lampenöl und Schmierstoff verwendet.

Vestibül: In der frühen Neuzeit: repräsentativer Eingangsbereich oder Treppenhalle. Im antiken Rom: geschmückter Platz zwischen Straße und Haustür vornehmer Häuser und Paläste.

DICHTUNG UND WAHRHEIT

Die Erben der Nacht ist nicht nur eine fantastische Romanserie über Vampire, es ist auch eine Reise durch das Europa des neunzehnten Jahrhunderts mit seinen Menschen und seiner Geschichte, in der meine Leser in die damalige Welt eintauchen sollen. Mir ist es wichtig, kurze Einblicke in die Politik, die Kunst und den Stand der Wissenschaften mit ihren damals neuen Erfindungen zu geben, sei es nun im Bereich der Medizin, Architektur oder Technik. Es tauchen viele Personen auf, die es wirklich gab. Männer und Frauen der Politik, aber auch Künstler, deren Werke der Musik, der Malerei oder der Literatur uns heute noch prägen. Auch die Orte beschreibe ich so, wie sie zum Ende des neunzehnten Jahrhunderts ausgesehen haben: Hamburg mit seinen Gängevierteln, wo heute im Freihafen die Speicherstadt zu sehen ist, und Rom mit seinen Altertümern, die zu dieser Zeit noch zu großen Teilen verschüttet und von Unkraut überwuchert vor sich hin dämmerten. Auch wenn sich an beiden Orten bis zum heutigen Tag einiges verändert hat, kann man bei einer Reise nach Hamburg und Rom vieles wiederentdecken. Es lohnt sich! Ich bin die Wege selbst gegangen und habe mir jedes beschriebene Gebäude, das heute noch steht, jede Ruine, jeden Friedhof angesehen – und ich war natürlich auch in den Katakomben vor den Toren Roms! Wenn man sich darauf einlässt, dann nimmt einen die Atmosphäre gefangen und führt einen in längst vergangene Epochen.

Lord Byron und die Geburt Frankensteins

Der englische Dichter Lord Byron (1788–1824) war zu seiner Zeit eine schillernde Persönlichkeit, über den die Klatschpresse regelmäßig berichtet hätte – wenn es diese in der heutigen Ausprägung schon gegeben hätte –, denn er war nicht nur ein begnadeter Dichter, er war mit seiner dunklen Schönheit der Traum der jungen Frauen, war ein Dandy und sein Privatleben von skandalösem Klatsch umrankt. Hatte er wirklich ein Liebesverhältnis mit seiner Halbschwester Augusta?

Die prüde Gesellschaft des puritanischen Englands trieb ihn nach Europa. Im Jahr 1816 ließ Lord Byron sich mit drei Freunden in einer Villa am Genfer See nieder. Es waren der Arzt und Schriftsteller John Polidori, der Dichter Percy Bysshe Shelley und Mary Wollstonecraft Godwin, spätere Wollstonecraft Shelley. In den Nächten saßen sie bei Wein und Opium beisammen und sprachen über die Versuche von Wissenschaftlern, toter Materie durch Elektrizität Leben einzuhauchen. Und sie lasen Geistergeschichten. Schließlich schlug Lord Byron vor, jeder solle selbst eine unheimliche Geschichte schreiben. Während die Geschichten von Lord Byron und Shelley nur Fragmente blieben, schuf Mary ihren *Frankenstein*. Mary war übrigens gerade einmal sechzehn Jahre alt, als sie mit Shelley in die Schweiz durchbrannte.

Polidori schrieb *Der Vampyr*, der 1819 anonym erschien und zur Vorlage für viele Theaterstücke und Opern wurde.

Die vier Autoren waren nicht vom Glück gesegnet: Polidori beging mit nur sechsundzwanzig Jahren Selbstmord, Shelley, der sein Leben lang Angst vor dem Ertrinken hatte, kam mit neunundzwanzig Jahren bei einem Schiffsunglück ums Leben, Lord Byron starb mit sechsunddreißig Jahren an einem Fieber. Nur Mary Shelley wurde vierundfünfzig Jahre alt.

Tom Holland machte Lord Byron in seinem Roman *Der Vampir* zum Blutsauger und ließ ihn als Untoten durch die Welt geistern.

Wer mehr über Lord Byron und seine Freunde erfahren möchte, dem empfehle ich Tanja Kinkels Romanbiografie: *Wahnsinn, der das Herz zerfrisst.*

Der größte Opernkomponist – Giuseppe Verdi

Giuseppe Verdi (1813–1901) stammte aus einfachen Verhältnissen. Sein Talent fiel schon früh auf und er kam durch die Unterstützung eines Mäzens ins Gymnasium. Er wurde Organist und Musikdirektor, studierte die Grundlagen der Operngestaltung, Literatur und Politik. Mit 26 komponierte er seine erste Oper *Oberto – Conte Di San Bonifacio,* die mit Erfolg an der Mailänder Scala aufgeführt wurde. Seine nächste Oper *König für einen Tag* wurde allerdings ausgepfiffen. Seine junge Frau und seine Kinder starben. Verdi war zutiefst deprimiert und beschloss, mit dem Komponieren aufzuhören. Erst ein Jahr später konnte ihn der Direktor der Scala überreden, eine weitere Oper zu schaffen. *Nabucco* wurde eine Sensation und Verdi zum Held der italienischen Oper gekürt. Der Gefangenenchor wandelte sich schnell zum politischen Kampflied der von Österreich besetzten Lombardei. Für die Menschen bedeutete die Oper ein Manifest des italienischen Freiheitskampfes gegen alle Fremdherrschaft. Die »Abigaille« der Uraufführung wurde Verdis Lebensgefährtin.

Von nun an schrieb er – wie er selbst sagte – »wie ein Galeerensklave« mehrere Opern hintereinander. Er wollte genug verdienen, um sich wie ein Gentleman auf sein Landgut zurückziehen zu können. Dennoch blieb er der politischen Vereinigungsbewegung Italiens treu und schrieb nach dem Revolutionsjahr 1848 *Die Schlacht von Legano.* Mit seiner Geschichte über den Sieg der lombardischen Städte über Kaiser Friedrich Barbarossa wurde Verdi als »Sänger des Risorgimento« gefeiert. Der Gefangenenchor aus *Nabucco* wurde zur inoffiziellen Nationalhymne.

Als Höhepunkt seines musikalischen Schaffens gelten die Opern *Rigoletto* (1851), *Der Troubadour* (1853) und *Die Kameliendame* (1853). Als literarische Vorlagen dienten ihm Werke von Shakespeare, Victor Hugo, Alexandre Dumas, Schiller, Voltaire und Lord Byron.

Nach der Vereinigung Italiens ließ sich Verdi von Graf Cavour überreden, für die Abgeordnetenkammer zu kandidieren, zog sich aber schon bald wieder zurück und reiste nach Paris, um für die dortige Oper zu arbeiten.

Seine berühmte Oper *Aida* komponierte er auf Wunsch des ägyptischen Vizekönigs Ismail Pascha. Allerdings wurde sie erst 1871 in Kairo uraufgeführt und nicht zur Eröffnung des Suezkanals 1869. Zu diesem Ereignis führte man *Rigoletto* auf.

Von der Politik des Königreichs Italien enttäuscht, zog sich Verdi danach auf sein Landgut zurück und komponierte nur noch wenige Werke.

Bram Stoker – der Vater von Graf Dracula

Bram Stoker (1847–1912) wuchs in Dublin auf. Er war als Kind ständig krank und konnte erst mit acht Jahren stehen und gehen. Danach entwickelte er sich normal, ging auf die Universität in Dublin und war dort sogar Athlet und spielte Fußball. Später wurde er Journalist und Theaterkritiker. Dadurch lernte er Henry Irving kennen, den berühmtesten Shakespeare-Darsteller der damaligen Zeit. Bis zu Irvings Tod war Stoker dessen Manager und Privatsekretär. Irving führte ihn in die Londoner High Society ein, wo er unter anderem Oscar Wilde wiedertraf, der ebenfalls aus Dublin stammte. Beide Männer umschwärmten Florence Balcombe, aber sie entschied sich für Bram Stoker. Bereits in den Siebzigerjahren schrieb Stoker fantastische Erzählungen, seinen großen Durchbruch jedoch hatte er erst mit der Veröffentlichung von *Dracula* im Jahr 1897. Stoker zeigte schon immer Interesse am Okkulten und war Mitglied der Geheimloge »Golden Dawn in the Outer«. Entscheidend für die Entstehung von *Dracula* war seine Bekanntschaft mit dem ungarischen Orientalisten Arminius Vanbéry, der ihm die Geschichte über Fürst Vlad Tepes aus der Walachei erzählte, den Stoker dann zu seinem Vampir Dracula machte. *Dracul* bedeutet im rumänischen »Teufel« und »Drache«. Draculas Vater wurde 1431 von Kaiser Sigismund in den Drachenorden aufgenommen und bekam den Beinamen *Dracul*. Sein Sohn war daher »der kleine Drache« Dracula. Durch seine Grausamkeit wandelte sich die Bedeutung von »Sohn des Drachen« in »Sohn des Teufels.« Bram Stokers Dracula wurde zum Inbegriff aller Vampire, obwohl sich manche seiner Vorstellungen nicht gehalten haben. Sein Vampir kann durchaus auch tagsüber in Erscheinung treten und verbrennt nicht im Sonnenlicht. Allerdings wird er vom Tageslicht geschwächt und erhält erst bei Einbruch der Dunkelheit seine vollen Kräfte zurück.

Ignaz Philipp Semmelweis – ein Durchbruch in der Medizin

Der ungarisch-österreichische Arzt Ignaz Philipp Semmelweis (1818–1865) wird nicht umsonst »Retter der Mütter« genannt. Bis zur Mitte des neunzehnten Jahrhunderts war die Geburt lebensgefährlich für Mutter und Kind – vor allem wenn man sich den Ärzten einer Klinik anvertraute. Semmelweis errechnete in der Wiener Klinik, in der er Assistenzarzt war, eine Sterblichkeitsrate an Kindbettfieber zwischen 12 und 17 Prozent! Eine viel größere Überlebenschance hatten die Gebärenden, wenn sie von einer Hebamme betreut wurden. Semmelweis wollte den Grund herausfinden und untersuchte seine Patientinnen noch gründlicher. Mit dem Ergebnis, dass in seiner Abteilung mehr Mütter als jemals zuvor starben. Die Frauen begannen, sich zu weigern, in seine Abteilung verlegt zu werden. Als sich einer seiner Kollegen bei einer Leichensektion mit dem Skalpell verletzte und in einem dem Kindbettfieber ähnlichen Krankheitsverlauf an einer Blutvergiftung starb, brachte das Semmelweis auf den richtigen Weg: In seiner Abteilung sezierten Studenten die im Kindbett Verstorbenen und untersuchten anschließend mit ungewaschenen Händen die Frauen, die zur Entbindung kamen. Die Hebammenschülerinnen dagegen hatten keinen Kontakt mit den Leichen und führten auch keine vaginalen Untersuchungen durch. Die eigentliche Ursache der Erkrankung, die Infektion durch Übertragung von Bakterien, war zwar noch nicht bekannt, dennoch hatte der Arzt den Zusammenhang erkannt. Semmelweis wies seine Studenten an, sich mit Chlorkalk die Hände zu desinfizieren. Die Sterblichkeitsrate sank auf 2–3 Prozent. Seine Entdeckung zeigte die Mitschuld der Ärzte am Tod viele Mütter. Viele wollten das nicht wahrhaben und Semmelweis wurde von Kollegen angefeindet. Die Studenten hielten die Hygienevorschriften für überflüssig, und die Ärzte wollten nicht zugeben, dass sie oft die Krankheiten verursachten, die sie heilen wollten. Durch eine Intrige seines Chefs war Semmelweis sogar gezwungen, die Klinik in Wien zu verlassen und nach Ungarn zu gehen.

Semmelweis wurde 1855 Professor für Geburtshilfe an der Universität in Pest und fasste seine Erkenntnisse über Kindbettfieber in einem Buch zusammen, doch noch immer fand er bei den Kollegen keine Anerkennung. Hygiene schien den Ärzten nur Zeitverschwendung. Semmelweis wurde psychisch krank, doch er war nicht geisteskrank. Dennoch wiesen ihn drei Kollegen ohne Diagnose in die Irrenanstalt Döbling bei Wien ein, nachdem er in einem Brief an die Ärzteschaft gedroht hatte, die geburtshelfenden Ärzte als Mörder anzuprangern. Bereits zwei Wochen nach seiner Einweisung starb Semmelweis – an einer Blutvergiftung, die er sich durch eine kleine Wunde bei einer Auseinandersetzung mit dem Klinikpersonal zugezogen hatte!

Papst Pius IX.

Der Grafensohn Giovanni Maria Mastai-Ferretti (1792–1878) war Papst Pius IX.

Einunddreißig Jahre und acht Monate saß er auf dem Stuhl Petri und hatte somit das längste historisch nachgewiesene Pontifikat inne – und das ganz ohne Magie!

1846 wurde er überraschend von der Konklave zum Papst gewählt. Er war der letzte Papa Re, Papst-König, der neben dem kirchlichen Petrusamt auch die weltliche Herrschaft über den Kirchenstaat ausübte – zumindest für ein paar Jahre, bis Rom und der Kirchenstaat erobert und das Königreich Italien gegründet wurde.

Nach seiner Wahl führte Pius IX. einige Reformen durch, wandte sich aber gegen den Republikanismus und nach anfänglicher Sympathie auch gegen die Einigungsbewegung. Als im Kirchenstaat wie in vielen Orten Europas im Jahr 1848 die Revolution ausbrach, floh er mit seinen Kardinälen an die Küste Neapel-Siziliens. Für ein paar Monate wurde in Rom eine Republik unter der Mitwirkung des radikaldemokratischen Revolutionärs Giuseppe Mazzini ausgerufen, doch bereits Mitte 1849 rückten französische und spanische Truppen in Rom ein und beendeten das republikanische Zwischenspiel. Pius IX. kehrte nach Rom zurück. Als 1870 die preußisch-französische Schutztruppe aus Rom abzog, nahmen die Truppen des neuen Italiens die Stadt ein und lösten den Kirchenstaat auf. Der Papst zog sich in den Vatikanpalast zurück. Nur in dem Vatikankomplex um den Petersdom und dem Palast, dem Lateran und der Sommerresidenz Castel Gandolfo wurde die Oberhoheit des Papstes weiterhin geduldet. Erst 1929 gab der italienische Staat dem Papst in diesen Gebieten offiziell seine staatliche Souveränität zurück.

Der Papst lehnte den italienischen Staat mit seinem Monarchen und dem Parlament sein Leben lang ab und bezeichnete sich als »Gefangener im Vatikan«.

Sein Protest kommt in der Enzyklika *Ubi nos* (1871) zum Ausdruck, in der er die Religionsfreiheit verurteilt und sich gegen die Trennung von Kirche und Staat ausspricht. Er stellte sich damit gegen die zunehmende Säkularisierung in Europa.

Wichtige Schritte waren das Erste Vatikanische Konzil mit der Verkündung der »päpstlichen Unfehlbarkeit bei Verkündung eines Dogmas« und das Dogma der »unbefleckten Empfängnis«.

Die Verkündung der Unfehlbarkeit des Papstes führte in Deutschland zur Abspaltung der sogenannten Altkatholiken. Bismarck benutzte die Worte des Papstes als Rechtfertigung für seinen Kulturkampf gegen die Katholiken, bei dem diese nicht nur diskriminiert wurden; viele katholische Würdenträger wurden verhaftet oder aus Deutschland vertrieben.

Im Februar 1878 starb Pius IX., nur wenige Tage nach dem ersten König des vereinten Italiens Vittorio Emanuele II. Pius IX. wurde im Jahr 2000 von Johannes Paul II. seliggesprochen.

DANKSAGUNG

Vampire faszinieren mich! Das war schon immer so. Mein erster literarischer Vampir hieß Peter von Borgo und ich ließ ihn unter meinem Pseudonym Rike Speemann seit 2002 in Hamburg sein Unwesen treiben. Doch schon kurze Zeit später kam mir die Idee zu einer großen Vampir-Jugendbuchserie. Ich begann, sie auszufeilen, stieß aber bei den Verlagen nicht auf Begeisterung. Vampire? Die Zeit war noch nicht reif. Aber ich habe nicht aufgegeben und versuchte es nach meinem Wechsel zu cbj noch einmal. Und nun scheint das Zeitalter der Vampire endlich angebrochen zu sein.

Ich danke meinem Verlagsleiter Jürgen Weidenbach, meiner Programmleiterin Susanne Krebs und meiner Lektorin Susanne Evans, dass sie sich von meiner Begeisterung haben anstecken lassen und die Vampire nun losgelassen werden!

Herzlichen Dank auch an meinen Agenten Thomas Montasser, der schon lange Blut geleckt hat und nicht zuließ, dass ich meine Idee aufgab. Er und mein Mann Peter Speemann waren meine ersten kritischen Leser, die mir noch ein paar wertvolle Hinweise gegeben haben. Ganz lieben Dank!

Während der Recherchen fand ich in Hamburg wieder einmal liebevolle Rundumbetreuung durch Carl Krüger und meine Kolleginnen Wiebke Lorenz und Sybille Schrödter.

In Rom empfing mich Andrea Hocke. Danke für ihre wunderbare Führung durch Rom! Dank auch an Cristiana Pazienti und Ufficio Promozione, die mir meine letzten offenen Fragen über Rom und seine Geschichte beantworteten und mir den entscheidenden Hinweis gaben, sodass ich doch noch in den Genuss kam, Teile der Domus Aurea besichtigen zu dürfen. Und dann gab es noch die unzähligen Menschen in Buchgeschäften und Museen, in Kirchen und an den Kassen der Sehenswürdigkeiten, die mir stets geduldig und liebenswürdig weitergeholfen haben. Herzlichen Dank!

Ulrike Schweikert
Die Maske der Verräter

480 Seiten ISBN 978-3-570-12967-8

Würzburg im Jahr 1453: Zu später Stunde preschen drei maskierte Reiter in höchster Eile in die Schmiede von Meister Buchner. Ein Mordanschlag wird geplant. Der Lehrling Jos gerät in eine lebensgefährliche Verschwörung, als er zufällig die Unterredung der drei belauscht. Doch wem gilt der Anschlag? Und was haben der unheimliche Henker der Stadt und seine schöne junge Frau Rebecca mit den Morden zu tun?

6233

cbj

www.cbj-verlag.de